# BRÜDER GRIMM
# DEUTSCHE SAGEN

# BRÜDER GRIMM
# DEUTSCHE SAGEN

VOLLSTÄNDIGE AUSGABE
MIT ILLUSTRATIONEN
VON OTTO UBBELOHDE

© 2014 Nikol Verlagsgesellschaft mbH & Co. KG,
Hamburg

Alle Rechte, auch das der fotomechanischen Wiedergabe
(einschließlich Fotokopie) oder der Speicherung auf
elektronischen Systemen, vorbehalten.
All rights reserved.

Satz & Layout: Nikol Verlag, Hamburg
Titelabbildung: akg-images, Berlin
Umschlag: Timon Schlichenmaier, Hamburg
Druck: CPI Moravia Books s.r.o.
Printed in the Czech Republic
ISBN: 978-3-86820-245-8

**www.nikol-verlag.de**

*Unserm Bruder*
*Ludwig Emil Grimm*
*Aus herzlicher Liebe*
*Zugeeignet*

# Vorrede zum ersten Band

*1. Wesen der Sage*

Es wird dem Menschen von Heimats wegen ein guter Engel beigegeben, der ihn, wenn er ins Leben auszieht, unter der vertraulichen Gestalt eines Mitwandernden begleitet; wer nicht ahnt, was ihm Gutes dadurch widerfährt, der mag es fühlen, wenn er die Grenze des Vaterlandes überschreitet, wo ihn jener verläßt. Diese wohltätige Begleitung ist das unerschöpfliche Gut der Märchen, Sagen und Geschichten, welche nebeneinander stehen und uns nacheinander die Vorzeit als einen frischen und belebenden Geist nahezubringen streben. Jedes hat seinen eigenen Kreis. Das Märchen ist poetischer, die Sage historischer; jenes stehet beinahe nur in sich selber fest, in seiner angeborenen Blüte und Vollendung; die Sage, von einer geringern Mannigfaltigkeit der Farbe, hat noch das Besondere, daß sie an etwas Bekanntem und Bewußtem hafte, an einem Ort oder einem durch die Geschichte gesicherten Namen. Aus dieser ihrer Gebundenheit folgt, daß sie nicht, gleich dem Märchen, überall zu Hause sein könne, sondern irgendeine Bedingung voraussetze, ohne welche sie bald gar nicht da, bald nur unvollkommener vorhanden sein würde. Kaum ein Flecken wird sich in ganz Deutschland finden, wo es nicht ausführliche Märchen zu hören gäbe, manche, an denen die Volkssagen bloß dünn und sparsam gesät zu sein pflegen. Diese anscheinende Dürftigkeit und Unbedeutendheit zugegeben, sind sie dafür innerlich auch weit eigentümlicher; sie gleichen den Mundarten der Sprache, in denen hin und wieder sonderbare Wörter und Bilder aus uralten Zeiten hängengeblieben sind, während die Märchen ein ganzes Stück alter Dichtung sozusagen in einem Zuge zu uns übersetzen. Merkwürdig stimmen auch die erzählenden Volkslieder entschieden mehr zu den Sagen wie zu den Märchen, die wiederum in ihrem Inhalt die Anlage der frühesten Poesien reiner und kräftiger bewahrt haben, als es sogar die übriggebliebenen größeren Lieder der Vorzeit konnten. Hieraus ergibt sich ohne alle Schwierigkeit, wie es kommt, daß fast nur allein die Märchen Teile der urdeutschen Heldensage erhalten haben, ohne Namen (außer wo diese allgemein und in sich selbst bedeutend wurden, wie der des alten Hildebrand), während in den Liedern und Sagen unseres Volks so viele einzelne, beinahe trockene Namen, Örter und Sitten aus der ältesten Zeit festhaften. Die Märchen also sind teils durch ihre äußere Verbreitung, teils ihr inneres Wesen dazu bestimmt, den reinen Gedanken einer kindlichen Weltbetrachtung zu fassen, sie nähren unmittelbar, wie die Milch, mild und lieblich, oder der Honig, süß und sättigend, ohne irdische Schwere; dahingegen die Sagen schon zu einer stärkeren Speise dienen, eine einfachere, aber desto entschiedenere Farbe tragen und mehr Ernst und Nachdenken fordern. Über den Vorzug beider zu streiten wäre ungeschickt; auch soll durch diese Darlegung ihrer Verschiedenheit weder ihr Gemeinschaftliches übersehen, noch geleugnet werden, daß sie in unendlichen Mischungen und Wendungen ineinandergreifen und sich mehr oder weniger ähnlich werden. Der Geschichte stellen sich beide, das Märchen und die Sage, gegenüber, insofern sie das sinnlich Natürliche und Begreifliche stets mit dem Unbegreiflichen mischen, welches jene, wie sie unserer Bildung angemessen scheint, nicht mehr in der Darstellung selbst verträgt, sondern es auf ihre eigene Weise in der Betrachtung des Ganzen neu hervorzusuchen und zu ehren weiß. Die Kinder glauben an die Wirklichkeit der Märchen, aber auch das Volk hat noch nicht ganz aufgehört, an seine Sagen zu glauben, und sein Verstand sondert nicht viel darin; sie werden ihm aus den angegebenen Unterlagen genug bewiesen, das heißt, das unleugbar nahe und sichtliche Dasein der letzteren überwiegt noch den Zweifel über das damit verknüpfte Wunder. Diese Eingenossenschaft der Sage ist folglich gerade ihr rechtes Zeichen. Daher auch von dem, was wirkliche Geschichte heißt (und einmal hinter einen gewissen Kreis der Gegenwart und des von jedem Geschlecht Durchlebten tritt), dem Volk eigentlich nichts zugebracht werden kann, als was sich ihm auf dem Wege der Sage vermittelt; einer in Zeit und Raum zu entrückten Begebenheit, der dieses Erfordernis abgeht, bleibt es fremd oder läßt sie bald wieder fallen. Wie unverbrüchlich sehen wir es dagegen an seinen eingeerbten und hergebrachten Sagen haften, die ihm in rechter Ferne nachrücken und sich an alle seine vertrautesten Begriffe schließen. Niemals können sie ihm langweilig werden, weil sie ihm kein eitles Spiel, das man einmal wieder fahrenläßt, sondern eine Notwendigkeit scheinen, die mit ins Haus gehört, sich von selbst versteht und nicht anders als mit einer gewissen, zu allen rechtschaffenen Dingen nötigen Andacht, bei dem rechten Anlaß, zur Sprache kommt. Jene stete Bewegung und dabei immerfortige Sicherheit der Volkssagen stellt sich, wenn wir es deutlich erwägen, als eine der trostreichsten und erquickendsten Gaben Gottes dar. Um alles menschlichen Sinnen Ungewöhnliche, was die Natur eines Landstrichs besitzt oder wessen ihn die Geschichte gemahnt, sammelt sich ein Duft von Sage und Lied, wie sich die Ferne des Himmels blau anläßt und zarter, feiner Staub um Obst und Blumen setzt. Aus dem Zusammenleben und Zusammenwohnen mit Felsen, Seen, Trümmern, Bäumen, Pflanzen entspringt bald eine Art von Verbindung, die sich auf die Eigentümlichkeit jedes dieser Gegenstände gründet und zu gewissen Stunden ihre Wunder zu vernehmen berechtigt ist. Wie mächtig das dadurch entstehende Band sei, zeigt an natürlichen Menschen jenes herzzerreißende Heimweh. Ohne diese sie begleitende Poesie müßten edle Völker vertrauern und vergehen; Sprache, Sitte und Gewohnheit würde ihnen eitel und unbedeckt dünken, ja hinter allem, was sie besäßen, eine gewisse Einfriedung fehlen. Auf solche Weise verstehen wir das Wesen und die Tugend der deutschen Volkssage, welche Angst und Warnung vor dem Bösen und Freude an dem Guten mit gleichen Händen austeilt. Noch geht sie an Orte und Stellen, die unsere Geschichte längst nicht mehr erreichen kann, vielmehr aber fließen sie beide zusammen und untereinander; nur daß man zuweilen die an sich untrennbar gewordene Sage, wie in Strömen das aufgenommene grünere Wasser eines anderen Flusses, noch lange zu erkennen vermag.

## 2. Treue der Sammlung

Das erste, was wir bei Sammlung der Sagen nicht aus den Augen gelassen haben, ist Treue und Wahrheit. Als ein Hauptstück aller Geschichte hat man diese noch stets betrachtet; wir fordern sie aber ebensogut auch für die Poesie und erkennen sie in der wahren Poesie ebenso rein. Die Lüge ist falsch und böse; was aus ihr herkommt, muß es auch sein. In den Sagen und Liedern des Volks haben wir noch keine gefunden: es läßt ihren Inhalt, wie er ist und wie es ihn weiß; dawider, daß manches abfalle in der Länge der Zeit, wie einzelne Zweige und Äste an sonst gesunden Bäumen vertrocknen, hat sich die Natur auch hier durch ewige und von selbst wirkende Erneuerungen sichergestellt. Den Grund und Gang eines Gedichts überhaupt kann keine Menschenhand erdichten; mit derselben fruchtlosen Kraft würde man Sprachen, und wären es kleine Wörtchen darin, ersinnen, ein Recht oder eine Sitte alsbald neu aufbringen oder eine unwirkliche Tat in die Geschichte hinstellen wollen. Gedichtet kann daher nur werden, was der Dichter mit Wahrheit in seiner Seele empfunden und erlebt hat und wozu ihm die Sprache halb bewußt, halb unbewußt auch die Worte offenbaren wird; woran aber die einsam dichtenden Menschen leicht, ja fast immer verstoßen, nämlich an dem richtigen Maß aller Dinge, das ist der Volksdichtung schon von selbst eingegeben. Überfeine Speisen widerstehen dem Volk, und für unpoetisch muß es gelten, weil es sich seiner stillen Poesie glücklicherweise gar nicht bewußt wird; die ungenügsamen Gebildeten haben dafür nicht bloß die wirkliche Geschichte, sondern auch das gleich unverletzliche Gut der Sage mit Unwahrheiten zu vermengen, zu überfüllen und zu überbieten getrachtet. Dennoch ist der Reiz der unbeugsamen

Wahrheit unendlich stärker und dauernder als alle Gespinste, weil er nirgends Blößen gibt und die rechte Kühnheit hat. In diesen Volkssagen steckt auch eine so rege Gewalt der Überraschung, vor welcher die überspannteste Kraft der aus sich bloß schöpfenden Einbildung zuletzt immer zuschanden wird, und bei einer Vergleichung beider würde sich ein Unterschied dargeben wie zwischen einer geradezu ersonnenen Pflanze und einer neu aufgefundenen wirklichen, bisher von den Naturforschern noch unbeobachteten, welche die seltsamsten Ränder, Blüten und Staubfäden gleich aus ihrem Innern zu rechtfertigen weiß oder in ihnen plötzlich etwas bestätigt, was schon in andern Gewächsen wahrgenommen worden ist. Ähnliche Vergleichungen bieten die einzelnen Sagen untereinander sowie mit solchen, die uns alte Schriftsteller aufbewahrt haben, in Überfluß dar. Darum darf ihr Innerstes bis ins kleinste nicht verletzt und darum müssen Sachen und Tatumstände lügenlos gesammelt werden. An die Worte war sich, soviel tunlich, zu halten, nicht an ihnen zu kleben.

### 3. Mannigfaltigkeit der Sammlung

Das zweite, eigentlich schon im ersten mitbegriffene Hauptstück, worauf es bei einer Sammlung von Volkssagen anzukommen scheint, besteht darin, daß man auch ihre Mannigfaltigkeit und Eigentümlichkeit sich recht gewähren lasse. Denn darauf eben beruht ihre Tiefe und Breite, und daraus allein wird ihre Natur zu erforschen sein. Im Epos, Volkslied und der ganzen Sprache zeigt sich das gleiche wieder; bald haben jene den ganzen Satz miteinander gemein, bald einzelne Zeilen, Redensarten, Ausdrücke; bald hebt, bald schließt es anders und bahnt sich nur neue Mittel und Übergänge. Die Ähnlichkeit mag noch so groß sein, keins wird dem andern gleich; hier ist es voll und ausgewachsen, dort steht es ärmer und dürftiger. Allein diese Armut, weil sie schuldfrei, hat in der Besonderheit fast jedesmal ihre Vergütung und wird eine Armutseligkeit. Sehen wir die Sprache näher an, so stuft sie sich ewig und unendlich in unermeßlichen Folgen und Reihen ab, indem sie uns ausgegangene neben fortblühenden Wurzeln, zusammengesetzte und vereinfachte Wörter und solche, die sich neu bestimmen oder irgendeinem verwandten Sinn gemäß weiter ausweichen, zeigt; ja, es kann diese Beweglichkeit bis in den Ton und Fall der Silben und die einzelnen Laute verfolgt werden. Welches unter dem Verschiedenen nun das Bessere sei und mehr zur Sache gehöre, das ist kaum zu sagen, wo nicht ganz unmöglich und sündlich, sofern wir nicht vergessen wollen, daß der Grund, woraus sie alle zusammen entsprungen, die göttliche Quelle, an Maß unerhört, an Ausstrahlung unendlich, selber war. Und weil das Sonnenlicht über groß und klein scheint und jedem hilft, soweit es sein soll, bestehen Stärke und Schwäche, Keime, Knospen, Trümmer und Verfall neben- und durcheinander. Darum tut es nichts, daß man in unserm Buch Ähnlichkeiten und Wiederholungen finden wird; denn die Ansicht, daß das verschiedene Unvollständige aus einem Vollständigen sich aufgelöst, ist uns höchst verwerflich vorgekommen, weil jenes Vollkommene nichts Irdisches sein könnte, sondern Gott selber, in den alles zurückfließt, sein müßte. Hätten wir also dieser ähnlichen Sagen nicht geschont, so wäre auch ihre Besonderheit und ihr Leben nicht zu retten gewesen. Noch viel weniger haben wir arme Sagen reich machen mögen, weder aus einer Zusammenfügung mehrerer kleiner, wobei zur Not der Stoff geblieben, Zuschnitt und Färbung aber verlorengegangen wäre, noch gar durch unerlaubte, fremde Zutaten, die mit nichts zu beschönigen sind und denen der unerforschliche Gedanke des Ganzen, aus dem jene Bruchstücke übrig waren, notwendig fremd sein mußte. Ein Lesebuch soll unsere Sammlung gar nicht werden, in dem Sinn, daß man alles, was sie enthält, hintereinander auszulesen hätte. Jedwede Sage steht vielmehr geschlossen für sich da und hat mit der vorausgehenden und nachfolgenden eigentlich nichts zu tun; wer sich darunter aussucht, wird sich schon begnügen und vergnügen. Übrigens braucht, sosehr wir uns bemühten, alles lebendig Verschiedene zu behüten, kaum erinnert zu werden, daß die bloße Ergänzung einer und derselben Sage aus mehrern Erzählungen, das heißt die Beseitigung aller nichtsbedeutenden Abweichungen, einem ziemlich untrüglichen kritischen Gefühl, das sich von selbst einfindet, überlassen worden ist.

### 4. Anordnung der Sammlung

Auch bei Anordnung der einzelnen Sagen haben wir am liebsten der Spur der Natur folgen wollen, die nirgends steife und offenliegende Grenzen absteckt. In der Poesie gibt es nur einige allgemeine Abteilungen, alle andern sind unrecht und zwängen, allein selbst jene großen haben noch ihre Berührung und greifen ineinander über. Der Unterschied zwischen Geschichte, Sage und Märchen gehört nun offenbar zu den erlaubten und nicht zu versäumenden; dennoch gibt es Punkte, wo nicht zu bestimmen ist, welches von dreien vorliege, wie zum Beispiel Frau Holla in den Sagen und Märchen auftritt oder sich ein sagenhafter Umstand auch einmal geschichtlich zugetragen haben kann. In den Sagen selbst ist nur noch ein Unterschied, nach dem eine äußerliche Sammlung zu fragen hätte, anerkannt worden; der nämlich, wonach wir die mehr geschichtlich gebundenen von den mehr örtlich gebundenen trennen und jene für den zweiten Teil des Werks zurücklegen. Die Ortssagen aber hätten wiederum nach den Gegenden, Zeiten oder dem Inhalt abgeteilt werden mögen. Eine örtliche Anordnung würde allerdings gewisse landschaftliche Sagenreihen gebildet und dadurch hin und wieder auf den Zug, den manche Art Sagen genommen, gewiesen haben. Allein es ist klar, daß man sich dabei am wenigsten an die heutigen Teilungen Deutschlands, denen zufolge zum Beispiel Meißen Sachsen, ein großer Teil des wahren Sachsens aber Hannover genannt, im kleinen, einzelnen noch viel mehr untereinander gemengt wird, hätte halten dürfen. War also eine andere Einteilung, nicht nach Gebirgen und Flüssen, sondern nach der eigentlichen Richtung und Lage der deutschen Völkerstämme, unbekümmert um unsere politischen Grenzen, aufzustellen, so ist hierzu so wenig Sicheres und Gutes vorgearbeitet, daß gerade eine sorgsamere Prüfung der aus gleichem Grund verschmähten und versäumten Mundarten und Sagen des Volks erst muß dazu den Weg bahnen helfen. Was folglich aus der Untersuchung derselben künftig einmal mit herausgehen dürfte, kann vorläufig jetzt noch gar nicht ihre Einrichtung bestimmen. Ferner: Im allgemeinen einigen Sagen vor den andern höheres Alter zuzuschreiben möchte großen Schwierigkeiten unterworfen und meistens nur ein mißverständlicher Ausdruck sein, weil sie sich unaufhörlich wiedergebären. Die Zwerg- und Hünensagen haben einen gewissen heidnischen Anstrich voraus, aber in den so häufigen von den Teufelsbauten brauchte man bloß das Wort Teufel mit Thurst oder Riese zu tauschen oder ein andermal bei dem Weibernamen Jette sich nur der alten Jöten (Hünen) gleich zu erinnern, um auch solchen Erzählungen ein Ansehen zu leihen, das also noch in andern Dingen außer den Namen liegt. Die Sagen von Hexen und Gespenstern könnte man insofern die neuesten nennen, als sie sich am öftesten erneuern, auch, örtlich betrachtet, am lockersten stehen; inzwischen sind sie im Grund vielmehr nur die unvertilglichsten, wegen ihrer stetigen Beziehung auf den Menschen und seine Handlungen, worin aber kein Beweis ihrer Neuheit liegt. Es bewiese lediglich, daß sie auch alle anderen überdauern werden, weil die abergläubische Neigung unseres Gemüts mehr Gutes und Böses von Hexen und Zauberern erwartet als von Zwergen und Riesen; weshalb merkwürdigerweise gerade jene Sagen sich beinahe allein noch aus dem Volk Eingang unter die Gebildeten machen. Diese Beispiele zeigen hinlänglich, wie untunlich es gewesen wäre, nach dergleichen Rücksichten einzelne Sagen chronologisch zu ordnen, zudem fast in jeder die verschiedensten Elemente lebendig ineinander verwachsen sind, welche demnächst erst eine fortschreitende Untersuchung, die nicht einmal bei der Scheidung einzelner Sagen stehenbleiben darf, sondern selbst aus diesen wiederum Kleineres heraussuchen muß, in das wahre Licht setzen könnte. Letzterer Grund entscheidet endlich auch ganz gegen eine Anordnung nach dem Inhalt, indem man zum Beispiel alle Zwergsagen oder die von versunkenen Gegenden und so weiter unter eigene Abschnitte faßte. Offenbar würden bloß die wenigsten einen einzigen dieser Gegenstände befassen, da vielmehr in jeder mannigfaltige Verwandtschaften und Berührungen mit andern anschlagen. Daher uns bei weitem diejenige Anreihung der Sagen am natürlichsten und vorteilhaftesten geschienen hat, welche, überall mit nötiger Freiheit und ohne viel herumzusuchen, unvermerkt auf einige solcher geheim und seltsam waltenden Übergänge führt. Dieses ist auch der notwendig noch überall lückenhaften Beschaffenheit der Sammlung angemessen. Häufig wird man also in der folgenden eine deutliche oder leise Anspielung auf die vorhergehende Sage finden; äußerlich ähnliche stehen oft beisammen, oft hören sie auf, um bei verschiedenem Anlaß anderswo im Buch von neuem anzuheben. Unbedenklich hätten also noch viele andere Ordnungen derselben Erzählungen, die wir hier mitteilen, insofern man weitere Beziehungen berücksichtigen wollte, versucht werden können, alle aber würden doch nur geringe Beispiele der unerschöpflichen Triebe geben, nach denen sich Sage aus Sage und Zug aus Zug in dem Wachstum der Natur gestaltet.

### 5. Erklärende Anmerkungen

Einen Anhang von Anmerkungen, wie wir zu den beiden Bänden der Kinder- und Hausmärchen geliefert, haben wir dieses Mal völlig weggelassen, weil uns der Raum zu sehr beschränkt hätte und erst durch die äußere Beendigung unserer Sammlung eine Menge von Beziehungen bequem und erleichtert werden wird. Eine vollständige Abhandlung der deutschen Sagenpoesie, soviel sie in unsern Kräften steht, bleibt also einer eigenen

Schrift vorbehalten, worin wir umfassende Übersichten des Ganzen nicht bloß in jenen dreien Einteilungen nach Ort, Zeit und Inhalt, sondern noch in anderen versuchen wollen.

## 6. Quellen der Sammlung

Diese Sammlung hatten wir nun schon vor etwa zehn Jahren angelegt (man sehe Zeitung für Einsiedler oder Trösteinsamkeit, Heidelberg 1808, Nr. 19 und 20), seitdem unablässig gesorgt, um für sie sowohl schriftliche Quellen in manchen allmählich selten werdenden Büchern des XVI. und XVII. Jahrhunderts fleißig zu nutzen und auszuziehen, als auch vor allen Dingen mündliche, lebendige Erzählungen zu erlangen. Unter den geschriebenen Quellen waren uns die Arbeiten des Johannes Prätorius weit die bedeutendsten. Er schrieb in der zweiten Hälfte des XVII. Jahrhunderts und verband mit geschmackloser, aber scharfsichtiger Gelehrsamkeit Sinn für Sage und Aberglauben, der ihn antrieb, beide unmittelbar aus dem bürgerlichen Leben selbst zu schöpfen, und ohne welchen, was er gewiß nicht ahnte, seine zahlreichen Schriften der Nachwelt unwert und unfruchtbar scheinen würden. Ihm dankt sie zumal die Kenntnis und Beziehung mannigfacher Sagen, welche den Lauf der Saale entlang und an den Ufern der Elbe, bis wo sich jene in diese ausmündet, im Magdeburgischen und in der Altmark bei dem Volke gehen.

Den Prätorius haben Spätere, oft ohne ihn zu nennen, ausgeschrieben, selten durch eigene mündliche Zusammlung sich ein gleiches Verdienst zu erwerben gewußt. In den langen Zeitraum zwischen ihm und der Otmarischen Sammlung (1800) fällt kein einzig Buch von Belang für deutsche Sagen, abgesehen von bloßen Einzelheiten. Indessen hatten kurz davor Musäus und Frau Naubert in ihren Verarbeitungen einiger echter Grundsagen aus Schriften, sowie teilweise aus mündlicher Überlieferung, die Neigung darauf hingezogen, wenigstens hingewiesen. In Absicht auf Treue und Frische verdient Otmars Sammlung der

Harzsagen so viel Lob, daß dieses den Tadel der hin und wieder aufgesetzten unnötigen Bräme und Stilverzierung zudeckt. Viele sind aber auch selbst den Worten nach untadelhaft, und man darf ihnen trauen. Seitdem hat sich die Sache zwar immer mehr geregt und ist auch zuweilen wirklich gefördert, im ganzen jedoch nichts Bedeutendes gesammelt worden, außer ganz neuerlich (1815) ein Dutzend Schweizer Sagen von Wyß. Ihr Herausgeber hat sie geschickt und gewandt in größere Gedichte versponnen; wir erkennen neben dem Talent, was er darin bewiesen, doch eine Trübung trefflicher einfacher Poesie, die keines Behelfs bedarf und welche wir unserm Sinn gemäß aus der Einkleidung wieder in die nackende Wahrheit einzulösen getrachtet haben, darin auch durch die zugefügt gewesenen Anmerkungen besonders erleichtert waren. Dieses, sowie daß wir aus der Otmarischen Sammlung etwa ebensoviel oder einige mehr aufgenommen, war für unsern Zweck und den uns seinethalben vorschwebenden Grad von Vollständigkeit unentbehrlich; teils hatten wir manche noch aus andern Quellen zu vergleichen, zu berichtigen und in den einfachen Stil zurückzuführen. Es sind außerdem noch zwei andere neue Sammlungen deutscher Volkssagen anzuführen, von Büsching (1812) und Gottschalk (1814), deren die erste sich auch auf auswärtige Sagen, sodann einheimische Märchen, Legenden und Lieder, selbst Vermutungen über Sagen, wie Spangenbergs, mit erstreckt, also ein sehr ausgedehntes, unbestimmtes Feld hat. Beide zusammen verdanken mündlicher Quelle nicht über zwölf bisher ungekannte deutsche Sagen, welche wir indessen aufgenommen haben würden, wenn nicht jede dieser Sammlungen selbst noch im Gang wäre und eigene Fortsetzungen versprochen hätte. Wir haben ihnen also nichts davon angerührt, übrigens, wo wir dieselben schriftlichen Sagen längst schon aus denselben oder verschiedenen Quellen ausgeschrieben hatten, unsre Auszüge darum nicht hintanlegen wollen; denn nach aufrichtiger Überlegung fanden wir, daß wir umsichtiger und reiflicher gesammelt hatten. Beide geben auch vermischt mit den örtlichen Sagen die geschichtlichen, deren wir mehrere Hunderte für den nächsten Teil aufbehalten. Wir denken keine fremde Arbeit zu irren oder zu stören, sondern wünschen ihnen glücklichen Fortgang, der Gottschalkischen insbesondere mehr Kritik zur Ausscheidung des Verblümten und der Falschmünze. Die Dobeneckische Abhandlung endlich von dem Volksglauben des Mittelalters (1815) breitet sich teils über ganz Europa, teils schränkt sie sich wieder auf das sogenannt Abergläubische und sonst in anderer Absicht zu ihrem Schaden ein; man kann sagen: sie ist eine mehr sinnvolle als reife, durchgearbeitete Ansicht der Volkspoesie und eigentlich Sammlung bloß nebenbei, weshalb wir auch einige Auszüge aus Prätorius, wo wir zusammentrafen, nicht ausgelassen haben; sie wird inzwischen dem Studium dieser Dichtungen zur Erregung und Empfehlung gereichen. Ausdrücklich ist hier noch zu bemerken, daß wir vorsätzlich die vielfachen Sagen von Rübezahl, die sich füglich zu einer besonderen Sammlung eignen, sowie mehrere Rheinsagen auf die erhaltene Nachricht, Voigt wolle solche zu Frankfurt in diesem Jahr erscheinen lassen, zurücklegen.

## 7. *Zweck und Wunsch*

Wir empfehlen unser Buch den Liebhabern deutscher Poesie, Geschichte und Sprache und hoffen, es werde ihnen allen, schon als lautere deutsche Kost, willkommen sein, im festen Glauben, daß nichts mehr auferbaue und größere Freude bei sich habe als das Vaterländische. Ja, eine bedeutungslos sich anlassende Entdeckung und Bemühung in unserer einheimischen Wissenschaft kann leicht am Ende mehr Frucht bringen als die blendendste Bekanntwerdung und Anbauung des Fremden, weil alles Eingebrachte zugleich auch doch etwas Unsicheres an sich trägt, sich gern versteigt und nicht so warm zu umfassen ist. Es schien uns nunmehr Zeit, hervorzutreten, und unsere Sammlung zu dem Grad von Vollständigkeit und Mannigfaltigkeit gediehen zu sein, der ihre unvermeidlichen Mängel hinreichend entschuldigen könne und in unsern Lesern das Vertrauen erwecke, daß und inwiefern wir ihre Beihilfe zur Vervollkommnung des Werkes brauchen und nicht mißbrauchen werden. Aller Anfang ist schwer; wir fühlen, daß uns eine große Menge von deutschen Sagen gänzlich fehlt und daß ein Teil der hier gegebenen genauer und besser noch aus dem Mund des Volks zu gewinnen ist; manches in Reisebeschreibungen des vorigen Jahrhunderts Zerstreute mag gleichfalls mangeln. Die Erfahrung beweist, daß auf Briefe und Schreiben um zu sammelnde Beiträge wenig oder nichts erfolge, bevor durch ein Muster von Sammlung selbst deutlich geworden sein kann, auf welche verachtete und scheinlose Dinge es hierbei ankommt. Aber das Geschäft des Sammelns, sobald es einer ernstlich tun will, verlohnt sich bald der Mühe, und das Finden reicht noch am nächsten an jene unschuldige Lust der Kindheit, wenn sie in Moos und Gebüsch ein brütendes Vöglein auf seinem Nest überrascht; es ist auch hier bei den Sagen ein leises Aufheben der Blätter und behutsames Wegbiegen der Zweige, um das Volk nicht zu stören und um verstohlen in die seltsam, aber bescheiden in sich geschmiegte, nach Laub, Wiesengras und frischgefallenem Regen riechende Natur blicken zu können. Für jede Mitteilung in diesem Sinn werden wir dankbar sein und danken hiermit öffentlich unserm Bruder Ferdinand Grimm und unsern Freunden August von Haxthausen und Carove, daß sie uns schon fleißig unterstützt haben.

Kassel, am 14. März 1816

# Vorrede zum zweiten Band

Eine Zusammenstellung der deutschen Sagen, welche vorliegenden Band ausmachen und sich unmittelbar an die wirkliche Geschichte schließen, ist unseres Wissens noch nicht unternommen worden und deswegen vielleicht verdienstlicher, aber auch mühsamer. Nicht allein haben die hauptsächlichsten gedruckten Geschichtsbücher und Chroniken durchlesen werden müssen, sondern es ist uns noch viel angelegener gewesen, handschriftliche Hilfsmittel, soviel wir deren habhaft werden können, sorgfältig zu gebrauchen. Die wenigsten der hier mitgeteilten Erzählungen waren aus mündlicher Überlieferung zu schöpfen; auch darin unterscheiden sie sich von den örtlichen, welche in umgekehrtem Verhältnis gerade ihrer lebendigen Fortpflanzung unter dem Volke zu verdanken sind. Nur zuweilen berührt sich noch das, was die Lokalsage bedingt, mit der historischen Anknüpfung; für sich betrachtet, gibt ihr jenes einen stärkeren Halt, und um die seltsame Bildung eines Felsens sammelt sich die Sage dauernder als um den Ruhm selbst der edelsten Geschlechter. Über das Verhältnis der Geschichte zur Sage haben wir uns bereits im allgemeinen erklärt, so gut es, ohne in die noch vorbehaltene Untersuchung und Ausführung des einzelnen einzugehen, geschehen konnte. In bezug auf das Eigentümliche der gegenwärtigen, die man Stamm- und Geschlechtssagen nennen könnte, läßt sich hinzufügen, daß sie wenig wirkliche und urkundliche Begebenheiten enthalten mögen. Man kann der gewöhnlichen Behandlung unserer Geschichte zwei und auf den ersten Schein sich widersprechende Vorwürfe machen: daß sie zu viel und zu wenig von der Sage gehalten habe. Während gewisse Umstände, die dem reinen Element der letzteren angehören, in die Reihe wirklicher Ereignisse eingelassen wurden, pflegte man andere, ganz gleichartige schnöde zu verwerfen, als fade Mönchsdichtungen und Gespinste müßiger Leute. Man verkannte also die eigenen Gesetze der Sage, indem man ihr bald eine irdische Wahrheit gab, die sie nicht hat, bald die geistige Wahrheit, worin ihr Wesen besteht, ableugnete und sich, gleich jenen Herulern, als sie durch blaublühenden Lein schwimmen wollten, etwas zu widerlegen anschickte, was in ganz verschiedenem Sinn behauptet werden mußte. Denn die Sage geht mit andern Schritten und sieht mit andern Augen, als die Geschichte tut; es fehlt ihr ein gewisser Beischmack des Leiblichen oder, wenn man lieber will, des Menschlichen, wodurch diese so mächtig und ergreifend auf uns wirkt[1]; vielmehr weiß sie alle Verhältnisse zu einer epischen Lauterkeit zu sammeln und wiederzugebären. Es ist aber sicher jedem Volke zu gönnen und als eine edle Eigenschaft anzurechnen, wenn der Tag seiner Geschichte eine Morgen- und Abenddämmerung der Sage hat; oder wenn die menschlicher Augenschwäche doch nie ganz ersehbare Gewißheit der vergangenen Dinge statt der schroffen, farblosen und sich oft verwischenden Mühe der Wissenschaft, sie zu erreichen, in den einfachen und klaren Bildern der Sage, wer sagt es aus, durch welches Wunder gebrochen widerscheinen kann. Alles, was dazwischen liegt, den unschuldigen Begriff der dem Volke gemütlichen Sage verschmäht, zu der strengen und trockenen Erforschung der Wahrheit aber doch keinen rechten Mut faßt, das ist der Welt jederzeit am unnützesten gewesen.

Was unsere Sammlung jetzt noch enthalten kann, kündigt sich deutlich als bloße, oft ganz magere und bröckelhafte Überbleibsel von dem großen Schatze uralter deutscher Volksdichtung an, wie die ungleich zahlreichere und besser gepflegte Menge schriftlicher und mündlicher Überlieferungen des nordischen Stammes beweist. Die Unstetigkeit der meisten übrigen Völkerschaften, Kriege, teilweiser Untergang und Vermengung

---

1 Nur wenigen Schriftstellern des Mittelalters ist die Ausführlichkeit, wonach in der Geschichte unser Herz begehrt, eigen, wie dem Eckart von St. Gallen oder dem, der uns die rührende Stelle von Kaiser Otto und den Tränen seiner Mutter aufbehalten (Vita Mathildis, bei Leibniz, I, 205; es ist die jüngere Vita, cap. 22). Dergleichen stehe jede Sage nach, wie der Tugend des wirklichen Lebens jede Tugend der Poesie.

mit Fremden haben die Lieder und Sagen der Vorzeit gefährdet und nach und nach untergraben. Wieviel aber muß ein Volk besessen haben, das immer noch solche Spuren und Trümmer aufzuweisen vermag! Die Anordnung derselben hat diesmal weniger zufällig sein dürfen, sondern sie ist beides, nach den Zeiten und Stämmen, eingerichtet. Wenige Erzählungen gehen voran, die wir der Aufzeichnung der Römer danken und andere Sammler vielleicht ausgelassen oder vermehrt haben würden. Inzwischen schienen uns keine anderen Züge sagenhaft, namentlich die Taten des Arminius rein historisch. Von der Herrlichkeit gotischer Sage ist auf eine nie genug zu beklagende Weise das meiste untergegangen; den Verlust der älteren und reicheren Quellen kann man nach dem wenigen schätzen, was sich aus ihnen bei Jornandes noch übrig zeigt. Die Geschichte hat dem gotischen und den mit ihm verwandten Stämmen große Ungunst bewiesen; wäre der Arianismus nicht, dem sie ergeben gewesen, und der mit dadurch begründete Gegensatz zu den Rechtgläubigen, so würde vieles in anderm Lichte stehen. Jetzt läßt uns nur einiges hin und wieder Zerstreutes ahnen, daß diese Goten milder, gebildeter und edler begabt gewesen als ihre Feinde, die aufstrebenden, arglistigen Franken. Von den Longobarden, die gleichfalls unterliegen mußten, gilt fast dasselbe in schwächerem Maße; außer daß sie noch kriegerischer und wilder als die Goten waren. Ein besserer Stern hat über ihren Sagen gewaltet, die ein aneinanderhängendes Stück der schönsten Dichtung, von wahrem epischem Wesen durchzogen, bilden. Weniger ist die fränkische Sage zu loben, der doch die meisten Erhaltungsmittel zu Gebot gestanden; sie hat etwas von dem düsteren, tobenden Geiste dieses Volkes, bei welchem sich kaum Poesie gestalten mochte. Erst nach dem Erlöschen der Merowinger zieht sich um Karl den Großen die Fülle des edelsten Sagengewächses. Stammüberlieferungen der Völker, welche den Norden Deutschlands bewohnen, namentlich der Sachsen, Westfalen und Friesen, sind beinahe ganz verloren und wie mit einem Schlage zu Boden gedrückt;

einiges haben die Angelsachsen behalten. Jene Vertilgung wäre kaum begreiflich, fände sie nicht in der grausamen Bezwingung dieser Völker unter Karl dem Großen Erklärung; das Christentum wurde mit der Zerstörung aller Altertümer der Vorzeit zu ihnen geführt und das Geringhalten heidnischer Sitten und Sagen eingeschärft. Schon unter den sächsischen Kaisern mögen die Denkmäler früherer Volksdichtung so verklungen gewesen sein, daß sie sich nicht mehr an dem Glanze und unter dem Schutze ihrer für uns Deutsche so wohltätigen Regierung aufzurichten imstande waren. Merkwürdig bleibt, daß die eigentlichen Kaisersagen, die mit Karl anheben, schon nach den Ottonen ausgehen, und selbst die Staufenzeit erscheint unmythisch; bloß an Friedrich Rotbart, wie unter den Späteren an Rudolf von Habsburg und Maximilian, flammen noch einzelne Lichter. Dieser Zeitabschnitt bindet andere Sagenkreise so wenig, daß sie noch während des zwölften und dreizehnten Jahrhunderts eben in ihrer Blüte stehen. Unter allen einzelnen Geschlechtern aber, die in der Sage gefeiert worden, ragen früher die Amaler, Gunginger und Agilolfinger, später die Welfen und Thüringer[2] weit hervor. Es bleibt überhaupt bei der Frage, auf welchem Boden die epische Poesie eines Volkes gedeihe und fortlebe, von Gewicht, daß sie sich in urdeutschen Geschlechtsfolgen am liebsten zeigt, hingegen auszugehen und zu verkommen pflegt da, wo Unterbrechungen und Vermischungen mit fremden Völkern, selbst mit andern deutschen Stämmen vorgegangen sind[3]. Dies ist der Grund, warum die in Deutschland eingezogenen und allmählich deutsch gewordenen slawischen Stämme keine Geschlechtssagen aufzuweisen haben; ja auch an örtlichen gegen die ursprünglichen Länder entblößt dastehen. Die Wurzeln

---

2 Kein deutscher Landstrich hat auch so viel Chroniken als Thüringen und Hessen für die alte Zeit ihrer Vereinigung. Es gibt deren gewiß über zwanzig gedruckte und ungedruckte von verschiedenen Verfassern, wiewohl sie auf ähnlicher Grundlage ruhen.

3 Wie die Liebe zum Vaterlande und das wahre Heimweh auf einheimischen Sagen hafte, hat lebhaft gefühlt: Brandes: Vom Einfluß des Zeitgeistes, erste Abteilung, Hannover 1810, S. 163–168.

greifen in das ungewohnte Erdreich nicht gerne ein, ihren Keimen und Blättern schlägt die fremde Luft nimmer an.

Die äußere Gestalt, in der diese Sagen hier mitgeteilt werden müssen, scheint uns manchem gegründeten Tadel ausgestellt, der indessen, wo es so überwiegend auf Stoff und Inhalt ankam, schwer zu vermeiden war. Sollten letztere als Hauptsache betrachtet und gewissenhaft geschont werden, so mußte wohl aus der Übersetzung lateinischer, der Auflösung gereimter und der Vergleichung mehrfacher Quellen ein gemischter, unebener Stil hervorgehen. Eine noch strengere Behandlungsart des Ganzen – so daß man aus dem kritisch genauen, bloßen Abdruck aller, sei es lateinischen oder deutschen Quellen, mit Beifügung wichtiger späterer Rezensionen, einen förmlich diplomatischen Kodex für die Sagendichtung gebildet hätte – würde mancherlei Reiz neben unleugbarem Gewinn für die gründliche Forschung gehabt haben, allein doch jetzt nicht gut auszuführen gewesen sein, schon der einmal im Zweck liegenden gleichmäßigen Übersicht des Ganzen halber. Am meisten geschmerzt hat es uns, die selbst ihren Worten nach wichtigen, aus dem Heidelberger Kodex 361 geschöpften Sagen von Karl und Adalger von Bayern in einem geschwächten Prosaauszug liefern zu müssen; ohne Zweifel hatten sie, zum wenigsten teilweise, ältere deutsche Gesänge zur Unterlage. So stehen andere Stellen dieser merkwürdigen Reimchronik in unverkennbarem Bezug auf das Lied von Bischof Anno, und es bleibt ihr vollständiger, wörtlicher Abdruck in aller Rücksicht zu wünschen.

Eine solche Grundlage von Liedern haben gewiß noch andere Stammsagen gehabt. Bekannt sind die Verweisungen auf altgotische Lieder, für die longobardische Sage läßt es sich denken[4]. Einzelne Überlieferungen gehen in der Gestalt späterer

---

4 Man beschränkt sich hier auf das Zeugnis von Alboin, bei Paulus Diaconus, I, 27: »Alboini ita praeclarum longe lateque nomen percrebuit, ut hactenus etiam tam apud Bajoariorum gentem quam et Saxonum, sed et alios ejusdem linguae homines, ejus liberalitas et gloria, bellorumque felicitas et virtus in eorum carminibus celebretur.«

Volkslieder umher, wie die von Heinrich dem Löwen, dem Mann im Pflug und so weiter; merkwürdiger ist schon das Westfriesenlied der Schweizer. Andere sind im dreizehnten Jahrhundert gedichtet worden, wie Otto mit dem Bart, und der Schwanritter, Ulrich von Württemberg und so weiter. Möchten die damaligen Dichter nur öfter die vaterländische Sage der ausländischen vorgezogen haben! Auf eigentliche Volks- und Bänkelgesänge verweisen die Geschichtschreiber bei den Sagen von Hattos Verrat und Kurzbolds Heldentaten[5]. Andere Sagen sind mit den Liedern verschollen, wie die bayrische von Erbos Wisentjagd, die sächsische von Benno, und was der blinde Friese Bernlef besungen[6].

Es ist hier der Ort, ausdrücklich zu bemerken, welche deutschen Sagen aus unserer Sammlung ausgeschlossen bleiben mußten, weil sie in dem eigenen und lebendigeren Umfang ihrer Dichtung auf unsere Zeit gekommen sind. Dahin gehören die Sagen: 1) Von den Nibelungen, Amalungen, Wolfungen, Harlungen und allem, was diesen großen Kreis von ursprünglich gotischen, burgundischen und austrasischen Dichtungen bildet, in deren Mitte das Nibelungenlied und das Heldenbuch stehen.

---

5 Eckehardus jun.: De casibus S. Galli (ap. Goldast, I, 15): »Hattonem franci illi saepe perdere moliti sunt, sed astutia hominis in falsam regis gratiam suasi; qualiter ad alpes (I. Adalpertus) fraude ejus de urbe Pabinberk detractus capite sit plexus, quoniam vulgo concinnatur et canitur, scribere supersedeo.« Otto Frising., VI, 15: »Itaque ut non solum in regum gestis invenitur, sed etiam in vulgari traditione in compitis et curiis hactenus auditur, praefatus Hatto Albertum in castro suo Babenberg adiit« etc. Edkehardus jun., l.c., pag. 29: »Chuono quidam regii generis Churzibolt a brevitate cognominatus – de quo multa concinnantur et canuntur.«

6 Chron. ursperg.: »Erbo et Boto, illius famosi Erbonis posteri, quem in venatu a bisonte (die Ausg. 1540, p. 256, und 1609, p. 185, lesen: ab insonte) bestia confossum vulgares adhuc cantilenae resonant.« Norberti vita Bennonis, ap. Eccard. C. Hist., II, S. 2165.: »Quantae utilitati, quanto honori, quanto denique vitae tutamini et praesidio fuerit, populares etiam nunc adhuc notae fabulae attestari solent et cantilenae vulgares.« Vergl. Mösers Osnabr. Gesch., II, 32. Vita Ludgeri (mehrmals gedr. hier nach einer alten Kasseler Handschrift): »Is, Bernlef cognomento, vicinis suis admodum carus erat, quia antiquorum actus regumque certamina more gentis suae non inurbane cantare noverat, sed per triennium ita erat continua caecitate depressus« etc. etc.

2) Von den Kerlingern, namentlich Karl, Roland, den Haimonskindern und anderen Helden, meist austrasischen Ursprungs, doch auch in französischen, italienischen und spanischen Gedichten eigentümlich erhalten. Einige besondere Sagen von Karl dem Großen haben indessen, der Verbindung wegen, aufgenommen werden müssen, und weil sie einigermaßen außerhalb des Bezirks jenes Hauptkreises liegen. Mit der schönen (bayrischen) Erzählung von Karls Geburt und Jugend war dies nicht völlig der Fall. 3) Die späteren fränkischen und schon mehr französischen Sagen von Lother und Maller, Hugschapler und Wilhelm dem Heiligen. 4) Die westgotischen von Rodrigo[7]. 5) Die bayrische Sage von Herzog Ernst und Wetzel. 6) Die schwäbischen von Friedrich von Schwaben und von dem Armen Heinrich. 7) Die austrasischen von Orendel und Breite, desgleichen Margaretha von Limburg. 8) Die niedersächsische von Thedel von Wallmoden[8].

Sind auf solche Weise die Grenzen unserer Unternehmung gehörig abgesteckt, so glauben wir nicht, daß sich zu dem Inhalt des gegenwärtigen Bandes bedeutende Zusätze ergeben können, es müßten denn unverhofft ganz neue Quellen eröffnet werden. Desto mehr wird sich aber für die Vervollständigung der örtlichen Sagen tun lassen; wir haben zu dem ersten Teil glücklich nachgesammelt und so erfreuliche Mitteilungen empfangen, daß wir diese zuvor in einem dritten Teil herauszugeben wünschen, um uns dann desto ungestörter und sicherer zu der Untersuchung des ganzen Vorrates wenden zu können.

Kassel, den 24. Februar 1818

---

[7] Silva de romances viejos, pag. 286–298.
[8] Eine besondere Sammlung dessen; was aus der Heiligenlegende zur deutschen Sage gerechnet werden muß, schickt sich besser für ein eigenes Werk. Dahin gehört zum Beispiel die Geschichte von Zeno (lombardisch), von Meinrad und Ottilie (alemannisch), von Elisabeth (thüringisch-hessisch), und vorzüglich viel altfränkische: von Martin, Hubert, Gregor vom Stein, Gangolff und so weiter.

# Vorbemerkung von Hermann Grimm

Jacob und Wilhelm Grimm wollten die Deutschen Sagen nicht als »Lesebuch« angesehen wissen. So hat man das Buch bis heute auch nicht betrachtet. Von seinem Erscheinen bis zum Tode der Brüder verflossen beinahe fünfzig Jahre. Der dann, 1865, herauskommende neue Abdruck brauchte wieder ein Vierteljahrhundert, um erschöpft zu werden. Der jetzt erscheinende wendet sich an ein neues Publikum, vielleicht zum ersten Mal an dasjenige, welches die Brüder 1816 im stillen erhofften. Mein Wunsch wäre, daß das Buch überall vom deutschen Volk gelesen würde und daß es besonders den amerikanischen Deutschen unsere Sagenwelt erschlösse.

Ich habe, um die Sagen mehr als Lesebuch dem Volke darzubieten, die unter den Titeln der einzelnen Sagen stehenden Quellenverweise (welche in der Ausgabe von 1865 an ihrer Stelle noch festgehalten worden waren) in das Inhaltsverzeichnis gebracht und den größten Teil dessen, was das gemeinschaftliche Handexemplar der Brüder an Zusätzen zu den Quellenangaben enthält, in genauem Anschlusse an das Manuskript, in eckigen Klammern hinzugegeben. Die dem Texte der Sagen zugefügten, meist geringen Einschübe sind dagegen wie 1865 ohne weiteres aufgenommen worden. Die durch beide Teile fortlaufende Zählung ist 1865 bereits insofern verändert worden, als die hinzugekommenen sowie die in der ersten Auflage nachträglich gegebenen Stücke in die allgemeine Zahlenfolge hineingezogen wurden.

Die Eintragungen rühren meist von Jacobs Hand her und fallen dem Hauptbestand nach in frühe Zeiten. Die Deutschen Sagen erschienen noch in den Jahren, wo die Brüder durchaus gemeinschaftlich arbeiteten, so daß sich der jedem von beiden zugehörige Anteil ihrer damaligen Publikationen wohl den Gedanken, weniger aber dem Material nach erkennen läßt. Hätten sie das Buch später umgearbeitet, was sie wohl kaum ernsthaft beabsichtigten, so würde es vielleicht von Wilhelm allein übernommen worden sein, wie dieser allein denn ja auch die weiteren Ausgaben der Märchen besorgte.

Die Brüder haben sich mit ihren Büchern früh nach Berlin gewandt. Die Märchen erschienen dort in den ersten Auflagen. So auch die Deutschen Sagen von Anfang an bei Nicolai. Der erste Band 1816 (»fertig im Druck Anfang Mai« findet sich von Jacobs Hand auf dem Titel bemerkt), der zweite 1818. Der erste Band trägt auf dem Titel nicht diese Bezeichnung, doch spricht die Vorrede aus, daß die Brüder ihn nur als einen Anfang betrachteten. Jacob war 1815, als Wilhelm in Kassel den Druck des ersten Bandes besorgte, in Paris, wo er Ausgaben des Gregor von Tours und anderer Autoren seiner Art kaufte. Ergriffen von ihrem Inhalt, faßte er sofort den Gedanken ihrer Aufnahme in den neuen Teil der Sagen. Der in der Vorrede zum zweiten Bande aber in Aussicht gestellte dritte Teil, welcher die kritische Verarbeitung des gesamten Stoffes bringen sollte (wie der dritte Teil der Märchen), ist nicht erschienen.

Was dem Buche heute noch eine besondere Stellung gibt, ist die Art der Erzählung. Niemand hat vaterländische Dinge episch zu berichten gewußt wie Jacob und Wilhelm Grimm. Jeder von beiden erzählt in seiner Weise anders. Das Vollkommenste, was Jacob in dieser Richtung geschrieben hat, ist sein Inhaltsbericht des Walthariusliedes, während Wilhelm den Märchen ihren eigentümlichen Ton verlieh. Beider Tonart, so verschieden sie beim engeren Vergleiche erscheinen, ergänzen sich wie das Getön zweier Glocken, die ineinanderklingen. Die Deutschen Sagen werden in die Jahrhunderte hinein fortleben, wie Jacob und Wilhelm Grimm ihnen Sprache gegeben haben.

Ich schließe mit der Wiedergabe der Worte, unter deren Begleitung die Nicolaische Buchhandlung im Mai 1816 das Buch anzeigte:

»Wie das Kind seine ihm eigene Welt der Märchen hat, an die es glaubt und in deren Wunderkreis auch der Erwachsene mit Sehnsucht sich zurückdenkt, so hat das Volk seine eigentümliche Welt der Sagen, die ihm mit dem Zusammenleben in der Heimat gegeben ist und an der es mit inniger Liebe hängt. Diese ehrwürdigen und lieblichen Töne aus einem früheren echt volkstümlichen Leben reden wie freundliche Begleiter zu uns, wohin wir im deutschen Lande unsern Wanderstab setzen. In dieser von den Gebrüdern Grimm veranstalteten Sammlung ist ihre vereinzelte Menge zusammengestellt. Gegen vierhundert Sagen von Zwergen, Riesen, Berggeistern, Kobolden, Nixen, Hexen, Elfen, Prinzen, vom Alp, vom Drachen, vom Werwolf, von versunkenen Schlössern und so weiter sind hier aufs anmutigste erzählt.

Dreierlei zeichnet diese Sammlung vor allen übrigen aus. Erstlich Treue und Wahrheit der Erzählung, wie sie in der Heimat erzählt wird, selbst in Ton und Wort. Zweitens große Mannigfaltigkeit. Drittens genaue Angabe der Quellen, woher sie geflossen, und der Orte, wo sie einheimisch sind. Kein anderes Buch kann so frisch und lebendig die Angst und Warnung vor dem Bösen wie die innigste Freude an dem Guten und Schönen wecken und nähren wie dieses; kein anderes kann zugleich so in das innigste Geheimnis des volkstümlichen Lebens und Webens einführen, und vielen mag dadurch das teure deutsche Land noch lieber werden.«

Diese gleichzeitige Würdigung des Buches zeigt den freudigen Geist der Tage, in welchen es erschien. Die dann folgenden Jahre, mit der Verdächtigung des Gefühls, dem Deutschland doch seine Befreiung verdankte, waren noch nicht angebrochen. Unter dem Eindrucke der in Frankreich erfochtenen Siege ward 1816 an eine beginnende Ära der geistigen und politischen Größe des Vaterlandes geglaubt, deren Erscheinung zu verhindern allerdings die ganze damalige Welt – man kann wohl so sagen – verbündet war.

Die Zeiten des nun folgenden nationalen Niederganges wären unmöglich gewesen, hätten deutsches geschichtliches Dasein und deutsches Gedankenleben damals schon zur Grundlage unserer Volkserziehung gemacht werden können.

# Erster Band

## 1. Die drei Bergleute im Kuttenberg

In Böhmen liegt der Kuttenberg, darin arbeiteten drei Bergleute lange Jahre und verdienten damit für Frau und Kind das Brot ehrlich. Wenn sie morgens in den Berg gingen, so nahmen sie dreierlei mit: erstens ihr Gebetbuch, zweitens ihr Licht, aber nur auf einen Tag mit Öl versehen, drittens ihr bißchen Brot, das reichte auch nur auf einen Tag. Ehe sie die Arbeit anhuben, taten sie ihr Gebet zu Gott, daß er sie in dem Berge bewahren möchte, und danach fingen sie getrost und fleißig an zu arbeiten. Es trug sich zu, als sie einen Tag gearbeitet hatten und es bald Abend war, daß der Berg vorn einfiel und der Eingang verschüttet wurde. Da meinten sie begraben zu sein und sprachen: »Ach Gott! Wir armen Bergleute, wir müssen nun Hungers sterben! Wir haben nur einen Tag Brot zu essen und einen Tag Öl auf dem Licht!« Nun befahlen sie sich Gott und dachten bald zu sterben, doch wollten sie nicht müßig sein, solange sie noch Kräfte hätten, arbeiteten fort und fort und beteten. Also geschah es, daß ihr Licht sieben Jahre brannte, und ihr kleines bißchen Brot, von dem sie tagtäglich aßen, ward auch nicht alle, sondern blieb ebenso groß, und sie meinten, die sieben Jahre wären nur ein Tag. Doch da sie sich nicht ihr Haar schneiden und den Bart abnehmen konnten, waren diese ellenlang gewachsen. Die Weiber hielten unterdessen ihre Männer für tot, meinten, sie würden sie nimmermehr wiedersehen, und dachten daran, andere zu heiraten.

Nun geschah es, daß einer von den dreien unter der Erde so recht aus Herzensgrund wünschte: »Ach! Könnt ich noch einmal das Tageslicht sehen, so wollt ich gerne sterben!« Der zweite sprach: »Ach! Könnt ich noch einmal daheim bei meiner Frau zu Tische sitzen und essen, so wollt ich gerne sterben!« Da sprach auch der dritte: »Ach! Könnt ich nur noch ein Jahr friedlich und vergnügt mit meiner Frau leben, so wollt ich gerne sterben!« Wie sie das gesprochen hatten, so krachte der Berg gewaltig und übermächtig und sprang voneinander, da ging der erste hin zu

dem Ritz und schaute hinauf und sah den blauen Himmel, und wie er sich am Tageslicht gefreut, sank er augenblicklich tot nieder. Der Berg aber tat sich immer mehr voneinander, so daß der Riß größer ward, da arbeiteten die beiden andern fort, hackten sich Treppen, krochen hinauf und kamen endlich heraus. Sie gingen nun fort in ihr Dorf und in ihre Häuser und suchten ihre Weiber, aber die wollten sie nicht mehr kennen. Sie sprachen: Habt ihr denn keine Männer gehabt?« – »Ja«, antworteten jene, »aber die sind schon sieben Jahre tot und liegen im Kuttenberg begraben!« Der zweite sprach zu seiner Frau: »Ich bin dein Mann«, aber sie wollte es nicht glauben, weil er den ellenlangen Bart hatte und ganz unkenntlich war. Da sagte er: »Hol mir das Bartmesser, das oben in dem Wandschrank liegen wird, und ein Stückchen Seife dazu.« Nun nahm er sich den Bart ab, kämmte und wusch sich, und als er fertig war, sah sie, daß es ihr Mann war. Sie freute sich herzlich, holte Essen und Trinken, so gut sie es hatte, deckte den Tisch, und sie setzten sich zusammen hin und aßen vergnügt miteinander. Wie aber der Mann satt war und den letzten Bissen Brot gegessen hatte, da fiel er um und war tot. Der dritte Bergmann wohnte ein ganzes Jahr in Stille und Frieden mit seiner Frau zusammen; als es herum war, zu derselben Stunde aber, wo er aus dem Berg gekommen war, fiel er und seine Frau mit ihm tot hin. Also hatte Gott ihre Wünsche ihrer Frömmigkeit wegen erfüllt.

## 2. Der Berggeist

Der Berggeist, *Meister Hämmerling*, gemeiniglich *Bergmönch* genannt, zeigt sich zuweilen in der Tiefe, gewöhnlich als Riese in einer schwarzen Mönchskutte. In einem Bergwerk der Graubündner Alpen erschien er oft und war besonders am Freitag geschäftig, das ausgegrabene Erz aus einem Eimer in den andern zu schütten; der Eigentümer des Bergwerks durfte sich das nicht verdrießen lassen, wurde aber auch niemals von ihm beleidigt. Dagegen als einmal ein Arbeiter, zornig über dies vergebliche Hantieren, den Geist schalt und verfluchte, faßte ihn dieser mit so großer Gewalt, daß er zwar nicht starb, aber das Antlitz sich ihm umkehrte. Im Annaberg, in der Höhle, welche der *Rosenkranz* heißt, hat er zwölf Bergleute während der Arbeit angehaucht, wovon sie tot liegengeblieben sind, und die Grube ist, obgleich silberreich, nicht ferner angebaut worden. Hier hat er sich in Gestalt eines Rosses mit langem Hals gezeigt, furchtbar blickende Augen auf der Stirne. Zu Schneeberg ist er aber als ein schwarzer Mönch in der St.-Georgen-Grube erschienen und hat einen Bergknappen ergriffen, von der Erde aufgehoben und oben in die Grube, die vorzeiten gar silberreich war, so hart niedergesetzt, daß ihm seine Glieder verletzt waren. Am Harz hat er einmal einen bösen Steiger, der die Bergleute quälte, bestraft. Denn als dieser zu Tage fuhr, stellte er sich, ihm unsichtbar, über die Grube, und als er emporkam, drückte ihm der Geist mit den Knien den Kopf zusammen.

## 3. Der Bergmönch im Harz

Zwei Bergleute arbeiteten immer gemeinschaftlich. Einmal, als sie anfuhren und vor Ort kamen, sahen sie an ihrem Geleucht, daß sie nicht genug Öl zu einer Schicht auf den Lampen hatten. »Was fangen wir da an?« sprachen sie miteinander, »geht uns das Öl aus, so daß wir im Dunkeln sollen zu Tag fahren, sind wir gewiß unglücklich, da der Schacht schon gefährlich ist. Fahren wir aber jetzt gleich aus, um vom Haus Öl zu holen, so straft uns der Steiger, und das mit Lust, denn er ist uns nicht gut.« Wie sie also besorgt standen, sahen sie ganz fern in der Strecke ein Licht, das ihnen entgegenkam. Anfangs freuten sie sich, als es aber näher kam, erschraken sie gewaltig, denn ein ungeheurer, riesengroßer Mann ging, ganz gebückt, in der Strecke herauf. Er hatte eine große Kappe auf dem Kopf und war auch sonst wie ein Mönch angetan, in der Hand aber trug er ein mächtiges Grubenlicht. Als er bis zu den beiden, die in Angst da stillstanden, geschritten war, richtete er sich auf und sprach: »Fürchtet euch nicht, ich will euch kein Leid antun, vielmehr Gutes«, nahm ihr Geleucht und schüttete Öl von seiner Lampe darauf. Dann aber griff er ihr Gezäh und arbeitete ihnen in einer Stunde mehr, als sie selbst in der ganzen Woche bei allem Fleiß herausgearbeitet hätten. Nun sprach er: »Sagt's keinem Menschen je, daß ihr mich gesehen habt«, und schlug zuletzt mit der Faust links an die Seitenwand; sie tat sich auseinander, und die Bergleute erblickten eine lange Strecke, ganz von Gold und Silber schimmernd. Und weil der unerwartete Glanz ihre Augen blendete, so wendeten sie sich ab, als sie aber wieder hinschauten, war alles verschwunden. Hätten sie ihre Bilhacke (Hacke mit einem Beil) oder sonst nur einen Teil ihres Gezähs hineingeworfen, wäre die Strecke offengeblieben und ihnen viel Reichtum und Ehre zugekommen; aber so war es vorbei, wie sie die Augen davon abgewendet.

Doch blieb ihnen auf ihrem Geleucht das Öl des Berggeistes, das nicht abnahm und darum noch immer ein großer Vorteil war. Aber nach Jahren, als sie einmal am Sonnabend mit ihren guten Freunden im Wirtshaus zechten und sich lustig machten, erzählten sie die ganze Geschichte, und montags morgen, als sie anfuhren, war kein Öl mehr auf der Lampe, und sie mußten nun jedesmal wieder, wie die andern, frisch aufschütten.

## 4. Frau Hollen Teich

Auf dem hessischen Gebirge Meißner weisen mancherlei Dinge schon mit ihren bloßen Namen das Altertum aus, wie die Teufelslöcher, der Schlachtrasen und sonderlich der *Frau Hollen Teich*. Dieser, an der Ecke einer Moorwiese gelegen, hat gegenwärtig nur vierzig bis fünfzig Fuß Durchmesser; die ganze Wiese ist mit einem halb untergegangenen Steindamm eingefaßt, und nicht selten sind auf ihr Pferde versunken.

Von dieser Holle erzählt das Volk vielerlei, Gutes und Böses. Weiber, die zu ihr in den Brunnen steigen, macht sie gesund und fruchtbar; die neugeborenen Kinder stammen aus ihrem Brunnen, und sie trägt sie daraus hervor. Blumen, Obst, Kuchen, das sie unten im Teiche hat und was in ihrem unvergleichlichen Garten wächst, teilt sie denen aus, die ihr begegnen und zu gefallen wissen. Sie ist sehr ordentlich und hält auf guten Haushalt; wenn es bei den Menschen schneit, klopft sie ihre Betten aus, davon die Flocken in der Luft fliegen. Faule Spinnerinnen straft sie, indem sie ihnen den Rocken besudelt, das Garn wirrt oder den Flachs anzündet; Jungfrauen hingegen, die fleißig abspannen, schenkt sie Spindeln und spinnt selber für sie über Nacht, daß die Spulen des Morgens voll sind. Faulenzerinnen zieht sie die Bettdecken ab und legt sie nackend aufs Steinpflaster; Fleißige, die schon frühmorgens Wasser zur Küche tragen in reingescheuerten Eimern, finden Silbergroschen darin. Gern zieht sie Kinder in ihren Teich, die guten macht sie zu Glückskindern, die bösen zu Wechselbälgen. Jährlich geht sie im Land um und verleiht den Äckern Fruchtbarkeit, aber auch erschreckt sie die Leute, wenn sie durch den Wald fährt, an der Spitze des wütenden Heers. Bald zeigt sie sich als eine schöne weiße Frau in oder auf der Mitte des Teiches, bald ist sie unsichtbar, und man hört bloß aus der Tiefe ein Glockengeläut und finsteres Rauschen.

## 5. Frau Holla zieht umher

In der Weihnacht fängt Frau Holla an herumzuziehen, da legen die Mägde ihren Spinnrocken aufs neue an, winden viel Werg oder Flachs darum und lassen ihn über Nacht stehen. Sieht das nun Frau Holla, so freut sie sich und sagt:

> *»So manches Haar,*
> *so manches gutes Jahr.«*

Diesen Umgang hält sie bis zum großen Neujahr, das heißt den heiligen Dreikönigstag, wo sie wieder umkehren muß nach ihrem Horselberg; trifft sie dann unterwegs Flachs auf dem Rocken, zürnt sie und spricht:

> *»So manches Haar,*
> *so manches böses Jahr.«*

Daher reißen feierabends vorher alle Mägde sorgfältig von ihren Rocken ab, was sie nicht abgesponnen haben, damit nichts dran bleibe und ihnen übel ausschlage. Noch besser ist's aber, wenn es ihnen gelingt, alles angelegte Werg vorher im Abspinnen herunterzubringen.

## 6. Frau Hollen Bad

Am Meißner in Hessen liegt ein großer Pfuhl oder See, mehrenteils trüb von Wasser, den man *Frau Hollen Bad* nennt. Nach alter Leute Erzählung wird Frau Holle zuweilen badend um die Mittagsstunde darin gesehen und verschwindet nachher. Berg und Moore in der ganzen Umgegend sind voll von Geistern und Reisende oder Jäger oft von ihnen verführt oder beschädigt worden.

## 7. Frau Holla und der treue Eckart

In Thüringen liegt ein Dorf namens Schwarza, da zog Weihnachten Frau Holla vorüber, und vorn im Haufen ging der treue Eckart und warnte die begegneten Leute, aus dem Wege zu weichen, daß ihnen kein Leid widerfahre. Ein paar Bauernknaben hatten gerade Bier in der Schenke geholt, das sie nach Hause tragen wollten, als der Zug erschien, dem sie zusahen. Die Gespenster nahmen aber die ganze breite Straße ein, da wichen die Dorfjungen mit ihren Kannen abseits in eine Ecke; bald nahten sich unterschiedene Weiber aus der Rotte, nahmen die Kannen und tranken. Die Knaben schwiegen aus Furcht stille, wußten doch nicht, wie sie ihnen zu Hause tun sollten, wenn sie mit leeren Krügen kommen würden. Endlich trat der treue Eckart herbei und sagte: »Das riet euch Gott, daß ihr kein Wörtchen gesprochen habt, sonst wären euch eure Hälse umgedreht worden; geht nun flugs heim und sagt keinem Menschen etwas von der Geschichte, so werden eure Kannen immer voll Bier sein und wird ihnen nie gebrechen.« Dies taten die Knaben, und es war so, die Kannen wurden niemals leer, und drei Tage nahmen sie das Wort in acht. Endlich aber konnten sie's nicht länger bergen, sondern erzählten ihren Eltern von der Sache, da war es aus, und die Krüglein versiegten. Andere sagten, es sei dies nicht eben zu Weihnacht geschehen, sondern auf eine andere Zeit.

## 8. Frau Holla und der Bauer

Frau Holla zog einmal aus, begegnete ihr ein Bauer mit der Axt. Da redete sie ihn mit den Worten an, daß er ihr den Wagen verkeilen oder verschlagen sollte. Der Taglöhner tat, wie sie ihm hieß, und als die Arbeit verrichtet war, sprach sie: »Raff die Späne auf und nimm sie zum Trinkgeld mit;« drauf fuhr sie ihres Weges. Dem Manne kamen die Späne vergeblich und unnütz vor, darum ließ er sie meistenteils liegen, bloß ein Stück oder drei nahm er für die Langeweile mit. Wie er nach Hause

kam und in den Sack griff, waren die Späne pures Gold. Alsbald kehrte er um, noch die andern zu holen, die er liegengelassen; sosehr er suchte, so war es doch zu spät und nichts mehr vorhanden.

## 9. Die Springwurzel

Vorzeiten hütete ein Schäfersmann friedlich auf dem Köterberg, da stand, als er sich einmal umwendete, ein prächtiges Königsfräulein vor ihm und sprach: »Nimm die Springwurzel und folge mir nach.« Die Springwurzel erhält man dadurch, daß man einem Grünspecht (Elster oder Wiedehopf) sein Nest mit einem Holz zukeilt; der Vogel, wie er das bemerkt, fliegt alsbald fort und weiß die wunderbare Wurzel zu finden, die ein Mensch noch immer vergeblich gesucht hat. Er bringt sie im Schnabel und will sein Nest damit wieder öffnen; denn hält er sie vor den Holzkeil, so springt er heraus, wie vom stärksten Schlag getrieben. Hat man sich versteckt und macht nun, wie er herankommt, einen großen Lärm, so läßt er sie erschreckt fallen (man kann aber auch nur ein weißes oder rotes Tuch unter das Nest breiten, so wirft er sie darauf, sobald er sie gebraucht hat). Eine solche Springwurzel besaß der Hirt, ließ nun seine Tiere herumtreiben und folgte dem Fräulein. Sie führte ihn bei einer Höhle in den Berg hinein. Kamen sie zu einer Türe oder einem verschlossenen Gang, so mußte er seine Wurzel vorhalten, und alsbald sprang sie krachend auf. Sie gingen immer fort, bis sie etwa in die Mitte des Bergs gelangten, da saßen noch zwei Jungfrauen und spannen emsig; der Böse war auch da, aber ohne Macht und unten an den Tisch, vor dem die beiden saßen, festgebunden. Ringsum war in Körben Gold und leuchtende Edelsteine aufgehäuft, und die Königstochter sprach zu dem Schäfer, der da stand und die Schätze anlusterte: »Nimm dir, soviel du willst.« Ohne Zaudern griff er hinein und füllte seine Taschen, soviel sie halten konnten, und wie er, also reich beladen, wieder hinaus wollte, sprach sie: »Aber vergiß das Beste nicht!« Er meinte nicht anders, als das wären die Schätze, und glaubte sich gar wohl versorgt zu haben, aber es war das Springwort[9]. Wie er nun

---

[9] Der erzählende Schäfer brauchte ganz gleichbedeutend die Springwurzel und das Springwort, wie im Gefühl von der alten Verwandtschaft beider Ausdrücke.

hinaustrat, ohne die Wurzel, die er auf den Tisch gelegt, schlug das Tor mit Schallen hinter ihm zu, hart an die Ferse, doch ohne weiteren Schaden, wiewohl er leicht sein Leben hätte einbüßen können. Die großen Reichtümer brachte er glücklich nach Hause, aber den Eingang konnte er nicht wiederfinden.

## 10. Fräulein von Boyneburg

Auf eine Zeit lebten auf der Boyneburg drei Fräulein zusammen. Der jüngsten träumte in einer Nacht, es sei in Gottes Rat beschlossen, daß eine von ihnen im Wetter sollte erschlagen werden. Morgens sagte sie ihren Schwestern den Traum, und als es Mittag war, stiegen schon Wolken auf, die immer größer und schwärzer wurden, so daß abends ein schweres Gewitter am Himmel hinzog und ihn bald ganz zudeckte und der Donner immer näher herbeikam. Als nun das Feuer von allen Seiten herabfiel, sagte die älteste: »Ich will Gottes Willen gehorchen, denn

mir ist der Tod bestimmt«, ließ sich einen Stuhl hinaustragen, saß draußen einen Tag und eine Nacht und erwartete, daß der Blitz sie träfe. Aber es traf sie keiner; da stieg am zweiten Tag die zweite herab und sprach: »Ich will Gottes Willen gehorchen, denn mir ist der Tod bestimmt«, und saß den zweiten Tag und die zweite Nacht, die Blitze versehrten sie auch nicht, aber das Wetter wollte nicht fortziehen. Da sprach die dritte am dritten Tage: »Nun seh ich Gottes Willen, daß ich sterben soll«, da ließ sie den Pfarrer holen, der ihr das Abendmahl reichen mußte, dann machte sie auch ihr Testament und stiftete, daß an ihrem Todestage die ganze Gemeinde gespeist und beschenkt werden sollte. Nachdem das geschehen war, ging sie getrost hinunter und setzte sich nieder, und nach wenigen Augenblicken fuhr auch ein Blitz auf sie herab und tötete sie.

Später, als das Schloß nicht mehr bewohnt war, ist sie oft als ein guter Geist gesehen worden. Ein armer Schäfer, der all sein Hab und Gut verloren hatte und dem am andern Tage sein Letztes sollte ausgepfändet werden, weidete an der Boyneburg, da sah er im Sonnenschein an der Schloßtüre eine schneeweiße Jungfrau sitzen. Sie hatte ein weißes Tuch ausgebreitet, darauf lagen Knotten, die sollten in der Sonne aufklinken. Der Schäfer verwunderte sich, an dem einsamen Ort eine Jungfrau zu finden, trat zu ihr hin und sprach: »Ei, was schöne Knotten!«, nahm ein paar in die Hand, besah sie und legte sie wieder hin. Sie sah ihn freundlich und doch traurig an, antwortete aber nichts, da ward dem Schäfer angst, daß er fortging, ohne sich umzusehen, und die Herde nach Hause trieb. Es waren ihm aber ein paar Knotten, als er darin gestanden, neben in die Schuhe gefallen, die drückten ihn auf dem Heimweg, da setzte er sich, zog den Schuh ab und wollte sie herauswerfen; wie er hineingriff, so fielen ihm fünf oder sechs Goldkörner in die Hand. Der Schäfer eilte zur Boyneburg zurück, aber die weiße Jungfrau war samt den Knotten verschwunden; doch konnte er sich mit dem Gold schuldenfrei machen und seinen Haushalt wieder einrichten.

Viele Schätze sollen in der Burg noch verborgen liegen. Ein Mann war glücklich und sah in der Mauer ein Schubfach; als er es aufzog, war es ganz voll Gold. Eine Witwe hatte nur eine Kuh und Ziege, und weil an der Boyneburg schöne Heiternesseln wachsen, wollte sie davon zum Futter abschneiden, wie sie aber eben nach einem Strauch packte, glitt sie aus und fiel tief hinab. Sie schrie und rief nach Hilfe, es war aber niemand mehr in der einsamen Gegend, bis abends ihre Kinder, denen angst geworden war, herbeikamen und ihre Stimme hörten. Sie zogen sie an Stricken herauf, und nun erzählte sie ihnen, tief da unten sei sie vor ein Gitter gefallen, dahinter habe sie einen Tisch gesehen, der mit Reichtümern und Silberzeug ganz beladen gewesen.

## 11. Der Pielberg

Bei Annaberg in Meißen liegt vor der Stadt ein hoher Berg, der Pielberg genannt, darauf soll vorzeiten eine schöne Jungfrau verbrannt und verwünscht sein, die sich noch öfters um Mittag, weshalb sich dann niemand dort darf sehen lassen, in köstlicher Gestalt, mit prächtigen, gelben, hinter sich geschlagenen Haaren zeigt.

## 12. Die Schloßjungfrau

Auf dem Schloßberg unweit Ohrdruf in Thüringen soll sich manchmal eine Jungfrau sehen lassen, welche ein großes Gebund Schlüssel anhängen hat. Sie kommt dann allezeit um zwölf Uhr mittags vom Berg herab und geht nach dem unten im Tal befindlichen Hierlings- oder Hörlingsbrunn und badet sich in demselben, worauf sie wiederum den Berg hinaufsteigt. Einige wollen sie genau gesehen und betrachtet haben.

## 13. Die Schlangenjungfrau

Um das Jahr 1520 war einer zu Basel im Schweizerlande mit Namen Leonhard, sonst gemeinlich Lienimann genannt, eines

Schneiders Sohn, ein alberner und einfältiger Mensch, und dem dazu das Reden, weil er stammelte, übel abging. Dieser war in das Schlaufgewölbe oder den Gang, welcher zu Augst über Basel unter der Erde her sich erstreckt, ein- und darin viel weiter, als jemals einem Menschen möglich gewesen, fortgegangen und hineingekommen und hat von wunderbarlichen Händeln und Geschichten zu reden wissen. Denn er erzählt, und es gibt noch Leute, die es aus seinem Mund gehört haben, er habe ein geweihtes Wachslicht genommen und angezündet und sei mit diesem in die Höhle eingegangen. Da hätte er erstlich durch eine eiserne Pforte und danach aus einem Gewölbe in das andere, endlich auch durch etliche gar schöne und lustige grüne Gärten gehen müssen. In der Mitte aber stünde ein herrlich und wohlgebautes Schloß oder Fürstenhaus, darin wäre eine gar schöne Jungfrau mit menschlichem Leibe bis zum Nabel, die trüge auf ihrem Haupt eine Krone von Gold, und ihre Haare hätte sie zu Felde geschlagen; unten vom Nabel an wäre sie aber eine greuliche Schlange. Von derselben Jungfrau wäre er bei der Hand zu einem eisernen Kasten geführt worden, auf welchem zwei schwarz bellende Hunde gelegen, so daß sich niemand dem Kasten nähern dürfen, sie aber hätte ihm die Hunde gestillt und im Zaum gehalten und er ohne alle Hinderung hinzugehen können. Danach hätte sie einen Bund Schlüssel, den sie am Hals getragen, abgenommen, den Kasten aufgeschlossen, silberne und andere Münzen herausgeholt. Davon ihm dann die Jungfrau nicht wenig aus sonderlicher Mildigkeit geschenkt, welche er mit sich aus der Schluft gebracht; wie er denn auch selbige vorgezeigt und sehen lassen. Auch habe die Jungfrau zu ihm gesprochen, sie sei von königlichem Stamme und Geschlecht geboren, aber also in ein Ungeheuer verwünscht und verflucht und könne durch nichts erlöst werden, als wenn sie von einem Jüngling, dessen Keuschheit rein und unverletzt wäre, dreimal geküßt werde; dann würde sie ihre vorige Gestalt wiedererlangen. Ihrem Erlöser wolle sie dafür den ganzen Schatz, der an dem Orte verborgen gehalten würde, geben und überantworten.

Er erzählte weiter, daß er die Jungfrau bereits zweimal geküßt, da sie denn alle beidemal, vor großer Freude der unverhofften Erlösung, mit so greulichen Gebärden sich erzeigt, daß er sich gefürchtet und nicht anders gemeint, sie würde ihn lebendig zerreißen; daher er zum drittenmal sie zu küssen nicht gewagt, sondern weggegangen wäre. Danach hat es sich begeben, daß ihn etliche in ein Schandhaus mitgenommen, wo er mit einem leichtsinnigen Weibe gesündigt. Also vom Laster befleckt, hat er nie wieder den Eingang zu der Schlaufhöhle finden können; welches er zum öftern mit Weinen beklagt.

## 14. Das schwere Kind

Im Jahr 1686, am 8. Juni, erblickten zwei Edelleute auf dem Wege nach Chur in der Schweiz an einem Busch ein kleines Kind liegen, das in Linnen eingewickelt war. Der eine hatte Mitleid, ließ seinen Diener absteigen und das Kind aufheben, damit man es ins nächste Dorf mitnehmen und Sorge für es tragen könnte. Als dieser abgestiegen war, das Kind angefaßt hatte und aufheben wollte, war er es nicht vermögend. Die zwei Edelleute verwunderten sich hierüber und befahlen dem andern Diener, auch abzusitzen und zu helfen. Aber beide mit gesamter Hand waren nicht so mächtig, es nur von der Stelle zu rücken. Nachdem sie es lange versucht, hin und her gehoben und gezogen, hat das Kind anfangen zu sprechen und gesagt: »Lasst mich liegen, denn ihr könnt mich doch nicht von der Erde wegbringen. Das aber will ich euch sagen, daß dies ein köstliches fruchtbares Jahr sein wird, aber wenig Menschen werden es erleben.« Sobald es diese Worte ausgeredet hatte, verschwand es. Die beiden Edelleute legten nebst ihren Dienern ihre Aussagen bei dem Rat zu Chur nieder.

## 15. Der alte Weinkeller bei Salurn

Auf dem Rathaus des Tiroler Fleckens Salurn an der Etsch werden zwei alte Flaschen vorgezeigt und davon erzählt: Im

Jahr 1688 ging Christoph Patzeber von St. Michael nach Salurn in Verrichtungen, und wie er bei den Trümmern der alten Salurner Burg vorüberkam, wandelte ihn Lust an, das Gemäuer näher zu betrachten. Er sah sich im obern Teil um und fand ungefähr eine unterirdische Treppe, welche aber ganz hell schien, so daß er hinabstieg und in einen ansehnlichen Keller gelangte, zu dessen beiden Seiten er große Fässer liegen sah. Der Sonnenstrahl fiel durch die Ritzen, er konnte deutlich achtzehn Gefäße zählen, deren jedes ihm deuchte fünfzig Irten zu halten; an denen, die vorn standen, fehlte weder Hahn noch Kran, und als der Bürger sich vorwitzig umdrehte, sah er mit Verwunderung einen Wein, köstlich wie Öl, fließen. Er kostete das Getränk und fand es von solchem herrlichen Geschmack, wie er zeitlebens nicht über seine Zunge gebracht hatte. Gern hätte er für Weib und Kind davon mitgenommen, wenn ihm ein Geschirr zu Händen gewesen wäre; die gemeine Sage fiel ihm ein von diesem Schloß, das schon manchen Menschen unschuldigerweise reich gemacht haben sollte, und er sann hin und her, ob er nicht durch diesen Fund glücklich werden möchte. Er schlug daher den Weg nach der Stadt ein, vollbrachte sein Geschäft und kaufte sich zwei große irdene Flaschen nebst Trichter und verfügte sich noch vor Sonnenuntergang in das alte Schloß, wo er alles geradeso wiederfand wie das erstemal. Ungesäumt füllte er seine beiden Flaschen mit Wein, welche etwa zwanzig Maß fassen konnten, hierauf wollte er den Keller verlassen. Aber im Umdrehen sah er plötzlich an der Treppe, so daß sie ihm den Gang sperrten, drei alte Männer an einem kleinen Tisch sitzen, vor ihnen lag eine schwarze, mit Kreide beschriebene Tafel. Der Bürger erschrak heftig, hätte gern allen Wein im Stich gelassen, hub an inbrünstig zu beten und die Kellerherren um Verzcihung zu bitten. Da sprach einer aus den dreien, welcher einen langen Bart, eine Ledermütze auf dem Haupt und einen schwarzen Rock anhatte: »Komm, sooft du willst, so sollst du allezeit erhalten, was dir und den Deinen vonnöten ist.« Hierauf verschwand das ganze Gesicht. Patzeber konnte frei und ungehindert fortgehen und gelangte glücklich heim zu seinem Weibe, dem er alles erzählte, was ihm begegnet war. Anfangs verabscheute die Frau diesen Wein, als sie aber sah, wie ohne Schaden sich ihr Hauswirt daran labte, versuchte sie ihn auch und gab allen ihren Hausgenossen dessen zu trinken. Als nun der Vorrat alle wurde, nahm er getrost die zwei irdenen Krüge, ging wieder in den Keller und füllte von neuem, und das geschah etlichemal ein ganzes Jahr durch; dieser Trunk, der einer kaiserlichen Tafel wohlgestanden hätte, kostete ihn keinen Heller. Einmal aber besuchten ihn drei Nachbarn, denen er von seinem Gnadentrunk zubrachte und die ihn so trefflich fanden, daß sie Verdacht schöpften und argwohnten, er sei auf unrechtem Wege dazu gekommen. Weil sie ihm ohnedies feind waren, gingen sie aufs Rathaus und verklagten ihn; der Bürger erschien und verhehlte nicht, wie er zu dem Wein gelangt war, obgleich er innerlich dachte, daß er nun den letzten geholt haben würde. Der Rat ließ von dem Wein vor Gericht bringen und befand einstimmig, daß dergleichen im Lande nirgends anzutreffen wäre. Also mußten sie zwar den Mann nach abgelegtem Eid heim entlassen, gaben ihm aber auf, mit seinen Flaschen nochmals den vorigen Weg zu unternehmen. Er machte sich auch dahin, aber weder Treppe noch Keller war dort zu spüren, und er empfing unsichtbare Schläge, die ihn betäubt und halbtot zu Boden streckten. Als er so lange Zeit lag, bedeuchte ihn, den vorigen Keller, aber fern in einer Tiefe, zu erblicken; die drei Männer saßen wieder da und kreideten still und schweigend bei einer hellen Lampe auf dem Tisch, als hätten sie eine wichtige Rechnung zu schließen; zuletzt wischten sie alle Ziffern aus und zogen ein Kreuz über die ganze Tafel, welche sie danach beiseite stellten. Einer stand auf, öffnete drei Schlösser an einer eisernen Tür, und man hörte Geld klingen. Auf einer anderen Treppe kam dann dieser alte Mann heraus zu dem auf der Erde liegenden Bürger, zählte ihm dreißig Taler in den Hut, ließ aber nicht den geringsten Laut von sich hören. Hiermit verschwand das Gesicht, und die Salurner Uhr aus der Ferne schlug elf. Der Bürger raffte sich auf und kroch aus den Mauern; auf der Höhe sah er einen ganzen Leichenzug mit Lichtern vorbeiwallen und deutete das auf seinen eigenen Tod. Inzwischen kam er nach und nach auf die Landstraße und wartete auf Leute, die ihn nach Haus schleppten. Darauf berichtete er dem Rat den ganzen Verlauf, und die dreißig alten Taler bewiesen deutlich, daß sie ihm von keiner oberirdischen Hand waren gegeben worden. Man sandte des folgenden Tags acht beherzte Männer aus zu der Stelle, die gleichwohl nicht die mindesten Spuren entdeckten, außer in einer Ecke der Trümmer die beiden irdenen Flaschen liegen fanden und zum Wahrzeichen mitbrachten. Der Patzeber starb zehn Tage darauf und mußte die Weinzeche mit seinem Leben bezahlen; das gemachte große Kreuz hatte die Zahl der zehn Tage vielleicht vorbedeutet.

### 16. Hünenspiel

Bei Höxter, zwischen Godelheim und Amelunxen, liegen der Brunsberg und Wiltberg, auf welchen die Sachsen im Kampf mit Karl dem Großen sollen ihre Burgen gehabt haben. Nach der Sage des Godelsheimer Volks wohnten dort ehedem Hünen, die so groß waren, daß sie sich morgens, wenn sie aufstanden, aus ihren Fenstern grüßend die Hände herüber- und hinüberreichten. Sie warfen sich auch, als Ballspiel, Kugeln zu und ließen sie hin und her fliegen. Einmal fiel eine solche Kugel mitten ins Tal herab und schlug ein gewaltiges Loch in den Erdboden, das man noch heute sieht. Die Vertiefung heißt die *Knäuelwiese*. –

Die Riesen herrschten da zu Land, bis ein mächtiges, kriegerisches Volk kam und mit ihnen stritt. Da gab es eine ungeheuere Schlacht, daß das Blut durchs Tal strömte und die Weser rot färbte; alle Hünen wurden erschlagen, ihre Burgen erobert, und das neuangekommene Volk schaltete von nun an in der Gegend.

Nach einer andern Erzählung sandte der Riese von Brunsberg dem von Wiltberg täglich einen Brief, der in ein großes

Knäuel Garn gewunden, und so warfen sie es hinüber und herüber. Eines Tages fiel das Knäuel im Lauh, einem Holz unter dem Braunberge, nieder, und da ist ein großer Teich geworden, wo lauter weiße Lilien aufwachsen und wo noch zu dieser Stunde alle Jahr am Ostermontag die weiße Frau kommt und sich wäscht.

## 17. Das Riesenspielzeug

Im Elsaß auf der Burg Nideck, die an einem hohen Berg bei einem Wasserfall liegt, waren die Ritter vorzeiten große Riesen. Einmal ging das Riesenfräulein herab ins Tal, wollte sehen, wie es da unten wäre, und kam bis fast nach Haslach auf ein vor dem Wald gelegenes Ackerfeld, das gerade von den Bauern bestellt ward. Es blieb vor Verwunderung stehen und schaute den Pflug, die Pferde und Leute an, das ihr alles etwas Neues war. »Ei«, sprach sie und ging herzu, »das nehm ich mir mit.« Da kniete sie nieder zur Erde, breitete ihre Schürze aus, strich mit der Hand über das Feld, fing alles zusammen und tat's hinein. Nun lief sie ganz vergnügt nach Hause, den Felsen hinaufspringend; wo der Berg so jäh ist, daß ein Mensch mühsam klettern muß, da tat sie einen Schritt und war droben.

Der Ritter saß gerade am Tisch, als sie eintrat. »Ei, mein Kind«, sprach er, »was bringst du da, die Freude schaut dir ja aus den Augen heraus.« Sie machte geschwind ihre Schürze auf und ließ ihn hineinblicken. »Was hast du so Zappeliges darin?« – »Ei Vater, gar zu artiges Spielding! So was Schönes hab ich mein Lebtag noch nicht gehabt.« Darauf nahm sie eins nach dem andern heraus und stellte es auf den Tisch: den Pflug, die Bauern mit ihren Pferden; lief herum, schaute es an, lachte und schlug vor Freude in die Hände, wie sich das kleine Wesen darauf hin und her bewegte. Der Vater aber sprach: »Kind, das ist kein Spielzeug, da hast du was Schönes angestiftet! Geh nur gleich und trag's wieder hinab ins Tal.« Das Fräulein weinte, es half aber nichts. »Mir ist der Bauer kein Spielzeug«, sagt der

Ritter ernsthaftig, »ich leid's nicht, daß du mir murrst, kram alles sachte wieder ein und trag's an den nämlichen Platz, wo du's genommen hast. Baut der Bauer nicht sein Ackerfeld, so haben wir Riesen auf unserm Felsennest nichts zu leben.«

## 18. Riese Einheer

Zu Zeiten Karls des Großen lebt ein Ries' und Recke, hieß Einheer, war ein Schwab, gebürtig aus Thurgau, jetzt Schweiz, der wuthe (watete) über alle Wasser, dorft (braucht) über keine Brücke gehen, zoge sein Pferd bei dem Schwanz hernach, sagt allzeit: »Nun Gesell, du mußt auch hernach!« Dieser reist auch in diesen Kaiser Karls Kriegen wider die Winden (Wenden) und Haunen (Hunnen); er mähet die Leut, gleichwie das Gras mit einer Sensen, alle nieder, hängt sie an den Spieß, trug's über die Achseln wie Hasen oder Füchs, und da er wieder heimkam und ihn seine guten Gesellen und Nachbarn fragten, was er ausgerichtet hätte, wie es im Kriege gegangen wäre, sagt er aus Unmut und Zorn: »Was soll ich viel von diesen Fröschlein sagen! Ich trug ihr sieben oder acht am Spieß über die Achsel, weiß nicht, was sie quaken, ist der Mühe nicht wert, daß der Kaiser soviel Volks wider solche Kröten und Würmlein zusammenbracht, ich wollt's viel leichter zuwegen gebracht haben!« – Diesen Riesen nennt man Einheer, daß (weil) er sich in Kriegen schier einem Heer vergleicht und alsoviel ausrichtet. Es flohen ihm die Feinde, Winden und Haunen, meinten, es wär der leidige Teufel.

## 19. Riesensäulen

Bei Miltenberg oder Kleinen-Haubach auf einem hohen Gebirge im Walde sind neun gewaltige, große, steinerne Säulen zu sehen und daran die Handgriffe, wie sie von den Riesen im Arbeiten herumgedreht worden, damit eine Brücke über den Main zu bauen, solches haben die alten Leute je nach und nach ihren Kindern erzählt, auch daß in dieser Gegend vorzeiten viele Riesen sich aufgehalten.

## 20. Der Köterberg

Der Köterberg (an der Grenze des Paderbornschen, Lippeschen und Korveischen) war sonst der *Götzenberg* genannt, weil die Götter der Heiden da angebetet wurden. Er ist innen voll Gold und Schätze, die einen armen Mann wohl reich machen könnten, wenn er dazu gelangte. Auf der nördlichen Seite sind Höhlen, da fand einmal ein Schäfer den Eingang und die Türe zu den Schätzen, aber wie er eingehen wollte, in demselben Augenblick kam ein ganz blutiger, entsetzlicher Mann übers Feld dahergelaufen und erschreckte und verscheuchte ihn. Südlich auf einem waldbewachsenen Hügel am Fuße des Berges stand die Harzburg, wovon die Mauern noch zu sehen und noch vor kurzem Schlüssel gefunden sind. Darin wohnten Hünen, und gegenüber, auf dem zwei Stunden fernen Zierenberg, stand eine andere Hünenburg! Da warfen die Riesen sich oft Hämmer herüber und hinüber.

## 21. Geroldseck

Geroldseck, ein altes Schloß im Wasgau, von dem man vor Jahren her viel Abenteuer erzählen hörte: daß nämlich die uralten deutschen Helden, die Könige Ariovist, Hermann, Wittekind, der hürne Siegfried und viele, viele andere in demselben Schlosse zu gewisser Zeit des Jahres gesehen würden; welche, wenn die Deutschen in den höchsten Nöten und am Untergang sein würden, wieder da heraus und mit etlichen alten deutschen Völkern denselben zu Hilfe erscheinen sollten.

## 22. Kaiser Karl zu Nürnberg

Die Sage geht, daß Karl der Große sich zu Nürnberg auf der Burg in den tiefen Brunnen verflucht habe und daselbst aufhalte. Sein Bart ist durch den Steintisch gewachsen, vor welchem er sitzt.

## 23. Friedrich Rotbart auf dem Kyffhäuser

Von diesem Kaiser gehen viele Sagen im Schwange. Er soll noch nicht tot sein, sondern bis zum jüngsten Tage leben, auch kein rechter Kaiser nach ihm mehr aufgekommen. Bis dahin sitzt er verhohlen in dem Berg Kyffhausen, und wenn er hervorkommt, wird er seinen Schild hängen an einen dürren Baum, davon wird der Baum grünen und eine bessere Zeit werden. Zuweilen redet er mit den Leuten, die in den Berg kommen, zuweilen läßt er sich auswärts sehen. Gewöhnlich sitzt er auf der Bank an dem runden steinernen Tisch, hält den Kopf in die Hand und schläft, mit dem Haupt nickt er stetig und zwinkert mit den Augen. Der Bart ist ihm groß gewachsen, nach einigen durch den steinernen Tisch, nach andern um den Tisch herum, dergestalt, daß er dreimal um die Rundung reichen muß bis zu seinem Aufwachen, jetzt aber geht er erst zweimal darum.

Ein Bauer, der 1669 aus dem Dorf Reblingen Korn nach Nordhausen fahren wollte, wurde von einem kleinen Männchen in den Berg geführt, mußte sein Korn ausschütten und sich dafür die Säcke mit Gold füllen. Dieser sah nun den Kaiser sitzen, aber ganz unbeweglich.

Auch einen Schäfer, der einstmals ein Lied gepfiffen, das dem Kaiser wohlgefallen, führte ein Zwerg hinein, da stand der Kaiser auf und fragte: »Fliegen die Raben noch um den Berg?« Und auf die Bejahung des Schäfers rief er: »Nun muß ich noch hundert Jahre länger schlafen.«

## 24. Der Birnbaum auf dem Walserfeld

Bei Salzburg auf dem sogenannten Walserfeld soll dermaleinst eine schreckliche Schlacht geschehen, wo alles hinzulaufen und ein so furchtbares Blutbad sein wird, daß den Streitenden das Blut vom Fußboden in die Schuh rinnt. Da werden die bösen von den guten Menschen erschlagen werden. Auf diesem Walserfeld steht ein ausgedorrter Birnbaum zum Angedenken dieser letzten Schlacht; schon dreimal wurde er umgehauen, aber seine Wurzel schlug immer aus, daß er wiederum anfing zu grünen und ein vollkommener Baum ward. Viele Jahre bleibt er noch dürr stehen, wenn er aber zu grünen anhebt, wird die greuliche Schlacht bald eintreten, und wenn er Früchte trägt, wird sie anheben. Dann wird der Bayerfürst seinen Wappenschild daran aufhängen und niemand wissen, was es zu bedeuten hat.

## 25. Der verzauberte König zu Schildheiß

Das alte Schloß Schildheiß, in einer wüsten Wald- und Berggegend von Deutschböhmen, sollte aufs neue gebaut und wiederhergestellt werden. Als die Werkmeister und Bauleute die Trümmer und Grundfesten untersuchten, fanden sie Gänge, Keller und Gewölbe unter der Erde in großer Menge, mehr als sie gedacht; in einem Gewölbe saß ein gewaltiger König im Sessel, glänzend und schimmernd von Edelgestein, und ihm zur Rechten stand unbeweglich eine holdselige Jungfrau, die hielt dem König das Haupt, gleich als ruhte es drinnen. Als sie nun vorwitzig und beutegierig näher traten, wandelte sich die Jungfrau in eine Schlange, die Feuer spie, so daß alle weichen mußten. Sie berichteten aber ihrem Herrn von der Begebenheit, welcher alsbald vor das bezeichnete Gewölbe ging und die Jungfrau bitterlich seufzen hörte. Nachher trat er mit seinem Hund in die Höhle, in der sich Feuer und Rauch zeigte, so daß der Ritter etwas zurückwich und seinen Hund, der vorausgelaufen war, für verloren hielt. Das Feuer erlosch, und wie er sich von neuem näherte, sah er, daß die Jungfrau seinen Hund unbeschädigt im Arm hielt, und eine Schrift an der Wand, die ihm Verderben drohte. Sein Mut trieb ihn aber nachher dennoch an, das Abenteuer zu wagen, und er wurde von den Flammen verschlungen.

## 26. Kaiser Karl des Großen Auszug

Zwischen Gudensberg und Besse in Hessen liegt der Odenberg, in welchem Kaiser Karl der Große mit seinem ganzen Heer versunken ist. Ehe ein Krieg ausbricht, tut sich der Berg auf, Kaiser Karl kommt hervor, stößt in sein Hifthorn und zieht nun mit seinem ganzen Heer aus in einen andern Berg.

## 27. Der Untersberg

Der Untersberg oder Wunderberg liegt eine kleine deutsche Meile von der Stadt Salzburg an dem grundlosen Moos, wo vorzeiten die Hauptstadt Helfenburg soll gestanden haben. Er ist im Innern ganz ausgehöhlt, mit Palästen, Kirchen, Klöstern, Gärten, Gold- und Silberquellen versehen. Kleine Männlein bewahren die Schätze und wanderten sonst oft um Mitternacht in die Stadt Salzburg, in der Domkirche daselbst Gottesdienst zu halten.

## 28. Kaiser Karl im Untersberg

In dem Wunderberg sitzt außer andern fürstlichen und vornehmen Herren auch Kaiser Karl, mit goldener Krone auf dem Haupt und seine Zepter in der Hand. Auf dem großen Walserfeld wurde er verzückt und hat noch ganz seine Gestalt behalten, wie er sie auf der zeitlichen Welt gehabt. Sein Bart ist grau und lang gewachsen und bedeckt ihm das goldene Bruststück seiner Kleidung ganz und gar. An Fest- und Ehrentagen wird der Bart auf zwei Teile geteilt, einer liegt auf der rechten Seite, der andere auf der linken, mit einem kostbaren Perlenband umwunden. Der Kaiser hat ein scharfes und tiefsinniges Angesicht und zeigt sich freundlich und gemeinschaftlich gegen alle Untergebenen, die da mit ihm auf einer schönen Wiese hin und her gehen. Warum er sich da aufhält und was seines Tuns ist, weiß niemand und steht bei den Geheimnissen Gottes.

Franz Sartori erzählt, daß Kaiser Karl V., nach andern aber Friedrich an einem Tisch sitzt, um den sein Bart schon mehr denn zweimal herumgewachsen ist. Sowie der Bart zum drittenmal die letzte Ecke desselben erreicht haben wird, tritt dieser Welt letzte Zeit ein. Der Antichrist erscheint, auf den Feldern von Wals kommt es zur Schlacht, die Engelposaunen ertönen, und der Jüngste Tag ist angebrochen.

## 29. Der Scherfenberger und der Zwerg

Mainhard, Graf von Tirol, der auf Befehl des Kaisers Rudolf von Habsburg Steier und Kärnten erobert hatte und zum Herzoge von Kärnten ernannt ward, lebte mit dem Grafen Ulrich von Heunburg in Fehde. Zu diesem schlug sich auch Wilhelm von Scherfenberg, treulos und undankbar gegen Mainhard. Danach in dem Kampfe ward er vermißt, und Konrad von Aufenstein, der für Mainhard gestritten hatte, suchte ihn auf.

Sie fanden aber den Scherfenberger im Sande liegen von einem Speer durchstochen, und hatte er da sieben Wunden, doch nur eine Pein. Der Aufensteiner fragte ihn, ob er der Herr Wilhelm wäre. »Ja, und seid Ihr's, der Aufensteiner, so steht hernieder zu mir.« Da sprach der Scherfenberger mit krankem Mund: »Nehmt dieses Fingerlein; derweil es in Eurer Gewalt ist, zerrinnt Euch Reichtum und weltliche Ehre nimmermehr.« Damit reichte er es ihm von der Hand. Indessen kam auch Heinrich der Told geritten und hörte, daß es der Scherfenberger war, der da lag. »So ist es der«, sprach er, »welcher seine Treue an meinem Herrn gebrochen, das rächt nun Gott an ihm in dieser Stunde.« Ein Knecht mußte den Todwunden auf ein Pferd legen, aber er starb darauf. Da machte der Told, daß man ihn wieder herablegte, wo er vorher gelegen war. Danach ward der Scherfenberger beklagt von Männern und Weibern; mit dem Ring aber, den er dem Aufensteiner gegeben, war es auf folgende Weise zugegangen:

Eines Tages sah der Scherfenberger von seiner Burg auf dem Feld eine seltsame Augenweide. Auf vier langen vergoldeten Stangen trugen vier Zwerge einen Himmel von klarem und edlem Tuche. Darunter ritt ein Zwerg, eine goldene Krone auf dem Häuptlein, und in allen Gebärden als ein König. Sattel und Zaum des Pferdes war mit Gold beschlagen, Edelsteine lagen darin, und so war auch alles Gewand beschaffen. Der Scherfenberger stand und sah es an, endlich ritt er hin und nahm seinen Hut ab. Der Zwerg gab ihm guten Morgen und

sprach: »Wilhelm, Gott grüß Euch!« – »Woher kennt Ihr mich?« antwortete der Scherfenberger. »Laß dir nicht leid sein«, sprach der Zwerg, »daß du mir bekannt bist und ich deinen Namen nenne; ich suche deine Mannheit und deine Treue, von der mir viel gesagt ist. Ein gewaltiger König ist mein Genosse um ein großes Land, darum führen wir Krieg, und er will mir's mit List abgewinnen. Über sechs Wochen ist ein Kampf zwischen uns gesprochen, mein Feind aber ist mir zu groß, da haben alle meine Freunde mir geraten, dich zu gewinnen. Willst du dich des Kampfes unterwinden, so will ich dich so stark machen, daß, ob er einen Riesen brächte, dir's doch gelingen soll. Wisse, guter Held, ich bewahre dich mit einem Gürtel, der dir zwanzig Männer Stärke gibt.« Der Scherfenberger antwortete: »Weil du mir so wohl traust und auf meine Mannheit dich verläßt, so will ich zu deinem Dienste sein; wie es auch mit mir gehen wird, es soll alles gewagt werden.« Der Zwerg sprach: »Fürchte dich nicht, Herr Wilhelm, als wäre ich ungeheuer, nein, mir wohnt christlicher Glaube an die Dreifaltigkeit bei und daß Gott von einer Jungfrau menschlich geboren wurde.« Darüber ward der Scherfenberger froh und versprach, wo nicht Tod oder Krankheit ihn abhalte, daß er zu rechter Stunde kommen wollte. »So kommt mit Roß, Rüstung und einem Knaben an diese Stätte hier, sagt aber niemanden etwas davon, auch Eurem Weibe nicht, sonst ist das Ding verloren.« Da beschwur der Scherfenberger alles. »Sieh hin«, sprach nun das Gezwerg, »dies Fingerlein soll unserer Rede Zeuge sein; du sollst es mit Freuden besitzen, denn lebst du tausend Jahre, solange du es hast, zerrinnt dir dein Gut nimmermehr. Darum sei hohen Mutes und halt deine Treue an mir.« Damit ging es über die Heide, und der Scherfenberger sah ihm nach, bis es in den Berg verschwand.

Als er nach Hause kam, war das Essen bereit, und jedermann fragte, wo er gewesen wäre, er aber sagte nichts, doch konnt er von Stunde an nicht mehr so fröhlich gebaren wie sonst. Er ließ sein Roß besorgen, sein Panzerhemd bessern, schickte nach dem Beichtiger, tat heimlich lautere Beichte und nahm danach mit Andacht des Herrn Leib. Die Frau suchte von dem Beichtiger die Wahrheit an den Sachen zu erfahren, aber der wies sie ernstlich ab. Da beschickte sie vier ihrer besten Freunde, die führten den Priester in eine Kammer, setzten ihm das Messer an den Hals und drohten ihm auf den Tod, bis er sagte, was er gehört hatte.

Als die Frau es nun erfahren, ließ sie die nächsten Freunde des Scherfenberger kommen, die mußten ihn heimlich nehmen und um seinen Vorsatz fragen. Als er aber nichts entdecken wollte, sagten sie ihm vor den Mund, daß sie alles wüßten, und als er es an ihren Reden sah, da bekannte er allererst die Wahrheit. Nun begannen sie seinen Vorsatz zu schwächen und baten ihn höchlich, daß er von der Fahrt ablasse. Er aber wollt seine Treue nicht brechen und sprach, wo er das tue, nehme er fürder an allem Gut ab. Sein Weib aber tröstete ihn und ließ nicht nach, bis sie ihn mit großer Bitte überredete, dazubleiben; doch war er unfroh.

Darauf über ein halbes Jahr ritt er eines Tages zu seiner Feste Landstrotz hinter den Seinigen zuallerletzt. Da kam der Zwerg neben zu ihm und sprach: »Wer Eure Mannheit rühmt, der hat gelogen! Wie habt Ihr mich hintergangen und verraten! Ihr habt an mir verdient Gottes und guter Weiber Haß. Auch sollt Ihr wissen, daß Ihr in Zukunft sieglos seid, und wäre das gute Ringlein nicht, das ich Euch leider gegeben habe, Ihr müßtet mit Weib und Kind in Armut leben«. Da griff der Zwerg ihm an die Hand und wollt's ihm abzucken, aber der Scherfenberger zog die Hand zurück und steckte sie in die Brust; dann ritt er von ihm über das Feld fort. Die vor ihm waren, die hatten alle nichts gesehen.

### 30. Das stille Volk zu Plesse

Auf dem hessischen Bergschloß Plesse sind im Felsen mancherlei Quellen, Brunnen, Schluchten und Höhlen, wo der Sage nach Zwerge wohnen und hausen sollen, die man das *stille Volk* nennt. Sie sind schweigsam und guttätig, dienen den Menschen gern, die ihnen gefallen. Geschieht ihnen ein Leid an, so lassen sie ihren Zorn doch nicht am Menschen aus, sondern rächen sich am Vieh, das sie plagen. Eigentlich hat dies unterirdische Geschlecht keine Gemeinschaft mit den Menschen und treibt inwendig sein Wesen, da hat es Stuben und Gemächer voll Gold und Edelgestein. Steht ihm ja etwas oben auf dem Erdboden zu verrichten, so wird das Geschäft nicht am Tag, sondern bei der Nacht vorgenommen. Dieses Bergvolk ist von Fleisch und Bein wie andere Menschen, zeugt Kinder und stirbt; allein es hat die Gabe, sich unsichtbar zu machen und durch Fels und Mauer ebenso leicht zu gehen wie wir durch die Luft. Zuweilen erscheinen sie den Menschen, führen sie mit in die Kluft und beschenken sie, wenn sie ihnen gefallen, mit kostbaren Sachen. Der Haupteingang ist beim tiefen Brunnen; das nahe gelegene Wirtshaus heißt *zum Rauschenwasser*.

## 31. Des kleinen Volks Hochzeitfest

Das kleine Volk auf der Eilenburg in Sachsen wollte einmal Hochzeit halten und zog daher in der Nacht durch das Schlüsselloch und die Fensterritzen in den Saal, und sie sprangen hinab auf den glatten Fußboden, wie Erbsen auf die Tenne geschüttet werden. Davon erwachte der alte Graf, der im hohen Himmelbett in dem Saal schlief, und verwunderte sich über die vielen kleinen Gesellen. Da trat einer von ihnen, geschmückt wie ein Herold, zu ihm heran und lud ihn in ziemenden Worten gar höflich ein, an ihrem Fest teilzunehmen. »Doch um eins bitten wir«, setzte er hinzu, »Ihr allein sollt zugegen sein, keins von Euerm Hofgesinde darf sich unterstehen, das Fest mit anzuschauen, auch nicht mit einem einzigen Blick.« Der alte Graf antwortete freundlich: »Weil ihr mich im Schlaf gestört, so will ich auch mit euch sein.« Nun ward ihm ein kleines Weiblein zugeführt, kleine Lampenträger stellten sich auf, und eine Heimchenmusik hob an. Der Graf hatte Mühe, das Weibchen beim Tanzen nicht zu verlieren, das ihm so leicht dahersprang und endlich so im Wirbel umdrehte, daß er kaum zu Atem kommen konnte. Mitten in dem lustigen Tanz aber stand auf einmal alles still, die Musik hörte auf, und der ganze Haufen eilte nach den Türspalten, Mauslöchern, und wo sonst ein Schlupfwinkel war. Das Brautpaar aber, die Herolde und Tänzer schauten aufwärts nach einer Öffnung, die sich oben in der Decke des Saals befand, und entdeckten dort das Gesicht der alten Gräfin, welche vorwitzig nach der lustigen Wirtschaft herabschaute. Darauf neigten sie sich vor dem Grafen, und derselbe, der ihn eingeladen, trat wieder hervor und dankte ihm für die erzeigte Gastfreundschaft. »Weil aber«, sagte er dann, »unsere Freude und unsere Hochzeit also ist gestört worden, daß noch ein anderes menschliches Auge darauf geblickt, so soll fortan Euer Geschlecht nie mehr als sieben Eilenburgs zählen.« Darauf drängten sie nacheinander schnell hinaus, bald war es still und der alte Graf wieder allein im finstern Saal. Die Verwünschung ist bis auf gegenwärtige Zeit eingetroffen und immer einer von den sechs lebenden Rittern von Eilenburg gestorben, ehe der siebente geboren war.

## 32. Steinverwandelte Zwerge

In Böhmen, nicht weit von Elbogen, liegt in einem rauhen, aber schönen Tal, durch welches sich die Eger bis beinahe ans Karlsbad in mancherlei Krümmungen durchwindet, die berühmte Zwergenhöhle. Die Bewohner der benachbarten Dörfer und Städte erzählen davon folgendes: Diese Felsen wurden in alten Zeiten von kleinen Bergzwergen bewohnt, die im stillen da ihr Wesen trieben. Sie taten niemanden etwas zuleide, vielmehr halfen sie ihren Nachbarn in Not und Trübsal. Lange Zeit wurden sie von einem gewaltigen Geisterbanner beherrscht, einmal aber, als sie eben eine Hochzeit feiern wollten und darum zu ihrer Kirche ausgezogen waren, geriet er in heftigen Zorn und verwandelte sie in Stein, oder vielmehr, da sie unvertilgbare Geister waren, bannte er sie hinein. Die Reihe dieser Felsen heißt noch jetzt *Die verwünschte Zwergenhochzeit*, und man sieht sie in verschiedenen Gestalten auf den Bergspitzen stehen. In der Mitte eines der Felsen zeigt man das Bild eines Zwergs, welcher, als die übrigen dem Bann entfliehen wollten, zu lange im Gemach verweilte und, indem er aus dem Fenster nach Hilfe umherblickte, in Stein verwandelt wurde.

Auch zeigt man auf dem Rathaus zu Elbogen noch jetzt die verbannten ruchlosen und goldgeizigen Burggrafen in einem Klumpen klingenden Metall. Der Sage nach soll niemand, der mit einer Todsünde befleckt ist, diesen Klumpen in die Höhe heben können.

## 33. Zwergberge

Bei Aachen ist nicht weit von der Stadt ein Berg, dessen Bewohner zu ihren Hochzeiten von den Städtern Kessel, eherne

Töpfe, Schüssel und Bratspieß entlehnen, später richtig wiederbringen. Ähnliche Zwergberge stehen in der Gegend von Jena und in der Grafschaft Hohenstein.

## 34. Zwerge leihen Brot

Der Pfarrer Hedler zu Selbitz und Marlsreuth erzählte im Jahr 1684 folgendes: Zwischen den zweien genannten Orten liegt im Wald eine Öffnung, die insgemein das Zwergenloch genannt wird, weil ehedessen und vor mehr als hundert Jahren daselbst Zwerge unter der Erde gewohnt, die von gewissen Einwohnern in Naila die notdürftige Nahrung zugetragen erhalten haben.

Albert Steffel, siebenzig Jahre alt und im Jahr 1680 gestorben, und Hans Kohmann, dreiundsechzig Jahre alt und 1679 gestorben, zwei ehrliche, glaubhafte Männer, haben etlichemal ausgesagt, Kohmanns Großvater habe einst auf seinem bei diesem Loch gelegenen Acker geackert und sein Weib ihm frischgebackenes Brot zum Frühstück aufs Feld gebracht und in ein Tüchlein gebunden am Rain hingelegt. Bald sei ein Zwergweiblein gegangen kommen und habe den Ackermann um sein Brot angesprochen: ihr Brot sei eben auch im Backofen, aber ihre hungrigen Kinder könnten nicht darauf warten, und sie wolle es ihnen mittags von dem ihrigen wiedererstatten. Der Großvater habe eingewilligt, auf den Mittag sei sie wiedergekommen, habe ein sehr weißes Tüchlein gebreitet und darauf einen noch warmen Laib gelegt, neben vieler Danksagung und Bitte, er möge ohne Scheu des Brots essen, und das Tuch wolle sie schon wieder abholen. Das sei auch geschehen, dann habe sie zu ihm gesagt, es würden jetzt so viele Hammerwerke errichtet, daß sie, dadurch beunruhigt, wohl weichen und den geliebten Sitz verlassen müßte. Auch vertriebe sie das Schwören und große Fluchen der Leute, wie auch die Entheiligung des Sonntags, indem die Bauern vor der Kirche ihr Feld zu beschauen gingen, was ganz sündlich wäre.

Vor kurzem haben sich an einem Sonntag mehrere Bauernknechte mit angezündeten Spänen in das Loch begeben, inwendig einen schon verfallenen, sehr niedrigen Gang gefunden; endlich einen weiten, fleißig in den Felsen gearbeiteten Platz, viereckig, höher als mannshoch, auf jeder Seite viele kleine Türlein. Darüber ist ihnen ein Grausen angekommen, und sind herausgegangen, ohne die Kämmerlein zu besehen.

## 35. Der Graf von Hoia

Es ist einmal einem Grafen zu Hoia ein kleines Männlein in der Nacht erschienen, und wie sich der Graf entsetzte, hat es zu ihm gesagt, er sollte sich nicht erschrecken, es hätte ein Wort an ihm zu werben und zu bitten, er solle ihm das nicht abschlagen. Der Graf antwortete, wenn es ihm und den Seinen unbeschwerlich wäre, so wollte er es gern tun. Da sprach das Männlein: »Es wollen die folgende Nacht etliche zu dir auf dein Haus kommen und Ablager halten, denen sollst du Küche und Saal so lange leihen und deinen Dienern gebieten, daß sie sich schlafen legen und keiner nach ihrem Tun und Treiben sehe, auch keiner darum wisse, ohne du allein. Man wird sich dafür dankbarlich zeigen, du und dein Geschlecht sollen's zu genießen haben, es soll auch im allergeringsten weder dir noch den Deinen Leid geschehen.« Solches hat der Graf eingewilligt. Also sind folgende Nacht, gleich als mit einem reisigen Zug, die Brücke hinauf ins Haus gezogen allesamt kleine Leute, wie man die Bergmännlein zu beschreiben pflegt. Sie haben in der Küche gekocht, zugehauen und aufgegeben, und hat sich nicht anders ansehen lassen, als wenn eine große Mahlzeit angerichtet würde. Danach, fast gegen Morgen, wie sie wiederum scheiden wollen, ist das kleine Männlein abermal zum Grafen gekommen und hat ihm neben Danksagung gereicht ein Schwert, ein Salamanderlaken und einen goldenen Ring, in welchem ein roter Löwe oben eingemacht; mit Anzeigung, diese drei Stücke sollte er und seine Nachkömmlinge wohl verwahren, und solange sie dieselben beieinander hätten, würde es einig und wohl in der Grafschaft zustehen: sobald sie aber voneinander kommen würden, sollte es ein Zeichen sein, daß der Grafschaft nichts Gutes vorhanden wäre; und ist der rote Löwe auch allzeit danach, wenn einer vom Stamm sterben sollte, erblichen.

Es sind aber zu den Zeiten, da Graf Jobst und seine Brüder unmündig waren und Franz von Halle Statthalter im Land, die beiden Stücke, wie das Schwert und Salamanderlaken, weggenommen, der Ring aber ist bei der Herrschaft geblieben bis an ihr Ende. Wohin er aber seit der Zeit gekommen, weiß man nicht.

## 36. Zwerge ausgetrieben

Im Erzgebirge wurden die Zwerge durch Errichtung der Hämmer und Pochwerke vertrieben. Sie beklagten sich schwer darüber, äußerten jedoch, sie wollten wiederkommen, wenn die Hämmer abgingen. Unter dem Berg Sion vor Quedlinburg ist vorzeiten ein Zwergenloch gewesen, und die Zwerge haben oft den Einwohnern zu ihren Hochzeiten viel Zinnwerk und dergleichen gern vorgeliehen.

## 37. Die Wichtlein

Die Wichtlein oder Bergmännlein erscheinen gewöhnlich wie die Zwerge, nur etwa dreiviertel Elle groß. Sie haben die Gestalt eines alten Mannes mit einem langen Bart, sind bekleidet wie Bergleute mit einer weißen Hauptkappe am Hemd und einem Leder hinten, haben Laterne, Schlägel und Hammer. Sie tun den Arbeitern kein Leid, denn wenn sie bisweilen auch mit kleinen Steinen werfen, so fügen sie ihnen doch selten Schaden zu, es sei denn, daß sie mit Spotten und Fluchen erzürnt und scheltig gemacht werden. Sie lassen sich vornehmlich in den Gängen sehen, welche Erz geben oder wo gute Hoffnung dazu ist. Daher erschrecken die Bergleute nicht vor ihnen, sondern halten es für eine gute Anzeige, wenn sie erscheinen, und sind desto fröhlicher und fleißiger. Sie schweifen in den Gruben und Schachten herum und scheinen gar gewaltig zu arbeiten, aber in Wahrheit tun sie nichts. Bald ist's, als durchgrüben sie einen Gang oder eine Ader, bald, als faßten sie das Gegrabene in den Eimer, bald, als arbeiteten sie an der Rolle und wollten etwas hinaufziehen, aber sie necken nur die Bergleute damit und machen sie irre. Bisweilen rufen sie, wenn man hinkommt, ist niemand da.

Am Kuttenberg in Böhmen hat man sie oft in großer Anzahl aus den Gruben heraus- und hineinziehen gesehen. Wenn kein Bergknappe drunten, besonders wenn groß Unglück oder Schaden vorstand (sie klopfen dem Bergmann dreimal den Tod an), hat man die Wichtlein hören scharren, graben, stoßen, stampfen und andere Bergarbeiten mehr vorstellen. Bisweilen auch, nach gewisser Maße, wie die Schmiede auf dem Amboß pflegen, das Eisen umkehren und mit Hämmern schmieden. Eben in diesem Bergwerk hörte man sie vielmals klopfen, hämmern und picken, als ob drei oder vier Schmiede etwas stießen; daher sie auch von den Böhmen *Hausschmiedlein* genannt wurden. In Idria stellen ihnen die Bergleute täglich ein Töpflein mit Speise an einen besonderen Ort. Auch kaufen sie jährlich zu gewissen Zeiten ein rotes Röcklein, der Länge nach einem Knaben gerecht, und machen ihnen ein Geschenk damit. Unterlassen sie es, so werden die Kleinen zornig und ungnädig.

### 38. Beschwörung der Bergmännlein

In Nürnberg ist einer gewesen, mit Namen Paul Creuz, der eine wunderbare Beschwörung gebraucht hat. In einen gewissen Plan hat er ein neues Tischlein gesetzt, ein weißes Tuch daraufgedeckt, zwei Milchschüßlein draufgesetzt, ferner zwei Honigschüßlein, zwei Tellerchen und neun Messerchen. Weiter hat er eine schwarze Henne genommen und sie über einer Kohlpfanne zerrissen, so daß das Blut in das Essen hineingetropft ist. Danach hat er davon ein Stück gegen Morgen, das andere gegen Abend geworfen und seine Beschwörung begonnen. Wie dies geschehen, ist er hinter einen grünen Baum gelaufen und hat gesehen, daß zwei Bergmännlein sich aus der Erde hervorgefunden, zu Tisch gesetzt und bei dem kostbaren Rauchwerke, das auch vorhanden gewesen, gleichsam gegessen. Nun hat er ihnen Fragen vorgelegt, worauf sie geantwortet; ja, wenn er das oft getan, sind die kleinen Geschöpfe so vertraut geworden, daß sie auch zu ihm ins Haus zu Gast gekommen. Hat er nicht recht aufgewartet, so sind sie entweder nicht erschienen oder doch bald wieder verschwunden. Er hat auch endlich ihren König zuwege gebracht, der dann allein gekommen in einem roten, scharlachen Mäntlein, darunter er ein Buch gehabt, das er auf den Tisch geworfen und seinem Banner erlaubt hat, soviel und solange er wollte, drinnen zu lesen. Davon hat sich der Mensch große Weisheit und Geheimnisse eingebildet.

### 39. Das Bergmännlein beim Tanz

Es zeigten alte Leute mit Wahrhaftigkeit an, daß vor etlichen Jahren zu Glaß im Dorf, eine Stunde von dem Wunderberg und eine Stunde von der Stadt Salzburg, Hochzeit gehalten wurde, zu welcher gegen Abend ein Bergmännlein aus dem Wunderberge gekommen. Es ermahnte alle Gäste, in Ehren fröhlich und lustig zu sein, und verlangte, mittanzen zu dürfen; das ihm auch nicht verweigert wurde. Also machte es mit einer und der andern ehrbaren Jungfrau allzeit drei Tänze, und zwar mit besonderer Zierlichkeit, so daß die Hochzeitsgäste mit Verwunderung und Freude zuschauten. Nach dem Tanz bedankte es sich und schenkte einem jeden der Brautleute drei Geldstücke von einer unbekannten Geldmünze, deren jedes man zu vier Kreuzer im Werte hielt, und ermahnte sie dabei, in Frieden und Eintracht zu hausen, christlich zu leben und bei einem frommen Wandel ihre Kinder zum Guten zu erziehen. Diese Münze sollten sie zu ihrem Geld legen und stets seiner gedenken, so würden sie selten

in Not kommen; sie sollten aber dabei nicht hoffärtig werden, sondern mit ihrem Überfluß ihren Nachbarn helfen.

Dieses Bergmännlein blieb bei ihnen bis zur Nachtzeit und nahm von jedermann Trank und Speis, die man ihm darreichte, aber nur etwas weniges. Alsdann bedankte es sich und begehrte einen Hochzeitsmann, der es über den Fluß Salzach gegen den Berg zu schiffen sollte. Bei der Hochzeit war ein Schiffmann, namens Johann Ständl, der machte sich eilfertig auf, und sie gingen miteinander zur Überfahrt. Während derselben begehrte der Schiffmann seinen Lohn: das Bergmännlein gab ihm in Demut drei Pfennige. Diesen schlechten Lohn verschmähte der Fährmann sehr, aber das Männlein gab ihm zur Antwort, er sollte sich das nicht verdrießen lassen, sondern die drei Pfennige wohl behalten, so würde er an seiner Habschaft nicht Mangel leiden, wo er anders dem Übermut Einhalt tue. Zugleich gab es dem Fährmann ein kleines Steinlein mit den Worten: »Wenn du dieses an den Hals hängst, so wirst du in dem Wasser nicht zugrunde gehen können.« Und dies bewährte sich noch in demselben Jahre. Zuletzt ermahnte es ihn zu einem frommen und demütigen Lebenswandel und ging schnell von dannen.

## 40. Das Kellermännlein

Im Jahr 1665 trug sich in Lützen folgendes zu: In einem Haus lief ein kleines Männlein aus dem Keller hervor und sprengte vor dem Haus Wasser aus einer Kelte oder goß sie aus. Lief darauf wieder stillschweigend nach dem Keller, aber die Magd, die zugegen war, fürchtete sich, fiel auf ihre Knie und betete einen Psalm. Da fiel das Männlein zugleich mit ihr nieder, betete so lange wie die Magd. Bald darauf kam Feuersbrunst im Städtlein aus und wurden mehrere neuerbaute Häuser in Asche gelegt, selbes Haus aber blieb unverletzt übrig. Auch soll nach solchem Begebnis das Männchen noch einmal erschienen sein und gesprengt haben, allein es erfolgte an selbigem Orte nichts darauf.

## 41. Die Ahnfrau von Rantzau

In dem holsteinischen adligen Geschlecht der von Rantzau geht die Sage: Einstmals sei die Großmutter des Hauses bei Nachtzeit von der Seite ihres Gemahls durch ein kleines Männlein, so ein Laternlein getragen, erweckt worden. Das Männlein führte sie aus dem Schloß in einen hohlen Berg zu einem kreißenden Weib. Selbiger legte sie auf Begehren die rechte Hand auf das Haupt, worauf das Weibchen alsbald genas. Der Führer aber führte die Ahnfrau wieder zurück ins Schloß und gab ihr ein Stück Gold zur Gabe mit dem Bedeuten, daraus dreierlei machen zu lassen: fünfzig Rechenpfennige, einen Hering und eine Spille, nach der Zahl ihrer dreien Kinder, zweier Söhne und einer Tochter; auch mit der Warnung, diese Sachen wohl zu verwahren, sonst ihr Geschlecht in Abnahme fallen werde.

Die neuvermählte Gräfin, welche aus einem dänischen Geschlecht abstammte, ruhte an ihres Gemahles Seite, als ein Rauschen geschah: die Bettvorhänge wurden aufgezogen, und sie sah ein wunderbar schönes Fräuchen, nur ellenbogengroß, mit einem Lichte vor ihr stehen. Dieses Fräuchen hub an zu reden: »Fürchte dich nicht, ich tue dir kein Leid an, sondern bringe dir Glück, wenn du mir die Hilfe leistest, die mir not tut. Steh auf und folge mir, wohin ich dich leiten werde, hüte dich, etwas zu essen von dem, was dir geboten wird, nimm auch kein anders Geschenk an außer dem, was ich dir reichen will, und das kannst du sicher behalten.«

Hierauf ging die Gräfin mit, und der Weg führte unter die Erde. Sie kamen in ein Gemach, das flimmerte von Gold und Edelstein und war erfüllt mit lauter kleinen Männern und Weibern. Nicht lange, so erschien ihr König und führte die Gräfin an ein Bett, wo die Königin in Geburtsschmerzen lag, mit dem Ersuchen, ihr beizustehen. Die Gräfin benahm sich aufs beste, und die Königin wurde glücklich eines Söhnleins entbunden. Da entstand große Freude unter den Gästen, sie führten die Gräfin zu einem Tisch voll der köstlichsten Speisen und drangen in sie zu essen. Allein sie rührte nichts an, ebensowenig nahm sie von den Edelsteinen, die in goldnen Schalen standen. Endlich wurde sie von der ersten Führerin wieder fortgeführt und in ihr Bett zurückgebracht.

Da sprach das Bergfräuchen: »Du hast unserm Reich einen großen Dienst erwiesen, der soll dir gelohnt werden. Hier hast du drei hölzerne Stäbe, die leg unter dein Kopfkissen, und morgen früh werden sie in Gold verwandelt sein. Daraus laß machen: aus dem ersten einen Hering, aus dem zweiten Rechenpfennige, aus dem dritten eine Spindel und offenbare die ganze Geschichte niemanden auf der Welt, außer deinem Gemahl. Ihr werdet zusammen drei Kinder zeugen, die die drei Zweige eures Hauses sein werden. Wer den Hering bekommt, wird viel Kriegsglück haben, er und seine Nachkommen; wer die Pfennige, wird mit seinen Kindern hohe Staatsämter bekleiden; wer die Kunkel, wird mit zahlreicher Nachkommenschaft gesegnet sein.« Nach diesen Worten entfernte sich die Bergfrau, die Gräfin schlief ein, und als sie aufwachte, erzählte sie ihrem Gemahl die Begebenheit wie einen Traum. Der Graf spottete sie aus, allein als sie unter das Kopfkissen griff, lagen da drei Goldstangen; beide erstaunten und verfuhren genau damit, wie ihnen geheißen war.

Die Weissagung traf völlig ein, und die verschiedenen Zweige des Hauses verwahrten sorgfältig die Schätze. Einige, die sie verloren, sind erloschen. Die vom Zweig der Pfennige erzählen: Einmal habe der König von Dänemark einem unter ihnen einen solchen Pfennig abgefordert, und in dem Augenblick, wie ihn der König empfangen, habe der, so ihn vorher getragen, in seinen Eingeweiden heftigen Schmerz gespürt.

Nach einer mündlichen Erzählung erhielt die Gräfin eine Schürze voll Späne, die sie in den Kamin wirft. Morgens, wo ihr das Ganze wie ein Traum vorkommt, schaut sie in den Kamin und sieht, daß es lauter Gold ist. In der folgenden Nacht kommt das Fräuchen wieder und sagt ihr, sie solle aus dem Gold dreierlei machen lassen: eine Spindel, einen Becher und ein Schwert. Wenn das Schwert schwarz werde, so sterbe einer in der Familie durch ein Schwert, und wenn es ganz verschwinde, so sei er von einem Bruder ermordet. Die Gräfin läßt die drei Stücke arbeiten. In der Folge wird das Schwert einmal schwarz und verschwindet dann ganz; es war ein Graf Rantzau ermordet worden und, wie sich danach ergab, von seinem Bruder, der ihn nicht gekannt hatte.

## 42. Herrmann von Rosenberg

Als Herrmann von Rosenberg sein Beilager hielt, erschienen die Nacht darauf viele Erdgeister, kaum zwei Spannen lang, hatten ihre Musik bei sich und suchten um Erlaubnis nach, die Hochzeit eines ihrer Brautpaare ebenfalls hier begehen zu dürfen; sie gaben sich für still und friedlich aus. Auf erhaltene Bewilligung begingen sie nun ihr Fest.

## 43. Die Osenberger Zwerge

Als Winkelmann im Jahr 1653 aus unserm Hessenlande nach Oldenburg reiste und, über den Osenberg kommend, in dem Dorf Bümmerstedt von der Nacht übereilt wurde, erzählte ihm ein hundertjähriger Krugwirt, daß bei seines Großvaters Zeiten das Haus treffliche Nahrung gehabt, jetzt wäre es aber schlecht. Wenn der Großvater gebraut, wären Erdmännlein vom Osenberg gekommen, hätten das Bier ganz warm aus der Bütte abgeholt und mit einem Geld bezahlt, das zwar unbekannt, aber von gutem Silber gewesen. Einmal hätte ein altes Männlein im Sommer bei großer Wärme Bier holen wollen und vor Durst sogleich getrunken, aber zu viel, daß es davon eingeschlafen. Danach beim Aufwachen, wie es sah, daß es sich so verspätet hatte, hub das alte kleine Männlein an, bitterlich zu weinen: »Nun wird mich mein Großvater des langen Außenbleibens wegen schlagen.« In dieser Not lief es auf und davon, vergaß seinen Bierkrug mitzunehmen und kam seitdem nimmer wieder. Den hinterlassenen Krug hatte sein (des Wirtes) Vater und er selbst auf seine ausgesteuerte Tochter erhalten und, solange der Krug im Haus gewesen, die Wirtschaft vollauf Nahrung gehabt. Als er aber vor kurzem zerbrochen worden, wäre das Glück gleichsam mitzerbrochen und alles krebsgängig.

## 44. Das Erdmännlein und der Schäferjung

Im Jahr 1664 hütete unfern Dresden ein Junge die Herde des Dorfs. Auf einmal sah er einen Stein neben sich, von mäßiger Größe, sich von selbst in die Höhe heben und etliche Sprünge tun. Erstaunt trat er näher und besah den Stein, endlich hob er ihn auf. Und indem er ihn aufnahm, hüpfte ein junges Erdmännchen aus der Erde, stellte sich kurz hin vor den Schäferjungen und sprach: »Ich war dahin verbannt, du hast mich erlöst, und ich will dir dienen; gib mir Arbeit, daß ich etwas zu tun habe.« Bestürzt antwortete der Junge: »Nun gut, du sollst mir helfen Schafe zu hüten.« Das verrichtete das Männchen sorgsam, bis der Abend kam. Da fing es an und sagte: »Ich will mit dir gehen, wo du hingehst.« Der Junge versetzte aber sogleich: »In mein Haus kann ich dich nicht gut mitnehmen, ich habe einen Stiefvater und andre Geschwister mehr, der Vater würde mich übel schlagen, wollte ich ihm noch jemand zubringen, der ihm das Haus kleiner machte.« – »Ja, du hast mich nun einmal angenommen«, sprach der Geist, »willst du mich selber nicht, mußt du mir anderswo Herberge schaffen.« Da wies ihn der Junge ins Nahbars Haus, der keine Kinder hatte. Bei diesem kehrte nun das Erdmännchen richtig ein und konnte es der Nachbar nicht wieder loswerden.

## 45. Der einkehrende Zwerg

Vom Dörflein Ralligen am Thuner See und von Schillingsdorf, einem durch Bergfall verschütteten Ort des Grindelwaldtales, vermutlich von andern Orten mehr, wird erzählt: Bei Sturm und Regen kam ein wandernder Zwerg durch das Dörflein, ging von Hütte zu Hütte und pochte regentriefend an die Türen der Leute, aber niemand erbarmte sich und wollte ihm öffnen, ja sie höhnten ihn noch aus dazu. Am Rand des Dorfes wohnten zwei fromme Arme, Mann und Frau, da schlich das Zwerglein müd und matt an seinem Stab einher, klopfte dreimal bescheidentlich

ans Fensterchen, der alte Hirt tat ihm sogleich auf und bot gern und willig dem Gast das wenige dar, was sein Haus vermochte. Die alte Frau trug Brot auf, Milch und Käs, ein paar Tropfen Milch schlurfte das Zwerglein und aß Brosamen von Brot und

Käse. »Ich bin's eben nicht gewohnt«, sprach es, »so derbe Kost zu speisen, aber ich dank euch von Herzen und Gott lohn's; nun ich geruht habe, will ich meinen Fuß weitersetzen.« – »Ei bewahre«, rief die Frau, »in der Nacht in das Wetter hinaus, nehmt doch mit einem Bettlein vorlieb.« Aber das Zwerglein schüttelte und lächelte: »Droben auf der Fluh habe ich allerhand zu schaffen und darf nicht länger ausbleiben, morgen sollt ihr mein schon gedenken.« Damit nahm's Abschied, und die Alten legten sich zur Ruhe. Der anbrechende Tag aber weckte sie mit Unwetter und Sturm, Blitze fuhren am roten Himmel und Ströme Wassers ergossen sich. Da riß oben am Joch der Fluh ein gewaltiger Fels los und rollte zum Dorf herunter mitsamt Bäumen, Steinen und Erde. Menschen und Vieh, alles, was Atem hatte im Dorf, wurden begraben, schon war die Woge gedrungen bis an die Hütte der beiden Alten; zitternd und bebend traten sie vor ihre Türe hinaus. Da sahen sie mitten im Strom ein großes Felsenstück nahen, oben drauf hüpfte lustig das Zwerglein, als wenn es ritte, ruderte mit einem mächtigen Fichtenstamm, und der Fels staute das Wasser und wehrte es von der Hütte ab, daß sie unverletzt stand und die Hausleute außer Gefahr. Aber das Zwerglein schwoll immer größer und höher, ward zu einem ungeheuren Riesen und zerfloß in Luft, während jene auf gebogenen Knien beteten und Gott für ihre Errettung dankten.

## 46. Zeitelmoos

Auf dem Fichtelberg, zwischen Wunsiedel und Weißenstadt, liegt ein großer Wald, *Zeitelmoos* genannt, und daran ein großer Teich; in dieser Gegend hausen viele Zwerge und Berggeister. Ein Mann ritt einmal bei später Abendzeit durch den Wald und sah zwei Kinder beieinandersitzen, ermahnte sie auch, nach Haus zu gehen und nicht länger zu säumen. Aber diese fingen an, überlaut zu lachen. Der Mann ritt fort, und eine Strecke weiter traf er dieselben Kinder wieder an, welche wieder lachten.

## 47. Das Moosweibchen

Ein Bauer aus der Gegend von Saalfeld mit Namen Hans Krepel hatte ums Jahr 1635 Holz auf der Heide gehauen, und zwar nachmittags; da trat ein kleines Moosweibchen hinzu und sagte zu ihm: »Vater, wenn Ihr aufhört und Feierabend macht, haut doch beim Umfällen des letzten Baums ja drei Kreuze in den Stamm, es wird Euch gut sein.« Nach diesen Worten ging es weg. Der Bauer, ein grober und roher Kerl, dachte, zu was hilft mir die Quackelei und was kehr ich mich an ein solch Gespenst, unterließ also das Einhauen der drei Kreuze und ging abends nach Hause. Den folgenden Tag um die nämliche Zeit kehrte er wieder in den Wald, um weiterzuhauen; traf ihn wieder das Moosweibchen an und sprach: »Ach Ihr Mann, was habt Ihr gestern die drei Kreuze nicht eingehauen? Es sollte Euch und mir geholfen haben, denn uns jagt der wilde Jäger nachmittags und nachts ohne Unterlaß und tötet uns jämmerlich; haben auch anders keinen Frieden vor ihm, wenn wir uns nicht auf solche behauene Baumstämme setzen können; davon darf er uns nicht bringen, sondern wir sind sicher.« Der Bauer sprach: »Hoho, was sollten dabei die Kreuze helfen; dir zu Gefallen mach ich noch keine dahin.« Hierauf aber fiel das Moosweibchen den Bauer an und drückte ihn dergestalt, daß er, obgleich stark von Natur, krank und elend wurde. Seit der Zeit folgte er der empfangenen Lehre besser, unterließ das Kreuzeinhauen niemals, und es begegnete ihm nichts Widerliches mehr.

## 48. Der wilde Jäger jagt die Moosleute

Auf der Heide oder im Holz an dunklen Orten, auch in unterirdischen Löchern, hausen Männlein und Weiblein und liegen auf grünem Moos, auch sind sie um und um mit grünem Moos bekleidet. Die Sache ist so bekannt, daß Handwerker und Drechsler sie nachbilden und feilbieten. Diesen Moosleuten stellt aber sonderlich der wilde Jäger nach, der in der Gegend zum öftern umzieht, und man hört vielmal die Einwohner zueinander sprechen: »Nun, der wilde Jäger hat sich ja nächtens wieder zujagt, daß es immer knisterte und knasterte!«

Einmal war ein Bauer aus Arntschgereute nahe bei Saalfeld aufs Gebirg gegangen, zu holzen; da jagte der wilde Jäger, unsichtbar, aber so, daß er den Schall und das Hundegebell hörte. Flugs gab dem Bauer sein Vorwitz ein, er wolle mithelfen jagen, hub an zu schreien, wie Jäger tun, verrichtete daneben sein Tagewerk und ging dann heim. Frühmorgens den andern Tag, als er in seinen Pferdestall gehen wollte, da war vor der Tür ein Viertel eines grünen Moosweibchens aufgehängt, gleichsam als ein Teil oder Lohn der Jagd. Erschrocken lief der Bauer nach Wirbach zum Edelmann von Watzdorf und erzählte die Sache, der riet ihm, um seiner Wohlfahrt willen, ja das Fleisch nicht anzurühren, sonst würde ihn der Jäger danach drum anfechten, sondern sollte es ja hängen lassen. Dies tat er denn auch, und das Wildbret kam ebenso unvermerkt wieder fort, wie es hingekommen war; auch blieb der Bauer ohne Anfechtung.

## 49. Der Wassermann

Gegen das Jahr 1630 erzählte in der Pfarrei zu Breulieb, eine halbe Meile von Saalfeld, in Gegenwart des Priesters eine alte Wehmutter folgendes, was ihrer Mutter, ebenfalls Kinderfrau daselbst, begegnet sei:

Diese letzte wurde einer Nacht gerufen, schnell sich anzuziehen und zu kreißenden Frauen mitzukommen. Es war finster, doch machte sie sich auf und fand unten einen Mann warten, zu dem sagte sie: er möchte nur verziehen, bis sie sich eine Leuchte genommen, dann wollte sie nachfolgen; er aber drang auf Eile, den Weg würde er schon ohne Licht zeigen, und sie sollten nicht irren. Ja, er verband ihr noch dazu die Augen, daß die Frau erschrak und schreien wollte, allein der Mann sprach ihr Trost zu: Leid werde ihr gar nicht widerfahren, sondern sie könne furchtlos mitgehen. Also gingen sie miteinander; die Frau merkte darauf, daß er mit einer Rute ins Wasser schlug und sie immer tiefer hinuntergingen, bis sie in eine Stube kamen. In der Stube war niemand als die Schwangere. Der Gefährte tat ihr nunmehr das Band von den Augen, führte sie vors Bett und ging, nachdem er sie seiner Frauen anbefohlen, selber hinaus. Hierauf half sie das Kindlein zur Welt befördern, brachte die Kindbetterin zu Bett, badete das Kindlein und verrichtete alle notwendigen Sachen dabei. Aus heimlicher Dankbarkeit warnungsweise hob die Wöchnerin an, zur Wehmutter zu sprechen: »Ich bin sowohl als Ihr ein Christenmensch und entführt worden von einem Wassermann, der mich ausgetauscht hat. Wenn ich nun ein Kind zur Welt bringe, frißt er mir's allemal den dritten Tag; kommet nur am dritten Tag zu Eurem Teich, da werdet Ihr Wasser in Blut verwandelt sehen. Wenn mein Mann jetzt hereinkommt und Euch Geld bietet, so nehmt ja nicht mehr Geld von ihm, als Ihr sonst zu kriegen pflegt, sonst dreht er Euch den Hals um, nehmt Euch ja in acht.« Indem kam der Mann, zornig und bös aussehend, hinein, sah um sich und befand, daß alles hübsch abgelaufen, lobte darum die Wehmutter. Hernach warf er einen großen Haufen Geld auf den Tisch, mit den Worten: »Davon nehmt Euch, soviel Ihr wollt.« Sie aber, gescheit, antwortete etlichemal: »Ich gehre von Euch nichts mehr denn von andern, welches dann ein geringes Geld gewesen; und gebt Ihr mir das, hab ich genug daran; oder ist Euch auch das zuviel, verlange ich gar nichts, außer daß Ihr mich nach Hause bringt.« Er hub an. »Das hieß dich Gott sprechen.« Zahlte ihr soviel Geld und geleitete sie richtig nach Hause. An den Teich zu gehen wagte sich aber den bestimmten Tag die Wehefrau nicht, aus Furcht.

### 50. Die wilden Frauen im Untersberge

Die Grödicher Einwohner und Bauersleute zeigten an, daß zu diesen Zeiten (um das Jahr 1753) vielmals die wilden Frauen aus dem Wunderberge zu den Knaben und Mägdlein, die zunächst dem Loche innerhalb Glanegg das Weidvieh hüteten, herausgekommen und ihnen Brot zu essen gegeben.

Mehrmals kamen die wilden Frauen zu der Ährenschneidung. Sie kamen frühmorgens herab, und abends, da die andern Leute Feierabend genommen, gingen sie, ohne die Abendmahlzeit mitzunehmen, wiederum in den Wunderberg hinein.

Einst geschah auch nächst diesem Berge, daß ein kleiner Knab auf einem Pferde saß, das sein Vater zum Umackern eingespannt hatte. Da kamen auch die wilden Frauen aus dem Berge hervor und wollten diesen Knaben mit Gewalt hinwegnehmen. Der Vater aber, dem die Geheimnisse und Begebenheiten dieses Berges schon bekannt waren, eilte den Frauen ohne Furcht zu und nahm ihnen den Knaben ab, mit den Worten: »Was erfrecht ihr euch, so oft herauszugehen und mir jetzt sogar meinen Buben wegzunehmen? Was wollt ihr mit ihm machen?« Die wilden Frauen antworteten: »Er wird bei uns bessere Pflege haben und es ihm besser bei uns gehen als zu Hause; der Knabe wäre uns sehr lieb, es wird ihm kein Leid widerfahren.« Allein der Vater ließ seinen Knaben nicht aus den Händen, und die wilden Frauen gingen bitterlich weinend von dannen.

Abermals kamen die wilden Frauen aus dem Wunderberg nächst der *Kugelmühle* oder *Kugelstadt* genannt, so bei diesem Berge schön auf der Anhöhe liegt, und nahmen einen Knaben mit sich fort, der das Weidvieh hütete. Diesen Knaben, den jedermann wohl kannte, sahen die Holzknechte erst über ein Jahr in einem grünen Kleid auf einem Stock dieses Berges sitzen. Den folgenden Tag nahmen sie seine Eltern mit sich, willens, ihn am Berge aufzusuchen, aber sie gingen alle umsonst, der Knabe kam nicht mehr zum Vorschein.

Mehrmals hat es sich begeben, daß eine wilde Frau aus dem Wunderberg gegen das Dorf Anif ging, welches eine gute halbe Stunde vom Berg entlegen ist. Dort machte sie sich in die Erde Löcher und Lagerstätte. Sie hatte ein ungemein langes und schönes Haar, das ihr beinahe bis zu den Fußsohlen hinabreichte. Ein Bauersmann aus dem Dorfe sah diese Frau öfter ab- und zugehen und verliebte sich in sie, hauptsächlich wegen der Schönheit ihrer Haare. Er konnte sich nicht erwehren, zu ihr zu gehen, betrachtete sie mit Wohlgefallen und legte sich endlich in seiner Einfalt ohne Scheu zu ihr in ihre Lagerstätte. Es sagte eins zum andern nichts, viel weniger, daß sie etwas Ungebührliches getrieben. In der zweiten Nacht aber fragte die wilde Frau den Bauern, ob er nicht selbst eine Frau hätte? Der Bauer aber verleugnete seine Ehefrau und sprach nein. Diese aber machte sich viele Gedanken, wo ihr Mann abends hingehe und nachts schlafen möge. Sie spähte ihm daher nach und traf ihn auf dem Feld schlafend bei der wilden Frau. »O behüte Gott«, sprach sie zur wilden Frau, »deine schönen Haare! Was tut ihr da miteinander?« Mit diesen Worten wich das Bauersweib von ihnen, und der Bauer erschrak sehr hierüber. Aber die wilde Frau hielt dem Bauern seine treulose Verleugnung vor und sprach zu ihm: »Hätte deine Frau bösen Haß und Ärger gegen mich zu erkennen gegeben, so würdest du jetzt unglücklich sein und nicht mehr von dieser Stelle kommen; aber weil deine Frau nicht böse war, so liebe sie fortan und hause mit ihr getreu und untersteh dich nicht mehr, hierher zu kommen, denn es steht geschrieben: ›Ein jeder lebe getreu mit seinem getrauten Weibe‹, obgleich die Kraft dieses Gebots einst in große Abnahme kommen wird und damit aller zeitlicher Wohlstand der Eheleute. Nimm diesen Schuh von Gold von mir, geh hin und sieh dich nicht mehr um.«

### 51. Tanz mit dem Wassermann

Zu Laibach hat in dem gleichbenannten Fluß ein Wassergeist gewohnt, den man den Nix oder Wassermann hieß. Er hat sich sowohl bei Nacht den Fischern und Schiffsleuten als bei Tag andern gezeigt, daß jedermann zu erzählen wußte, wie er aus dem Wasser hervorgestiegen sei und in menschlicher Gestalt sich habe sehen lassen. Im Jahre 1547 am ersten Sonntag im Juli kam nach alter Sitte zu Laibach auf dem alten Markt bei dem Brunnen, der durch eine dabeistehende schöne Linde lustig beschattet war, die ganze Nachbarschaft zusammen. Sie verzehrten in freundlicher und nachbarlicher Vertraulichkeit bei klingendem Spiel ihr Mahl und huben darauf mit dem Tanze an. Nach einer Weile trat ein schöngestalter, wohlgekleideter Jüngling hinzu, gleich als wollte er an dem Reigen teilnehmen. Er grüßte die ganze Versammlung höflich und bot jedem Anwesenden freundlich die Hand, welche aber ganz weich und eiskalt war und bei der Berührung jedem ein seltsames Grauen erregte. Dann zog er ein wohlaufgeschmücktes und schöngebildetes, aber frisches und freches Mägdlein von leichtfertigem Wandel, das Ursula Schäferin hieß, zum Tanz auf, die sich in seine Weise auch meisterlich zu fügen und in alle lustige Possen zu schikken wußte. Nachdem sie eine Zeitlang miteinander wild getanzt, schweiften sie von dem Platz, der den Reigen zu umschränken pflegte, immer weiter aus, von jenem Lindenbaum nach dem Sitticher Hofe zu, daran vorbei, bis zu der Laibach, wo er in Gegenwart vieler Schiffsleute mit ihr hineinsprang, und beide vor ihren Augen verschwanden.

Der Lindenbaum stand bis ins Jahr 1638, wo er altershalber umgehauen werden mußte.

## 52. Der Wassermann und der Bauer

Der Wassermann schaut wie ein anderer Mensch, nur daß, wenn er den Mund bleckt, man seine grünen Zähne sieht. Auch trägt er einen grünen Hut. Er zeigt sich den Mädchen, wenn sie am Teich vorübergehen, mißt Band aus und wirft's ihnen zu.

Einmal lebte er in guter Nachbarschaft mit einem Bauern, der unweit des Sees wohnte, besuchte ihn manchmal und bat endlich, daß der Bauer ihn ebenfalls unten in seinem Gehäus besuchen möchte. Der Bauer tat's und ging mit. Da war unten im Wasser alles wie in einem prächtigen Palast auf Erden, Zimmer, Säle und Kammern voll mancherlei Reichtum und Zierat. Der Wassermann führte den Gast aller Enden umher und wies ihm jedes, endlich gelangten sie in ein kleines Stübchen, wo viele neue Töpfe umgekehrt, die Öffnung bodenwärts, standen. Der Bauer fragte, was das doch wäre. »Das sind die Seelen der Ertrunkenen, die hebe ich unter den Töpfen auf und halte sie damit fest, daß sie nicht entwischen können.« Der Bauer schwieg still und kam danach wieder heraus ans Land. Das Ding mit den Seelen wurmte ihn aber lange Zeit, und er paßte dem Wassermann auf, daß er einmal ausgegangen sein würde. Als das geschah, hatte der Bauer den rechten Weg hinunter sich wohl gemerkt, stieg in das Wasserhaus und fand auch jenes Stübchen glücklich wieder; da war er her, stülpte die Töpfe um, einen nach dem andern, alsbald stiegen die Seelen der ertrunkenen Menschen hinauf in die Höhe aus dem Wasser und wurden wieder erlöst.

### 53. Der Wassermann an der Fleischerbank

Der Wassermann kam auch wöchentlich in die Stadt zur Fleischerbank, sich da einzukaufen, und wiewohl seine Kleidung etwas anders war als der übrigen Menschen, ließ ihn doch jeder gewähren und dachte sich weiter nichts Besonders dabei. Allein er bezahlte immer nur mit alten durchlöcherten Groschen. Daran merkte ihn zuletzt ein Fleischer und sprach: »Warte, den will ich zeichnen, daß er nicht wiederkommt.« Jetzt, wie der Wassermann wiederkam und Fleisch kaufen wollte, ersah's der Metzger und ritzte ihn flugs mit dem Messer in den ausgestreckten Finger, worin er das Geld hinreichte, so daß sein Blut floß. Seit der Zeit ist der Wassermann ganz weggeblieben.

### 54. Der Schwimmer

In Meißen hat es sich zugetragen, daß etliche Bäckersknechte am Pfingstfest unter der Predigt hinausgegangen sind und oberhalb der Ziegelscheune, gleich dem Baumgarten gegenüber, in der Elbe gebadet. Einer unter ihnen, der sich auf seine Fertigkeit im Schwimmen verlassen, hat zu seinen Gesellen gesagt, sofern sie ihm einen Taler aussetzen, wollte er dreimal nacheinander unausgeruht dies Wasser hin und her beschwimmen. Den zwei andern kam das unglaublich vor, und sie willigten ein. Nachdem der verwegene Mensch es zweimal vollbracht und nun zum drittenmal nach dem Sieben-Eichen-Schloß zu hinüberschwimmen wollte, da sprang ein großer Fisch, wie ein Lachs, vor ihm in die Höhe und schlug ihn mit sich ins Wasser hinab, so daß er ertrinken mußte. Man hat ihn noch selbiges Tages gesucht und oberhalb der Brücke gefunden: am ganzen Leibe waren gezwickte Mäler, von Blut unterlaufen, zu sehen, und man konnte gar leicht die Narben erkennen, die ihm der Nix oder Wassergeist gemacht.

## 55. Bruder Nickel

Auf der Insel Rügen liegt in einem dichten Wald ein tiefer See, fischreich, aber trüb von Wasser, und kann man nicht wohl darauf fischen. Doch aber unterstanden's vor langen Jahren etliche Fischer und hatten ihren Kahn schon auf den See gebracht. Den andern Tag holten sie zu Hause ihre Netze, als sie wiederkehrten, war das Schiffel oder der Kahn verschwunden; da schaute der eine Fischer sich um und sah das Fahrzeug oben auf einem hohen Buchbaum stehen, deswegen schrie er: »Welcher Teufel hat mir den Kahn auf den Baum gebracht?« Da antwortete aus der Nähe eine Stimme, aber man sah niemand, und sprach »Das haben nicht alle Teufel, sondern ich mit meinem Bruder Nickel getan!«

## 56. Nixenbrunnen

Nicht weit von Kirchhain in Hessen liegt ein sehr tiefer See, welcher der *Nixenbronn* heißt, und oftmals erscheinen die Nixen, an dessen Gestad sich zu ersonnen. Die Mühle daran heißt gleichfalls die Nixenmühle. Auch zu Marburg soll 1615 in der Lahn bei der Elisabether Mühle ein Wassernix gesehen worden sein.

## 57. Magdeburger Nixen

Zu Magdeburg an einer Stelle der Elbe ließ sich oft die Nixe sehen, zog die überschwimmenden Leute hinab und ersäufte sie. Kurz vor der Zerstörung der Stadt durch Tilly schwamm ein hurtiger Schwimmer um ein Stück Geld hinüber; als er aber herüber wollte und an den Ort geriet, wurde er festgehalten und hinuntergerissen. Niemand konnte ihn retten, und zuletzt schwamm sein Leichnam ans Ufer. Zuweilen soll sich das Meerwunder am hellen Tag und bei scheinender Sonne zeigen, sich ans Ufer setzen oder auf die Äste anstehender Bäume und wie schöne Jungfrauen lange, goldgelbe Haare kämmen. Wenn aber Leute nahen, hüpft es ins Wasser. Einmal, weil das Brunnenwasser hart zu kochen ist, das Elbwasser aber weit und mühselig in die Stadt getragen werden muß, wollte die Bürgerschaft eine Wasserleitung bauen lassen. Man fing an, große Pfähle in den Fluß zu schlagen, konnte aber bald nicht weit vorrücken. Denn man sah einen nackenden Mann in der Flut stehen, der mit Macht alle eingesetzten Pfähle ausriß und zerstreute, so daß man den vorgenommenen Bau wieder einstellen mußte.

## 58. Der Döngessee

Bei dem Dorfe Dönges in Hessen liegt der Dönges- oder *Hautsee*, der an einem gewissen Tage im Jahr ganz blutrot wird. Davon gibt es folgende Sage: Einmal war im Dorfe Dönges Kirmes, und dazu kamen auch zwei fremde, unbekannte, aber schöne Jungfrauen, die mit den Bauersburschen tanzten und sich lustig machten, aber nachts zwölf Uhr verschwunden waren, während doch Kirmes Tag und Nacht fortdauert. Indes waren sie am andern Tag wieder da, und ein Bursche, dem es lieb gewesen, wenn sie immer geblieben wären, nahm einer von ihnen während des Tanzes die Handschuhe weg. Sie tanzten nun wieder mit, bis Mitternacht herannahte, da wollten sie fort, und die eine ging und suchte nach ihren Handschuhen in allen Ecken. Da sie solche nirgends finden konnte, ward sie ängstlich, als es aber während des Suchens zwölf Uhr schlug, so liefen sie beide in größter Angst fort, gerade nach dem See, und stürzten sich hinein. Am andern Tag war der See blutrot und wird es an selbigem noch jedesmal im Jahr. An den zurückgebliebenen Handschuhen waren oben kleine Kronen zu sehen.

Es wird auch erzählt, daß in einer Nacht zwei Reiter vor das Haus einer Kinderfrau kamen, sie weckten und sie mitgehen hießen. Als sie sich weigerte, brauchten sie Gewalt, banden sie aufs Pferd und jagten mit ihr fort zum Döngessee, wo sie ihrer Königin in Kindesnöten Beistand leisten sollte. Sie sah viel wundersame Dinge, große Schätze und Reichtümer, mußte aber schwören, keinem Menschen je etwas davon zu sagen. Nachdem sie einen ganzen Tag unten geblieben war, ward sie, reichlich beschenkt, in der Nacht wieder heraufgebracht. Nach vielen Jahren erkrankte sie und konnte nicht sterben, bis sie dem Pfarrer alles erzählt hatte.

## 59. Mummelsee

Im Schwarzwald, nicht weit von Baden, liegt ein See, auf einem hohen Berg, aber unergründlich. Wenn man ungerade, Erbsen, Steinlein oder was anders, in ein Tuch bindet und hineinhängt, so verändert es sich in gerade, und also, wenn man gerade hineinhängt, in ungerade. So man einen oder mehr Steine hinunterwirft, trübt sich der heiterste Himmel, und ein Ungewitter entsteht, mit Schloßen und Sturmwinden. Die Wassermännlein tragen auch alle hineingeworfenen Steine sorgfältig wieder heraus ans Ufer.

Da einst etliche Hirten ihr Vieh bei dem See gehütet, so ist ein brauner Stier daraus gestiegen, sich zu den übrigen Rindern gesellend, alsbald aber ein Männlein nachgekommen, denselben zurückzutreiben, auch da er nicht gehorchen wollte, hat es ihn verwünscht, bis er mitgegangen.

Ein Bauer ist zur Winterszeit über den hartgefrorenen See mit seinen Ochsen und einigen Baumstämmen ohne Schaden gefahren, sein nachlaufendes Hündlein aber ertrunken, nachdem das Eis unter ihm gebrochen.

Ein Schütz hat im Vorübergehen ein Waldmännlein darauf sitzen sehen, den Schoß voll Geld und damit spielend; als er darauf Feuer geben wollte, hat es sich niedergetaucht und bald gerufen: wenn er es gebeten, so hätte es ihn leicht reich gemacht, so aber er und seine Nachkommen in Armut verbleiben mußten.

Einmal ist ein Männlein auf späten Abend zu einem Bauern auf dessen Hof gekommen, mit der Bitte um Nachtherberg. Der Bauer, in Ermangelung von Betten, bot ihm die Stubenbank oder den Heuschober an, allein es bat sich aus, in den Hanfräpen zu schlafen. »Meinetwegen«, hat der Bauer geantwortet, »wenn dir damit gedienet ist, magst du wohl gar im Weiher oder am Brunnentrog schlafen.« Auf diese Bewilligung hat es sich gleich zwischen die Binsen und das Wasser eingegraben, als ob es Heu wäre, sich darin zu wärmen. Frühmorgens ist es herausgekommen, ganz mit trockenen Kleidern, und als der Bauer sein Erstaunen über den wundersamen Gast zeigte, hat es erwidert: ja, es könne wohl sein, daß seinesgleichen nicht in etlich hundert Jahren hier übernachtet. Von solchen Reden ist es mit dem Bauer so weit ins Gespräch kommen, daß es solchem vertraut, es sei ein Wassermännlein, welches sein Gemahl verloren und in dem Mummelsee suchen wolle, mit der Bitte, ihm den Weg zu zeigen. Unterwegs erzählte es noch viel wunderliche Sachen, wie es schon in vielen Seen sein Weib gesucht und nicht gefunden, wie es auch in solchen Seen beschaffen sei. Als sie zum Mummelsee gekommen, hat es sich untergelassen, doch zuvor den Bauer zu verweilen gebeten, so lange bis zu seiner Wiederkunft, oder bis es ihm ein Wahrzeichen senden werde. Wie er nun ungefähr ein paar Stunden bei dem See aufgewartet, so ist der Stecken, den das Männlein gehabt, samt ein paar Handvoll Bluts mitten im See durch das Wasser heraufgekommen und etliche Schuh hoch in die Luft gesprungen, dabei der Bauer wohl annehmen können, daß solches das verheißene Wahrzeichen gewesen.

Ein Herzog zu Württemberg ließ ein Floß bauen und damit auf den See fahren, dessen Tiefe zu ergründen. Als aber die Messer schon neun Zwirnnetz hinuntergelassen und immer noch keinen Boden gefunden hatten, fing das Floß gegen die Natur des Holzes zu sinken an, so daß sie von ihrem Vorhaben ablassen und auf ihre Rettung bedacht sein mußten. Vom Floß sind noch Stücke am Ufer zu sehen.

### 60. Die Elbjungfer und das Saalweiblein

Zu Magdeburg weiß man von der schönen Elbjungfer, die zuweilen aus dem Fluß heraufkam, um auf dem Fleischermarkt einzukaufen. Sie trug sich bürgerlich, aber sehr reinlich und sauber, hatte einen Korb in der Hand und war von sittsamer Gebärde. Man konnte sie in nichts von andern Mädchen unterscheiden, außer, wer genau achtgab und es wußte, der eine Zipfel ihrer schloßenweißen Schürze war immer naß, zum Zeichen ihrer Abkunft aus dem Fluß. Ein junger Fleischergesell verliebte sich in sie und ging ihr nach, bis er wußte, woher sie kam und wohin sie zurückkehrte, endlich stieg er mit ins Wasser hinab. Einem Fischer, der den Geliebten beistand und oben am Ufer wartete, hatte sie gesagt, wenn ein hölzerner Teller mit einem Apfel aus dem Strom hervorkommen, sei's gut, sonst aber nicht. Bald aber schoß ein roter Strahl herauf, zum Beweis, daß den Verwandten der Elbjungfer der Bräutigam mißfallen und sie ihn getötet. Es gibt aber hiervon auch abweichende andere Erzählungen, nach welchen die Braut hinabgestiegen und der Jüngling am Ufer sitzengeblieben war, um ihren Bescheid abzuwarten. Sie wollte unten bei ihren Eltern um die Erlaubnis zur Heirat bitten, aber die Sache erst ihren Brüdern sagen; statt aller Antwort erschien oben ein Blutflekken; sie hatten sie selbst ermordet. –

Aus der Saale kamen auch zuweilen die Nixfrauen in die Stadt Saalfeld und kauften Fleisch auf der Bank. Man unterschied sie allein an den großen und gräßlichen Augen und an dem triefenden Schweif ihrer Röcke unten. Sie sollen vertauschte Menschenkinder sein, statt deren die Nixen ihre Wechselbälge oben gelassen haben. Zu Halle vor dem Tore liegt gleichfalls ein rundes Wasser, der *Nixteich* genannt, aus dem die Weiber kommen in die Stadt, ihre Notdurft zu kaufen, und ebenmäßig an ihren nassen Kleidersäumen zu erkennen sind. Sonst haben sie Kleider, Sprache, Geld wie wir andern auch.

Unweit Leipzig ist ein Nixweiblein oft auf der Straße gesehen worden. Es ist unter andern Bauersweiblein auf den Wochenmarkt mit einem Tragkorbe gegangen, Lebensmittel einzukaufen. Ebenso ging es auch wieder zurück, redete aber mit niemandem ein einziges Wort; grüßte und dankte auch keinem auf der Straße, aber wo es etwas einkaufte, wußte es so genau wie andere Weiber zu dingen und zu handeln. Einmal gingen ihr zwei auf dem Fuß nach und sahen, wie sie an einem kleinen Wasser ihren Tragkorb niedersetzte, der im Augenblick mit dem Weiblein verschwunden war. In der Kleidung war zwischen ihr und andern kein Unterschied, außer daß ihre Unterkleider zwei Hände breit naß waren.

## 61. Wasserrecht

Bei Leipzig, wo die Elster in die Pleiße fällt, pflegt im Sommer das junge Volk zu baden, aber das Wasser hat da einen betrüglichen Lauf, zuweilen Untiefen, zuweilen Sandbänke, besonders an einem Ort, welcher das *Studentenbad* genannt wird. Davon, wie von andern Flüssen, ist gemeine Sage, daß es alle Jahre einen Menschen haben müsse, wie auch fast jeden Sommer ein Mensch darin ertrinkt, und wird davon geglaubt, daß die Wassernixe einen hinunterziehe.

Man erzählt, daß die Nixen vorher auf dem Wasser zu tanzen pflegen, wann einer ertrinken wird.

Kindern, die baden wollen und am Ufer stehen, rufen die Eltern in Hessen warnend zu: »Der Nöcken (Nix) möchte dich hineinziehen!« Folgenden Kinderreim hat man:

*Nix in der Grube,*
*du bist ein böser Bube,*
*wasch dir deine Beinchen*
*mit roten Ziegelsteinchen!*

## 62. Das ertrunkene Kind

Man pflegt vielerlei von den Wassern zu erzählen, und daß der See oder der Fluß alle Jahre ein unschuldiges Kind haben müsse; aber er leide keinen toten Leichnam und werfe ihn früh oder spät ans Ufer aus, ja sogar das letzte Knöchelchen, wenn es zu Grunde gesunken sei, müsse wieder hervor. Einmal war einer Mutter ihr Kind im See ertrunken, sie rief Gott und seine Heiligen an, ihr nur wenigstens die Gebeine zum Begräbnis zu gönnen. Der nächste Sturm brachte den Schädel, der folgende den Rumpf ans Ufer, und nachdem alles beisammen war, faßte die Mutter sämtliche Beinlein in ein Tuch und trug sie zur Kirche. Aber, o Wunder! Als sie in den Tempel trat, wurde das Bündel immer schwerer, und endlich, als sie es auf die Stufen des Altars legte, fing das Kind zu schreien an und machte sich zu jedermanns

Erstaunen aus dem Tuche los. Nur fehlte ein Knöchelchen des kleinen Fingers an der rechten Hand, welches aber die Mutter nachher noch sorgfältig aufsuchte und fand. Dies Knöchelchen wurde in der Kirche unter anderen Reliquien zum Gedächtnis aufgehoben. – Die Schiffer und Fischerleute bei Küstrin in der Neumark reden ebenfalls von einem den Oderstrom beherrschenden unbekannten Wesen, das jährlich sein bestimmtes Opfer haben müsse. Wem nun dies Schicksal zugedacht sei, für den werde der Wassertod unvermeidlich. Die Halloren zu Halle fürchten besonders den Johannestag.

Ein Graf Schimmelmann ging an diesem Tage doch in die Saale und ertrank.

### 63. Schlitzöhrchen

Leute, die unter Mellrichstadt über das Flüßchen Streu gehen, werden durch einen Wassergeist, Schlitzöhrchen genannt, in den Fluß getaucht und oftmals ersäuft.

### 64. Die Wassernixe und der Mühlknappe

Zwei Mühlknappen gehen an einem Fluß; als der eine ungefähr übers Wasser sieht, erblickt er eine Nixe daraufsitzend und ihre Haare kämmend. Er faßt seine Büchse und legt an, sie zu schießen, aber die Nixe springt in den Fluß, winkt mit den Fingern und verschwindet darauf. Das alles war so geschwind und unvermerkt vorgegangen, daß der andere Knappe, der vorangewandert, nichts davon gesehen und erfahren, bis es ihm sein Gefährte bald erzählte. Darauf hat es sich begeben, daß dieser Gefährte am dritten Tage ertrank, wie er sich hat baden wollen.

### 65. Vor den Nixen hilft Dosten und Dorant

Eine hallische Wehmutter erzählte, daß folgendes ihrer Lehrmeisterin beggenete: Diese wurde nachts zum Tor, welches offen stand, von einem Manne hinaus an die Saale geführt. Unterwegs bedräute sie der Mann, kein Wort zu sagen und ja nicht zu mucksen, sonst drehte er ihr bald den Hals um, übrigens sollte sie nur getrost sein. Sie gedachte an Gott, der würde sie behüten, und ergab sich drein, denn sie ginge in ihrem Beruf. An der Saale nun tat sich das Wasser auf und weiter hinunter auch das Erdreich, sie stiegen allmählich hinab, da war ein schöner Palast, worin ein niedliches Weiblein lag. Der half die Wehmutter in Kindesnöten, unterdessen ging der Mann wieder hinaus. Nach glücklicher Verrichtung ihres Amts redete mitleidend das Weibchen: »Ach, liebe Frau, nun jammert mich, daß Ihr hierbleiben müßt bis an den Jüngsten Tag, nehmt Euch wohl in acht; mein Mann wird Euch jetzt eine ganze Mulde voll Dukaten vorsetzen, nehmt nicht mehr, als Euch auch andre Leute zu geben pflegen für Eure Mühwaltung. Weiter, wenn Ihr zur Stube hinauskommt und unterwegs seid, greift flugs an die Erde, da werdet Ihr Dosten[10] und Dorant[11] erfassen, solches haltet fest und lasst's aus der Hand nicht fahren. Dann werdet Ihr wieder auf freien Fuß kommen und zu Eurer Stelle geraten.« Kaum hatte sie ausgeredet, als der Nix, gelbkraus von Haar und bläulich von Augen, in die Stube trat; er hatte eine große Mulde voll Gold und setzte sie in dem schönen hellen Zimmer der Wehfrau vor, sprechend. »Sieh da, nimm, soviel du willst.« Darauf nahm sie einen Goldgülden. Der Nix verzog sein Gesicht und machte grausame Augen und sprach: »Das hast du nicht von dir selber, sondern mit eines Weibes Kalbe gepflügt, die soll schon dafür leiden! Und nun komm und geh mit mir.« Darauf war sie aufgestanden, und er führte sie hinaus; da bückte sie sich flugs und griff in ihre Hand Dosten und Dorant. Der Führer sagte dazu: »Das heißt dich Gott sprechen, und das hast du auch von meinem Weibe gelernt. Nun geh nur hin, wo du hergekommen bist.« Hierauf war sie aus dem Fluß ans Ufer

---

10 Origanum vulg., Wohlgemut
11 Marrubium vulg., Helfkraut, Gotteshilf

gewesen, ging zur Stadt ein, deren Tore noch offen standen, und erreichte glücklich ihr Haus.

Eine andere Hebamme, gebürtig aus Eschätz bei Querfurt, erzählte Nachstehendes: In ihrer Heimat war der Ehmann ausgegangen und hatte seine Frau als Kindbetterin zu Haus lassen müssen. Um Mitternacht kam der Nix vors Haus, nahm die Sprache ihres Mannes an und rief zum Gartenfenster hinein: sie solle schnell herauskommen, er habe ihr etwas Sonderlichs zu weisen. Dies schien der Frau wunderlich, und sie antwortete: »Komm du doch herein, aufzustehen mitten in der Nacht schickt sich für mich nicht. Du weißt ja, wo der Schlüssel liegt, draußen im Loch über der Haustür.« – »Das weiß ich wohl, du mußt aber herausgehen«, und plagte sie so lang mit den Worten, daß sie sich zuletzt aufmachte und in den Garten trat. Das Gespenst ging aber vor ihr her und immer tiefer hinab; sie folgte nach bis zu einem Wasser, unweit des Hauses fließend, mittlerweile sprach der Nix:

>*»Heb auf dein Gewand,*
>*daß du nicht fallst in Dosten und Dorant«,*

welche Kräuter eben viel im Garten wuchsen. Indem aber erblickte sie das Wasser und fiel mit Fleiß ins Kräutich hinein, augenblicklich verschwand der Nix und konnte ihr nichts mehr an- noch abgehaben. Nach Mitternacht kehrte der Ehemann heim, fand Tür und Stube offen, die Kindermutter nicht im Bett, hub an erbärmlich zu rufen, bis er leise ihre Stimme im Garten vernahm und er sie aus dem Kraut wieder ins Zimmer brachte. Die Wehemütter halten deshalb gar viel auf diese Kräuter und legen sie allenthalben in Betten, Wiegen, Keller, tragen es an sich und lassen andere es bei sich stecken. Die Leipziger Krautweiber führen es häufig feil zu Markte.

Einmal soll auch ein Weib um Mittag in den Keller gegangen sein, Bier abzulassen. Da fing ein Gespenst drinnen an und sprach:

> »Hättest du bei dir nicht Dosten,
> wollt ich dir das Bier helfen kosten«,

und man hört diesen Reim noch in andern Geschichten wiederkehren.

### 66. Des Nixes Beine

Eine Wehmutter, gebürtig von Eschätz, eine halbe Meile von Querfurt, erzählte, zu Mitternacht sei in Merseburg ein Weib vor ein Balbierhaus gekommen, der nahe am Wasser gewohnt, und habe dem Fenster hineingeschrien: die Wehemutter solle doch herausgehen, welches sie anfänglich nicht tun wollte. Endlich sei der Balbier mitgegangen, habe ein Licht bei sich gehabt und flugs nach des befürchteten Nixes Beinen gesehen. Darauf es sich niedergeduckt. Wie solches der Balbier gemerkt, da hat er es greulich ausgescholten und gehen heißen, darauf ist es verschwunden.

### 67. Die Magd bei dem Nix

Folgendes hat sich auf einem Dorf bei Leipzig zugetragen: Eine Dienstmagd kam unter das Wasser und diente drei Jahre lang bei dem Nix. Sie hatte es an einem guten Leben und allen Willen, ausgenommen, daß ihr Essen ungesalzen war. Dies nahm sie auch zur Ursache, wieder wegzuziehen. Allein sie sagte noch weiter: »Nach dieser Zeit habe ich nicht über sieben Jahre zu leben, davon bleiben mir jetzt noch drei.« Sonst war sie immer traurig und simpel. Prätorius hörte die Geschichte im Jahr 1664.

### 68. Die Frau von Alvensleben

Vor etlichen hundert Jahren lebte in Kalbe in dem Werder aus dem Alvenslebischen Geschlecht eine betagte, gottesfürchtige, den Leuten gnädige und zu dienen bereitsame Edelfrau; sie stand vornehmlich den Bürgersweibern bei in schweren Kindesnöten und wurde in solchen Fällen von jedermänniglich begehrt und hochgeehrt. Nun ereignete sich aber folgendes: Zu nächtlichen Zeiten kam eine Magd vor das Schloß, klopfte an und rief ängstlich: sie möge ihr doch nicht zuwider sein lassen, womöglich alsbald aufzustehen und mit hinaus vor die Stadt zu folgen, wo eine schwangere Frau in Kindesnot liege, weil die äußerste Stunde und Gefahr da sei und ihre Frau ihrem Leibe gar keinen Rat wisse. Die Adelfrau sprach: »Es ist gleich mitten in der Nacht, alle Stadttore sind gesperrt, wie wollen wir hinauskommen?« Die Magd antwortete: das Tor sei schon im voraus geöffnet, sie solle nur fortmachen (doch sich hüten, wie einige hinzusetzen, an dem Ort, wo sie hingeführt werden würde, nichts zu essen noch zu trinken, auch das ihr Angebotene nicht anzurühren). Darauf stand die adlige Frau aus dem Bett, zog sich an, kam herunter und ging mit der Magd fort, welche angeklopft hatte; das Tor fand sie aufgetan, und wie sie weiter ins Feld kamen, war da ein schöner Gang, der mitten in einen Berg führte. Der Berg stand aufgesperrt, und ob sie wohl sah, das Ding wäre unklar, beschloß sie doch unerschrocken weiterzugehen, bis sie endlich vor ein kleines Weiblein gelangte, das auf dem Bett lag in großen Geburtswehen. Die adlige Frau aber reichte ihr Hilfe (nach einigen brauchte sie nur die Hand ihr auf den Leib zu legen), und glücklich wurde ein Kindlein zum Tageslicht geboren. Nach geförderter Sache sehnte sie sich wieder aus dem Berg heimzugehen, nahm von der Kindbetterin Abschied (ohne etwas von den Speisen und Getränken, die ihr geboten waren, berührt zu haben), und die vorige Magd gesellte sich ihr aufs neue zu und brachte sie unverletzt nach dem Schloss zurück. Vor dem Torweg aber stand die Magd still, bedankte sich höchlich in ihrer Frauen Namen und zog einen goldenen Ring vom Finger herab, den verehrte sie der adligen Frau mit den Worten: »Nehmt dies teure Pfand wohl in acht und lasst es nicht von Euch noch von Eurem Geschlecht kommen; die von Alvensleben werden blühen, solange sie diesen Ring besitzen; kommt er ihnen dermaleinst ab, so muß der ganze Stamm erlöschen.« Hiermit verschwand die Magd.

Dieser Ring soll noch heutzutage richtig und eigentlich bei dem Hause verwahrt werden und zu guter Sicherheit in Lübeck hinterlegt sein. Andere aber behaupten, er sei bei der Teilung in zwei Linien mit Fleiß entzweigeteilt worden. Noch andere: Die eine Hälfte sei zerschmolzen, seitdem gehe es dem einen Stamm übel, die andere Hälfte liege bei dem andern Stamme zu Zichtow. Auch wird erzählt: Die hilfreiche Frau war ein Ehweib; als sie darauf den folgenden Morgen ihrem Eheherrn die Geschichte erzählt, die ihr nachts begegnet, habe er ihr's nicht wollen glauben, bis sie gesprochen: »Ei, wollt Ihr mir nicht glauben, so holt nur die Schlüssel zu jener Stube vom Tische her, darinnen wird der Ring noch liegen.« Es befand sich so ganz richtig. Es ist ein Wunderliches um die Geschenke, die Menschen von den Geistern empfangen haben.

### 69. Die Frau von Hahn und der Nix

Eine vornehme Frau von Adel aus dem Geschlechte der von Hahn wurde einstmal durch einer Wassernixe Zofe abgerufen und genötigt, mit unter den Fluß zur Wehmutter zu gehen. Das Wasser teilte sich voneinander, und sie gerieten auf einem lustigen Weg tief ins Erdreich hinein, wo sie einem kleinen Weiblein in Kindesschmerzen hilfreiche Hand leistete. Nachdem alles glücklich verrichtet und die Frau von Hahn wegfertig war, willens nach Haus zu eilen, kam ein kleiner Wassermann herein, langte ihr ein Geschirr voll Asche und sagte: sie solle für ihre Mühe herausnehmen, soviel ihr beliebe. Sie aber weigerte sich und nahm nichts; da sprach der Nix: »Das heißt dich Gott sprechen, sonst hätte ich dich wollen umbringen.« Darauf ging sie fort und wurde von der vorigen Zofe rücklings nach Hause gebracht. Wie sie beide da waren, zog die Magd drei Stücke Goldes hervor, verehrte sie der adligen Frau und ermahnte, diesen Schatz wohl zu verwahren und nicht abhändig kommen zu lassen, sonst werde ihr Haus ganz durch Armut verderben, im andern Fall aber Hülle und Fülle in allen Sachen haben. Dann ging die Zofe weg, und die drei Stücke wurden unter die drei Söhne ausgeteilt; noch heute blühen zwei Stämme des Hauses, die ihren Schatz sorgsam aufheben; das dritte Stück hingegen soll neulich von einer Frau verwahrlost worden sein, drüber sie armselig in Prag verstarb und ihre Linie eine Endschaft genommen hat.

## 70. Frau von Bonikau

Als die Frau von Bonikau in Sachsen einmal im Kindbett lag und allein war, kam ein klein Weibchen zu ihr: sie bäte sie zu erlauben, daß sie eine Hochzeit in ihrer Kammer halten möchte, sie wollte sich wohl in acht nehmen, daß niemand als sie dabei sein würde. Als die Frau von Bonikau eingewilligt, kam einsmals eine große Gesellschaft von den Erdmännchen und Weibchen in die Kammer. Man brachte ein kleines Tischchen und deckte es, setzte viele Schüsseln darauf, und die ganze Gesellschaft und Hochzeit setzte sich an die Tafel. Als sie in vollem Essen waren, kommt eins von den kleinen Weibchen gelaufen und ruft mit lauter Stimme:

> *»Gott Lob und Dank,*
> *wir sind aus großer Not,*
> *denn die alte Schump ist tot.«*

## 71. Das Streichmaß, der Ring und der Becher

Im Herzogtum Lothringen, als es noch lange zu Deutschland gehörte, herrschte zwischen Nanzig und Luenstadt *(Luneville)* der letzte Graf von Orgewiler. Er hatte keine Schwertmagen[12]

---

12 Blutsverwandte im Mannesstamm

mehr und verteilte auf dem Todbett seine Länder unter seine drei Töchter und Schwiegersöhne. Die älteste Tochter hatte Simons von Bestein, die mittlere Herr von Crony und die jüngste ein deutscher Rheingraf geheiratet. Außer den Herrschaften teilte er noch seinen Erben drei Geschenke aus, der ältesten Tochter einen Streichlöffel (Streichmaß), der mittleren einen Trinkbecher und der dritten einen Kleinodring, mit der Ermahnung, daß sie und ihre Nachkömmlinge diese Stücke sorgfältig aufheben sollten, so würden ihre Häuser beständig glücklich sein.

Die Sage, wie der Graf diese Stücke bekommen, erzählt der Marschall von Bassompierre (Bassenstein), Urenkel des Simons, selbst: Der Graf war vermählt, hatte aber noch eine geheime Liebschaft mit einer wunderbaren schönen Frau, die wöchentlich alle Montage in ein Sommerhaus des Gartens zu ihm kam. Lange blieb dieser Handel seiner Gemahlin verborgen; wenn er sich entfernte, bildete er ihr ein, daß er des Nachts im Wald auf den Anstand ginge. Aber nach ein paar Jahren schöpfte die Gräfin Verdacht und trachtete die rechte Wahrheit zu erfahren. Eines Sommermorgens früh schlich sie ihm nach und kam in die Sommerlaube. Da sah sie ihren Gemahl schlafen in den Armen eines wunderschönen Frauenbildes; weil sie aber beide so sanfte schliefen, wollte sie sie nicht wecken, sondern nahm ihren Schleier vom Haupt und breitete ihn über der Schlafenden Füße. Als die schöne Buhlerin erwachte und des Schleiers innen ward, tat sie einen hellen Schrei, hub an jämmerlich zu klagen und sagte: »Hinfüro, mein Liebster, sehen wir uns nimmermehr wieder, nun muß ich hundert Meilen weit weg und abgesondert von dir bleiben.« Damit verließ sie den Grafen, verehrte ihm aber vorher noch abgemeldete drei Gaben für seine drei Töchter, die möchten sie niemals abhanden kommen lassen.

Das Haus Bassenstein hatte lange Zeit durch aus der Stadt Spinal (*Epinal*) einen Fruchtzins zu ziehen, wozu dieser Maßlöffel (*cuiller de la mesure*) stets gebraucht wurde.

## 72. Der Kobold

An einigen Orten hat fast jeder Bauer, Weib, Söhne und Töchter einen Kobold, der allerlei Hausarbeit verrichtet, in der Küche Wasser trägt, Holz haut, Bier holt, kocht, im Stall die Pferde striegelt, den Stall mistet und dergleichen. Wo er ist, nimmt das Vieh zu, und alles gedeiht und gelingt. Noch heute sagt man sprichwörtlich von einer Magd, der die Arbeit recht rasch von der Hand geht: »Sie hat den Kobold.« Wer ihn aber erzürnt, mag sich vorsehen.

Sie machen, ehe sie in die Häuser einziehen wollen, erst eine Probe. Bei Nachtzeit nämlich schleppen sie Sägespäne ins Haus, in die Milchgefäße aber bringen sie Kot von verschiedenem Vieh. Wenn nun der Hausvater genau achtet, daß die Späne nicht zerstreut, der Kot in den Gefäßen gelassen und daraus die Milch genossen wird, so bleibt der Kobold im Haus, so lange nur noch einer von den Hausbewohnern am Leben ist.

Hat die Köchin einen Kobold zu ihrem heimlichen Gehilfen angenommen, so muß sie täglich um eine gewisse Zeit und an einem besondern Ort im Haus ihm sein zubereitetes Schüsselchen voll gutes Essen hinsetzen und ihren Weg wieder gehen. Tut sie das, so kann sie faulenzen, am Abend früh zu Bett gehen und wird dennoch ihre Arbeit frühmorgens beschickt finden. Vergißt sie das einmal, so muß sie in Zukunft nicht nur ihre Arbeit selbst wieder tun, sondern sie hat nun auch eine unglückliche Hand, indem sie sich im heißen Wasser verbrennt, Töpfe und Geschirr zerbricht, das Essen umschüttet, so daß sie von ihrer Herrschaft notwendig ausgescholten wird. Darüber hat man den Kobold öfters lachen und kichern gehört.

Verändert sich auch das Gesinde, so bleibt er doch, ja, die abziehende Magd muß ihn ihrer Nachfolgerin anempfehlen, damit diese sein auch warte. Will diese nicht, so hat sie beständiges Unglück, bis sie wieder abgeht.

Man glaubt, sie seien rechte Menschen, in Gestalt kleiner Kinder, mit einem bunten Röcklein. Dazu etliche setzen, daß sie teils Messer im Rücken hätten, teils noch anders und gar greulich gestaltet wären, je nachdem sie so und so, mit diesem oder jenem Instrument, vorzeiten umgebracht wären, denn sie halten sie für die Seelen der vorweilen im Hause Ermordeten.

Zuweilen ist die Magd lüstern, ihr Knechtchen, *Kurd Chimgen* oder *Heinzchen*, wie sie den Kobold nennen, zu sehen, und wenn sie nicht nachläßt, nennt der Geist den Ort, wo sie ihn sehen solle, heißt sie aber zugleich einen Eimer kalt Wasser mitbringen. Da begibt sich's dann, daß sie ihn etwa auf dem Boden auf einem Kißchen nackt liegen sieht und ein großes Schlachtmesser ihm im Rücken steckt. Manche ist so sehr erschrocken, daß sie ohnmächtig niedergefallen, worauf der Kobold alsbald aufsprang und sie mit dem kalten Wasser über und über begoß, damit sie wieder zu sich selbst kam. Danach ist ihr die Lust vergangen, den Kobold zu sehen.

### 73. Der Bauer mit seinem Kobold

Ein Bauer war seines Kobolds ganz überdrüssig geworden, weil er allerlei Unfug anrichtete; doch mochte er es anfangen, wie er immer wollte, so konnte er ihn nicht wieder loswerden. Zuletzt ward er Rats, die Scheune anzustecken, wo der Kobold seinen Sitz hatte, und ihn zu verbrennen. Deswegen führte er erst all sein Stroh heraus, und bei dem letzten Karren zündete er die Scheune an, nachdem er den Geist wohl versperrt hatte. Wie sie nun schon in voller Glut stand, sah sich der Bauer von ungefähr um, siehe! Da saß der Kobold hinten auf dem Karrn und sprach: »Es war Zeit, daß wir herauskamen! Es war Zeit, daß wir herauskamen!« Mußte also wieder umkehren und den Kobold behalten.

### 74. Der Kobold in der Mühle

Es machten einmal zwei Studenten von Rinteln eine Fußreise. Sie gedachten in einem Dorf zu übernachten, weil aber ein heftiger Regen fiel und die Finsternis so sehr überhand nahm, daß sie nicht weiter konnten, gingen sie zu einer in der Nähe liegenden Mühle, klopften und baten um Nachtherberge. Der Müller wollte anfangs nicht hören, endlich gab er ihren inständigen Bitten nach, öffnete die Tür und führte sie in eine Stube. Sie waren beide hungrig und durstig, und da auf dem Tisch eine Schüssel mit Speise und eine Kanne mit Bier stand, baten sie den Müller darum und waren bereitwillig, es zu bezahlen. Der Müller aber schlug's ab, selbst nicht ein Stück Brot wollte er ihnen geben und nur die harte Bank zum Ruhebett vergönnen. »Die Speise und der Trank«, sprach er, »gehört dem Hausgeist; ist euch das Leben lieb, so laßt beides unberührt, sonst aber habt ihr kein Leid zu befürchten, lärmt's in der Nacht vielleicht, so bleibt nur still liegen und schlafen.« Mit diesen Worten ging er hinaus und schloß die Tür hinter sich zu.

Die zwei Studenten legten sich zum Schlafen nieder, aber etwa nach einer Stunde griff den einen der Hunger so übermächtig an, daß er sich aufrichtete und die Schüssel suchte. Der andere, ein Magister, warnte ihn, er sollte dem Teufel lassen, was dem Teufel gewidmet wäre, aber er antwortete: »Ich habe ein besseres Recht dazu als der Teufel«, setzte sich an den Tisch und aß nach Herzenslust, so daß wenig von dem Gemüse übrigblieb. Danach faßte er die Bierkanne, tat einen guten pommerschen Zug, und nachdem er also seine Begierde etwas gestillt, legte er sich wieder zu seinem Gesellen. Doch als ihn über eine Weile der Durst aufs neue plagte, stand er noch einmal auf und tat einen zweiten so herzhaften Zug, daß er dem Hausgeist nur die Neige hinterließ. Nachdem er sich's also selbst gesegnet und wohl bekommen geheißen, legte er sich hin und schlief ein.

Es blieb alles ruhig bis Mitternacht; aber kaum war die herum, so kam der Kobold mit großem Lärm hereingefahren, wovon beide mit Schrecken erwachten. Er brauste ein paarmal in der Stube auf und ab, dann setzte er sich, als wollte er seine Mahlzeit halten, zu dem Tisch, und sie hörten deutlich, wie er die Schüssel herbeirückte. Gleich darauf setzte er sie, als wäre er ärgerlich, hart nieder, ergriff die Kanne und drückte den Deckel auf, ließ ihn aber gleich wieder ungestüm zuklappen. Nun begann er seine Arbeit, wischte den Tisch, danach die Tischfüße sorgfältig ab und kehrte dann, wie mit einem Besen, den Boden fleißig ab. Als das geschehen war, ging er noch einmal zur Schüssel und Kanne zurück, ob es jetzt vielleicht besser damit stehe, stieß aber beides wieder zornig hin. Darauf fuhr er in seiner Arbeit fort, kam zu den Bänken, wusch, scheuerte, rieb sie, unten und oben; als er zu der Stelle gelangte, wo die beiden Studenten lagen, zog er vorüber und nahm das übrige Stück unter ihren Füßen in die Arbeit. Wie er zu Ende war, fing er an der Bank oben zum zweitenmal an und überging auch zum zweitenmal die Gäste. Zum drittenmal aber, als er an sie kam, strich er dem einen, der nichts genossen hatte, über die Haare und den ganzen Leib, ohne ihm im geringsten weh zu tun. Den andern aber packte er an den Füßen, riß ihn von der Bank herab, zog ihn ein paarmal auf dem Erdboden herum, bis er ihn endlich liegenließ und hinter den Ofen lief, wo er ihn laut auslachte. Der Student kroch zu der Bank zurück, aber nach einer Viertelstunde begann der Kobold seine Arbeit von neuem: kehrte, säuberte, wischte. Die beiden lagen da, in Angst zitternd, den einen fühlte er, als er an ihn kam, ganz lind an, aber den andern warf er wieder zur Erde und ließ hinter dem Ofen ein grobes und spottendes Lachen hören.

Die Studenten wollten nun nicht mehr auf der Bank liegen, standen auf und erhoben vor der verschlossenen Türe ein lautes Geschrei, aber es hörte niemand darauf. Sie beschlossen endlich, sich auf den platten Boden hart nebeneinanderzulegen, aber der Kobold ließ sie nicht ruhen. Er begann sein Spiel zum drittenmal, kam und zog den Schuldigen herum und lachte ihn aus. Dieser war zuletzt wütend geworden, zog seinen Degen, stach und hieb in die Ecke, wo das Gelächter herschallte, und forderte den Kobold mit Drohworten auf, hervorzukommen. Dann setzte er sich mit seiner Waffe auf die Bank, zu erwarten, was weiter geschehen würde, aber der Lärm hörte auf, und alles blieb ruhig.

Der Müller verwies ihnen am Morgen, daß sie seiner Ermahnung nicht nachgelebt und die Speise nicht unangerührt gelassen; es hätte ihnen leicht das Leben kosten können.

## 75. Hütchen

An dem Hofe des Bischofs Bernhard von Hildesheim hielt sich ein Geist auf, der sich vor jedermann in einem Bauernkleid unter dem Schein der Freundlichkeit und Frömmigkeit sehen ließ; auf dem Haupt trug er einen kleinen Filzhut, wovon man ihm den Namen *Hütchen,* auf niedersächsisch Hödeken, gegeben hatte. Er wollte die Leute gern überreden, daß es ihm vielmehr um ihren Vorteil als ihren Schaden zu tun wäre, daher warnte er bald den einen vor Unglück, bald war er dem andern in einem Vorhaben behilflich. Es schien, als trüge er Lust und Freude an der Menschen Gemeinschaft, redete mit jedermann, fragte und antwortete gar gesprächig und freundlich.

Zu dieser Zeit wohnte auf dem Schloss Winzenburg ein Graf aus Schwaben gebürtig, namens Hermann, welcher das Amt als eine eigene Grafschaft besaß. Einer seiner Diener hatte eine schöne Frau, auf die er ein lüsternes Auge warf und die er mit seiner Leidenschaft verfolgte, aber sie gab ihm wenig Gehör. Da sann er endlich auf schlechte Mittel, und als ihr Mann einmal an einen weit entlegenen Ort verreist war, raubte er ihr mit Gewalt, was sie ihm freiwillig versagte. Sie mußte das Unrecht verschweigen, solange ihr Mann abwesend war, bei seiner Rückkehr aber eröffnete sie es ihm mit großem Schmerz und wehmütigen Gebärden. Der Edelmann glaubte, dieser Schandflecken könne nur mit dem Blute des Täters abgewaschen werden, und da er die Freiheit hatte, wie ihm beliebte, in des Grafen Gemach zu gehen, so nahm er die Zeit wahr, wo dieser noch mit seiner Gemahlin zur Ruhe lag, trat hinein, hielt ihm die begangene Tat mit harten Worten vor, und als er merkte, daß jener sich aufmachen und zur Gegenwehr anschicken möchte, faßte er sein Schwert und erstach ihn im Bett an der Seite der Gräfin. Diese entrüstete sich aufs allerheftigste, schalt den Täter gewaltig, und da sie gerade schwangeren Leibes war, sprach sie dräuend: »Derjenige, den ich unter dem Gürtel trage, soll diesen Mord an dir und den Deinigen rächen, daß die ganze Nachwelt daran ein Beispiel nehmen wird.« Der Edelmann, als er die Worte hörte, kehrte wieder um und durchstach die Gräfin wie ihren Herrn.

Graf Hermann von Winzenburg war der Letzte seines Stammes und demnach mit seinem und der schwangern Gräfin Tod das Land ohne Herrn. Da trat Hütchen in selbiger Morgenstunde, in welcher die Tat geschehen war, vor das Bett des schlafenden Bischofs Bernhard, weckte ihn und sprach: »Steh auf, Glatzkopf, und führe dein Volk zusammen! Die Grafschaft Winzenburg ist durch die Ermordung ihres Herrn ledig und verlassen, du kannst sie mit leichter Mühe unter deine Botmäßigkeit bringen.« Der Bischof stand auf, brachte sein Kriegsvolk eilig zusammen und besetzte und überzog damit die Grafschaft, so daß er sie, mit Einwilligung des Kaisers, auf ewig dem Stift Hildesheim einverleibte.

Die mündliche Sage erzählt noch eine andere, wahrscheinlich frühere Geschichte. Ein Graf von Winzenburg hatte zwei Söhne, die in Unfrieden lebten; um einen Streit wegen der Erbschaft abzuwenden, war mit dem Bischof zu Hildesheim festgemacht, daß derjenige mit der Grafschaft belehnt werden solle, welcher zuerst nach des Vaters Tod sich darum bei dem Bischof melden würde. Als nun der Graf starb, setzte sich der älteste Sohn gleich auf sein Pferd und ritt fort zum Bischof; der jüngste aber hatte kein Pferd und wußte nicht, wie er sich helfen sollte. Da trat Hütchen zu ihm und sprach: »Ich will dir beistehen, schreib einen Brief an den Bischof und melde dich darin um Belehnung; er soll eher dort sein als dein Bruder auf seinem jagenden Pferd.« Da schrieb er ihm den Brief, und Hütchen nahm und trug ihn auf einem Wege, der über Gebirge und Wälder geradaus ging, nach Hildesheim und war in einer halben Stunde schon da, lange ehe der älteste herbeigeeilt kam, und gewann also dem jüngsten das Land. Dieser Pfad ist schwer zu finden und heißt noch immer *Hütchens Rennpfad.*

Hütchen erschien an dem Hofe des Bischofs gar oft und hat ihn ungefragt vor mancherlei Gefahr gewarnt. Großen Herren offenbarte es die Zukunft. Bisweilen zeigte es sich, wenn es sprach, bisweilen redete es unsichtbar. Es hatte den großen Hut aber immer so tief in den Kopf gedrückt, daß man niemals sein Gesicht sehen konnte. Die Wächter der Stadt hat es fleißig in acht genommen, daß sie nicht schliefen, sondern hurtig wachen mußten. Niemand fügte es etwas Leid zu, es wäre denn am ersten beschimpft worden; wer seiner aber spottete, dem vergaß es solches nicht, sondern bewies ihm wiederum einen Schimpf. Gemeinlich ging es den Köchen und Köchinnen zur Hand, schwatzte auch vielmal mit ihnen in der Küche. Eine Mulde im Keller war seine Schlafstätte, und es hatte ein Loch, wo es in die Erde gekrochen ist. Als man nun seiner gar gewohnt worden und sich niemand weiter vor ihm gefürchtet hat, begann ein Küchenjunge es zu spotten und zu höhnen, mit Lästerworten zu hudeln und, sooft er nur vermochte, mit Dreck aus der Küche auf es loszuwerfen oder es mit Spülwasser zu begießen. Das verdroß Hütchen sehr, weshalb es den Küchenmeister bat, den Jungen abzustrafen, damit er solche Büberei unterwegen ließe, oder er selbst müßte die Schmach an ihm rächen. Der Küchenmeister lachte ihn aus und sprach: »Bist du ein Geist und fürchtest dich vor dem kleinen Knaben!« Darauf antwortete Hütchen: »Weil du auf meine Bitten den Buben nicht abstrafen willst, will ich nach wenigen Tagen dir zeigen, wie ich mich vor ihm fürchte« und ging damit im Zorn weg. Nicht lange darauf saß der Junge nach dem Abendessen allein in der Küche und war vor Müdigkeit eingeschlafen; da kam der Geist, erwürgte ihn und zerhackte ihn in kleine Stücke. Dann warf er selbige vollends in einen großen Kessel und setzte ihn ans Feuer. Als der Küchenmeister kam und in dem Kessel Menschenglieder kochen sah, auch aus den übrigen Umständen merkte, daß der Geist ein fremdes Gericht zurichten wolle, fing er an, ihn greulich zu schelten und zu fluchen. Hütchen, darüber noch heftiger erbittert, kam und zerdrückte über alle Braten, die für den Bischof und dessen Hofleute am Spieße zum Feuer gebracht waren, abscheuliche Kröten, so daß sie von Gift und Blut träufelten. Und weil ihn der Koch deswegen wiederum schmähte und schändete, stieß er ihn, als er einst aus dem Tor gehen wollte, von der Brücke, die ziemlich hoch war, in den Graben. Weil man auch in Sorgen stand, er möchte des Bischofs Hof und andere Häuser anzünden, mußten alle Hüter auf den Mauern, sowohl der Stadt als des Schlosses, fleißig wachen. Aus dieser und andern Ursachen suchte der Bischof Bernhard seiner loszuwerden und zwang ihn endlich auch durch Beschwörung zu weichen.

Sonst beging der Geist noch unterschiedliche, abenteuerliche Streiche, welche doch selten jemand schadeten. In Hildesheim war ein Mann, der ein leichtfertiges Weib hatte, als er nun verreisen wollte, sprach er zu Hütchen: »Mein guter Geselle, gib ein wenig Achtung auf mein Weib, derweil ich aus bin, und siehe zu, daß alles recht zugeht.« Hütchen tat es, und wie das Weib nach der Abreise des Mannes ihre Buhler kommen ließ und sich mit ihnen lustig machen wollte, stellte sich der Geist allzeit ins Mittel, verjagte sie durch Schreckgestalten, oder wenn einer sich ins Bett gelegt, warf er unsichtbarerweise ihn so unsauber heraus, daß ihm die Rippen krachten. So ging es einem nach dem andern, wie sie das leichtfertige Weib in die Kammer führte, so daß keiner ihr nahen durfte. Endlich, als der Mann wieder nach Hause kam, lief ihm der ehrbare Hüter voller Freuden entgegen und sprach: »Deine Wiederkunft ist mir trefflich lieb, damit ich der Unruhe und Mühe, die du mir aufgeladen hast, einmal abkomme.« Der Mann fragte: »Wer bist du denn?« Er antwortete: »Ich bin Hütchen, dem du bei deiner Abreise dein Weib in seine Hut anbefohlen. Dir zu Gefallen habe ich sie diesmal gehütet und vor dem Ehebruch bewahrt, wiewohl mit großer und unablässiger Mühe. Allein ich bitte, du wollest sie meiner Hut nicht mehr untergeben, denn ich will lieber der Schweine in ganz Sachsen als eines einzigen solchen Weibes Hut auf mich nehmen und Gewährschaft vor sie leisten, so vielerlei List und Ränke hat sie erdacht, mich zu hintergehen.«

Zu einer Zeit befand sich zu Hildesheim ein Geistlicher, welcher sehr wenig gelernt hatte. Diesen traf die Reihe, daß er zu einer Kirchenversammlung von der übrigen Geistlichkeit sollte verschickt werden, aber er fürchtete sich, daß er in einer so ansehnlichen Versammlung durch seine Unwissenheit Schimpf einlegen möchte. Hütchen half ihm aus der Not und gab ihm einen Ring, der von Lorbeerlaub und andern Dingen zusammengeflochten war, und machte dadurch diesen Gesandten dermaßen gelehrt und auf eine gewisse Zeit beredt, daß sich auf der Kirchenversammlung jedermann über ihn verwunderte und ihn zu den berühmtesten Rednern zählte.

Einem armen Nagelschmied zu Hildesheim ließ Hütchen ein Stück Eisen zurück, woraus goldene Nägel geschmiedet werden konnten, und dessen Tochter eine Rolle Spitzen, von der man immer abmessen konnte, ohne daß sie sich verminderte.

## 76. Hinzelmann

Auf dem alten Schlosse Hudemühlen, das im Lüneburgischen nicht weit von der Aller liegt und von dem nur noch Mauern stehen, hat sich lange Zeit ein wunderlicher Hausgeist aufgehalten. Zuerst ließ er sich im Jahre 1584 hören, indem er durch bloßes Poltern und Lärmen sich zu erkennen gab. Danach fing er an, bei hellem Tage mit dem Gesinde zu reden, welches sich vor der Stimme, die sich hören ließ, ohne daß jemand zu sehen war, erschreckte, nach und nach aber daran gewöhnte und nicht mehr darauf achtete. Endlich ward er ganz mutig und hub an, vor dem Hausherrn selbst zu reden, und führte mittags und abends während der Mahlzeit mit den Anwesenden, fremden und einheimischen, allerhand Gespräche. Als sich nun die Furcht verlor, ward er gar freundlich und zutraulich, sang, lachte und trieb allerlei Kurzweil, solange ihn niemand böse machte; dabei war seine Stimme zart wie die eines Knaben oder einer Jungfrau. Als er gefragt wurde, woher er sei und was er an diesem Ort zu schaffen habe, sagte er, daß er aus dem böhmischen Gebirge gekommen wäre und im Böhmerwald seine Gesellschaft hätte, die wolle ihn nicht leiden; daher sei er nun gezwungen, sich so lang zu entfernen und bei guten Leuten Zuflucht zu suchen, bis seine Sachen wieder besser ständen. Sein Name sei *Hinzelmann*, doch werde er auch *Lüring* genannt; er habe eine Frau, die heiße *Hille Bingels*. Wenn die Zeit gekommen, wolle er sich in seiner wahren Gestalt sehen lassen, jetzt aber wäre es ihm nicht gelegen. Übrigens wäre er ein guter und ehrlicher Geselle wie einer.

Der Hausherr, als er sah, daß sich der Geist je mehr und mehr zu ihm tat, empfand ein Grauen und wußte nicht, wie er ihn loswerden sollte. Auf Anraten seiner Freunde entschloß er sich endlich, sein Schloß auf eine Zeit zu verlassen und nach Hannover zu ziehen. Auf dem Weg bemerkte man eine weiße Feder, die neben dem Wagen herflog, wußte aber nicht, was sie zu bedeuten habe. Als der Edelmann zu Hannover angelangt war, vermißte er eine goldene Kette von Wert, die er um den Hals getragen hatte, und warf Verdacht auf das Gesinde des Hauswirts; dieser aber nahm sich seiner Leute an und verlangte Genugtuung für die ehrenrührige Anklage. Der Edelmann, der nichts beweisen konnte, saß unmutig in seinem Zimmer und überlegte, wie er sich aus diesem verdrießlichen Handel ziehen könnte, als er auf einmal neben sich Hinzelmanns Stimme hörte, der zu ihm sprach: »Warum bist du so traurig? Ist dir etwas Widerwärtiges begegnet, so entdecke mir's, ich weiß dir vielleicht Hilfe. Soll ich auf etwas raten, so sage ich, du bist wegen einer verlorenen Kette verdrießlich.« – »Was machst du hier?« antwortete der erschrockene Edelmann, »warum bist du mir gefolgt? Weißt du von der Kette?« Hinzelmann sagte: »Freilich bin ich dir gefolgt und habe dir auf der Reise Gesellschaft geleistet und war allzeit gegenwärtig. Hast du mich nicht gesehen? Ich war die weiße Feder, die neben deinem Wagen flog. Wo die Kette ist, will ich dir sagen: Such nur unter dem Hauptkissen in deinem

Bett, da wird sie liegen.« Als sie sich da gefunden hatte, ward dem Edelmann der Geist noch ängstlicher und lästiger, und er redete ihn heftig an, warum er ihn durch die Kette mit dem Hauswirt in Streit gebracht, da er doch seinetwegen schon die Heimat verlassen. Hinzelmann antwortete: »Was weichst du vor mir? Ich kann dir ja allenthalben leichtlich folgen und sein, wo du bist! Es ist besser, daß du in dein Eigentum zurückkehrst und meinetwegen nicht daraus entweichst. Du siehst wohl, wenn ich wollte, könnte ich das Deinige alles hinwegnehmen, aber darauf steht mein Sinn nicht.« Der Edelmann besann sich darauf und faßte den Entschluß, zurückzugehen und dem Geist, im Vertrauen auf Gott, keinen Fußbreit zu weichen.

Zu Hudemühlen zeigte sich Hinzelmann nun gar zutätig und fleißig in allerhand Arbeit. In der Küche hantierte er nachts, und wenn die Köchin abends nach der Mahlzeit Schüssel und Teller unabgewaschen durcheinander in einen Haufen hinsetzte, so waren sie morgens wohl gesäubert, glänzend wie Spiegel, in guter Ordnung hingestellt. Daher sie sich auf ihn verlassen und gleich abends nach der Mahlzeit ohne Sorgen zur Ruhe legen konnte. Auch verlor sich niemals etwas in der Küche, oder war ja etwas verlegt, so wußte es Hinzelmann gleich in der verborgenen Ecke, wo es steckte, wiederzufinden und gab es seinem Herrn in die Hände. Hatte man fremde Gäste zu erwarten, so ließ sich der Geist sonderlich hören, und sein Arbeiten dauerte die ganze Nacht: da scheuerte er die Kessel, wusch die Schüsseln, säuberte Eimer und Zuber. Die Köchin war ihm dafür dankbar, tat nicht nur, was er begehrte, sondern bereitete ihm freiwillig seine süße Milch zum Frühstück. Auch übernahm der Geist die Aufsicht über die andern Knechte und Mägde, gab Achtung, was ihre Verrichtung war, und bei der Arbeit ermahnte er sie mit guten Worten, fleißig zu sein. Wenn sich aber jemand daran nicht kehrte, ergriff er auch wohl den Stock und gab ihm damit die Lehre. Die Mägde warnte er oft vor dem Unwillen ihrer Frau und erinnerte sie an irgendeine Arbeit, die sie nun anfangen sollten. Ebenso geschäftig zeigte sich der Geist auch im Stall: Er wartete der Pferde, striegelte sie fleißig, daß sie glatt anzusehen waren wie ein Aal, auch nahmen sie sichtbarlich zu wie in keiner Zeit, so daß sich jedermann darüber verwunderte.

Seine Kammer war im obersten Stockwerk zur rechten Seite, und sein Hausgerät bestand aus drei Stücken. Erstlich aus einem Sessel oder Lehnstuhl, den er selbst von Stroh in allerhand Farben gar kunstreich geflochten, voll zierlicher Figuren und Kreuze, die nicht ohne Verwunderung anzusehen waren. Zweitens aus einem kleinen runden Tisch, der auf sein vielfältiges Bitten verfertigt und dahin gesetzt war. Drittens aus einer zubereiteten Bettstatt, die er gleichfalls verlangt hatte. Man hat nie ein Merkmal gefunden, daß ein Mensch darin geruht, nur fand man ein kleines Grüblein, als ob eine Katze da gelegen. Auch mußte ihm das Gesinde, besonders die Köchin, täglich eine Schüssel voll süßer Milch mit Brocken von Weißbrot zubereiten und auf sein Tischlein stellen, welche dann rein ausgegessen war. Zuweilen fand er sich an der Tafel des Hausherrn ein, wo ihm an einer besonderen Stelle Stuhl und Teller gesetzt werden mußte. Wer vorlegte, gab ihm die Speise auf seinen Teller, und ward das vergessen, so geriet der Hausgeist in Zorn. Das Vorgelegte verschwand, und ein gefülltes Glas Wein war eine Weile weg und wurde dann leer wieder an seine Stelle gesetzt. Doch fand man die Speisen danach unter den Bänken oder in einem Winkel des Zimmers liegen.

In der Gesellschaft junger Leute war Hinzelmann lustig, sang und machte Reime; einer der gewöhnlichsten war:

> *»Ortgieß läßt du mick hier gan,*
> *glücke sallst du han;*
> *wultu mick aver verdrieven,*
> *unglück warst du kriegen.«*

wiewohl er auch die Lieder und Sprüche anderer wiederholte zur Kurzweil, oder um sie damit aufzuziehen. Als der Pfarrer Feldmann einmal auf Hudemühlen zu Gast geladen war und vor die Tür kam, hörte er oben im Saal jemand singen, jauchzen und viel Wesens treiben, weshalb er dachte, es wären abends vorher Fremde angekommen, die oben ihre Zimmer hätten und sich also lustig bezeugten. Er sagte darum zu dem Hofmeier, der auf dem Platz stand und Holz gehackt hatte: »Johann, was habt ihr droben vor Gäste?« Der Hofmeier antwortete: »Niemand Fremdes; es ist unser Hinzelmann, der sich so lustig stellt, es wird sonst kein lebendiger Mensch im Saal sein.« Als der Pfarrer nun in den Saal hinaufstieg, sang ihm Hinzelmann entgegen:

*»Mien Duhme (Daumen), mien Duhme,*
*mien Ellboeg sind twey!«*

Der Pfarrer verwunderte sich über diesen ungewöhnlichen Gesang und sprach zu Hinzelmann: »Was soll das für eine Musik sein, damit du nun aufgezogen kommst?« – »Ei«, antwortete der Geist, »das Liedlein hab ich von Euch gelernt, denn Ihr habt es oft gesungen, und ich hab es noch vor etlichen Tagen, als Ihr an einem gewissen Ort zur Kindtauf wart, von Euch gehört.«

Hinzelmann neckte gern, ohne aber jemand Schaden dabei zu tun. Knechte und Arbeitsleute, wenn sie abends beim Trank saßen, brachte er in Handgemeng und sah ihnen dann mit Lust zu. Wenn ihnen der Kopf ein wenig warm geworden war, und es ließ einer etwa unter den Tisch etwas fallen und bückte sich danach, so gab er ihm rückwärts eine gute Ohrfeige, seinen Nachbar aber zwickte er ins Bein. Da gerieten die beiden aneinander, erst mit Worten, dann mit Werken, und nun mischten sich die andern hinein, so daß jeder seine Schläge austeilte und erhielt und am andern Morgen die blauen Augen und geschwollenen Gesichter als Wahrzeichen überall zu sehen waren. Daran ergötzte sich Hinzelmann von Herzen und erzählte dann, wie er es angefangen, um sie hintereinander zu bringen. Doch wußte er es immer so zu stellen, daß niemand am Leben oder an der Gesundheit Schaden litt. Auf dem fürstlichen Schloss zu Ahlden wohnte zu der Zeit Otto Aschen von Mandelslohe, Drost und Braunschweigischer Rat; diesem spielte Hinzelmann auch zuweilen einen Possen. Als einmal Gäste bei ihm waren, stiftete er einen Zank, so daß sie zornig auffuhren und nach ihren Degen greifen wollten. Keiner aber konnte den seinigen finden, und sie mußten es bei ein paar Querhieben mit der dicken Faust bewenden lassen. Dieses Streichs hat sich Hinzelmann gar sehr gefreut und mit vielem Lachen erzählt, daß er Urheber des Zanks gewesen, vorher aber alles tödliche Gewehr versteckt und beiseite gebracht. Er habe dann zugeschaut, wie ihm sein Anschlag so wohl gelungen wäre, daß sie sich weidlich herumgeschmissen.

Zu einer Zeit war ein Edelmann zu Hudemühlen eingetroffen, welcher sich erbot, den Hausgeist auszutreiben. Als er ihn nun in einem Gemach merkte, dessen Türen und Fenster überall fest geschlossen waren, ließ er erst diese Kammer sowie das ganze Haus mit bewaffneten Leuten besetzen und ging darauf selbst, von einigen begleitet, mit gezogenem Degen hinein. Sie sahen nichts, fingen aber an, links und rechts nach allen Seiten zu hauen und zu stechen in der Meinung, den Hinzelmann, wo er nur einen Leib habe, damit gewißlich zu erreichen und zu töten; indessen fühlten sie nicht, daß ihre Klingen etwas anders als die leere Luft durchschnitten. Wie sie glaubten, ihre Arbeit vollbracht zu haben, und müde von dem vielen Fechten hinausgehen wollten, sahen sie, als sie die Tür des Gemachs öffneten, eine Gestalt gleich einem schwarzen Marder hinausspringen und hörten die Worte: »Ei! Ei! Wie fein habt ihr mich doch ertappt!« Danach hat sich Hinzelmann über diese Beleidigung bitterlich beschwert und gesagt, er würde leicht Gelegenheit haben, sich zu rächen, wenn er nicht den beiden Fräulein im Haus Verdruß ersparen wollte. Als dieser Edelmann nicht lange darauf in eine leere Kammer des Hauses ging, erblickte er auf einer wüsten Bettstatt eine zusammengeringelte große Schlange liegen, die sogleich verschwand, aber er hörte die Worte des Geistes: »Bald hättest du mich erwischt!«

Ein anderer Edelmann hatte viel von Hinzelmann erzählen gehört und war begierig, selbst etwas von ihm zu erfahren. Als er nun nach Hudemühlen kam, ward sein Wunsch erfüllt, und der Geist ließ sich in dem Zimmer aus einem Winkel bei einem großen Schrank hören, wo etliche leere Weinkrüge mit langen Hälsen hingesetzt waren. Weil nun die Stimme zart und fein war und ein wenig heiser, gleich als spräche sie aus einem hohlen Gefäße, so meinte der Edelmann, er sitze vielleicht in einem dieser Krüge, lief hinzu, faßte sie und wollte sie zustopfen, um auf diese Weise den Geist zu erhaschen. Als er damit umging, fing Hinzelmann an überlaut zu lachen und sprach: »Hätte ich nicht vorlängst von anderen Leuten gehört, daß du ein Narr wärst, so könnte ich's nun selbst mit ansehen, weil du meinst, ich säße in den leeren Krügen, und deckst sie mit der Hand zu, als hättest du mich gefangen. Ich achte dich nicht der Mühe wert, sonst wollte ich dich schon witzigen, daß du eine Zeitlang meiner gedenken solltest. Aber ein wenig gebadet wirst du doch bald werden.« Damit schwieg er und ließ sich nicht wieder hören, solange der Edelmann da war; ob dieser dann wirklich ins Wasser gefallen, wird nicht gemeldet, doch ist's zu vermuten.

Es kam auch ein Teufelsbanner, ihn auszujagen. Als dieser mit seinen Zauberworten die Beschwörung anhub, war Hinzelmann zuerst still und ließ nichts von sich hören, aber wie jener nun die kräftigsten Sprüche gegen ihn ablesen wollte, riß er ihm das Buch aus den Händen, zerstückelte es, daß die Blätter in dem Zimmer herumflogen, packte den Banner dann selbst und drückte und kratzte ihn, daß er voll Angst fortlief. Auch hierüber beklagte er sich und sprach: »Ich bin ein Christ wie ein anderer Mensch und hoffe selig zu werden.« Als er gefragt wurde, ob er die Kobolde und Poltergeister kenne, antwortete er: »Was gehen mich diese an? Das sind Teufelsgespenster, zu welchen ich nicht gehöre. Von mir hat sich niemand Böses, vielmehr alles Gute zu versehen. Laßt mich unangefochten, so werdet ihr überall Glück spüren: das Vieh wird gedeihen, die Güter in Aufnahme kommen und alles wohl vonstatten gehen.«

Laster und Untugenden waren ihm zuwider; einen von den Hausgenossen strafte er wegen seiner Kargheit oft mit harten Worten und sagte zu den übrigen, daß er ihn um seines Geizes willen gar nicht leiden könnte. Einem andern verwies er seine Hoffart, die er von Herzen hasse. Als einmal zu ihm gesagt wurde, wenn er ein guter Christ sein wolle, so müßte er Gott anrufen und die Gebete der Christen sprechen, fing er an, das Vaterunser zu sagen, und sprach es bis zur sechsten Bitte; die Worte »Erlöse uns von dem Bösen« murmelte er nur leise. Er sagte auch den christlichen Glauben her, aber zerrissen und stammelnd. Denn als er zu den Worten gelangte: »Ich glaube eine Vergebung der Sünden, Auferstehung des Fleisches und ein ewiges Leben«, brachte er sie mit heiserer und undeutlicher Stimme hervor, so daß man ihn nicht redet hören und verstehen konnte. Der Prediger zu Eickelohe, weiland Hr. Marquard Feldmann, berichtet, daß sein Vater um die Zeit der Pfingsten auf Hudemühlen zu Gast gebeten worden; da habe Hinzelmann den schönen Gesang: »Nun bitten wir den Heiligen Geist« wie eine Jungfrau oder ein junger Knabe mit sehr hoher und nicht unangenehmer Stimme bis ganz zu Ende gesungen. Ja, nicht allein diesen, sondern viele andere geistliche Gesänge habe er auf Verlangen angestimmt, besonders, wenn ihn diejenigen darum begrüßt, die er für seine Freunde gehalten und mit welchen er vertraulich gewesen.

Darum ward der Geist gewaltig böse, wenn man ihn nicht ehrlich und nicht als einen Christen behandelte. Einmal reiste ein Edelmann aus dem Geschlecht von Mandelslohe nach Hudemühlen. Er stand wegen seiner Gelehrsamkeit in großem Ansehen, war Domherr bei dem Stift Verden und Gesandter bei dem Kurfürst von Brandenburg und dem Könige von Dänemark. Als er nun von dem Hausgeist hörte, und daß er als ein Christ wollte angesehen sein, sprach er, er könnte nicht glauben, daß es gut mit ihm stehe, er müsse ihn vielmehr für den bösen Feind und den Teufel halten, denn Menschen solcher Art und Gestalt habe Gott nicht erschaffen, die Engel aber lobten

Gott ihren Herrn und schirmten und schützten die Menschen; damit stimme das Poltern und Toben und die abenteuerlichen Händel des Geistes nicht überein. Hinzelmann, der während seiner Anwesenheit sich noch nicht hatte hören lassen, machte ein Geräusch und sprach: »Was sagst du, Barthold (so hieß der Edelmann)? Bin ich der böse Feind? Ich rate dir, sage nicht zuviel, oder ich werde dir ein anderes zeigen und dir weisen, daß du ein andermal ein besseres Urteil von mir fällen sollst.« Der Herr entsetzte sich, als er, ohne jemand zu sehen, eine Stimme sprechen hörte, brach die Rede ab und wollte nichts mehr von ihm hören, sondern ihn in seinen Würden lassen. Zu einer andern Zeit kam ein Edelmann, welcher bei Tisch, als er den Stuhl und den Teller für Hinzelmann sah, ihm nicht zutrinken wollte. Darüber beschwerte sich der Geist und sprach: »Ich bin ein so ehrlicher und guter Geselle als dieser: warum trinkt er mich vorüber?« Darauf antwortete der Edelmann: »Weiche von hinnen und trinke mit deinen höllischen Gesellen, hier hast du nichts zu schaffen!« Als Hinzelmann das hörte, ward er so heftig erbittert, daß er ihn bei dem Schnallriemen packte, damit er nach damaliger Sitte seinen Mantel unter dem Halse zugeschnallt hatte, nieder zur Erde zog und so würgte und drückte, daß allen Anwesenden angst wurde, er möchte ihn umbringen, und jener, nachdem der Geist von ihm abgelassen, sich erst nach einigen Stunden wieder erholen konnte. Wiederum reiste einmal ein guter Freund des Hausherrn bei Hudemühlen vorbei, trug aber Bedenken wegen des Hausgeistes, von dessen Schalkheit ihm vieles war erzählt worden, einzukehren und schickte seinen Diener, um zu melden, daß er nicht einsprechen könne. Der Hausherr ließ ihn inständig bitten, bei ihm die Mittagsmahlzeit zu nehmen, aber der Fremde entschuldigte sich höflich damit, daß er sich nicht aufhalten dürfte; doch setzte er hinzu, es errege ihm zu großen Schrecken, mit einem Teufelsgespenst an einem Tisch zu sitzen, zu essen und zu trinken. Bei dieser Unterredung draußen hatte sich Hinzelmann auch eingefunden, denn man hörte, nachdem sich der Fremde also geweigert, die Worte:

»Warte, mein guter Geselle, die Rede soll dir schon bezahlt werden!« Als nun der Reisende fortfuhr und auf die Brücke kam, welche über die Meiße geht, stiegen die Pferde mit den vorderen Füßen in die Höhe, verwickelten sich ins Geschirr, daß wenig fehlte, so wäre er mit Roß und Wagen ins Wasser gestürzt. Wie alles wieder zurechtgebracht war und der Wagen einen Schuß weit gefahren, wurde er zwischen Eickelohe und Hudemühlen auf ebener Erde in den Sand umgekehrt, doch ohne daß die Darinsitzenden weiteren Schaden nahmen.

Wie Hinzelmann gern in Gesellschaft und unter Leuten war, so hielt er sich doch am liebsten bei den Frauen auf und war mit ihnen gar freundlich und umgänglich. Auf Hudemühlen waren zwei Fräulein, Anna und Katharine, welchen er besonders zugetan war; ihnen klagte er sein Leid, wenn er war erzürnt worden, und führte sonst allerhand Gespräche mit ihnen. Wenn sie über Land reisten, wollte er sie nicht verlassen und begleitete sie in Gestalt einer weißen Feder allenthalben. Legten sie sich nachts schlafen, so ruhte er unten zu ihren Füßen auf dem Deckbett, und man sah am Morgen eine kleine Grube, als ob ein Hündlein da gelegen hätte. Beide Fräulein verheirateten sich nicht, denn Hinzelmann schreckte alle Freier ab. Manchmal kam es so weit, daß eben die Verlobung sollte gehalten werden, aber der Geist wußte es doch immer wieder rückgängig zu machen. Den einen, wenn er bei dem Fräulein seine Worte vortragen wollte, machte er ganz irre und verwirrt, daß er nicht wußte, was er sagen wollte. Bei dem andern erregte er solche Angst, daß er zitterte und bebte. Gemeinlich aber machte er an die gegenüberstehende weiße Wand eine Schrift mit großen goldenen Buchstaben ihnen vor die Augen: »Nimm Jungfer Anne und laß mir Jungfer Katharine.« Kam aber einer und wollte sich bei Jungfer Anne beliebt machen und um sie werben, so veränderte sich auf einmal die goldene Schrift und lautete umgekehrt: »Nimm Jungfer Katharine und laß mir Jungfer Anne.« Wenn sich jemand nicht daran kehrte und bei seinem Vorsatz blieb und etwa im Haus übernachtete, quälte er ihn so und narrte ihn im Dunkeln mit

Poltern, Werfen und Toben, daß er sich aller Heiratsgedanken entschlug und froh war, wenn er mit heiler Haut davonkam. Etliche hat er, wenn sie auf dem Rückweg waren, mit den Pferden über und über geworfen, daß sie Hals und Beine zu brechen meinten und nicht wußten, wie ihnen geschehen. Also blieben die zwei Fräulein unverheiratet, erreichten ein hohes Alter und starben beide innerhalb acht Tagen.

Einmal hatte eine dieser Fräulein von Hudemühlen einen Knecht nach Rethem geschickt, dies und jenes einzukaufen. Während dessen Abwesenheit fing der Geist in dem Gemache der Fräulein plötzlich an wie ein Storch zu klappern und sprach dann: »Jungfer Anne, heute magst du deine Sachen im Mühlengraben wieder suchen!« Sie wußte nicht, was das heißen sollte, bald aber trat der Knecht ein und erzählte, daß er auf dem Heimritt unterwegs einen Storch nicht weit von sich sitzen gesehen, auf den er aus Langerweile geschossen. Es habe auch nicht anders geschienen, als ob er ihn getroffen, der Storch aber wäre dennoch sitzengeblieben und, nachdem er angefangen laut zu klappern, endlich fortgezogen. Nun zeigte sich, daß Hinzelmann das gewußt, bald aber traf auch seine Weissagung ein. Der Knecht, einigermaßen berauscht, wollte sein von Schweiß und Staub bedecktes Pferd rein baden und ritt es in das vor dem Schloß liegende Mühlenwasser, verfehlte aber in der Trunkenheit den rechten Ort, geriet in einen tiefen Abgrund, und da er sich nicht auf dem Pferd halten konnte, fiel er hinab und ertrank. Die geholten Sachen hatte er noch nicht abgelegt, daher sie samt dem Leichnam aus dem Wasser mußten herausgesucht werden.

Auch andern hat Hinzelmann die Zukunft vorausgesagt und sie gewarnt. Es kam ein Oberster nach Hudemühlen, der bei dem König Christian III. von Dänemark in besonderem Ansehen stand und in den Kriegen mit der Stadt Lübeck tapfere Dienste geleistet hatte. Dieser war ein guter Schütze und großer Liebhaber der Jagd, so daß er manche Stunde damit zubrachte, in dem umliegenden Gehölze den Hirschen und wilden Sauen nachzustellen. Als er sich eben wieder zu einer Jagd bereitete, kam Hinzelmann und sprach: »Thomas (das war sein Name), ich warne dich, daß du im Schießen dich vorsiehst, sonst hast du in kurzem ein Unglück.« Der Oberst achtete nicht darauf und meinte, das hätte nichts zu bedeuten. Wenige Tage danach, als er auf ein Reh losbrannte, zersprang die Büchse von dem Schuß und schlug ihm den Daumen aus der linken Hand. Wie es geschehen war, fand sich gleich Hinzelmann bei ihm und sprach: »Sieh, nun hast du's, wovor ich dich gewarnt; hättest du dich diese Zeit über des Schießens enthalten, der Unfall wäre dir nicht begegnet.«

Es war ein andermal ein Herr von Falkenberg, auch ein Kriegsmann, zum Besuch auf Hudemühlen angelangt. Da er ein frisches und fröhliches Herz hatte, fing er an, den Hinzelmann zu necken und allerhand kurzweilige Reden zu gebrauchen. Dies wollte dem Geist in die Länge nicht gefallen, sondern er begann sich unwillig zu gebärden und fuhr endlich mit den Worten heraus: »Falkenberg, du machst dich jetzt trefflich lustig über mich, aber komm nur hin vor Magdeburg, da wird man dir die Kappe ausbürsten, daß du deiner Spottreden vergessen wirst.« Der Edelmann erschrak, glaubte, daß mehr hinter diesen Worten stecke, brach die Unterredung mit Hinzelmann ab und zog bald darauf fort. Nicht lange nachher begann die Belagerung von Magdeburg unter dem Kurfürsten Moritz, wobei auch dieser Herr von Falkenberg unter einem vornehmen deutschen Fürsten zugegen war. Die Belagerten wehrten sich tapfer und gaben Tag und Nacht mit Doppelhaken und anderm Geschütz Feuer, und es traf sich, daß diesem Falkenberg von einer Falkonettkugel das Kinn ganz hinweggeschossen wurde und er drei Tage darauf, nach den größten Schmerzen, an dieser Wunde starb.

Ein Mann aus Hudemühlen war einmal samt andern Arbeitsleuten und Knechten im Feld und mähte Korn, ohne an etwas Unglückliches zu denken. Da kam Hinzelmann zu ihm auf den Acker und rief: »Lauf! Lauf in aller Eile nach Hause und hilf deinem jüngsten Söhnlein, das ist eben jetzt mit dem

Gesicht ins Feuer gefallen und hat sich sehr verbrannt.« Der Mann legte erschrocken seine Sense nieder und eilte heim, zu sehen, ob Hinzelmann die Wahrheit geredet. Kaum aber war er über die Türschwelle geschritten, als man ihm schon entgegenlief und das Unglück erzählte, wie er denn auch sein Kind über das ganze Gesicht elendiglich verbrannt sah. Es hatte sich auf einen kleinen Stuhl bei dem Feuer gesetzt, wo ein Kessel überhing. Als es nun mit einem Löffel hineinlangen wollte und sich mit dem Stuhl vorwärts überbog, fiel es mit dem Gesicht mitten ins Feuer. Indes, weil die Mutter in der Nähe war, lief sie herzu und riß es aus den Flammen wieder heraus, so daß es zwar etwas verbrannt war, doch aber dem Tode noch entrissen ward. Merkwürdig ist, daß fast in demselben Augenblick, wo das Unglück geschehen, der Geist es auch schon dem Vater im Felde verkündigte und ihn zur Rettung ermahnte.

Wen der Geist nicht leiden konnte, den plagte er oder strafte ihn für seine Untugenden. Den Schreiber zu Hudemühlen beschuldigte er gar zu großer Hoffart, ward ihm darum gehässig und tat ihm Tag und Nacht mancherlei Drangsal an. Einstmals erzählte er ganz fröhlich, er habe dem hochmütigen Schreiber eine rechtschaffene Ohrfeige gegeben. Als man den Schreiber darum fragte, und ob der Geist bei ihm gewesen, antwortete er: »Ja, mehr als zuviel ist er bei mir gewesen, er hat mich diese Nacht gequält, daß ich vor ihm nicht zu bleiben wußte.« Er hatte aber eine Liebschaft mit dem Kammermädchen, und als er sich nun einmal nachts bei ihr zu einem vertraulichen Gespräch eingefunden und sie in größter Lust beisammensaßen und meinten, daß niemand als die vier Wände sie sehen könne, kam der arglistige Geist, trieb sie auseinander und stöberte den guten Schreiber unsanft zur Türe hinaus, ja er faßte überdem einen Besenstiel und setzte ihm nach, der über Hals und Kopf nach seiner Kammer eilte und seine Liebe ganz vergaß. Hinzelmann soll ein Spottlied auf den unglücklichen Liebhaber gemacht, solches zur Kurzweil oft gesungen und den Durchreisenden unter Lachen vorgesagt haben.

Es war jemand zu Hudemühlen plötzlich gegen Abend von heftigem Magenweh angefallen und eine Magd in den Keller geschickt, einen Trunk Wein zu holen, darin der Kranke die Arznei nehmen sollte. Als nun die Magd vor dem Fass saß und eben den Wein zapfen wollte, fand sich Hinzelmann neben ihr und sprach: »Du wirst dich erinnern, daß du mich vor einigen Tagen gescholten und geschmäht hast, dafür sollst du diese Nacht zur Strafe im Keller sitzen. Mit dem Kranken hat es ohnehin keine Not, in einer halben Stunde wird all sein Weh vorüber sein, und der Wein, den du ihm brächtest, würde ihm eher schaden als nützen. Bleib nur hier sitzen, bis der Keller wieder aufgemacht wird.« Der Kranke wartete lange; als der Wein nicht kam, ward eine andere hinabgeschickt, aber sie fand den Keller außen mit einem Hängeschloß fest verwahrt und die Magd darin sitzen, die ihr erzählte, daß Hinzelmann sie so eingesperrt habe. Man wollte zwar den Keller öffnen und die Magd heraushaben, aber es war kein Schlüssel zu dem Schloß aufzufinden, so fleißig auch gesucht ward. Folgenden Morgen war der Keller offen, und Schloß und Schlüssel lagen vor der Tür, so daß die Magd wieder herausgehen konnte. Bei dem Kranken hatten, wie der Geist gesagt, nach einer halben Stunde sich alle Schmerzen verloren.

Dem Hausherrn zu Hudemühlen hat sich der Geist niemals gezeigt; wenn er ihn bat, er möchte sich, wo er wie ein Mensch gestaltet sei, vor ihm sehen lassen, antwortete er, die Zeit wäre noch nicht gekommen, er sollte warten, bis es ihm anständig sei. Als der Herr in einer Nacht schlaflos im Bett lag, merkte er ein Geräusch an der einen Seite der Kammer und vermutete, es müsse der Geist gegenwärtig sein. Er sprach demnach: »Hinzelmann, bist du da, so antworte mir.« – »Ja, ich bin es«, erwiderte er, »was willst du?« Da eben vom Mondschein die Kammer ziemlich erhellt war, deuchte den Herrn, als ob an dem Ort, wo der Schall herkam, der Schatten einer Kindesgestalt zu sehen wäre. Als er nun merkte, daß sich der Geist ganz freundlich und vertraulich anstellte, ließ er sich mit ihm in ein Gespräch ein und sprach endlich: »Laß dich doch einmal von mir sehen und anfühlen.« Hinzelmann aber wollte nicht. »So reich mir wenigstens deine Hand, damit ich erkennen kann, ob du Fleisch und Bein hast wie ein Mensch.« – »Nein«, sprach Hinzelmann, »ich traue dir nicht, du bist ein Schalk, du möchtest mich ergreifen und dann nicht wieder gehen lassen.« Nach langem Anhalten aber, und als er ihm bei Treu und Glauben versprochen, ihn nicht zu halten, sondern alsbald wieder gehen zu lassen, sagte er: »Siehe, da ist meine Hand!« Wie nun der Herr danach griff, deuchte ihn, als wenn er die Finger einer kleinen Kinderhand fühlte; der Geist aber zog sie gar geschwind wieder zurück. Der Herr begehrte ferner, er sollte ihn nun sein Angesicht fühlen lassen, worin er endlich willigte, und wie jener danach tastete, kam es ihm vor, als ob er gleichsam an Zähne oder an ein fleischloses Totengerippe rührte; das Gesicht aber zog sich ebenfalls im Augenblick zurück, so daß er seine eigentliche Gestalt nicht wahrnehmen konnte; nur bemerkte er, daß es, wie die Hand, kalt und ohne menschliche Lebenswärme war.

Die Köchin, welche mit ihm ganz vertraulich war, meinte, sie dürfte ihn wohl um etwas bitten, wo es ein anderer unterlassen müßte, und als ihr nun die Lust kam, den Hinzelmann, den sie täglich reden hörte, mit Essen und Trinken versorgte, leiblich zu sehen, bat sie ihn inständig, ihr das zu gewähren. Er aber wollte nicht und sagte, dazu wäre jetzt noch nicht die Gelegenheit; nach Ablauf gewisser Zeit wollte er sich von jedermann sehen lassen. Aber durch diese Weigerung ward ihre Lust nur noch heftiger erregt, und sie lag ihm je mehr und mehr an, ihr die Bitte nicht zu versagen. Er sagte, sie würde den Vorwitz bereuen, wenn er ihrer Bitte nachgeben wollte, als dies aber nicht fruchtete und sie gar nicht absehen wollte, sprach er endlich: »Morgen vor Aufgang der Sonne komm in den Keller und trag in jeder Hand einen Eimer voll Wasser, so soll dir deine Bitte gewährt werden.« Die Magd fragte: »Wozu soll das Wasser?« – »Das wirst du erfahren«, antwortete der Geist, »ohne das würde dir mein Anblick schädlich sein.« Am andern Morgen war die Köchin in aller Frühe bereit, nahm in jede Hand einen Eimer mit Wasser und ging in den Keller hinab. Sie sah sich darin um, ohne etwas zu erblicken, als sie aber die Augen auf die Erde warf, ward sie vor sich eine Mulde gewahr, worin ein nacktes Kind, der Größe nach etwa von drei Jahren, lag: in seinem Herzen steckten zwei Messer kreuzweis übereinander, und sein ganzer Leib war mit Blut beflossen. Von diesem Anblick erschrak die Magd dermaßen, daß ihr alle Sinne vergingen und sie ohnmächtig zur Erde fiel. Alsbald nahm der Geist das Wasser, das sie mitgebracht, und goß es ihr über den Kopf aus, wodurch sie wieder zu sich kam. Sie sah sich nach der Mulde um, aber es war alles verschwunden, und sie hörte nur Hinzelmanns Stimme, der zu ihr sprach: »Siehst du nun, wie nützlich das Wasser dir gewesen, wäre solches nicht bei der Hand, so wärst du hier im Keller gestorben. Ich hoffe, nun wird deine heiße Begierde, mich zu sehen, abgekühlt sein.« Er hat danach die Köchin oft mit diesem Streiche geneckt und ihn Fremden mit vielem Lachen erzählt[13].

Der Prediger Feldmann von Eickeloh schreibt in einem Brief vom 15. Dezember 1597, Hinzelmann habe eine kleine Hand, gleich der eines Knaben oder einer Jungfrau, öfters sehen lassen, sonst aber hätte man nichts von ihm erblicken können.

Unschuldigen, spielenden Kindern hat er sich immer gezeigt. Der Pfarrer Feldmann wußte sich zu besinnen, daß, als er vierzehn bis fünfzehn Jahre alt gewesen und sich nicht sonderlich um ihn gekümmert, er den Geist in Gestalt eines kleinen Knaben die Treppe gar geschwind habe hinaufsteigen gesehen. Wenn sich Kinder um das Haus Hudemühlen versammelten und miteinander spielten, fand er sich unter ihnen ein und spielte mit in der Gestalt eines kleinen, schönen Kindes, so daß alle andern Kinder ihn deutlich sahen und dann ihren Eltern daheim erzählten, wie wenn sie im Spiel begriffen wären, ein fremdes Kindlein zu ihnen käme und mit ihnen Kurzweil triebe. Dies bekräftigte eine Magd, die einmal in ein Gemach getreten, wo

---

13 Etwas anders erzählt von einem Geist Heinzlin in Luthers Tischreden, ed. Aurifaber, 1571, S. 441a.

vier oder sechs Kinder miteinander gespielt; unter diesen hat sie ein unbekanntes Knäblein gesehen, von schönem Angesicht, mit gelben, über die Schulter hängenden krausen Haaren, in einen roten Samtrock gekleidet, welches, wie sie es recht betrachten wollte, aus dem Haufen sich verlor und verschwand. Auch von einem Narren, der sich dort aufhielt und Klaus hieß, hat sich Hinzelmann sehen lassen und allerhand Kurzweil mit ihm getrieben. Wenn man den Narren nirgends finden konnte und dann befragte, wo er so lange gewesen, antwortete er: »Ich war bei dem kleinen Männlein und habe mit ihm gespielt.« Fragte man weiter, wie groß das Männlein gewesen, zeigte er mit der Hand eine Größe wie etwa eines Kindes von vier Jahren.

Als die Zeit kam, wo der Hausgeist wieder fortziehen wollte, ging er zu dem Herrn und sprach: »Siehe, da will ich dir etwas verehren, das nimm wohl in acht und gedenk meiner dabei.« Damit überreichte er ihm erstlich ein kleines Kreuz (es ist ungewiß nach des Verfassers Worten, ob aus Seide oder Saiten), gar artig geflochten. Es war eines Fingers lang, inwendig hohl und gab, wenn man es schüttelte, einen Klang von sich. Zweitens einen Strohhut, den er gleichfalls selbst verfertigt hatte und worin gar künstlich Gestalten und Bilder durch das bunte Stroh zu sehen waren. Drittens einen ledernen Handschuh, mit Perlen besetzt, die wunderbare Figuren bildeten. Dann fügte der Geist die Weissagung hinzu: »Solange diese Stücke unzerteilt bei deinem Haus in guter Verwahrung bleiben, wird das ganze Geschlecht blühen und ihr Glück immer höher steigen. Werden diese Geschenke aber zergliedert, verloren oder verschleudert, so wird euer Geschlecht abnehmen und sinken.« Und als er wahrnahm, daß der Herr keinen sonderlichen Wert auf die Geschenke zu legen schien, sprach er weiter: »Ich fürchte, daß du diese Dinge nicht viel achtest und sie abhanden kommen lässt, darum will ich dir raten, daß du sie deinen beiden Schwestern Anne und Katharine aufzuheben übergibst, die besser dafür sorgen werden.« Darauf gab der Hausherr diese Geschenke seinen Schwestern, welche sie annahmen und in guter Verwahrung hielten und nur aus sonderlicher Freundschaft jemand zeigten. Nach ihrem Tode fielen sie auf ihren Bruder zurück, der sie zu sich nahm und bei dem sie, solange er lebte, blieben. Dem Pfarrer Feldmann hat er sie bei einer vertraulichen Unterredung auf seine Bitte gezeigt. Als dieser Herr auch starb, kamen sie auf dessen einzige Tochter Adelheid, an L. v. H. verheiratet, mit andern Erbschaftssachen und blieben eine Zeitlang in ihrem Besitz. Wo diese Geschenke des Hausgeistes danach hingekommen, hat sich der Sohn des Pfarrers Feldmann vielfach erkundigt und erfahren, daß der Strohhut dem Kaiser Ferdinand II. sei verehrt worden, der ihn für etwas gar Wunderbares geachtet. Der lederne Handschuh war noch zu dieser Zeit in Verwahrung eines Edelmannes. Er war kurz und reichte genau nur über die Hand; oben über der Hand ist mit Perlen eine Schnecke gestickt. Wohin das kleine Kreuz gekommen, blieb unbekannt.

Der Geist schied freiwillig, nachdem er vier Jahre zu Hudemühlen sich aufgehalten, vom Jahr 1584 bis 1588. Ehe er von dannen gezogen, hat er noch gesagt, er werde einmal wiederkommen, wenn das Geschlecht in Abnahme gerate, und dann werde es aufs neue wieder blühen und aufsteigen.

### 77. Klopfer

Im Schloß zu Flügelau hauste ein guter Geist, der den Mädchen alles zu Gefallen tat; sie durften nur sagen: »Klopfer hol's!«, so war's da. Er trug Briefe weg, wiegte die Kinder und brach das Obst. Aber wie man einmal von ihm haben wollte, er sollte sich sehen lassen, und nicht nachließ, bis er's tat, fuhr er feurig durch den Rauchfang hinaus, und das ganze Schloß brannte ab, das noch nicht wiederaufgebaut ist. Es ist kurze Zeit vor dem Schwedenkrieg geschehen.

## 78. Stiefel

In dem Schloss Calenberg hauste ein kleiner Geist namens *Stiefel*. Er war einmal an einem Bein beschädigt worden und trug seitdem einen großen Stiefel, der ihm das ganze Bein bedeckte, weil er fürchtete, es möchte ihm ausgerissen werden.

## 79. Ekerken

Bei dem Dorf Elten, eine halbe Meile von Emmerich im Herzogtum Kleve, war ein Geist, den die gemeinen Leute *Ekerken* (Eichhörnchen) zu nennen pflegten. Er sprang auf der Landstraße umher und neckte und plagte die Reisenden auf alle Weise. Etliche schlug er, andere warf er von den Pferden ab, anderen kehrte er Karren und Wagen unterst zu oberst. Man sah aber mit Augen von ihm nichts als eine menschlich gestaltete Hand.

## 80. Nachtgeist zu Kendenich

Auf dem alten Rittersitz Kendenich, etwa zwei Stunden von Köln am Rhein, ist ein mooriger, von Schilf und Erlensträuchern dicht bewachsener Sumpf. Dort sitzt eine Nonne verborgen, und keiner mag am Abend an ihr vorübergehen, dem sie nicht auf den Rücken zu springen sucht. Wen sie erreicht, der muß sie tragen, und sie treibt und jagt ihn durch die ganze Nacht, bis er ohnmächtig zur Erde stürzt.

## 81. Der Alp

Wenngleich vor den Alpen Fenster und Türen verschlossen werden, so können sie durch die kleinsten Löcher doch hereinkommen, welche sie mit sonderlicher Lust aufsuchen. Man kann in der Stille der Nacht das Geräusch hören, welches sie dabei in der Wand machen. Steht man nun geschwind auf und verstopft das Loch, so müssen sie bleiben, können auch nicht von dannen, selbst wenn Tür und Tor geöffnet würden. Man muß ihnen hierauf das Versprechen abnehmen, daß sie diesen Ort niemals beunruhigen wollen, bevor man sie in Freiheit setzt. Sie haben bei solchen Gelegenheiten erbärmlich geklagt, wie sie zu Hause ihre Kinderchen hätten, die verschmachten müßten, so sie nicht loskämen.

Der Trud oder Alp kommt oft weit her bei seinen nächtlichen Besuchen. Einstmals sind Hirten mitten in der Nacht im Felde gewesen und haben nicht weit von einem Wasser ihrer Herden gewartet. Da kommt ein Alp, steigt in den Kahn, löst ihn vom Ufer ab und rudert mit einer selbst mitgebrachten Schwinge hinüber, steigt alsdann aus, befestigt den Kahn jenseits und verfolgt seinen Weg. Nach einer Weile kehrt er zurück und rudert ebenso herüber. Die Hirten aber, nachdem sie solchem mehrere Nächte zugesehen und es geschehen lassen, bereden sich diesen Kahn wegzunehmen. Wie nun der Alp wiederkommt, so hebt er an kläglich zu winseln und droht den Hirten, den Kahn gleich herüberzuschaffen, wenn sie Frieden haben wollten; welches sie auch tun müssen.

Jemand legte, um den Alp abzuhalten, eine Hechel auf den Leib, aber der Alp drehte sie gleich um und drückte ihm die Spitzen in den Leib. Ein besseres Mittel ist es, die Schuhe vor dem Bette umzukehren, so daß die Hacken das Spannbett am nächsten bei sich haben. Wenn er drückt, und man kann den Daumen in die Hand bringen, so muß er weichen. Nachts reitet er oft die Pferde, so daß man ihnen morgens anmerkt, wie sie abgemattet sind. Mit Pferdeköpfen kann er auch vertrieben werden. Wer vor dem Schlafengehen seinen Stuhl nicht versetzt, den reitet der Mahr des Nachts. Gern machen sie den Leuten Weichselzöpfe (Schrötleinszöpfe, Mahrenflechten), indem sie das Haar saugen und verflechten. Wenn die Muhme ein Kind windelt, muß sie ein Kreuz machen und einen Zipfel aufschlagen, sonst windelt es der Alp noch einmal.

Sagt man zu dem drückenden Alp:

*»Trud, komm morgen,
so will ich borgen!«*

weicht er alsbald und kommt am andern Morgen in Gestalt eines Menschen, etwas zu borgen. Oder ruft man ihm nach: »Komm morgen und trink mit mir«, so muß derjenige kommen, der ihn gesandt hat.

Nach Prätorius stoßen seine Augenbrauen in gleichen Linien zusammen, andere erzählen, daß Leute, denen die Augenbrauen auf der Stirne zusammengewachsen sind, andern, wenn sie Zorn oder Haß auf sie haben, den Alp mit bloßen Gedanken zuschicken können. Er kommt dann aus den Augenbrauen, sieht aus wie ein kleiner, weißer Schmetterling und setzt sich auf die Brust des andern Schlafenden.

## 82. Der Wechselbalg

Zu Heßloch, bei Odernheim im Gau gelegen, hat sich's zugetragen, daß der Kellner eines geistlichen Herrn mit der Köchin wie seiner Ehefrau gelebt, nur daß er sich nicht durfte öffentlich einsegnen lassen. Sie zeugten ein Kind miteinander, aber das wollte nicht wachsen und zunehmen, sondern es schrie Tag und Nacht und verlangte immer zu essen. Endlich hat sich die Frau beraten und wollte es gen Neuhausen auf die Cyriakswiese tragen und wiegen lassen und aus dem Cyriaksbrunnen ihm zu trinken geben, so möchte es besser mit ihm werden. Denn es war damals Glaube, ein Kind müsse dann nach neun Tagen sich zum Leben oder Tod verändern[14]. Wie nun die Frau bei Westhofen in den Klauer kommt mit dem Kind auf dem Rücken, welches ihr so schwer geworden, daß sie keucht und der Schweiß ihr übers Angesicht läuft, begegnet ihr ein fahrender Schüler, der redet sie an: »Ei Frau, was tragt Ihr da für ein wüstes Geschöpf, es

---

14 Ein Wechselbalg wird gewöhnlich nicht älter als sieben Jahre; nach andern jedoch sollen sie achtzehn bis neunzehn Jahre leben.

wäre kein Wunder, wenn es Euch den Hals eindrückte.« Sie antwortete, es wäre ihr liebes Kind, das wollte nicht gedeihen und zunehmen, daher es zu Neuhausen sollte gewogen werden. Er aber sprach: »Das ist nicht Euer Kind, es ist der Teufel[15], werft ihn in den Bach!« Als sie aber nicht wollte, sondern beharrte, es wäre ihr Kind, und es küßte, sprach er weiter: »Euer Kind steht daheim in der Stubenkammer hinter der Arke in einer neuen Wiege, werft diesen Unhold in den Bach!« Da hat sie es mit Weinen und Jammern getan. Alsbald ist ein Geheul und Gemurmel unter der Brücke, auf der sie stand, gehört worden, gleichwie von Wölfen und Bären. Und als die Mutter heimgekommen, hat sie ihr Kindlein frisch und gesund und lachend in einer neuen Wiege gefunden.

## 83. Die Wechselbälg im Wasser

Bei Halberstadt hatte ein Bauer einen Kielkropf, der seine Mutter und fünf Muhmen ausgesogen, dabei unmäßig gegessen hatte (denn sie essen mehr als zehn andere Kinder) und sich so angestellt, daß sie seiner gar müde geworden. Es ward ihm der Rat gegeben, er solle das Kind zur Wallfahrt gen Heckelstadt zur Jungfrau Maria geloben und daselbst wiegen lassen. Diesem Rat folgte der gute Bauer, setzte es in einen Rückkorb und trug es hin. Wie er aber über ein Wasser geht und auf der Brücke ist, ruft's unten im Wasser: »Kielkropf! Kielkropf!« Da antwortete das Kind in dem Korb, das niemals zuvor ein Wort geredet hatte: »Ho! Ho!« Dessen war der Bauer ungewohnt und sehr erschrocken. Darauf fragte der Teufel im Wasser ferner: »Wo willst du hin?« Der Kielkropf oben antwortete: »Ick well gen Heckelstadt to unser Leven Fruggen:

---

15 Denn der Teufel nimmt die rechten Kinder aus der Wiege, führt sie fort und legt seine dafür hinein. Daher der Name Wechselbalg.

*mik laten wigen*
*dat ick möge gedigen (gedeihen).«*

Wie der Bauer hörte, daß der Wechselbalg ordentlich reden konnte, ward er zornig und warf ihn samt dem Korb ins Wasser. Da sind die zwei Teufel zusammengefahren, haben geschrien: »Ho! Ho! Ha!« miteinander gespielt und sich überworfen und sind danach verschwunden.

## 84. Der Alraun

Es ist Sage, daß, wenn ein Erbdieb, dem das Stehlen durch Herkunft aus einem Diebesgeschlecht angeboren ist oder dessen Mutter, als sie mit ihm schwanger ging, gestohlen, wenigstens groß Gelüsten dazu gehabt (nach andern: wenn er zwar ein unschuldiger Mensch, in der Tortur aber sich für einen Dieb bekennt), und der ein reiner Jüngling ist, gehenkt wird und das Wasser läßt (*aut sperma in terram effundit*), so wächst an dem Ort der *Alraun* oder das *Galgenmännlein*. Oben hat er breite Blätter und gelbe Blumen. Bei der Ausgrabung desselben ist große Gefahr, denn wenn er herausgerissen wird, ächzt, heult und schreit er so entsetzlich, daß der, welcher ihn ausgräbt, alsbald sterben muß. Um ihn daher zu erlangen, muß man am Freitag vor Sonnenaufgang, nachdem man die Ohren mit Baumwolle, Wachs oder Pech wohl verstopft, mit einem ganz schwarzen Hund, der keinen andern Flecken am Leib haben darf, hinausgehen, drei Kreuze über den Alraun machen und die Erde ringsherum abgraben, so daß die Wurzel nur noch mit kleinen Fasern in der Erde steckenbleibt. Danach muß man sie mit einer Schnur dem Hund an den Schwanz binden, ihm ein Stück Brot zeigen und eilig davonlaufen. Der Hund, nach dem Brot gierig, folgt und zieht die Wurzel heraus, fällt aber, von ihrem ächzenden Geschrei getroffen, alsbald tot hin. Hierauf nimmt man sie auf, wäscht sie mit rotem Wein sauber ab, wickelt sie in weißes und rotes Seidenzeug, legt sie in ein Kästlein, badet sie alle Freitag und gibt ihr alle Neumond ein neues weißes Hemdlein. Fragt man nun den Alraun, so antwortet er und offenbart zukünftige und heimliche Dinge zu Wohlfahrt und Gedeihen. Der Besitzer hat von nun an keine Feinde, kann nicht arm werden, und hat er keine Kinder, so kommt Ehesegen. Ein Stück Geld, das man ihm nachts zulegt, findet man am Morgen doppelt; will man lange seines Dienstes genießen und sichergehen, damit er nicht abstehe oder sterbe, so überlade man ihn nicht, einen halben Taler mag man kühnlich alle Nacht ihm zulegen, das höchste ist ein Dukaten, doch nicht immer, sondern nur selten.

Wenn der Besitzer des Galgenmännleins stirbt, so erbt es der jüngste Sohn, muß aber dem Vater ein Stück Brot und ein Stück Geld in den Sarg legen und mit begraben lassen. Stirbt der Erbe vor dem Vater, so fällt es dem ältesten Sohn anheim, aber der jüngste muß ebenso schon mit Brot und Geld begraben werden.

## 85. Spiritus familiaris

Er wird gemeinlich in einem wohlverschlossenen Gläslein aufbewahrt, sieht aus nicht recht wie eine Spinne, nicht recht wie ein Skorpion, bewegt sich aber ohne Unterlaß. Wer ihn kauft, in dessen Tasche bleibt er, er mag das Fläschlein hinlegen, wohin er will, immer kehrt es von selbst zu ihm zurück. Er bringt großes Glück, läßt verborgene Schätze sehen, macht bei Freunden geliebt, bei Feinden gefürchtet, im Krieg fest wie Stahl und Eisen, so daß sein Besitzer immer den Sieg hat, auch behütet es vor Haft und Gefängnis. Man braucht ihn nicht zu pflegen, zu baden und zu kleiden wie ein Galgenmännlein.

Wer ihn aber behält, bis er stirbt, der muß mit ihm in die Hölle, darum sucht ihn der Besitzer wieder zu verkaufen. Er läßt sich aber nicht anders verkaufen als immer wohlfeiler, damit ihm einer bleibe, der ihn nämlich mit der geringsten Münze eingekauft hat.

Ein Soldat, der ihn für eine Krone gekauft und den gefährlichen Geist kennenlernte, warf ihn seinem vorigen Besitzer vor die Füße und eilte fort; als er zu Hause ankam, fand er ihn wieder in seiner Tasche. Nicht besser ging es ihm, als er ihn in die Donau warf.

Ein augsburgischer Roßtäuscher und Fuhrmann zog in eine berühmte deutsche Stadt ein. Der Weg hatte seine Tiere sehr mitgenommen, im Tor fiel ihm ein Pferd, im Gasthaus das zweite, und binnen weniger Tagen die übrigen sechs. Er wußte sich nicht zu helfen, ging in der Stadt umher und klagte den Leuten mit Tränen seine Not. Nun begab essich, daß ein anderer Fuhrmann ihm begegnete, dem er sein Unglück erzählte. Dieser sprach: »Seid ohne Sorgen, ich will Euch ein Mittel vorschlagen, dessen Ihr mir danken sollt.« Der Roßtäuscher meinte, das wären leere Worte. »Nein, nein, Geselle, Euch soll geholfen werden. Geht in jenes Haus und fragt nach einer Gesellschaft«, die er ihm nannte, »der erzählt Euren Unfall und bittet um Hilfe.« Der Roßtäuscher folgte dem Rat, ging in das Haus und fragte einen Knaben, der da war, nach der Gesellschaft. Er mußte auf Antwort warten. Endlich kam der Knabe wieder und öffnete ihm ein Zimmer, in welchem etliche alte Männer an einer runden Tafel saßen. Sie redeten ihn mit Namen an und sagten: »Dir sind acht Pferde gefallen, darüber bist du niedergeschlagen, und nun kommst du, auf Anraten eines deiner Gesellen, zu uns, um Hilfe zu suchen: du sollst erlangen, was du begehrst.« Er mußte sich an einen Nebentisch setzen, und nach Verlauf weniger Minuten überreichten sie ihm ein Schächtelchen mit den Worten: »Dies trage bei dir, und du wirst von Stunde an reich werden, aber hüte dich, daß du die Schachtel, wenn du nicht wieder arm werden willst, niemals öffnest.« Der Roßtäuscher fragte, was er für dieses Schächtelchen zu zahlen habe, aber die Männer wollten nichts dafür; nur mußte er seinen Namen in ein großes Buch schreiben, wobei ihm die Hand geführt ward. Der Roßtäuscher ging heim, kaum aber war er aus dem Haus getreten, so fand er einen ledernen Sack mit dreihundert Dukaten, womit er sich neue Pferde kaufte. Ehe er die Stadt verließ, fand er in dem Stall, wo die neuen Pferde standen, noch einen großen Topf mit alten Talern. Kam er sonstwohin und setzte das Schächtlein auf die Erde, so zeigte sich da, wo Geld verloren oder vorzeiten vergraben war, ein hervordringendes Licht, so daß er es leicht heben konnte. Auf diese Weise erhielt er ohne Diebstahl und Mord große Schätze zusammen.

Als die Frau des Roßtäuschers von ihm vernahm, wie es zuging, erschrak sie und sprach: »Du hast etwas Böses empfangen, Gott will nicht, daß der Mensch durch solch verbotene Dinge reich werde, sondern hat gesagt, im Schweiße deines Angesichts sollst du dein Brot essen. Ich bitte dich um deiner Seligkeit willen, daß du wieder nach der Stadt zurückreist und der Gesellschaft deine Schachtel zustellst.« Der Mann, von diesen Worten bewogen, entschloß sich und sendete einen Knecht mit dem Schächtelein hin, um es zurückzuliefern; aber der Knecht brachte es wieder mit der Nachricht zurück, daß diese Gesellschaft nicht mehr zu finden sei, auch niemand wisse, wo sie sich gegenwärtig aufhalte. Hierauf gab die Frau genau acht, wo ihr Mann das Schächtlein hinsetzte, und bemerkte, daß er es in einem besonders von ihm gemachten Täschchen in dem Bund seiner Beinkleider verwahre. In einer Nacht stand sie auf, zog es hervor und öffnete es: da flog eine schwarze, summende Fliege heraus und nahm ihren Weg durch das Fenster hin. Sie machte den Deckel wieder darauf und steckte es an seinen Ort, unbesorgt, wie es ablaufen würde. Allein von Stunde an verwandelte sich all das vorherige Glück in das empfindlichste Unglück. Die Pferde fielen um oder wurden gestohlen. Das Korn auf dem Boden verdarb, das Haus brannte zu dreien Malen ab, und der eingesammelte Reichtum verschwand zusehends. Der Mann geriet in Schulden und ward ganz arm, so daß er in Verzweiflung erst seine Frau mit einem Messer tötete, dann sich selbst eine Kugel durch den Kopf schoß.

### 86. Das Vogelnest

Noch herrscht in mehreren Gegenden der Glaube, daß es gewisse Vogelnester (auch Zwissel- und Zeißelnestlein genannt) gebe, die, selbst gewöhnlich unsichtbar, jeden, der sie bei sich trägt, unsichtbar machen. Um sie nun zu finden, muß man sie zufällig in einem Spiegel oder Wasser erblicken. Vermutlich hängt die Sage mit dem Namen einer Gattung des *Zweiblatts*, *bifolium*, zusammen, die in fast allen europäischen Sprachen *Vogelnest* heißt und etwas alraunhaft zu sein scheint. Den näheren Verlauf ergibt der angeführte Roman des XVII. Jahrhunderts am deutlichsten, gewiß aus volksmäßiger Quelle:

Unter solchem Gespräch sah ich am Schatten oder Gegenschein eines Baums im Wasser etwas auf der Zwickgabel liegen, das ich gleichwohl auf dem Baum nicht sehen konnte, solches wies ich meinem Weib Wunders wegen. Als sie solches betrachtet und die Zwickgabel bemerkte, darauf es lag, kletterte sie auf den Baum und holte es herunter, was wir im Wasser gesehen hatten. Ich sah ihr gar eben zu und wurde gewahr, daß sie in demselben Augenblick verschwand, als sie das Ding, dessen Schatten (Abbild) wir im Wasser erblickt, in die Hand genommen hatte; allein ich sah noch wohl ihre Gestalt im Wasser, wie sie nämlich den Baum wieder abkletterte und ein kleines Vogelnest in der Hand hielt, das sie vom Zwickast heruntergenommen. Ich fragte sie, was sie für ein Vogelnest hätte. Sie hingegen fragte mich, ob ich sie denn sähe. Ich antwortete: »Auf dem Baum selbst sehe ich dich nicht, aber wohl deine Gestalt im Wasser.« – »Es ist gut«, sagte sie, »wenn ich herunterkomme, wirst du sehen, was ich habe.« Es kam mir gar wunderlich vor, daß ich mein Weib sollte reden hören, die ich doch nicht sah, und noch seltsamer, daß ich ihren Schatten an der Sonne wandeln sah und sie selbst nicht. Und da sie sich besser zu mir in den Schatten näherte, so daß sie selbst keinen Schatten mehr warf, weil sie sich nunmehr außerhalb des Sonnenscheins im Schatten befand, konnte ich gar nichts mehr von ihr merken, außer daß ich ein kleines Geräusch vernahm, welches sie beides mit ihrem Fußtritt und ihrer Kleidung machte, welches mir vorkam, als ob ein Gespenst um mich her gewesen wäre; sie setzte sich zu mir und gab mir das Nest in die Hand, sobald ich dasselbige empfangen, sah ich sie wiederum, hingegen sie aber mich nicht; solches probierten wir oft miteinander und befanden jedesmal, daß dasjenige, so das

Nest in Händen hatte, ganz unsichtbar war. Darauf wickelte sie das Nestlein in ein Nasentüchel, damit der Stein oder das Kraut oder die Wurzel, welches sich im Nest befand und solche Wirkung in sich hatte, nicht herausfallen sollte und etwa verloren würde, und nachdem sie solches neben sich gelegt, sahen wir einander wiederum wie zuvor, ehe sie auf den Baum gestiegen; das Nestnastüchel sahen wir nicht, konnten es aber an demjenigen Ort wohl fühlen, wohin sie es geleget hatte[16].

## 87. Der Brutpfennig

Der Brutpfennig oder Heckegroschen soll auf folgende heillose Weise erlangt werden: Die sich dem Teufel verbinden wollen, gehen auf Weihnachtsabend, so es beginnt zu dunkeln, nach einem Scheideweg unter dem offenbaren Himmel. Mitten auf diesem Flecken legen sie dreißig Pfennige oder auch Groschen, Taler in einem runden Ring der Reihe nach nebeneinander hin und heben an, die Stücke vorwärts und rückwärts zu zählen. Dies Zählen muß gerade geschehen in der Zeit, wenn man zur Messe läutet. In dem Zählen nun sucht der höllische Geist durch allerhand schreckliche Gesichter von glühenden Ofen, seltsamen Wagen und hauptlosen Menschen irrezumachen, denn wenn der Zählende im geringsten wankt und stolpert, wird ihm der Hals umgedreht. Sofern er aber richtig vor- und nachgezählt, so wirft der Teufel zu den dreißig Stücken das einunddreißigste in gleicher Münze hin. Dieser einunddreißigste Pfennig hat die Eigenschaft, daß er alle und jede Nacht einen gleichen ausbrütet.

Eine Bäuerin zu Pantschdorf bei Wittenberg, die einen solchen Brutpfennig hatte, wurde auf diese Art als Hexe kundgemacht: Sie mußte einmal notwendig ausgehen und hieß die Magd, die Milch von der gemelkten Kuh (eh sie die andern melkte) alsbald sieden, auf Weißbrot in einer dastehenden

---

16 Die Geschichte trägt sich in Bayern zu. S. Simplicissimus, II, 92, 94, 277, 288, 340, 362. Vergl. Noch Simpl., II, 229.

Schüssel gießen und in eine gewisse Kiste setzen, welche sie ihr zeigte. Die Dienstmagd vergaß das entweder oder dachte, es wäre gleichviel, ob sie die Milch vor oder nach dem Melken der anderen Kühe aufkochte, und tat also erst ihre ganze Arbeit. Nachher nahm sie die siedende Milch vom Feuer, und in der einen Hand den Topf haltend, mit der andern im Begriff, die bezeichnete Kiste zu öffnen, sah sie in dieser ein pechschwarzes Kalb sitzen, das den Mund aufsperrte. Vor Schrecken goß sie die gesottene Milch in seinen Rachen, und in selbem Augenblick floh das Kalb davon und steckte das ganze Haus in Brand. Die Frau wurde eingezogen und bekannte; ihren Brutpfennig haben die Bauern noch lange Zeit in der gemeinen Kasse aufbewahrt.

### 88. Wechselkind mit Ruten gestrichen

Im Jahre 1580 hat sich folgende wahrhaftige Geschichte begeben: Nahe bei Breslau wohnt ein namhaftiger Edelmann, der hat im Sommer viel Heu und Grummet aufzumachen, dazu ihm seine Untertanen frönen müssen. Unter diesen ward auch berufen eine Kindbetterin, so kaum acht Tage im Kindbett gelegen. Wie sie nun sieht, daß es der Junker haben wollte und sie sich nicht weigern kann, nimmt sie ihr Kind mit ihr hinaus, legt es auf ein Häuflein Gras, geht von ihm und wartet dem Heumachen ab. Als sie eine gute Weile gearbeitet und ihr Kindlein zu säugen geht, sieht sie es an, schreit heftig und schlägt die Hände überm Kopf zusammen und klagt männiglich, dies sei nicht ihr Kind, weil es geizig ihr die Milch entziehe und so unmenschlich heule, das sie an ihrem Kind nicht gewohnt sei. Wie dem allen, so behielt sie es etliche Tag über, das hielt sich so ungebührlich, daß die gute Frau nahe zugrunde gerichtet wäre. Solches klagt sie dem Junker, der sagt zu ihr: »Frau, wenn es Euch bedünkt, daß dies nicht Euer Kind, so tut eins und tragt es auf die Wiese, wo Ihr das vorige Kind hingelegt habt, und streichst es mit der Rute heftig, so werdet Ihr Wunder sehen.«

Die Frau folgte dem Junker, ging hinaus und strich das Wechselkind mit der Rute, daß es sehr geschrien hat; da brachte der Teufel ihr gestohlenes Kind und sprach: »Da hast's!« und mit dem nahm er sein Kind hinweg.

Diese Geschichte ist lautbar und beiden, Jung und Alten, in derselbigen Gegend um und in Breslau landkündig.

## 89. Das Schauen auf die Kinder

Ein glaubwürdiger Bürger aus Leipzig erzählte: Als sein erstes Kind schon etliche Wochen alt gewesen, habe man es zu drei unterschiedlichen Nächten in der Wiege aufgedeckt und in der Quer liegend gefunden, da doch die Wiege hart vor dem Wochenbett der Mutter gestanden. Der Vater nahm sich also vor, in der vierten Nacht aufzubleiben und auf sein Kind gute Acht zu haben. Er harrte eine lange Weile und wachte stetig bis nach Mitternacht, da war dem Kind noch nichts begegnet, deswegen, weil er es selber betrachtet und angeschaut hatte. Aber inzwischen fielen ihm die Augen ein wenig zu, und als die Mutter kurz darauf erwachte und sich umsah, war das Kind wieder in die Quer gezogen und das Deckbett von der Wiege mitten über ihr Bett geworfen, da sie es sonst nur immer aufzuschlagen und zu Füßen des Kinds in der Wiege zu legen pflegen, nach allgemeinem Gebrauch. Denke einer, in so geschwinder Eile, daß sich alle verwundern mußten. Aber weiter hatte das Ungetüm keine Macht zum Kinde gehabt.

## 90. Die Roggenmuhme

In der Mark Brandenburg geht unter den Landleuten eine Sage von der Roggenmuhme, die im Kornfeld stecke, weshalb die Kinder sich hineinzugehen fürchten.

In der Altmark schweigt man die Kinder mit den Worten: »Halts Maul, sonst kommt die Regenmöhme mit ihrem schwarzen, langen Hitzen und schleppt dich hinweg!«

Im Braunschweigischen, Lüneburgischen heißt sie das *Kornwyf*. Wenn die Kinder Kornblumen suchen, erzählen sie sich davon, daß es die Kleinen raube, und wagen sich nicht zu weit ins grüne Feld.

Im Jahre 1662 erzählte auch die Saalfelder Frau dem Prätorius: Ein dortiger Edelmann habe eine Sechswöchnerin von seinen Untertanen gezwungen, zur Erntezeit Garben zu binden. Die Frau nahm ihr junges, saugendes Kindlein mit auf den Acker und legte es, um die Arbeit zu fördern, zu Boden. Über eine Weile sah der Edelmann, welcher zugegen war, ein Erdweib mit einem Kinde kommen und es um das der Bäuerin tauschen. Dieses falsche Kind hob an zu schreien, die Bäuerin eilte hinzu, es zu stillen, aber der Edelmann wehrte ihr und hieß sie zurückbleiben, er wolle ihr schon sagen, wann's Zeit wäre. Die Frau meinte, er täte so der fleißigeren Arbeit wegen, und fügte sich mit großem Kummer. Das Kind schrie unterdessen unaufhörlich fort, da kam die Roggenmutter von neuem, nahm das weinende Kind zu sich und legte das gestohlene wieder hin. Nachdem alles das der Edelmann mit angesehen, rief er der Bäuerin und hieß sie nach Hause gehen. Seit der Zeit nahm er sich vor, nun und nimmermehr eine Kindbetterin zu Diensten zu zwingen.

### 91. Die zwei unterirdischen Weiber

Folgende Begebenheit hat Prätorius von einem Studenten erfahren, dessen Mutter gesagt hatte, sie sei in Dessau geschehen.

Nachdem eine Frau ein Kind zur Welt gebracht, hat sie es bei sich gelegt und ist noch vor dessen Taufe in einen tiefen Schlaf verfallen. Zur Mitternacht sind zwei unterirdische Weiber gekommen, haben Feuer auf dem Hausherd gemacht, einen Kessel voll Wasser übergesetzt, ihr mitgebrachtes Kind darin gebadet und abgewaschen, solches dann in die Stube getragen und mit dem andern schlafenden Kind ausgetauscht. Hierauf sind sie damit weggegangen, bei dem nächsten Berg aber um das Kind in Streit geraten, darüber es eine der andern zugeworfen und gleichsam damit geballt haben, bis das Kind darüber geschrien und die Magd im Haus erwacht. Als sie der Frauen Kind angeblickt und die Verwechselung gemerkt, ist sie vors Haus gelaufen und hat die Weiber noch mit dem gestohlenen Kind hantieren gefunden, darauf sie hinzugetreten und hat mitgefangen, sobald sie aber das Kind in ihre Arme bekommen, ist sie eilends nach Hause gelaufen und hat die Wechselbutte vor die Tür gelegt, welche darauf die Bergfrauen wieder zu sich genommen.

## 92. König Grünewald

Auf dem Christenberg in Oberhessen wohnte vor alters ein König, und stand da sein Schloß. Und er hatte auch eine einzige Tochter, auf die er gar viel hielt und die wunderbare Gaben besaß. Nun kam einmal sein Feind, ein König, der hieß *Grünewald*, und belagerte ihn in seinem Schlosse, und als die Belagerung lange[17] dauerte, so sprach dem König im Schlosse seine Tochter immer noch Mut ein. Das währte bis zum Maientag. Da sah auf einmal die Tochter, wie der Tag anbrach, das feindliche Heer herangezogen gekommen mit grünen Bäumen. Da wurde es ihr angst und bang, denn sie wußte, daß alles verloren war, und sagte ihrem Vater:

>*»Vater, gebt Euch gefangen,*
>*der grüne Wald kommt gegangen!«*

Darauf schickte sie ihr Vater ins Lager König Grünewalds, bei dem sie ausmachte, daß sie selbst freien Abzug haben sollte und noch dazu mitnehmen dürfte, was sie auf einen Esel packen

---

17 Neun Jahre. Einmal täuschte er die Feinde durch gebackene Kuchen, die er von der Burg hinabrollen ließ, während die Belagerer hungerten. Daher noch der Name des Hungertals in der Gegend.

könnte. Da nahm sie ihren eigenen Vater[18], packte ihn darauf samt ihren besten Schätzen und zog nun fort. Und als sie eine gute Strecke in einem fortgegangen und ermüdet waren, sprach die Königstochter. »Hier *wollemer* ruhen!« Daher hat ein Dorf den Namen, das dort liegt (Wollmar, eine Stunde vom Christenberg, in der Ebene). Bald zogen sie weiter durch Wildnisse hin ins Gebirg, bis sie endlich einen Flecken fanden; da sagte die Königstochter: »Hier *hat's Feld!*« und da blieben sie und bauten ein Schloß und nannten es Hatzfeld. Dort sind noch bis auf den heutigen Tag die Überbleibsel, und die Stadt dabei hat auch von der Burg den Namen. (Hatzfeld, ein Städtchen an der Eder, im Gebirge, gegen vier Stunden vom Christenberge westlich.)

## 93. Blümelisalp

Mehr als eine Gegend der Schweiz erzählt die Sage von einer jetzt in Eis und Felstrümmern überschütteten, vor alten Zeiten aber beblümten, herrlichen und fruchtbaren Alpe. Zumal im Berner Oberland wird sie von den Klariden (einem Gebirge) berichtet:

Ehemals war hier die Alpweide reichlich und herrlich, das Vieh gedieh über alle Maßen, jede Kuh wurde des Tages dreimal gemolken, und jedesmal gab sie zwei Eimer Milch, den Eimer von dritthalb Maß. Dazumal lebte am Berg ein reicher, wohlhabender Hirte und hob an stolz zu werden und die einfache alte Sitte des Landes zu verhöhnen. Seine Hütte ließ er sich stattlicher einrichten und buhlte mit Kathrine, einer schönen Magd, und im Übermut baute er eine Treppe ins Haus aus seinen Käsen, und die Käse legte er aus mit Butter und wusch die Tritte sauber mit Milch. Über diese Treppe gingen Kathrine, seine Liebste, und Brändel, seine Kuh, und Rhyn, sein Hund, aus und ein.

Seine fromme Mutter aber wußte nichts von dem Frevel, und eines Sonntags im Sommer wollte sie die Senne ihres Sohnes

---

18 Nach andern tut es die Königin, nicht die Tochter.

besuchen. Vom Weg ermüdet, ruhte sie oben aus und bat um einen Labetrunk. Da verleitete den Hirten die Dirne, daß er ein Milchfaß nahm, saure Milch hineintat und Sand darauf streute, das reichte er seiner Mutter. Die Mutter aber, erstaunt über die ruchlose Tat, ging rasch den Berg hinab, und unten wandte sie sich, stand still und verfluchte die Gottlosen, daß sie Gott strafen möchte.

Plötzlich erhob sich ein Sturm, und ein Gewitter verheerte die gesegneten Fluren. Senne und Hütte wurden verschüttet, Menschen und Tiere verdarben. Des Hirten Geist samt seinem Hausgesinde sind verdammt, so lange, bis sie wieder erlöst worden, auf dem Gebirge umzugehen: »Ich und min Hund Rhyn und mi Chu Brändli und mine Kathry müssen ewig uf Klaride syn!« Die Erlösung hängt aber daran, daß ein Senner am Karfreitag die Kuh, deren Euter Dornen umgeben, stillschweigend ausmelke. Weil aber die Kuh, der stechenden Dornen wegen, wild ist und nicht stillhält, ist das eine schwere Sache. Einmal hatte einer schon den halben Eimer vollgemolken, als ihm plötzlich ein Mann auf die Schulter klopfte und fragte: »Schäumt's auch wacker?« Der Melker aber vergaß sich und antwortete: »O ja!« Da war alles vorbei, und Brändlein, die Kuh, verschwand aus seinen Augen.

### 94. Die Lilie

Im Land zu H. war ein Edelmann, A. v. Th. genannt, der konnte Köpfe abhauen und wieder aufsetzen. Er hatte bei sich beschlossen, hinfort des teuflischen, gefährlichen Dings müßig zu gehen, ehe er einmal darüber in ein Unglück geriete, wie dann doch geschah. Bei einer Gasterei ließ er sich von guten Gesellen überreden, diese Ergötzlichkeit ihnen noch einmal zu guter Letzt zu zeigen. Nun wollte, wie leicht zu erachten, niemand gern seinen Kopf dazu leihen; letztlich ließ sich der Hausknecht dazu brauchen, doch mit dem gewissen Geding, daß ihm sein Kopf wieder festgemacht würde. Nun hieb ihm der Edelmann den Kopf ab, aber das Wiederaufsetzen wollte nicht gehen. Da sprach er zu den Gästen: »Es ist einer unter euch, der mich verhindert, den will ich ermahnt haben und gewarnt, daß er es nicht tue.« Da versuchte er's abermals konnte aber nichts ausrichten. Da ermahnte und dräute er zum andernmal, ihn unverhindert zu lassen. Da das auch nicht half und er beim drittenmal den Kopf nicht wieder aufsetzen konnte, ließ er auf dem Tisch eine Lilie wachsen, der hieb er das Haupt und die Blume oben ab. Alsbald fiel einer von den Gästen hinter sich von der Bank und war ihm der Kopf ab. Nun setzte er dem Hausknecht den seinen wieder auf und floh aus dem Lande, bis die Sache vertragen ward und er Verzeihung erhielt.

## 95. Johann von Passau

Doktor Martinus Luther erzählt: Ein Edelmann hatte ein schönes junges Weib gehabt, die war ihm gestorben und auch begraben worden. Nicht lange danach, da liegt der Herr und der Knecht in einer Kammer beieinander, da kommt des Nachts die verstorbene Frau und lehnt sich über des Herren Bett, gleich als redete sie mit ihm. Da nun der Knecht sah, daß solches zweimal nacheinander geschah, fragt er den Junkherrn, was es doch sei, daß alle Nacht ein Weibsbild in weißen Kleidern vor sein Bett komme, da sagt er nein, er schlafe die ganze Nacht aus und sehe nichts. Als es nun wieder Nacht ward, gibt der Junker auch acht darauf und wacht im Bett, da kommt die Frau wieder vor das Bett, der Junker fragt, wer sie sei und was sie wolle. Sie antwortet, sie sei seine Hausfrau. Er spricht: »Bist du doch gestorben und begraben!« Da antwortet sie: »Ja, ich habe deines Fluchens halber und um deiner Sünde willen sterben müssen, willst du mich aber wieder zu dir haben, so will ich wieder deine Hausfrau werden.« Er spricht: »Ja, wenn's nur sein könnte.« Aber sie bedingt aus und ermahnt ihn, er müsse nicht fluchen, wie er denn einen sonderlichen Fluch an ihm gehabt hatte, denn sonst würde sie bald wieder sterben; dies sagt ihr der Mann zu, da blieb die verstorbene Frau bei ihm, regierte im Haus, schlief bei ihm, aß und trank mit ihm und zeugte Kinder.

Nun begibt sich's, daß einmal der Edelmann Gäste kriegt und nach gehaltener Mahlzeit auf den Abend das Weib Pfefferkuchen zum Obst aus einem Kasten holen soll und bleibt lange außen. Da wird der Mann scheltig und flucht den gewöhnlichen Fluch, da verschwindet die Frau von Stunde an und es war mit ihr aus. Da sie nun nicht wiederkommt, gehen sie hinauf in die Kammer, zu sehen, wo die Frau bliebe. Da liegt ihr Rock, den sie angehabt, halb mit den Ärmeln in dem Kasten, das andere Teil aber heraußen, wie sich das Weib hatte in den Kasten gebückt, und war das Weib verschwunden und seit der Zeit nicht gesehen worden.

### 96. Das Hündlein von Bretta

In der Rheinpfalz, besonders im Kraichgau, geht unter den Leuten das Sprichwort um, wenn von übel belohnter Treue die Rede ist: »Es geschieht dir wie dem Hündchen zu Bretten.« Die Volkssage davon muß schon alt sein, und namentlich spielt auch Fischart an zwei verschiedenen Stellen darauf an.

In dem Städtchen Bretten lebte vorzeiten ein Mann, welcher ein treues und zu mancherlei Dienst abgerichtetes Hündlein hatte, das pflegte er auszuschicken, gab ihm einen Korb ins Maul, worin ein beschriebener Zettel mit dem nötigen Gelde lag, und so langte es Fleisch und Bratwurst beim Metzger, ohne je einen Bissen davon anzurühren. Einmal aber sandte es sein Herr, der evangelisch war, an einem Freitag zu einem Metzger, der katholisch war und streng auf die Fasten hielt. Als nun der Metzger auf dem Zettel eine Wurst bestellt fand, hielt er das Hündlein fest, haute ihm den Schwanz ab und legte den in den Korb mit den Worten: »Da hast du Fleisch!« Das Hündlein aber, beschimpft und verwundet, trug den Korb treulich über die Gasse nach Hause, legte sich nieder und verstarb. Die ganze

Stadt trauerte, und das Bild eines Hündleins ohne Schwanz wurde, in Stein ausgehauen, übers Stadttor gesetzt.

Andere erzählen so: Es habe seinem armen Herrn Fleisch und Würste gestohlen zugetragen, bis es endlich ein Fleischer ertappt und mit dem Verlust des Schwanzes gestraft.

## 97. Das Dorf am Meer

Eine Heilige ging am Strand, sah nur zum Himmel und betete; da kamen die Bewohner des Dorfs sonntags nachmittag, ein jeder geputzt in seidenen Kleidern, seinen Schatz im Arm, und spotteten ihrer Frömmigkeit. Sie achtete nicht darauf und bat Gott, daß er ihnen diese Sünde nicht zurechnen wolle. Am andern Morgen aber kamen zwei Ochsen und wühlten mit ihren Hörnern in einem nahe gelegenen großen Sandberg, bis es Abend war; und in der Nacht kam ein mächtiger Sturmwind und wehte den ganzen aufgelockerten Sandberg über das Dorf hin, so daß es ganz zugedeckt wurde und alles darin, was Atem hatte, verdarb. Wenn die Leute aus benachbarten Dörfern herbeikamen und das Verschüttete aufgraben wollten, so war immer, was sie tagsüber gearbeitet, nachts wieder zugeweht. Das dauert bis auf den heutigen Tag.

## 98. Die verschütteten Silbergruben

Die reichsten Silberbergwerke am Harz waren die schon seit langen Jahren eingegangenen beiden Gruben *Der große Johann* und *Der goldene Altar* (bei Andreasberg?). Davon geht folgende Sage: Vorzeiten, als die Gruben noch bebaut wurden, war ein Steiger darübergesetzt, der hatte einmal, als der Gewinn groß war, ein paar reiche Stufen beiseite gelegt, um, wenn der Bau schlechter und ärmer sein würde, damit das Fehlende zu ersetzen und immer gleichen Gewinn hervorzubringen. Was er also in guter Absicht getan, das ward von andern, die es bemerkt hatten, als ein Verbrechen angeklagt und er zum Tode verurteilt.

Als er nun niederkniete und ihm das Haupt sollte abgeschlagen werden, da beteuerte und beschwor er nochmals seine Unschuld und sprach: »So gewiß bin ich unschuldig, als mein Blut sich in Milch verwandeln und der Bau der Grube aufhören wird; wenn in dem gräflichen Haus, dem diese beiden Bergwerke zugehören, ein Sohn geboren wird mit Glasaugen und mit Rehfüßen, und er bleibt am Leben, so wird der Bau wieder beginnen, stirbt er aber nach seiner Geburt, so bleiben sie auf ewig verschüttet.« Als der Scharfrichter den Hieb getan und das Haupt herabfiel, da sprangen zwei Milchströme statt des Bluts schneeweiß aus dem Rumpf in die Höhe und bezeugten seine Unschuld. Auch die beiden Gruben gingen alsbald ein. Nicht lange nachher ward ein junger Graf mit Glasaugen und Rehfüßen geboren, aber er starb gleich nach der Geburt, und die Silberbergwerke sind nicht wieder aufgetan, sondern bis auf diesen heutigen Tag verschüttet.

### 99. Die Fundgrübner

Die reichsten Berggänge pflegen von armen und geringen Grübnern entdeckt zu werden, darüber es mancherlei Sagen hat. In dem böhmischen Bergwerk auf der Eule war ein Bergmann, des Namens *Der rote Leu*, so reich geworden, daß er König Wenzel zu Gaste lud, ihm eine Tonne Goldes schenkte und dem König Karl hundert geharnischte Reiter ausrüstete. Dieser rote Leu hatte anfangs sein ganzes Vermögen zugesetzt und schon sein Weib ihren Schleier (ihr Eingebrachtes) verkaufen müssen. Eines Tages stieß sich die Frau von ungefähr blutrünstig in die Ferse an einem großen Knauer. Der Mann wollte ihn wegstufen und traf auf gediegenes Gold, wodurch er plötzlich reich wurde. Aber Stolz und Hochmut kamen über ihn, in seinem Haus mußte alles seiden, silbern und golden sein, und das Weib sprach, es wäre Gott unmöglich, daß sie wieder arm werden sollten. Nach und nach wurde der rote Leu bettelarm und starb auf dem Misthaufen.

Im Salzburger Werk zu Gastein und Rauriß lebte ein mächtiger Fundgrübner, genannt *Der alte Weinmoser*. In der Stunde, wo er seinen Schuldnern entlaufen wollte und schon in der Tür stand, wurde ihm reicher Ausbruch und Handstein entgegengebracht. Die hielten Gold und Silber, wurden mit Macht geschüttet und gaben ihm und anderen bald große Reichtümer. Und da ihm auf seinem Sterbebett schöne Handsteine neuerdings aus der Grube getragen wurden, sagte er doch: »Der rechte und schönste Gang ist Jesus, mein Herr und Heiland, auf dem will ich bald eingehen ins ewige Leben.«

### 100. Ein gespenstiger Reiter

Ein unbekannter Mann hatte sich gegen das Ende des XVII. Jahrhunderts bei einem Grafen von Roggendorf zum Bereiter angegeben und wurde, nach geleisteter Probe, zu Diensten angenommen und ihm eine ehrliche Bestallung gemacht. Es begab sich aber, daß einer von Adel bei Hof anlangte und mit diesem Bereiter an die Tafel gesetzt wurde. Der Fremde ersah ihn mit Erstaunen, war traurig und wollte keine Speise zu sich nehmen, ob ihm wohl der Graf deswegen freundlichst zugesprochen. Nachdem nun die Tafel aufgehoben war und der Graf den Fremden nochmals nach der Ursache seines Trauerns befragte, erzählte er, daß dieser Bereiter kein natürlicher Mensch, sondern vor Ostende ihm an der Seite erschossen sei, auch von ihm, dem Erzähler, selbst zu Grabe begleitet worden. Er gab auch alle Umstände an: des Toten Vaterland, Namen, Alter, und das traf alles mit dem, was der Bereiter von sich selbst gesagt, ein, so daß der Graf daran nicht zweifeln konnte. Er nahm daher Ursache, diesem Gespenst Urlaub zu geben mit Vorwänden, daß seine Einkünfte geringert und er seine Hofhaltung einzuziehen gesonnen. Der Bereiter sagte, daß ihn zwar der Gast verschwätzt, weil aber der Graf nicht Ursache hätte, ihn abzuschaffen, und er ihm getreue Dienste geleistet und noch leisten wolle, bitte er, ihn ferner an dem Hofe zu erdulden. Der Graf aber beharrte auf dem einmal gegebenen Urlaub. Deswegen begehrte der Bereiter kein Geld, wie bedingt war, sondern ein Pferd und Narrenkleid mit silbernen Schellen, welches ihm der Graf gerne geben ließ und noch mehr wollte reichen lassen, das der Bereiter anzunehmen verweigerte.

Es fügte sich aber, daß der Graf nach Ungarn verreiste und bei Raab, auf der Schütt, diesen Bereiter mit vielen Koppelpferden in dem Narrenkleid antraf, welcher seinen alten Herrn, wie er ihn erblickte, mit großen Freuden begrüßte und ein Pferd zu verehren anbot. Der Graf bedankt sich und will es nicht nehmen, als der Bereiter aber einen Diener ersieht, den er sonst am Hof wohl gekannt, gibt er diesem das Pferd. Der Diener setzt sich mit Freuden darauf, hat es aber kaum bestiegen, so springt das Pferd in die Höhe und läßt ihn halbtot auf die Erde fallen. Zugleich ist der Roßtäuscher mit seiner ganzen Koppel verschwunden.

### 101. Der falsche Eid

Im Odenwald beim Kloster Schönau liegt ein Ort, genannt *Zum falschen Eid*. Da hat auf eine Zeit ein Bauer geschworen, der Akker gehöre ihm; alsbald öffnete sich der Erdboden unter seinen Füßen, und er versank, daß nichts übrigblieb als sein Stab und zwei Schuhe. Davon hat die Stelle den Namen erhalten.

Sonst weiß man auch von Meineidigen, daß ihnen die aufgerichteten Finger erstarren und nicht mehr gebogen werden mögen oder daß sie verschwarzen; auch daß sie nach dem Tode der Leute zum Grab herauswachsen.

### 102. Zwölf ungerechte Richter

Nahe bei westfälisch Minden liegt ein Grund, davon wird erzählt, zwölf Richter hätten den Boden einem zugesprochen, dem er nicht gehörig, darüber sich die Erde aufgetan und sie bis an die Knie alsbald verschluckt; wie dessen noch Wahrzeichen vorhanden sind.

### 103. Die heiligen Quellen

Das Schweizer Landvolk redet noch von den heiligen Quellen, die im Rütli plötzlich entsprungen, als da der große Eidschwur geschah, und wie einem der Schwörenden, der den Bund verraten, sogleich Feuer zu Mund und Nase ausgefahren sei, auch sein Haus von selbst angefangen habe zu brennen.

### 104. Der quillende Brunnen

An einem Berge in Franken quillt ein Brunnen, wobei ein vornehmes adliges Geschlecht sein Stammhaus hat. Das ganze Jahr über hat er schönes, lauteres, überflüssiges Wasser, das nicht eher aufhört, als wenn jemand aus demselbigen Geschlecht soll sterben. Alsdann vertrocknet er sogar, daß man auch fast kein Zeichen oder Spur mehr findet, es sei jemals ein Brunnen daselbst gewesen. Als zur Zeit ein alter Herr des gedachten adligen Stammes in fremden Landen tödlich niederlag und, bereits achtzigjährig, seinen baldigen Tod mutmaßte, fertigte er in seine Heimat einen Boten ab, der sich erkundigen sollte, ob der Brunnen vertrockne. Bei der Ankunft des Boten war das Wasser versiegt, allein man gebot ihm ernstlich, es dem alten Herrn zu verschweigen, vielmehr zu sagen: der Brunnen befinde sich noch richtig und voll Wasser; damit ihm keine traurigen Gedanken erweckt würden. Da lachte der Alte und strafte sich selbst, daß er von dem Brunnen abergläubisch zu wissen gesucht, was im Wohlgefallen Gottes stände, schickte sich zu einem seligen Abschied an. Plötzlich aber wurde es besser mit seiner Krankheit, und nicht lange, so kam er dieses Lagers völlig wieder auf. Damit der Brunnen nicht vergebens versiegte und ihm seine seit langen Jahren eingetroffene Bedeutung bestünde, trug es sich zu, daß des Geschlechts ein Junger von Adel, von einem untreuen Pferde abgeworfen, gleich zu der nämlichen Zeit Todes verfuhr.

## 105. Hungerquelle

In Halle auf dem Markt an dem roten Turm ist ein Quellbrunnen, der an der Mitternachtsseite zutage ausfließt und für eine Hungerquelle ausgegeben wird, indem aus dessen starkem oder schwachem Überlaufen der gemeine Mann Teurung oder wohlfeile Zeit weissagt. Die Bauern, welche in die Stadt kommen, pflegen nach dieser Quelle zu sehen, und wenn sie auslief, sagten sie: »Heuer wird es teuer.«

Dergleichen gewöhnlich versiegende Quellen fließen bloß in nassen, unfruchtbaren Jahren. Von einem guten, warmen Sommer heißt es: Sonnenjahre – Wonnenjahre.

## 106. Der Liebenbach

Die Stadt Spangenberg in Hessen erhält ihr Trinkwasser durch einen Bach, welcher die gute Quelle des gegenüberliegenden Bergs herbeileitet. Von der Entstehung dieses Bachs wird folgendes erzählt: Ein Jüngling und ein Mädchen in der Stadt liebten sich herzlich, aber die Eltern wollten lange nicht zu ihrer Verheiratung einwilligen. Endlich gaben sie nach unter der Bedingung, daß die Hochzeit erst dann solle gefeiert werden, wenn die zwei Liebenden die gute, frische Quelle von dem gegenüberliegenden Berg ganz allein herübergeleitet hätten; dadurch würde die Stadt Trinkwasser erhalten, woran sie bisher Mangel gelitten. Da fingen beide an, den Bach zu graben, und arbeiteten ohne Unterlaß. So haben sie vierzig Jahre gegraben; als sie aber fertig waren, starben sie beide in demselben Augenblick.

## 107. Der Helfenstein

Eine Meile von Trautenau in Böhmen auf dem Riesenberg liegt der Helfenstein, ein hoher Fels, auf dem sonst ein Raubschloß gestanden, nachher aber versunken ist, und es weiß niemand, wo die Menschen, die darin lebten, hingekommen sind. Im

Jahre 1614 war, viertelwegs davon, zu Mäschendorf eine junge Magd, die ging nicht weit von diesem Fels Vieh hüten und hatte noch mehr Kinder bei sich. Zu diesen sprach sie: »Kommt, laßt uns hin zum Helfenstein, ob wir ihn vielleicht offen finden und das große Weinfaß sehen.« Da sie hingehen, ist der Felsen offen und eine Eisentür aufgetan, daran ein Schloß mit vielen Schlüsseln hängt. Aus Neugierde treten sie näher und endlich hinein. Es ist ein ziemlich weites Vorgemach, aber hinten wieder eine Tür. Sie gehen durch, in dem zweiten Gemach liegt allerhand Hausrat, besonders ein großes zehneimerig Faß Wein, davon waren die meisten Dauben abgefallen; allein es hatte sich eine fingersdicke Haut angesetzt, so daß der Wein nicht herauslaufen konnte. Als sie es alle vier mit Händen angriffen, schlotterte es und gab nach wie ein Ei mit weichen Schalen. Indem sie nun solches betrachten, kommt ein wohlgeputzter Herr aus einer schönen Stube, roten Federbusch auf dem Hut, in der Hand eine große zinnerne Kanne, Wein zu holen. Beim Türaufmachen hatten sie gesehen, daß es in der Stube lustig hergeht, an zwei Tischen schöne Manns- und Weibsbilder, haben Musik und sind fröhlich. Der aber den Wein zapft, heißt sie willkommen und in die Stube gehen. Sie erschrecken und wünschen sich weit davon, doch spricht die eine, sie wären zu unsauber und nicht ungeschickt, zu so wohlgeputzten Leuten zu gehen. Er bietet ihnen dennoch Trinken an und reicht die Kanne. Wie sie sich entschuldigt, heißt er sie warten, bis er für sie eine andere Kanne geholt. Als er nun weg ist, spricht die Älteste: »Laßt uns hinausgehen, es möchte nicht gut werden; man sagt, die Leute seien in den Bergen her verfallen.« Da gehen sie eilends heraus, hinter sich hören sie nach wenigen Schritten ein Knallen und Fallen, daß sie heftig erschrecken.

Nach einer Stunde sagt die Älteste wieder: »Laßt uns noch einmal hin und sehen, was das gewesen ist, das so gekracht hat.« Die andern wollten nicht, da aber die Große so kühn war, allein hinzugehen, folgten die andern nach. Sie sehen aber weder Eingang noch eiserne Tür, der Fels war fest zu. Wie sie das Vieh eingetrieben, erzählten sie alles den Eltern, diese berichten es dem Verwalter; allein der Fels blieb zu, sooft man ihn auch in Augenschein genommen.

## 108. Die Wiege aus dem Bäumchen

Bei Baden in Österreich stehen die Trümmer des alten Bergschlosses Rauheneck. In diesen soll ein großer Schatz verborgen liegen, den aber nur der heben kann, der als Kind in einer Wiege geschaukelt sein wird, die aus dem Holz des Baumes gezimmert worden ist, der jetzt nur erst als ein schwaches Reis aus der Mauer des hohen Turmes zu Rauheneck sprießt. Verdorrt das Bäumchen und wird es abgehauen, so muß die Hebung des Schatzes warten, bis es von neuem ausschlägt und wieder wächst.

## 109. Hessental

Die alte Burg Schellenpyrmont liegt nun in Trümmern, da soll der Sage nach vormals Thusneldes Sitz gewesen sein. Thusnelde hatte einen Vogel, der reden konnte. Eines Tages kam er aus dem Hessental, einem Waldgrunde am Burgberg, herauf und schrie in einem fort:

*»Hessental blank, Hessental blank!«*

damit die in dies Tal schon vorgedrungenen Römer mit ihren blanken Rüstungen anzudeuten; und die Deutschen gewannen nun Zeit, sich gegen den Überfall des Feindes zu rüsten.

## 110. Reinstein

Unter der uralten Burg Reinstein unweit Blankenburg am Harz liegt ein großes Felsenloch, angefüllt mit allerhand kleinen Steinen, wie man sie sonst nicht auf Gebirgen, sondern bloß in Ebenen findet. Wenn jemand von solchen Steinen viel oder wenig nimmt, führt oder trägt, so kommen sie doch wieder an denselben Ort, wo sie sind weggenommen worden, so daß die Höhle immer voll von Steinen bleibt. Es soll aber noch keinem gefrommt haben, dergleichen Steine wegzubringen. Auf dem

Fels, sonderlich um die Gegend der Höhle, hört man zur Mittagsstunde oft Schellen läuten, zuweilen auch ein Gehämmer wie von vielen Schmieden.

### 111. Der stillstehende Fluß

Von der Fulde heißt es, sooft ein Fürst aus dem Land Hessen, sonderlich ein regierender Herr oder dessen Gemahlin, bald sterben soll, daß sie wider ihren natürlichen Lauf ganz stillstehe und gleichsam der Strom seine Trauer zu erkennen gebe. Man hält das für eine sichere Todesanzeige, und haben es die Einwohner mehrmals beobachtet.

### 112. Arendsee

Von dem Arendsee in der Altmark wird folgendes erzählt: An der Stelle, wo jetzt der See und der Ort dieses Namens liegt, stand vor alters ein großes Schloß. Dieses ging urplötzlich unter, und nicht mehr kam davon als ein Mann und ein Weib. Wie die beiden nun fortgingen, sah sich das Weib ungefähr um und ward der schleunigen Veränderung innen. Verwundert brach sie in die Worte aus: »*Arend, see!*« (Arend sieh! Denn jenes war ihres Mannes Name) und darum gab man nachher dem Städtlein die Benennung, das an dem See auferbaut wurde. In diesem See ragt der feinste, weiße Streusand hervor, und wenn die Sonne hell scheint, soll man (wie auch beim See Brock neben dem Ossenberg) noch alle Mauern und Gebäude des versunkenen Schlosses sehen. Einige haben einmal vorgehabt, das Wasser zu gründen, und ein Seil eingelassen; wie sie das herauszogen, fand sich ein Zettel daran mit dem Gebote: »Lasst ab von euerem Unternehmen, sonst wird euerm Orte widerfahren, was diesem geschehen ist.«

## 113. Der Ochsenberg

In der Alten Mark, nicht weit vom zertrümmerten Schloß Alvensleben, liegt ein großes, wacker lustiges Dorf, mit Namen Ursleben. Einen Büchsenschuß hinter dem Dorf steht ein großer See, genannt Brock (Bruch), an dessen Stätte war vor alten Zeiten ein schönes Schloß, das später unterging, und seitdem war das große Wasser aufgekommen. Nämlich es sollen alle Leute drinnen versunken sein, ausgenommen eine einzige Edeljungfer, die ein Traum kurz vorher warnte. Als nun das Vieh und die Hühner sonderlich traurige Zeichen eines bevorstehenden großen Unglücks laut werden ließen, setzte sich diese Jungfrau auf einen Ochsen und ritt davon. Mit genauer Not erreichte sie einen dabei gelegenen Hügel, hinter ihr drein sank das Schloß zusammen, und wie sie, auf dem Ochsen sitzend, sich vom Hügel umsah, war das Gewässer überall aufgestiegen. Davon heißt der Hügel noch *Ossenberg* bis auf den heutigen Tag.

## 114. Die Moorjungfern

Auf der Rhön ist ein Sumpf, genannt *Das rote Moor*. Nach der Volkssage stand daselbst vorzeiten ein Dorf, namens Poppenrode, das ist nunmehr versunken. Auf der Moorfläche bei Nacht schweben Lichtchen, das sind Moorjungfern. An einem andern Ort ebendaselbst liegt auch das schwarze Moor, schon in alten Urkunden so genannt, und die Sage weiß auch hier von einem versunkenen Dorf, von welchem noch ein Pflaster übrig ist, namens *Die steinerne Brücke*.

## 115. Andreasnacht

Es ist Glaube, daß ein Mädchen in der Andreasnacht, Thomasnacht, Christnacht und Neujahrsnacht seinen zukünftigen Liebsten einladen und sehen kann. Es muß einen Tisch für zwei decken, es dürfen aber keine Gabeln dabei sein. Was der Liebhaber beim Weggehen zurückläßt, muß sorgfältig aufgehoben werden, er kommt dann zu derjenigen, die es besitzt, und liebt sie heftig. Es darf ihm aber nie wieder zu Gesicht kommen, weil er sonst der Qual gedenkt, die er in jener Nacht von übermenschlicher Gewalt gelitten, und er des Zaubers sich bewußt wird, wodurch großes Unglück entsteht.

Ein schönes Mädchen in Österreich begehrte einmal um Mitternacht, unter den nötigen Gebräuchen, seinen Liebsten zu sehen, worauf ein Schuster mit einem Dolche dahertrat, ihr denselben zuwarf und schnell wieder verschwand. Sie hob den nach ihr geworfenen Dolch auf und schloß ihn in eine Truhe. Bald kam der Schuster und hielt um sie an. Etliche Jahre nach ihrer Verheiratung ging sie einstmals sonntags, als die Vesper vorbei war, zu ihrer Truhe, etwas hervorzusuchen, das sie folgenden Tag zur Arbeit vornehmen wollte. Als sie die Truhe geöffnet, kommt ihr Mann zu ihr und will hineinschauen; sie hält ihn ab, aber er stößt sie mit Gewalt weg, sieht in die Truhe und erblickt seinen verlorenen Dolch. Alsbald ergreift er ihn und begehrt kurz zu wissen, wie sie solchen bekommen, weil er ihn zu einer gewissen Zeit verloren hätte. Sie weiß in der Bestürzung und Angst sich auf keine Ausrede zu besinnen, sondern bekennt frei, es sei derselbe Dolch, den er ihr in jener Nacht hinterlassen, wo sie ihn zu sehen begehrt. Da ergrimmte der Mann und sprach mit einem fürchterlichen Fluch: »Hur! So bist du die Dirne, die mich in jener Nacht so unmenschlich geängstigt hat!« und stößt ihr damit den Dolch mitten durchs Herz.

Diese Sage wird an verschiedenen Orten von andern Menschen erzählt. Mündlich: Von einem Jäger, der seinen Hirschfänger zurückläßt; in dem ersten Wochenbett schickt ihn die Frau über ihren Kasten, Weißzeug zu holen, und denkt nicht, daß dort das Zaubergerät liegt, das er findet und womit er sie tötet.

## 116. Der Liebhaber zum Essen eingeladen

In Saalfeld in Thüringen war eine Schösserin (Steuereinnehmerin), die sich heimlich in ihren Schreiber verliebte. Durch Zauberei aber wollte sie ihn gewinnen, ließ ein frisches Brot backen und steckte mitten in der heiligen Christnacht kreuzweise zwei Messer hinein, indem sie etliche Worte dazu murmelte. Darauf kam der Schreiber aus dem Schlafe ganz nackigt zur Stube hereingesprungen, setzte sich nieder am Tisch und sah sie scharf an. Sie stand auf und lief davon, da zog er beide Messer aus dem Brot und warf sie hinter ihr drein und hätte sie bald sehr verletzt. Danach ging er wieder zurück; eine Muhme, die in der Stube zugegen war, erschrak so heftig, daß sie etliche Wochen krank niederliegen mußte. Der Schreiber soll den folgenden Tag zu den Hausleuten gesagt haben: er möchte nur gern wissen, welche Frau ihn verwichene Nacht so geängstet habe; er wäre so abgemattet, daß er es kaum sagen könne, denn er hätte sollen mit fortkommen und sich nicht genugsam erwehren können; er hätte auch beten mögen, was er gewollt, so wäre er getrieben worden.

Dieselbe alte Frau, die diese Geschichte erzählte, fügte hinzu: Auch zu Coburg haben einmal einige Edeljungfrauen von neunerlei Essen etwas aufgehoben und um Mitternacht aufgestellt und sich dabei zu Tische gesetzt. Darauf kamen ihre Liebsten alle, jeder brachte ein Messer mit, und wollten sich zu ihnen niederlassen. Darüber entsetzten sich die Jungfrauen und flohen; einer aber nahm das Messer und warf es hinterher; sie schaute um, blickte ihn an und hob das Messer auf. Ein andermal soll statt des eingeladenen Buhlen der leibhaftige Tod in die Stube gekommen sein und sein Stundenglas bei einer niedergesetzt haben, die denn auch das Jahr über verstarb.

In Schlesien haben sich drei Hoffräulein in einer heiligen Nacht an einen gedeckten Tisch gesetzt und ihre zukünftigen Liebhaber erwartet, deren jedem ein Teller hingestellt war. Sie sind auch auf diese Einladung erschienen, aber nur zwei, die sich zu zwei Jungfrauen gesetzt; der dritte ist ausgeblieben. Als nun die Verlassene darüber traurig und ungeduldig geworden, endlich nach langem vergeblichen Warten aufgestanden und sich ans Fenster gestellt, hat sie gegenüber einen Sarg erblickt, darin eine Jungfrau gelegen, ihr ganz gleich gestaltet, worüber sie erkrankte und bald darauf starb. Nach einer mündlichen Erzählung kommt die Totenlade in die Stube, sie geht darauf zu, die Bretter tun sich auf, und sie fällt tot hinein.

### 117. Die Christnacht

Abergläubische Mägde, um Träume von ihren Liebsten zu bekommen, kaufen früh des Tags vor dem Heiligen Abend um einen Pfennig Semmel, und zwar das letzte Stößchen, das auf einem Ende zu ist. Weiter schneiden sie ein bißchen Rinde unten ab, binden es unter den rechten Arm und gehen fleißig den ganzen Tag damit herum. Dann beim Schlafengehen legen sie es unter den Kopf in der Christnacht und sprechen dabei:

> *»Jetzt hab ich mich gelegt und Brot bei mir,*
> *wenn doch nun mein Feinslieb käme und äße mit mir!«*

Darüber soll es geschehen, daß zur Mitternacht von solcher Semmelrinde etwas genagt wird, und daran kann man frühmorgens erkennen, daß der Liebste sie das Jahr über heiraten werde. Ist aber das Brot unverletzt gelassen, so haben sie schlechte Hoffnung. Also soll es sich begeben haben (1657 in Leipzig), daß da ihrer zwei beieinander in einem Bett schliefen, die eine hatte solches Brot unter sich liegen, die andere nicht. Diese hörte nachts ein Knarren und Nagen, fürchtete sich und rüttelte ihre Gespielin, die aber in festem Schlaf lag und nichts gewahr wurde, bis sie aus den Träumereien erwachte. Als sie nun morgens das Brot besichtigten, war ein Kreuz hineingefressen. Das Weibsbild soll bald darauf einen Soldaten zum Mann bekommen haben.

Die alte Saalfelder Frau erzählte, daß andere ein Gefäß mit Wasser nehmen und es mit einem gewissen kleinen Maß in ein anderes Gefäß messen. Sie tun dies aber etlichemal und sehen zu, ob sie in den wiederholten Bemessungen mehr Wasser antreffen als zuerst. Daraus schließen sie, daß sie das folgende Jahr über zunehmen werden an Hab und Gütern. Befinden sie einerlei Maß, so glauben sie, daß ihr Schicksal stillstehe und sie weder Glück noch Unglück haben werden. Ist aber zuletzt weniger Wasser, so entnehmen sie, daß ihr gutes Wohlergehn und Gedeihen zurückgehe. Der Saalfelder Frau war das mittelste einmal zu Händen gekommen.

Andere nehmen einen Erbschlüssel und einen Knäuel Zwirn, binden den Zwirn fest an den Schlüssel und bewinden das Knaul, damit es nicht weiter ablaufe, als sie es vorher haben laufen lassen. Sie lassen es aber bei ein Ellen oder sechs los; dann stecken sie dies Gebäumel zum Fenster aus und bewegen es von einer Seite zur andern an den äußerlichen Wänden und sprechen dabei: »Horch! Horch!« So sollen sie von der Seite und Gegend oder dem Orte her eine Stimme vernehmen, dahin sie werden zu freien und zu wohnen kommen. Andere greifen zur Türe hinaus und haben, wenn sie die Hand hereinziehen, einige Haare von ihrem zukünftigen Liebsten darin.

## 118. Das Hemdabwerfen

In Coburg saßen am Weihnachtsabend mehrere Mädchen zusammen, waren neugierig und wollten ihre künftigen Liebhaber erkundigen. Nun hatten sie tags vorher neunerlei Holz geschnitten, und als die Mitternacht kam, machten sie ein Feuer im Gemach, und die erste zog ihre Kleider ab, warf ihr Hemd vor die Stubentüre hinaus und sprach bei dem Feuer sitzend:

> *»Hier sitz ich splitterfasenackt und bloß,*
> *wenn doch mein Liebster käme*
> *und würfe mir mein Hemde in den Schoß!«*

Danach wurde ihr das Hemd wieder hereingeworfen, und sie merkte auf das Gesicht dessen, der es tat; dies kam mit dem überein, der sie nachdem freite. Die andern Mädchen kleideten sich auch aus, allein sie fehlten darin, daß sie ihre Hemden zusammen in einen Klump gewickelt hinauswerfen. Da konnten sich die Geister nicht finden, sondern huben an zu lärmen und zu poltern, dermaßen, daß den Mädchen grauste. Flugs gossen sie ihr Feuer aus und krochen zu Bette bis früh, da lagen ihre Hemden vor den Türen in viele tausend kleine Fetzen zerrissen.

## 119. Kristallschauen

Eine schöne und adlige Jungfrau und ein edler Jüngling trugen heftige Liebe zueinander, sie aber konnte von ihren Stiefeltern die Erlaubnis zur Verheiratung nicht erlangen, worüber sie beide in großer Trauer lebten. Nun begab sich, daß ein altes Weib, welches Zutritt im Hause hatte, zu der Jungfrau kam, sie tröstete und sprach: der, den sie liebe, werde ihr gewiß noch zuteil werden. Die Jungfrau, die das gern hörte, fragte, wie sie das wissen könne. »Ei, Fräulein«, sprach die Alte, »ich habe die Gnade von Gott, zukünftige Dinge vorherzuentdecken, darum kann mir dieses so wenig, als viel anderes, verborgen sein. Euch allen Zweifel zu benehmen, will ich Euch, wie es damit gehen wird, in einem Kristall so klärlich weisen, daß Ihr meine Kunst loben sollt. Aber wir müssen eine Zeit dazu wählen, wo Eure Eltern nicht daheim sind; dann sollt Ihr Wunder sehen.«

Die Jungfrau wartete, bis ihre Eltern auf ein Landgut gefahren waren, und ging dann zu dem Lehrer ihres Bruders, dem Johann Rüst, der später als Dichter berühmt geworden, vertraute ihm ihr Vorhaben und bat ihn gar sehr, mitzugehen und dabeizusein, wenn sie in den Kristall schaue. Dieser suchte ihr einen solchen Vorwitz als sündlich auszureden, der Ursache zu großem Unglück werden könne; aber es war vergeblich, sie blieb bei ihrem Sinn, so daß er sich endlich auf ihr anständiges

Bitten bewegen ließ, sie zu begleiten. Als sie in die Kammer traten, war das alte Weib beschäftigt, ihre Gerätschaften aus einem kleinen Korbe herauszuziehen, sah aber ungern, daß dieser Rüst die Jungfrau begleitete, und sagte, sie könne ihm an den Augen absehen, daß er von ihrer Kunst nicht viel halte. Hierauf hub sie an und breitete ein blauseidenes Tüchlein, darin wunderliche Bilder von Drachen, Schlangen und anderm Getier eingenäht waren, über die Tafel, setzte auf dieses Tuch eine grüne gläserne Schale, legte darein ein anderes goldfarbenes Seidentuch und setzte endlich auf dieses eine ziemlich große kristallene Kugel, welche sie aber mit einem weißen Tuch wieder bedeckte. Dann begann sie, unter wunderlichen Gebärden, etwas bei sich selbst zu murmeln, und nachdem das geendigt war, nahm sie mit großer Ehrerbietung die Kugel, rief die Jungfrau und ihren Begleiter zu sich ans Fenster und hieß sie hineinschauen.

Anfangs sahen sie nichts, nun aber trat in dem Kristall die Braut hervor in überaus köstlicher Kleidung; ebenso prächtig angetan, als wäre heute ihr Hochzeitstag. So herrlich sie erschien, so sah sie doch betrübt und traurig aus, ja ihr Antlitz hatte eine solche Totenfarbe, daß man sie ohne Mitleid nicht betrachten konnte. Die Jungfrau schaute ihr Bild mit Schrecken an, der aber bald noch größer ward, als gerade gegenüber ihr Liebster hervorkam, mit so grausamen und gräßlichen Gesichtszügen, der sonst ein so freundlicher Mensch war, daß man hätte erzittern mögen. Er trug, wie einer, der von einer Reise kommt, Stiefel und Sporn und hatte einen grauen Mantel mit goldenen Knöpfen um. Er holte daraus zwei neublinkende Pistolen hervor, und indem er in jede Hand eine faßte, richtete er die eine auf sein Herz, die andere setzte er der Jungfrau an die Stirne. Die Zuschauer wußten vor Angst weder aus noch ein, sahen aber, wie er die eine Pistole, die er an die Stirne seiner Liebsten gesetzt, losdrückte, wobei sie einen dumpfen, fernen Schall vernahmen. Nun gerieten sie in solches Grausen, daß sie sich nicht bewegen konnten, bis sie endlich zitternd und mit schwankenden Tritten zur Kammer hinausgelangten und sich etwas wieder erholten.

Dem alten Weib, welches nicht gedacht, daß die Sache so ablaufen würde, war selbst nicht ganz wohl zumute; es eilte daher über Hals und Kopf hinaus und ließ sich so bald nicht wieder sehen. Bei der Jungfrau konnte der Schrecken die Liebe nicht auslöschen, aber die Stiefeltern beharrten auch bei dem Entschluß, ihre Einwilligung zu verweigern. Ja, sie brachten es endlich durch Drohen und Zwang dahin, daß sie sich mit einem vornehmen Hofbeamten in der Nachbarschaft verloben mußte; daraus erwuchs der Jungfrau erst das rechte Herzeleid, denn sie verbrachte nun ihre Zeit in nichts als Seufzen und Weinen, und ihr Liebster wurde fast in die äußerste Verzweiflung gerissen.

Inzwischen ward die Hochzeit angesetzt, und da einige fürstliche Personen zugegen sein sollten, um so viel herrlicher zugerichtet. Als der Tag kam, wo die Braut im größten Gepränge sollte abgeholt werden, schickte dazu die Fürstin ihren mit sechs Pferden bespannten Leibwagen samt einigen Hofdienern und Reitern; an welchen Zug sich die vornehmsten Anverwandten und Freunde der Braut anschlossen und also in stattlicher Ordnung auszogen. Dieses alles hatte der erste Liebhaber ausgekundschaftet und war als ein Verzweifelter entschlossen, dem andern seine Liebste lebendig nicht zu überlassen. Er hatte zu dem Ende ein Paar gute Pistolen gekauft und wollte mit der einen die Braut, mit der andern danach sich selbst töten. Zu dem Ort der Ausführung war ein etwa zehn bis zwölf Schritte vor dem Tor gelegenes Haus, bei welchem die Braut vorbei mußte, von ihm ausersehen. Als nun der ganze prächtige Zug von Wagen und Reitern, den eine große Menge Volks begleitete, daherkam, schoß er mit der einen Pistole in den Brautwagen hinein. Allein der Schuß geschah ein wenig zu früh, so daß die Braut unversehrt blieb, einer andern Edelfrau aber, die im Schlag saß, ihr etwas hoher Kopfputz herabgeschossen ward. Da diese in Ohnmacht sank und jedermann herbeieilte, hatte der Täter Zeit, durch das Haus zur Hintertür hinaus zu entfliehen und, indem er über ein ziemlich breites Wasser glücklich sprang, sich zu retten. Sobald die Erschrockene wieder zu sich selbst gebracht war, setzte sich der Zug aufs neue in Bewegung, und die Hochzeit wurde mit der größten Pracht gefeiert. Doch die Braut hatte dabei ein trauriges Herz, welche nun der Kristallschauung nachdachte und sich den Erfolg davon zu Gemüte zog. Auch war ihre Ehe unglücklich, denn ihr Mann war ein harter und böser Mensch, der das tugendhafte und holdselige Fräulein, ungeachtet ihm ein liebes Kind geboren war, auf das grausamste behandelte.

### 120. Zauberkräuter kochen

Im Jahre 1672 hat sich in Erfurt begeben, daß die Magd eines Schreiners und ein Färbersgesell, die in einem Hause gedient, einen Liebeshandel miteinander angefangen, welcher in Leichtfertigkeit einige Zeit gedauert. dann ward der Geselle dessen überdrüssig, wanderte weiter und ging in Langensalza bei einem Meister in Arbeit. Die Magd aber konnte die Liebesgedanken nicht loswerden und wollte ihren Buhlen durchaus wiederhaben. Am heiligen Pfingsttage, da alle Hausgenossen, der Lehrjunge ausgenommen, in der Kirche waren, tat sie gewisse Kräuter in einen Topf, setzte ihn zum Feuer, und sobald solche zu sieden kamen, hat auch ihr Buhle zugegen sein müssen. Nun trug sich zu, daß, als der Topf beim Feuer stand und brodelte, der Lehrjunge, unwissend, was darin ist, ihn näher zur Glut rückt und seine Pfanne mit Leim an dessen Stelle setzt. Sobald jener Topf mit den Kräutern näher zu der Feuerhitze gekommen, hat sich etlichemal darin eine Stimme vernehmen lassen und gesprochen: »Komm, komm, Hansel, komm! Komm, komm, Hansel, komm!« Indem aber der Bube seinen Leim umrührt, fällt es hinter ihm nieder wie ein Sack und als er sich umschaut, sieht er einen jungen Kerl da liegen, der nichts als ein Hemd am Leibe hat, worüber er ein jämmerliches Geschrei anhebt. Die Magd kam gelaufen, auch andere im Haus wohnende Leute, zu sehen, warum der Bube so heftig geschrien, und fanden den guten Gesellen als einen aus tiefem Schlaf erwachten Menschen so im

Hemde liegen. Indessen ermunterte er sich etwas und erzählte auf Befragen, es wäre ein großes, schwarzes Tier, ganz zottigt wie ein Bock gestaltet, zu ihm vor sein Bett gekommen und habe ihn so geängstigt, daß es ihn alsbald auf seine Hörner gefaßt und zum großen Fenster mit ihm hinausgefahren. Wie ihm weiter geschehen, wisse er nicht, auch habe er nichts Sonderliches empfunden, nun aber befinde er sich so weit weg, denn gegen acht Uhr habe er noch in Langensalza im Bett gelegen, und jetzt wäre er in Erfurt kaum halb neun. Er könne nicht anders glauben, als daß die Katharine, seine vorige Liebste, dieses zuwege gebracht, indem sie bei seiner Abreise zu ihm gesprochen, wenn er nicht bald wieder zu ihr käme, wollte sie ihn auf dem Bock holen lassen. Die Magd hat, nachdem man ihr gedroht, sie als eine Hexe der Obrigkeit zu überantworten, angefangen herzlich zu weinen und gestanden, daß ein altes Weib, dessen Namen sie auch nannte, sie dazu überredet und ihr Kräuter gegeben, mit der Unterweisung: Wenn sie die sachte würde kochen lassen, müsse ihr Buhle erscheinen, er sei auch, so weit er immer wolle.

## 121. Der Salzknecht in Pommern

In Pommern hatte ein Salzknecht ein altes Weib, das eine Zauberin war, bei dem er nicht gern bliebe, und darum einsmals vorgab, er wolle nach Hessen in seine Heimat wandern, umseine Freunde zu besuchen. Weil sie aber besorgte, er würde nicht wiederkommen, wollte sie ihn nicht weglassen, nichtsdestoweniger reiste er fort. Wie er nun etliche Tage zurückgelegt, kommt hinter ihm auf dem Weg ein schwarzer Bock, schlupft ihm zwischen die Beine, erhebt und führt ihn wieder zurück, und zwar nicht über die Landwege, sondern geradezu durch dick und dünn, durch Feld und Wald, über Wasser und Land, und setzt ihn in wenigen Stunden vor dem Tor nieder, in Angst, Zittern, Schweiß und Ohnmacht. Das Weib aber heißt ihn mit höhnischen Worten willkommen und spricht: »Schau! Bist du wieder da? So soll man dich lehren daheim zu bleiben!« Hierauf tat sie ihm andere Kleider an und gab ihm zu essen, daß er wieder zu sich selbst käme.

## 122. Jungfer Eli

Vor hundert und mehr Jahren lebte in dem münsterischen Stift Frekenhorst eine Äbtissin, eine sehr fromme Frau; bei dieser diente eine Haushälterin, Jungfer Eli genannt, die war böse und geizig, und wenn arme Leute kamen, ein Almosen zu bitten, trieb sie sie mit einer Peitsche fort und band die kleine Glocke vor der Tür fest, daß die Armen nicht läuten konnten. Endlich ward Jungfer Eli todkrank, man rief den Pfarrer, sie zum Tode vorzubereiten, und als der durch der Äbtissin Baumgarten ging, sah er Jungfer Eli in ihrem grünen Hütchen mit weißen Federn auf dem Apfelbaum sitzen; wie er aber ins Haus kam, lag sie auch wieder in ihrem Bett und war böse und gottlos wie immer, wollte nichts von Besserung hören, sondern drehte sich um nach der Wand, wenn ihr der Pfarrer zureden wollte, und so verschied sie. Sobald sie die Augen schloß, zersprang die Glocke, und bald darauf fing sie an, in der Abtei zu spuken. Als eines Tags die Mägde in der Küche saßen und Fitzebohnen schnitten, fuhr sie mit Gebraus zwischen ihnen her, gerade wie sie sonst leibte und lebte, und rief: »Schniet ju nich in de Finger, schniet ju nich in de Finger!« Und gingen die Mägde zur Milch, so saß Jungfer Eli auf dem Stege und wollte sie nicht vorbeilassen, wenn sie aber riefen: »In Gottes Namen, gah wieder her«, mußte sie weichen, und dann lief sie hinterher, zeigte ihnen eine schöne Torte und sprach: »Tart! Tart!« Wollten sie die nun nicht nehmen, so warf sie die Torte mit höllischem Gelächter auf die Erde, und da war's ein Kuhfladen. Auch die Knechte sahen sie, wenn sie Holz hauten; da flog sie immer von einem Baumzweig im Wald zum andern. Nachts polterte sie im Haus herum, warf Töpfe und Schüsseln durcheinander und störte die Leute aus dem Schlaf. Endlich erschien sie auch der Äbtissin selbst auf dem Wege nach Warendorf, hielt die Pferde an und wollte in den Wagen hinein, die Äbtissin aber sprach: »Ich hab nichts zu schaffen mit dir; hast du übel getan, so ist's nicht mein Wille gewesen.« Jungfer Eli wollte sich aber nicht abweisen lassen. Da warf die Äbtissin einen Handschuh aus dem Wagen und befahl ihr, den wieder aufzuheben, und während sie sich bückte, trieb die Äbtissin den Fuhrmann an und sprach: »Fahr zu, so schnell du kannst, und wenn auch die Pferde darüber zugrunde gehen!« So jagte der Fuhrmann, und sie kamen glücklich nach Warendorf. Die Äbtissin endlich, des vielen Lärmens überdrüssig, berief alle Geistlichen der ganzen Gegend, die sollten Jungfer Eli verbannen. Die Geistlichen versammelten sich auf dem Herrenchor und fingen an, das Gespenst zu zitieren, allein sie wollte nicht erscheinen, und eine Stimme rief: »He kickt, he kickt!« Da sprach die Geistlichkeit: »Hier muß jemand in der Kirche verborgen sein, der zulauscht«, suchten und fanden einen kleinen Knaben, der sich aus Neugierde drin versteckt hatte. Sobald der Knabe hinausgejagt war, erschien Jungfer Eli und ward in die Davert verbannt. Die Davert ist aber ein Wald im Münsterschen, wo Geister umgehen und wohin alle Gespenster verwiesen werden. Alle Jahre einmal fährt nun noch, wie die Sage geht, Jungfer Eli über die Abtei zu Frekenhorst mit schrecklichem Gebraus und schlägt einige Fensterscheiben ein oder dergleichen, und alle vier Hochzeiten kommt sie einen Hahnenschritt näher.

### 123. Die weiße Frau

Die schloßweiße Frau erscheint in Wäldern und auf Wiesen, bisweilen kommt sie in Pferdeställe mit brennenden Wachskerzen, kämmt und putzt die Pferde, und Wachstropfen fallen auf die Mähnen der Pferde. Sie soll, wenn sie ausgeht, hell sehen, in ihrer Wohnung aber blind sein.

### 124. Taube zeigt einen Schatz

Als Herzog Heinrich von Breslau die Stadt Krakau erobert hatte, ging er in das Münster daselbst, kniete als ein frommer Mann vor dem Altar Unserer Frauen nieder und dankte ihr, daß sie ihm Gnade erzeigt und sein Leid in Freud gewendet hätte. Und als er aufgestanden war, erblickte er eine Taube, sah ihrem Fluge nach und bemerkte, wie sie sich über einem Pfeiler auf das Gesims eines Bogens setzte. Dann nahm er wahr, wie sie mit dem Schnabel in die Mauer pickte und mit den Füßen Mörtel und Stein hinter sich schob. Bald darauf lag unten ein Goldstück, das herabgefallen war. Der Herzog nahm es auf und sprach: »Das hat die Taube herausgestochen, des sollte leicht noch mehr da sein.« Alsbald ließ er eine Leiter holen und schickte nach einem Maurer, der sollte sehen, was sich oben fände. Der Maurer stieg hinauf, nahm den Meißel in die Hand, und bei dem ersten Schlag in die Wand entdeckte er, daß da ein großer Schatz von Gold lag. Da rief er: »Herr, gebt mir einen guten Lohn, hier liegt des glänzenden Goldes unmaßen viel.« Der Herzog ließ die Mauer aufbrechen und den Hort herabnehmen, den Gott ihm gab. Als man es wog, waren es fünfzigtausend Mark.

### 125. Taube hält den Feind ab

Im Dreißigjährigen Krieg wurde die Stadt Höxter oder Huxar im Korveischen von den kaiserlichen Soldaten eingeschlossen und konnte nicht eingenommen werden; endlich kam der Befehl, sie sollte mit schwerem Geschütz geängstigt und gezwungen werden. Wie nun bei einbrechender Nacht der Fähndrich die erste Kanone losbrennen wollte, flog eine Taube und pickte ihm auf die Hand, so daß er das Zündloch verfehlte. Da sprach er: »Es ist Gottes Willen, daß ich nicht schießen soll«, und ließ ab. In der Nacht kamen die Schweden, und die Kaiserlichen mußten abziehen; so war die Stadt diesmal gerettet.

### 126. Der Glockenguß zu Breslau

Als die Glocke zu St. Maria Magdalena in Breslau gegossen werden sollte und alles dazu fast fertig war, ging der Gießer zuvor zum Essen, verbot aber dem Lehrjungen bei Leib und Leben, den Hahn am Schmelzkessel anzurühren. Der Lehrjunge aber war vorwitzig und neugierig, wie das glühende Metall doch aussehen möge, und wie er so den Kran bewegte und anregte, fuhr er ihm wider Willen ganz heraus, und das Metall rann und rann in die zubereitete Form. Höchst bestürzt weiß sich der arme Junge gar nicht zu helfen, endlich wagt er's doch und geht weinend in die Stube und bekennt seinem Meister, den er um Gottes willen um Verzeihung bittet. Der Meister aber wird vom Zorn ergriffen, zieht das Schwert und ersticht den Jungen auf der Stelle. Dann eilt er hinaus, will sehen, was noch vom Werk zu retten sei, und räumt nach der Verkühlung ab. Als er abgeräumt hatte, siehe, so war die ganze Glocke trefflich wohl ausgegossen und ohne Fehl; voll Freude kehrte der Meister in die Stube zurück und sah nun erst, was für Übel er getan hatte. Der Lehrjunge war verblichen, der Meister wurde eingezogen und von den Richtern zum Schwert verurteilt. Indessen war auch die Glocke aufgezogen worden, da bat der Glockengießer flehentlich: ob sie nicht noch geläutet werden dürfte, er möchte ihre Resonanz auch wohl hören, da er sie doch zugerichtet hätte, wenn er die Ehre vor seinem letzten Ende von den Herren haben könnte. Die Obrigkeit ließ ihm willfahren, und seit der Zeit wird mit dieser Glocke allen armen Sündern, wenn sie vom Rathaus herunterkommen, geläutet. Die Glocke ist so schwer, daß, wenn man fünfzig Schläge gezogen hat, sie andere fünfzig von selbst geht.

## 127. Der Glockenguß zu Attendorn

In Attendorn, einem kölnischen Städtchen in Westfalen, wohnte bei Menschengedenken eine Witwe, die ihren Sohn nach Holland schickte, dort die Handlung zu lernen. Dieser stellte sich so wohl an, daß er alle Jahre seiner Mutter von dem Erwerb schicken konnte. Einmal sandte er ihr eine Platte von purem Gold, aber schwarz angestrichen, neben andern Waren. Die

Mutter, von dem Wert des Geschenks unberichtet, stellte die Platte unter eine Bank in ihrem Laden, wo sie stehenblieb, bis ein Glockengießer ins Land kam, bei welchem die Attendorner eine Glocke gießen und das Metall dazu von der Bürgerschaft erbetteln zu lassen beschlossen. Die, so das Erz sammelten, bekamen allerhand zerbrochene eherne Häfen, und als sie vor dieser Witwe Tür kamen, gab sie ihnen ihres Sohnes Gold, weil sie es nicht kannte und sonst kein zerbrochenes Geschirr hatte.

Der Glockengießer, der nach Arensberg verreist war, um auch dort einige Glocken zu verfertigen, hatte einen Gesellen zu Attendorn hinterlassen, mit Befehl, die Form zu fertigen und alle sonstigen Anstalten zu treffen, doch den Guß einzuhalten bis zu seiner Ankunft. Als aber der Meister nicht kam und der Geselle selbst gern eine Probe tun wollte, fuhr er mit dem Guß fort und verfertigte den Attendornern eine von Gestalt und Klang so angenehme Glocke, daß sie ihm solche bei seinem

Abschied (denn er wollte zu seinem Meister nach Arensberg, ihm die Zeitung von der glücklichen Verrichtung zu bringen) so lange nachläuten wollten, als er sie hören könnte. Über das folgten ihm etliche nach, mit Kannen in den Händen, und sprachen ihm mit dem Trunk zu. Als er nun in solcher Ehre und Fröhlichkeit bis auf die steinerne Brücke (zwischen Attendorn und dem fürstenbergischen Schloß Schnellenberg) gelanget, begegnet ihm der Meister, welcher alsbald mit den Worten »Was hast du getan, du Bestia!« ihm eine Kugel durch den Kopf jagte. Zu den Geleitsleuten aber sprach er: »Der Kerl hat die Glocke gegossen wie ein anderer Schelm«, er wäre erbietig, solche umzugießen und der Stadt ein anderes Werk zu machen. Ritt darauf hinein und wiederholte seine Reden, als ob er den Handel gar wohl ausgerichtet. Aber er wurde wegen der Mordtat ergriffen und gefragt, was ihn doch dazu bewogen, da sie mit der Arbeit des Gesellen doch vollkommen zufrieden gewesen. Endlich bekannte er, wie er an dem Klang abgenommen, daß eine gute Masse Gold bei der Glocke wäre, so er nicht dazukommen lassen, sondern weggezwackt haben wollte, dafern sein Geselle befohlnermaßen mit dem Guß seine Ankunft abgewartet, weswegen er ihm den Rest gegeben.

Hierauf wurde dem Glockenmeister der Kopf abgeschlagen, dem Gesell aber auf der Brücke, wo er sein Ende genommen, ein eisernes Kreuz zum ewigen Gedächtnis aufgerichtet. Unterdessen konnte niemand ersinnen, woher das Gold zu der Glocke gekommen, bis der Witwe Sohn mit Freuden und großem Reichtum beladen nach Hause kehrte und vergeblich betrauerte, daß sein Gold zweien um das Leben gebracht, einen unschuldig und einen schuldig, gleichwohl hat er dieses Gold nicht wiederverlangt, weil ihn Gott anderwärts reichlich gesegnet.

Längst danach hat das Wetter in den Kirchturm geschlagen und, wie sonst alles verzehrt, außer dem Gemäuer, auch die Glocke geschmelzt. Woraufin der Asche Erz gefunden worden, welches an Gehalt den Goldgülden gleich gewesen, woraus derselbige Turm wiederhergestellt und mit Blei gedeckt worden.

## 128. Die Müllerin

Zwischen Ems und Wels in Österreich auf einer einsamen Mühle lebte ein Müller, der war an einem Sonntagmorgen, nach üblicher Weise, mit allen seinen Knechten in die Kirche gegangen und nur seine Frau, die ihre Niederkunft bald erwartete, daheim geblieben. Als die Müllerin so allein saß, kam die Hebamme, gleichsam zu Besuch, zu sehen, wie es mit ihr stehe. Die Müllerin war ihr freundlich, trug etwas auf, und sie setzten sich zusammen an den Tisch. Während sie aßen, ließ die Hebamme das Messer fallen und sprach: »Hebt mir einmal das Messer auf!« – »Ei!« antwortete die Müllerin, »Ihr redet wunderlich, ihr wißt doch, daß mir das Bücken saurer wird als Euch«, doch ließ sie's hingehen, hob das Messer auf, reichte es ihr, und wie sie es reichte, noch im Bücken, faßte die Hebamme das Messer in die Faust, zückte und sprach: »Nun gebt mir Euer Geld, das bar bei Euch liegt, oder ich stech Euch die kalte Klinge in die Brust!« Die Müllerin erschrak, faßte sich aber und sagte: »Kommt mit mir hinüber in die Kammer, da liegt im Schrank, was wir haben, und nehmt's.« Die Hebamme folgte ihr, nahm das Geld aus dem Schrank, und weil es ihrer Habsucht nicht genug war, suchte sie noch weiter in andern Gefächern. Diesen Augenblick benutzte die Müllerin, trat schnell hinaus und schloß die Türe fest zu, und da vor den Fenstern starke eiserne Gitter standen, war die Hebamme in der Kammer eingefangen. Nun rief die Frau ihr siebenjähriges Söhnlein und sprach: »Eil dich und lauf zum Vater in die Kirche, ich bät ihn, eilends mit seinen Knechten heimzukommen, ich wär in großer Gefahr.« Das Kind lief fort, aber nicht weit von der Mühle traf es auf den Mann der Hebamme, der verabredetermaßen kam, den Raub fortzutragen. Als er das Kind sah, faßte er's und riß es mit sich zur Mühle zurück. Die Müllerin, die, ihren Mann erwartend, am Fenster stand, sah ihn kommen, verschloß alsbald die Haustür und schob alle Riegel vor. Als der Mann heran war, rief er, sie sollte ihm öffnen, und da sie es nicht tat, stieß er wütend dagegen und hoffte sie einzutreten. Die Müllerin schrie nun mit allen Kräften zu einem Fenster hinaus nach Hilfe, aber weil die Mühle zu fern, auch mit Gebüsch umwachsen lag, ward sie von niemand gehört. Indes wich die Tür den Stößen des Mannes nicht, und da er sah, in welche Gefahr er und seine Frau gerate, wenn er sich so lange aufhalte, bis der Müller aus der Kirche käme, zog er sein Messer und rief der Müllerin: »Wo Ihr nicht gleich öffnet, so stech ich das Kind vor Euern Augen nieder und zünde die Mühle Euch über dem Kopf an«; faßte auch das Kind, daß es laut zu schreien anfing. Da eilte die Müllerin und wollte die Tür öffnen, aber wie sie davorstand, ging ihr der Gedanke durchs Herz, daß der Mörder sie nur herauslocken wolle, um sie selbst und mit ihr das Kind in ihrem Leibe zu töten, so daß sie ein paar Augenblicke schwankte. Der Mann zauderte nicht, stach dem Knaben das Messer in die Brust, lief dann um die Mühle und suchte einen Eingang. Da fiel der Müllerin, die von dem allen nichts wußte, ein, sie wollte die Räder in Bewegung setzen, vielleicht lockte das am Sonntag ungewöhnliche Klappern Menschen zu ihrer Hilfe herbei. Der Mörder aber wollte gerade durch das stehende Rad in die Mühle eindringen, hatte eben den Fuß auf eine Speiche gesetzt und wäre ohne Zweifel hineingeschlüpft, als in dem nämlichen Augenblick, nach Gottes wundervoller Schickung, das losgelassene Rad anhub sich zu drehen, ihn hinunterschlug und jämmerlich zermalmte.

Bald darauf kam der Müller mit seinen Knechten heim. Als er die Kammer aufschloß, worin die Hebamme gefangen war, lag sie tot auf der Erde und war vor Angst und Schrecken vom Schlag gerührt.

## 129. Johann Hübner

Auf dem Geißenberge in Westfalen stehen noch die Mauern von einer Burg, da vor alters Räuber gewohnt. Sie gingen nachts ins Land umher, stahlen den Leuten das Vieh und trieben es dort in den Hof, wo ein großer Stall war, und danach verkauf-

ten sie's weit weg an fremde Leute. Der letzte Räuber, der hier gewohnt hat, hieß Johann Hübner. Er hatte eiserne Kleider an und war stärker als alle anderen Männer im ganzen Land. Er hatte nur ein Auge und einen großen krausen Bart und Haare. Am Tage saß er mit seinen Knechten in einer Ecke, wo man noch das zerbrochene Fenster sieht, da tranken sie zusammen. Johann Hübner sah mit dem einen Auge sehr weit durchs ganze Land umher; wenn er dann einen Reiter sah, da rief er: »Heloh! Da reitet ein Reiter! Ein schönes Roß! Heloh!« Dann zogen sie hinaus, gaben acht, wann er kam, nahmen ihm daß Roß und schlugen ihn tot. Nun war ein Fürst von Dillenburg, der schwarze Christian genannt, ein sehr starker Mann, der hörte viel von den Räubereien des Johann Hübner, denn die Bauern kamen immer und klagten über ihn. Dieser schwarze Christian hatte einen klugen Knecht, der hieß Hanns Flick, den schickte er über Land, dem Johann Hübner aufzupassen. Der Fürst aber lag hinten im Giller und hielt sich da mit seinen Reitern verborgen, dahin brachten ihm auch die Bauern Brot und Butter und Käse. Hanns Flick aber kannte den Johann Hübner nicht, streifte im Land umher und fragte ihn aus. Endlich kam er an eine Schmiede, wo Pferde beschlagen wurden, da standen viele Wagenräder an der Wand, die auch beschlagen werden sollten. Auf dieselben hatte sich ein Mann mit dem Rücken gelehnt, er hatte nur ein Auge und ein eisernes Wams an. Hanns Flick ging zu ihm und sagte: »Gott grüß dich, eiserner Wamsmann mit einem Auge! Heißest du nicht Johann Hübner vom Geißenberg?« Der Mann antwortete: »Johann Hübner vom Geißenberg liegt auf dem Rad.« Hanns Flick verstunde das Rad auf dem Richtplatz und sagte: »War das kürzlich?« – »Ja«, sprach der Mann, »erst heut.« Hanns Flick glaubte doch nicht recht und blieb bei der Schmiede und gab auf den Mann acht, der auf dem Rade lag. Der Mann sagte dem Schmied ins Ohr, er solle ihm sein Pferd verkehrt beschlagen, so daß das vorderste Ende des Hufeisens hinten käme. Der Schmied tat es, und Johann Hübner ritt weg. Wie er aufsaß, sagte er dem Hanns Flick: »Gott grüß dich, braver Kerl, sage deinem Herrn, er solle mir Fäuste schicken, aber keine Leute, die hinter den Ohren lausen.« Hanns Flick blieb stehen und sah, wo er übers Feld in den Wald ritt, lief ihm nach, um zu sehen, wo er bliebe. Er wollte seiner Spur nachgehen, aber Johann Hübner ritt hin und her, kreuz und quer, und

Hanns Flick wurde bald in den Fußtapfen des Pferdes irre, denn wo jener hingeritten war, da gingen die Fußtapfen zurück. Also verlor er ihn bald und wußte nicht, wo er geblieben war. Endlich aber ertappte er ihn doch, wie er nachts bei Mondenschein mit seinen Knechten auf der Heide im Wald lag und geraubtes Vieh hütete. Da eilte er und sagte es dem Fürsten Christian, der ritt in der Stille mit seinen Kerlen unten durch den Wald, und sie hatten den Pferden Moos unter die Füße gebunden. So kamen sie nah herbei, sprangen auf ihn zu und kämpften miteinander. Der schwarze Christian und Johann Hübner schlugen sich auf die eisernen Hüte und Wämser, daß es klang, endlich aber blieb Johann Hübner tot, und der Fürst zog in das Schloß auf dem Geißenberg. Den Johann Hübner begruben sie in einer Ecke, der Fürst legte viel Holz um den großen Turm, und sie untergruben ihn auch. Am Abend, als im Dorfe die Kühe gemolken wurden, fiel der Turm um, und das ganze Land zitterte von dem Fall. Man sieht noch die Steine den Berg hinunter liegen. Der Johann Hübner erscheint oft um Mitternacht, mit seinem einen Auge sitzt er auf einem schwarzen Pferd und reitet um den Wall herum.

### 130. Eppela Gaila

Vor nicht lange sangen die Nürnberger Gassenbuben noch diesen alten Reim:

> *»Eppela Gaila von Dramaus*
> *reit allzeit zum vierzehn aus.«*

und:

> *»Da reit der Nürnberger Feind aus,*
> *Eppela Gaila von Dramaus.«*

In alten Zeiten wohnte im Bayreuthischen bei Drameysel (einem kleinen, nach Muggendorf eingepfarrten Dörfchen) Eppelin von Gailing, ein kühner Ritter, der raubte und heerte dort herum, und sonderlich aufgesessen war er den Nürnbergern, denen schadete er, wo er mochte. Er verstand aber das Zaubern, und zumal so hatte er ein Rößlein, das konnte wohl reiten und traben, damit setzte er in hohen Sprüngen über Felsen und Risse und sprengte es über den Fluß Wiesent, ohne das Wasser zu rühren, und über Heuwagen auf der Wiese ritt er, daß seines Rosses Huf kein Hälmlein verletzte. Zu Gailenreuth lag sein Hauptsitz, aber ringsherum hatte er noch andere seiner Burgen, und im Nu wie der Wind flog er von einer zur andern. Von einer Bergseite war er flugs an der gegenüberstehenden und ritt oftmals nach Sankt Lorenz in Muggendorf. Zu Nürnberg hielten ihn weder Burgmauern auf noch der breite Stadtgraben, und viele andere Abenteuer hat er ausgeübt. Endlich aber fingen ihn die Nürnberger, und zu Neumarkt ward er mit seinen Helfershelfern an den Galgen gehängt. In der Nürnberger Burg stehen noch seine Waffen zur Schau, und an der Mauer ist noch die Spur vom Hufe seines Pferdes zu sehen, die sich eingedrückt hatte, als er darüber sprang.

### 131. Der Blumenstein

Als auf dem Blumenstein bei Rotenburg in Hessen noch Ritter lebten, wettete eines Abends ein junges, mutiges Bauernmädchen in dem benachbarten Dorf Höhnebach, daß es um Mitternacht bei Mondschein hinaus auf die furchtbare Burg gehen und ein Ziegelstück herabholen wollte. Sie wagte auch den Gang, holte das Wahrzeichen und wollte eben wieder zurückgehen, als ihr ein Hufschlag in der stillen Nacht entgegenklang. Schnell sprang sie unter die Zugbrücke, und kaum stand sie darunter, so kam auch schon der Ritter herein und hatte eine schöne Jungfrau vor sich, die er geraubt und deren köstliche Kleidungsstücke er hinten aufgepackt hatte. Indem er über die Brücke ritt, fiel ein Bündel davon herab, den hob das Bauernmädchen auf und eilte schnell damit fort. Kaum aber hatte sie die Hälfte des Spisses, eines Berges, der zwischen Höhnebach und dem Blumenstein liegt, erstiegen, so hörte sie, wie der Ritter schon wieder über die Zugbrücke ausritt und wahrscheinlich den verlorenen Bündel suchen wollte. Da blieb ihr nichts übrig, als den Weg zu verlassen und sich in dem dicken Wald zu verbergen, bis er vorüber war. Und so rettete es seine Beute und brachte das Wahrzeichen glücklich nach Hause.

Andere erzählen ähnlich von andern Orten mit folgender weiterer Ausführung: Das Mädchen sah, wie der Reiter die Jungfrau mordete. Sie ließ ihr Bündel, vom Räuber ungesehen, fallen, das hob das Mädchen auf. Beim Öffnen fand es kostbare Kleider und andern Schmuck darin, darum verschwieg es den Fund, sagte lieber, es wäre aus zu großer Angst nicht an dem Ort gewesen. Mit der Zeit brachte es nach und nach ein Stück davon hervor, als wenn es sie selbst angeschafft hätte, endlich bei einem Tanz hatte es alle die prächtigen Kleider an. Da war ein Fremder, der es fest anschaute, mit ihr tanzte und zuletzt heimführen wollte. Auf dem Weg nach des Mädchens Dorf zog er plötzlich ein Messer und wollte es erstechen; sie rief aber um Hilfe, und er wurde verhaftet. Er war jener Mörder.

### 132. Seeburger See

Zwei kleine Stunden von Göttingen liegt der Seeburger See. Er vermindert sich jährlich, ist jetzt dreißig bis vierzig Fuß tief und von einer guten halben Stunde Umkreis. In der Gegend sind noch mehr Erdfälle und gefährliche Tiefen, die auf das Dasein eines unterirdischen Flusses vermuten lassen. Die Fischer erzählen folgende Sage:

In alten Zeiten stand da, wo jetzt der See ist, eine stolze Burg, auf welcher ein Graf namens Isang wohnte, der ein wildes und gottloses Leben führte. Einmal brach er durch die heiligen Mauern des Klosters Lindau, raubte eine Nonne und zwang sie, ihm zu Willen zu sein. Kaum war die Sünde geschehen, so entdeckte sich, daß diejenige, die er in Schande gebracht, seine bis dahin ihm verborgen gebliebene Schwester war. Zwar erschrak er und schickte sie mit reicher Buße ins Kloster zurück, aber sein Herz bekehrte sich doch nicht zu Gott, sondern er begann aufs neue nach seinen Lüsten zu leben. Nun geschah es, daß er einmal seinen Diener zum Fischmeister schickte, einen Aal zu holen, der Fischmeister aber dafür eine silberweiße Schlange gab. Der Graf, der etwas von der Tiersprache verstand, war damit gar wohl zufrieden, denn er wußte, daß, wer von einer solchen Schlange esse, zu allen Geheimnissen jener Sprache gelange. Er hieß sie zubereiten, verbot aber dem Diener bei Lebensstrafe, davon zu genießen. Darauf aß er so viel, als er vermochte, aber ein weniges blieb übrig und wurde auf der Schüssel wieder hinausgetragen; da konnte der vom Verbot gereizte Diener seiner Lust nicht widerstehen und aß es. Dem Grafen aber fielen nach dem Genuß alsbald alle je begangenen Sünden und Frevel aufs Herz und standen so hell vor ihm, daß die Gedanken sich nicht davon abwenden konnten und er vor Angst sich nicht zu lassen wußte. »Mir ist so heiß«, sprach er, »als wenn ich die Hölle angeblasen hätte!« Er ging hinab in den Garten, da trat ihm ein Bote entgegen und sprach: »Eben ist Eure Schwester an den Folgen der Sünde, zu der Ihr sie gezwungen habt, gestorben.« Der Graf wendete sich in seiner Angst nach dem Schloßhof zurück, aber da ging alles Getier, das darin war, die Hühner, Enten, Gänse, auf und ab und sprachen von seinem ruchlosen Leben und entsetzlichen Frevel, den er all verbracht, und die Sperlinge und die Tauben auf dem Dache mengten sich in das Gespräch und riefen Antwort herab. »Nun aber«, sagten sie, »haben die Sünden ihr volles Maß, und das Ende ist gekommen: in kurzer Stunde werden die prächtigen Türme umfallen, und die ganze Burg wird versunken sein.« Eben als der Hahn gewaltig auf dem Dache krähte, trat der Diener, der von der Schlange gegessen hatte, hinzu, und der Graf, der ihn versuchen wollte, fragte: »Was ruft der Hahn?« Der Diener, der in der Angst sich vergaß und es wohl verstand, antwortete: »Er ruft: Eil, eil! eh die Sonne untergeht, willst du dein Leben retten, eil, eil! Aber zieh allein!« – »O du Verräter«, sprach der Graf, so hast du doch von der Schlange gegessen, packe zusammen, was du hast, wir wollen entfliehen.« Der Diener lief hastig ins Schloß, aber der Graf sattelte sich selber sein Pferd, und schon war er aufgesessen und wollte hinaus, als der Diener zurückkam, leichenblaß und atemlos ihm in die Zügel fiel und flehentlich bat, ihn mitzunehmen. Der Graf schaute auf, und als er sah, wie die letzte Sonnenröte an den Spitzen der Berge glühte, und hörte, wie der Hahn laut kreischte: »Eil, eil, ehe die Sonne untergeht, aber zieh allein!«, da nahm er sein Schwert, zerspaltete ihm den Kopf und sprengte über die Zugbrücke hinaus. Er ritt auf eine kleine Anhöhe bei dem Städtchen Gieboldehausen, da schaute er sich um, und als er die Turmspitzen seines Schlosses noch im Abendrot glänzen sah, deuchte ihm alles ein Traum und eine Betäubung seiner Sinne. Plötzlich aber fing die Erde an, unter seinen Füßen zu zittern, erschrocken ritt er weiter, und als er zum zweitenmal sich umschaute, waren Wall, Mauern und Türme verschwunden und an des Schlosses Stelle ein großer See.

Nach dieser wundervollen Errettung bekehrte sich der Graf und büßte seine Sünden im Kloster Gieboldehausen, welchem er seine übrigen reichen Besitzungen schenkte. Nach seiner Verordnung werden noch jetzt reuigen Sündern an einem gewissen Tage Seelenmessen gelesen. In dem Dorfe Berenshausen stiftete er den Chor und die Altarstühle, worüber sogar noch ein Schenkungsbrief da sein soll. Auch werden noch jetzt aus dem See behauene Quadern und Eichenbohlen herausgeholt; vor einiger Zeit sogar zwei silberne Töpfe mit erhabenen Kränzen in getriebener Arbeit, von denen der Wirt in Seeburg einen gekauft hat.

### 133. Der Burgsee und Burgwall

In der Stubnitz auf der pommerschen Insel Rügen liegt ein mächtiger Erdwall, von hohen Buchen bewachsen und einen lang runden Kreis umschließend, in dessen Mitte mancherlei Baumwurzeln und Steine verstreut liegen. Hart neben dem östlichen Rand des Walles fließt in einem runden und tiefen Kessel ein See, *Der schwarze See* oder *Burgsee* genannt. Jener Wall heißt der *Burgwall*. Nach der Landsage soll in diesem Wall vor alten Zeiten der Teufel angebetet und zu seinem Dienst eine Jungfrau unterhalten worden sein. Wenn er der Jungfrau überdrüssig wurde, so führten sie seine Priester zu dem schwarzen See und ersäuften sie darin.

### 134. Der heilige Niklas und der Dieb

In Greifswald in Pommern stand in der Gertrudenkapelle St. Niklasen Bild. Eines Nachts brach ein Dieb ein, wollte den Gotteskasten berauben und rief den Heiligen an: »O heiliger Niklaus, ist das Geld mein oder dein? Komm, laß uns wettlaufen darum, wer zuerst zum Gotteskasten kommt, soll gewonnen haben.« Hub damit zu laufen an, aber das Bild lief auch und überlief den Dieb zum drittenmal; der antwortete und sprach: »Mein heiliger Niklaus, du hast's redlicher gewonnen, aber das Geld ist dir doch nicht nutz, bist von Holz und bedarfst keines; ich will's nehmen und guten Mut dabei haben.« – Bald darauf geschah, daß dieser Räuber starb und begraben wurde, da kamen die Teufel aus der Hölle, holten den Leib aus dem Grab, warfen ihn bei dem beraubten Gotteskasten, hängten ihn zuletzt vor der Stadt an eine Windmühle auf und führten ihn auf ihren Flügeln wider Winds herum. Diese Mühle stand noch im Jahre 1633 und ging immer mit Gegenwind unter den andern umstehenden natürlich getriebenen Mühlen.

Nach andern war es der Verwalter, der das Opfergeld angegriffen oder, wie man sagt, mit dem Marienbild um die Wette gelaufen war.

Wo des Teufels Fuß die Erde berührte, vermengte er das frische Gras und trat tiefe Stapfen, die stehenblieben und nie mehr mit Gras bewuchsen, bis die ganze Kirche, zu der sonst große Wallfahrten geschahen, samt dem Kirchhof verschüttet und zu Festungswällen verbaut wurde.

## 135. Riesensteine

Man findet hin und wieder greuliche Steine, worin die Male von Händen und Füßen eingedrückt sind und wovon die Sage ist, dieses rühre von Riesen her, die sich vor alters damit geworfen oder darauf gestanden. Ein solcher Stein liegt in Leipzig beim Kuhturm am Wege, und die Spur einer großen Hand mit sechs Fingern steht darauf gedruckt. Ein andrer großer Stein ist auf dem Wege von Leipzig nach dem Dorf Hohentiegel zu finden, dem Dorf näher als der Stadt, darauf man eine Schmarre sieht, als wäre sie mit einem Schlachtschwerte eingehauen.

Als Salzwedel vor uralters hart belagert wurde von einem grausamen Feind, der sie doch nicht einbekommen mochte, weil Engel auf der Stadtmauer hin und her gegangen, die Pfeile auffingen und die Stadt behüteten, da erbitterte der Feldherr; und wie im Lager ein großer Stein vor ihm lag, zog er sein Schlachtschwert und sprach: »Soll ich die Stadt nicht gewinnen, so gebe Gott, daß ich in diesen Stein haue wie in einen Butterweck.« Als er nun hieb, gab der Stein nach, als ob er ganz weich wäre. Dieser Stein wurde dem Prätorius an derselben Stelle im Jahr 1649 gezeigt, auf dem Wege zwischen Salzwedel und Tielsen, und er betastete ihn und sah mit eigenen Augen die tiefe Spalte, die er durch die Mitte hatte.

## 136. Spuren im Stein

Bei der Mindner Glashütte ist ein Wald, der heißt der Geismarwald, da hat vor dem Dreißigjährigen Krieg eine Stadt namens Geismar gestanden. Daneben ist ein andrer Berg, welcher der Totenberg heißt, und dabei ist eine Schlacht vorgefallen. Der Feldherr war anfänglich geschlagen, hatte sich in den Geismarwald zurückgezogen, saß da auf einem Stein und dachte nach, was zu tun am besten wäre. Da kam einer seiner Hauptleute und wollte ihn bereden, die Schlacht von neuem anzufangen und den Feind mutig anzugreifen; wo er jetzt noch siege, sei alles gerettet. Der Feldherr aber antwortete: »Nein, ich kann so wenig siegen, als dieser Stein, auf dem ich sitze, weich werden kann!« Mit diesen Worten stand er auf, aber seine Beine und selbst seine Hand, womit er sich beim Aufstehen auf den Stein gestützt, waren darin eingedrückt. Wie er das Wunder sah, ließ er zur Schlacht blasen, griff den Feind mit frischer Tapferkeit an und siegte. Noch heutzutage steht der Stein, und man sieht die Spuren darin ausgedrückt.

### 137. Der Riesenfinger

Am Strand der Saale, besonders in der Nähe von Jena, lebte ein wilder und böser Riese; auf den Bergen hielt er seine Mahlzeit, und auf dem Landgrafenberg heißt noch ein Stück *Der Löffel*, weil er da seinen Löffel fallen ließ. Er war auch gegen seine Mutter gottlos, und wenn sie ihm Vorwürfe über sein wüstes Leben machte, so schalt er sie und schmähte und ging nur noch ärger mit den Menschen um, die er Zwerge hieß. Einmal, als sie ihn wieder ermahnte, ward er so wütend, daß er mit den Fäusten nach ihr schlug. Aber bei diesem Greuel verfinsterte sich der Tag zu schwarzer Nacht, ein Sturm zog daher, und der Donner krachte so fürchterlich, daß der Riese niederstürzte. Alsbald fielen die Berge über ihn her und bedeckten ihn, aber zur Strafe wuchs der kleine Finger ihm aus dem Grabe heraus. Dieser Finger aber ist ein langer, schmaler Turm auf dem Hausberg, den man jetzt den *Fuchsturm* heißt.

### 138. Riesen aus dem Untersberge

Alte Männer aus dem Dorfe Feldkirchen, zwei Stunden von Salzburg, haben im Jahr 1645 erzählt, als sie noch unschuldige Buben gewesen, hätten sie aus dem Wunderberge Riesen herabgehen gesehen, die sich an die nächst dieses Berges stehende Grödicher Pfarrkirche angelehnt, daselbst mit Männern und

Weibern gesprochen, dieselben eines christlichen Lebens und zu guter Zucht ihrer Kinder ermahnt, damit diese einem bevorstehenden Unglück entgingen. Sodann hätten sich die Riesen wiederum nach ihrem Wunderberg begeben. Die Grödicher Leute waren von den Riesen oft ermahnt, durch erbauliches Leben sich gegen verdientes Unglück zu sichern.

### 139. Der Jettenbühel zu Heidelberg

Der Hügel bei Heidelberg, auf dem jetzt das Schloß steht, wurde sonst der *Jettenhügel* genannt, und dort wohnte ein altes Weib, namens Jetta, in einer Kapelle, von der man noch Überreste gesehen, als der Pfalzgraf Friedrich Kurfürst geworden war und ein schönes Schloß (1544) baute, das *Der neue Hof* hieß. Diese Jetta war wegen ihres Wahrsagens sehr berühmt, kam aber selten aus ihrer Kapelle und gab denen, die sie befragten, die Antwort zum Fenster heraus, ohne daß sie sich sehen ließ. Unter andern verkündete sie, wie sie es in seltsamen Versen vorbrachte, es wäre über ihren Hügel beschlossen, daß er in künftigen Zeiten von königlichen Männern, welche sie mit Namen nannte, sollte bewohnt, beehrt und geziert und das Tal unter demselben mit vielem Volk besetzt werden. Es war damals noch Wald.

Als Jetta einst bei einem schönen Tage nach dem Brunnen ging, der sehr lustig am Fuß des Geißberges nahe am Dorf Schlürbach, eine halbe Stunde von Heidelberg, liegt und trinken wollte, wurde sie von einem Wolf, der Junge hatte, zerrissen. Daher er noch jetzt der *Wolfsbrunnen* heißt. Nahe dabei ist unter der Erde ein gewölbter Gang, von dem Volk das *Heidenloch* genannt.

## 140. Riese Haym

Es war vorzeiten ein Riese, genannt *Haym* oder *Haymon*. Als nun ein giftiger Drache in der Wildnis des Inntals hauste und den Einwohnern großen Schaden tat, so machte sich Haymon auf, suchte und tötete ihn. Dafür unterwarfen sich die Bewohner des Inntals seiner Herrschaft. Danach erwarb er noch größeren Ruhm, indem er die Brücke über den Inn, daher die Stadt Innsbruck den Namen führt, fester baute, weshalb sich viel fremde Leute unter ihn begaben. Der Bischof von Chur aber taufte ihn, und Haymon erbaute zu Christi Ehren das Kloster Wilten, wo er bis an sein Ende lebte und begraben liegt.

Zu Wilten ist sein Grab zu sehen, vierzehn Schuh drei Zwergfinger lang, auf dem Grabe ist seine Gestalt in Rüstung aus Holz geschnitten. Auch zeigt man in der Sakristei die Drachenzunge samt einem alten Kelch, worauf die Passion abgebildet ist, den man vor mehr als elfhundert Jahren, wie man das Fundament des Klosters grub, in der Erde gefunden, so daß der Kelch bald nach Christi Himmelfahrt gemacht war. Neben Haymes Grab hängt eine Tafel, worauf sein Leben geschrieben steht.

## 141. Die tropfende Rippe

Im Cillerkreise der Steiermark liegt ein Ort Oberburg, auf slawisch Gornigrad, in dessen Kirche hängt eine ungeheure Rippe, dergleichen kein jetzt bekanntes Landtier hat. Man weiß nicht, wann sie ausgegraben worden, die Volkssage schreibt sie einer Heidenjungfrau (slawisch: *aidowska dekliza*) zu, mit der Anmerkung, daß von dieser Rippe alljährlich ein einziger Tropfen abfällt und der Jüngste Tag in der Zeit komme, wo sie ganz vertröpfelt sein wird.

## 142. Jungfrausprung

Unweit Grätz in Steier liegt ein Ort, insgemein *Die Wand* genannt, daselbst ist ein hoher Berg, welcher den Namen *Jungfrausprung* schon von etlichen hundert Jahren her führt. Als nämlich auf eine Zeit ein üppiger und gottloser Geselle einem ehrbaren Bauernmägdlein lange und ungestüm nachstrebte und er sie zuletzt nach vielen Ausspähungen auf besagtem Berg ertappte, erschrak sie und wagte einen Sprung. Sie sprang von dem Berg über den ganzen Fluß, Mur genannt, bis auf einen andern hohen Bühel jenseits. Davon heißt der Berg Jungfrausprung.

## 143. Der Stierenbach

Mitten durch das Tal der Surenalp ergießt sich der *Stierenbach*, der aus dem Surenersee entspringt und einer gemeinen Sage nach, die sowohl die Leute in Uri als in Engelsberg erzählen, durch folgende Geschichte den Namen erhalten haben soll: Vor mehreren hundert Jahren lebte hier ein Alpenhirt, der in seiner Herde ein Lamm hatte, worauf er besonders viel hielt und dem er so zugetan war, daß er darauf verfiel, es taufen zu lassen und ihm einen Christennamen beizulegen. Was geschieht? Der Himmel, um diesen Frevel zu rächen, wandelte das Lamm in ein scheußliches Gespenst, welches bei Tag und Nacht auf der fruchtbaren Alpe umherging, alle Gräser und Kräuter abweidete und den Strich so verheerte, daß die Engelsberger fürder kein Vieh mehr darauf halten konnten. Zu denen von Uri kam aber ungefähr ein fahrender Schüler und riet, wie sie das Untier zu vertreiben hätten. Nämlich sie sollten neun Jahr lang ein Stierkalb mit purer Milch auffüttern, das erste Jahr von einer einzigen Kuh, das zweite von der Milch zweier, das dritte dreier Kühe und so fort; nach Ablauf der neun Jahre den solchergestalt mit Milch auferzogenen Ochsen durch eine reine Jungfrau auf die Alpe führen lassen. Die Urer hofften auf guten Lohn von den Engelsbergern und nährten einen solchen Stier auf der Alpe Waldnacht, wo man noch heutzutage seinen Stall weiß, genannt den *Stiergaden*. Wie nun der Stier zu seinen Jahren gekommen war, leitete ihn eine unbefleckte Jungfrau über den Felsengrat und ließ ihn da laufen. Der Stier, als er sich frei sah, ging sogleich auf das Gespenst los und fing einen Kampf mit ihm an. Der Streit war so hart und wütig, daß der Stier zwar das Ungeheuer zuletzt überwand, aber der Schweiß von seinem Leib heruntertroff. Da stürzte er zu einem vorbeifließenden Bach und trank so viel Wasser, daß er auf der Stelle des Todes war. Davon hat der Bach seitdem den Namen *Stierenbach*, und außerdem zeigen die Einwohner noch jetzt die Felsen und Steine vor, in denen sich die Hinterklauen des Stiers während des heftigen Kampfes eingedrückt haben.

### 144. Die Männer im Zottenberg

Im XVI. Jahrhundert lebte in Schweidnitz ein Mann, Johannes Beer genannt. Im Jahr 1570, als er seiner Gewohnheit nach zu seiner Lust auf den nahegelegenen Zottenberg ging, bemerkte er zum erstenmal eine Öffnung, aus der ihm beim Eingang ein gewaltiger Wind entgegenwehte. Erschrocken ging er zurück, bald darauf aber, am Sonntag Quasimodogeniti, beschloß er von neuem die Höhle zu untersuchen. Er kam in einen engen, geraden Felsengang, ging einem fernschimmernden Lichtstrahl nach und gelangte endlich zu einer verschlossenen Tür, in der eine Glasscheibe war, die jenes wundersame Licht warf. Auf dreimaliges Anklopfen ward ihm geöffnet, und er sah in der Höhle an einem runden Tisch drei lange abgemergelte Männer in altdeutscher Tracht sitzen, betrübte und zitternde. Vor ihnen lag ein schwarzsamtenes, goldbeschlagenes Buch. Hierauf redete er sie mit: »*Pax vobis!*« an und bekam zur Antwort: »*Hic nulla pax!*« Weiter vorschreitend rief er nochmals: »*Pax vobis in nomine domini!*« Erzitternd mit kleiner Stimme versetzten sie: »*Hic non pax.*« Indem er vor den Tisch kam, wiederholte er: »*Pax vobis in nomine domini nostri Jesu Christi!*« Worauf sie verstummten und ihm jenes Buch vorlegten, welches geöffnet den Titel hatte: *Liber obedientiae*. Auf Beers Frage, wer sie wären, gaben sie zur Antwort, sie kennen sich selber nicht. Was sie hier machten? – Sie erwarteten in Schrecken das Jüngste Gericht und den Lohn ihrer Taten. – Was sie bei Leibesleben getrieben? – Hier zeigten sie auf einen Vorhang, hinter dem allerlei Mordgewehre hingen, Menschengerippe und Hirnschädel. – Ob sie sich zu diesen bösen Werken bekannten? – »Ja!« – Ob es gute oder böse? – »Böse.« – Ob sie ihnen leid wären? – Hierauf schwiegen sie still, aber erzitterten: sie wüßten's nicht!

Die schlesische Chronik gedenkt eines Raubschlosses auf dem Zottenberge, dessen Ruinen noch zu sehen sind.

### 145. Verkündigung des Verderbens

Als die Magdeburger im Jahr 1550, am 22. September, mit dem Herzog Georg von Mecklenburg Schlacht halten sollten, ist ihnen bei ihrem Auszuge vor dem Dorf Barleben, eine Meile Wegs von der Stadt, ein langer, ansehnlicher, alter Mann, der Kleidung nach einem Bauersmanne nicht unähnlich, begegnet und hat gefragt, wo sie mit dem Kriegsvolk und der Kriegsrüstung hinausgedächten. Und da er ihres Vorhabens berichtet worden, hat er sie gleich mit aufgehobenen Händen herzlich gebeten und gewarnt, von ihrem Vorsatz abzustehen, wieder heimzukehren, ihre Stadt in acht zu nehmen und ja des Orts und sonderlich in dieser Zeit nichts zu beginnen, weil eben auch vor zweihundert Jahren die Magdeburger auf den St.-Moritz-Tag und an demselben Orte, an dem Wasser Ohra, geschlagen worden; wie ein jeder, der es wüßte, in der Tafel der St.-Johannes-Kirche zu Magdeburg lesen könnte. Und würde ihnen, sofern sie fortfahren, gewiß auch diesmal glücklicher nicht ergehen. Ob nun wohl etliche sich über das Wesen und die Rede des Mannes verwunderten, so haben doch ihrer sehr viele ihn gespottet und die Warnung höhnisch verlacht, von welchen Spöttern dann doch keiner in der Schlacht unerschlagen oder ungefangen geblieben sein soll. Man sagt, er sei als ein gar alter, eisgrauer Mann erschienen, aber solches schönen, holdseligen, rötlichen und jungen Angesichts, daß es zu verwundern gewesen. Und demnach es leider gefolgt, wie er geweissagt, hat man allenthalben Nachforschung nach solchem Mann gehabt, aber niemand erfahren können, der ihn zuvor oder nachher gesehen hätte.

## 146. Das Männlein auf dem Rücken

Als im März 1669 nach Torgau hin ein Seiler seines Wegs gewandelt, hat er einen Knaben auf dem Felde angetroffen, der auf der Erde zum Spiel niedergesessen und ein Brett vor sich gehabt. Wie nun der Seiler solches im Überschreiten verrückt, hat das Knäblein gesprochen: »Warum stoßt Ihr mir mein Brett fort? Mein Vater wird's Euch danken!« Der Seiler geht immer weiter, und nach hundert Schritten begegnet ihm ein kleines Männlein, mit grauem Bart und ziemlichem Alter, von ihm begehrend, daß er es tragen möge, weil es zum Gehen ermüdet sei. Diese Anmaßung verlacht der Seiler, allein es springt auf seine Schultern, so daß er es ins nächste Dorf hocken muß. Nach zehn Tagen stirbt der Seiler. Als darüber sein Sohn kläglich jammert, kommt das kleine Bübchen zu ihm mit dem Bericht, er solle sich zufrieden geben, es sei dem Vater sehr wohl geschehen. Weiter wolle er ihn, benebenst der Mutter, bald nachholen, denn es würde in Meißen bald eine schlimme Zeit erfolgen.

## 147. Gottschee

In der unterkrainischen Stadt Gottschee wohnen Deutsche, die sich in Sprache, Tracht und Sitten sehr von den andern Krainern unterscheiden. Nahe dabei liegt eine alte, denselben Namen tragende und dem Fürsten Auersperg zuhörende Burg, von der die umwohnenden Leute mancherlei Dinge erzählen. Noch jetzt wohnt ein Jägersmann mit seinen Hausleuten in dem bewohnbaren Teil der verfallenen Burg, und dessen Vorfahren einem soll einmal ganz besonders mit den da hausenden Geistern folgendes begegnet sein:

Die Frau dieses Jägers war in die Stadt hinuntergegangen, er selbst, von Schläfrigkeit befallen, hatte sich unter eine Eiche vor dem Schloß gestreckt. Plötzlich sah er den ältesten seiner beiden Knaben, die er schlafend im Haus verlassen, auf sich zukommen, so als wenn er geführt würde. Zwar keinen Führer erblickte er, aber das fünfjährige Kind hielt die Linke stets in der Richtung, als ob es von jemanden daran gefaßt wäre. Mit schnellen Schritten eilte es vorbei und einem jähen Abgrund zu. Erschrocken sprang der Vater auf, sein Kind zu retten willens, faßte es rasch und mühte sich, die linke Hand von dem unsichtbaren Führer loszumachen. Mit nicht geringer Anstrengung bewerkstelligte er das zuletzt und riß die Hand des Kindes los aus einer andern, die der Jäger nicht sah, aber eiskalt zu sein fühlte. Das Kind war übrigens unerschrocken und erzählte, daß ein alter Mann gekommen sei, mit langem Bart, roten Augen, in schwarze Kleider angetan und ein ledernes Käppchen auf, habe sich freundlich angestellt und ihm viele schöne Sachen versprochen, wenn es mit ihm gehen wolle, darauf sei es ihm an der Hand gefolgt.

Abends desselben Tages hörte der Jäger sich bei seinem Namen rufen; als er die Tür aufmachte, stand der nämliche Alte draußen und winkte. Der Jäger folgte und wurde an ebendenselben Abgrund geleitet. Der Felsen tat sich auf, sie stiegen eine Steintreppe ab. Unterwegs begegnete ihnen eine Schlange, nachher gelangten sie in eine immer heller werdende Gruft. Sieben Greise, mit kahlen Häuptern, in tiefem Schweigen saßen in einem länglichen Raume. Weiter ging der Jäger durch einen engen Gang in ein kleines Gewölbe, wo er einen kleinen Sarg stehen sah, dann in ein größeres, wo ihm der Greis achtundzwanzig große Särge zeigte, in den Särgen lagen Leichname beiderlei Geschlechts. Unter den Verblichenen fand er einige bekannte Gesichter, wovon er sich jedoch nicht zu erinnern wußte, wo sie ihm vorgekommen waren. Nach diesem wurde der Jäger in einen hell erleuchteten Saal geführt, worin achtunddreißig Menschen saßen, worunter vier sehr junge Frauen, und ein Fest begingen. Allein alle waren totenblaß, und keiner sprach ein Wort. Durch eine rote Tür führte der Alte den Jäger zu einer Reihe altfränkisch gekleideter Leute, deren verschiedene der Jäger auch zu erkennen meinte, der Greis küßte den ersten und den letzten. Nunmehr beschwor der Jäger den Führer, ihm zu sagen, wer diese alle seien und ob ein Lebendiger ihnen die noch entbehrte Ruhe wiedergeben könne. »Lauter Bewohner dieses Schlosses sind es«, versetzte hohlstimmig der Alte, »die weitere Bewandtnis kannst du aber jetzt noch nicht erfahren, sondern wirst es demnächst einmal.« Nach diesen Worten wurde der Jäger sanft hinausgeschoben und merkte, daß er in einem naßfeuchten Gewölbe war. Er fand eine alte verfallene Treppe, und diese in die Höhe steigend, gelangte er in einen etwas weiteren Raum, von wo aus er durch ein kleines Loch vergnügt den Himmel und die Sterne erblickte. Ein starkes Seil, woran er stieß, und das Rauschen von Wasser ließ ihn mutmaßen, er befinde sich auf dem Grunde einer hinter dem Schlosse befindlichen Zisterne, von wo aus man das Wasser mittels eines Rades hinaufwand. Allein unglücklicherweise kam niemand in drei ganzen Tagen zum Brunnen, erst am Abend des vierten ging des Jägers Frau hin, die sehr staunte, als sie in dem schweren Eimer ihren totgeglaubten Mann herauszog.

Die Verheißung des alten Wegweisers blieb indessen unerfüllt, doch erfuhr der Jäger, daß er ihn in dem Vorgeben, diese

Geister seien die alten Schloßbewohner, nicht belogen hätte. Denn als er einige Zeit darauf in dem fürstlichen Saal die Bilder der Ahnen betrachtete, erkannte er in ihren Gesichtszügen die in der Höhle gesehenen Leute und Leichen wieder.

### 148. Die Zwerge auf dem Baum

Des Sommers kam die Schar der Zwerge häufig aus den Flühen herab ins Tal und gesellte sich entweder hilfreich oder doch zuschauend den arbeitenden Menschen, namentlich zu den Mädern im Heuet (der Heuernte). Da setzten sie sich denn wohl vergnügt auf den langen und dicken Ast eines Ahorns ins schattige Laub. Einmal aber kamen boshafte Leute und sägten bei Nacht den Ast durch, daß er bloß noch schwach am Stamme hielt, und als die arglosen Geschöpfe sich am Morgen darauf niederließen, krachte der Ast vollends entzwei, die Zwerge stürzten auf den Grund, wurden ausgelacht, erzürnten sich heftig und schrien:

>*»O wie ist der Himmel so hoch*
>*und die Untreu so groß!*
>*Heut hierher und nimmermehr!«*

Sie hielten Wort und ließen sich im Lande niemals wieder sehen.

### 149. Die Zwerge auf dem Felsstein

Es war der Zwerglein Gewohnheit, sich auf einen großen Felsstein zu setzen und von da den Heuern zuzuschauen. Aber ein paar Schalke machten Feuer auf den Stein, ließen ihn glühend werden und fegten dann alle Kohlen hinweg. Am Morgen kam das winzige Volk und verbrannte sich jämmerlich; rief voll Zorn:

>*»O böse Welt, o böse Welt!«*
>*und schrie um Rache und verschwand auf ewig.*

## 150. Die Füße der Zwerge

Vor alten Zeiten wohnten die Menschen im Tal und rings um sie in Klüften und Höhen die Zwerge, freundlich und gut mit den Leuten, denen sie manche schwere Arbeit nachts verrichteten; wenn nun das Landvolk frühmorgens mit Wagen und Geräten herbeizog und erstaunte, daß alles schon getan war, steckten die Zwerge im Gesträuch und lachten hellauf. Oftmals zürnten die Bauern, wenn sie ihr noch nicht ganz zeitiges Getreide auf dem Acker niedergeschnitten fanden, aber als bald Hagel und Gewitter hereinbrach und sie wohl sahen, daß vielleicht kein Hälmlein dem Verderben entronnen sein würde, da dankten sie innig dem voraussichtigen Zwergvolk. Endlich aber verscherzten die Menschen durch ihren Frevel die Huld und Gunst der Zwerge, sie entflohen, und seitdem hat sie kein Auge wieder erblickt. Die Ursache war diese: Ein Hirt hatte oben am Berg einen trefflichen Kirschbaum stehen. Als die Früchte eines Sommers reiften, begab sich, daß dreimal hintereinander nachts der Baum geleert wurde und alles Obst auf die Bänke und Hürden getragen war, wo der Hirt sonst die Kirschen aufzubewahren pflegte. Die Leute im Dorfe sprachen: »Das tut niemand anders als die redlichen Zwerglein, die kommen bei Nacht in langen Mänteln mit bedeckten Füßen dahergetrippelt, leise wie Vögel, und schaffen den Menschen emsig ihr Tagwerk. Schon vielmal hat man sie heimlich belauscht, allein man stört sie nicht, sondern läßt sie kommen und gehen.« Durch diese Reden wurde der Hirt neugierig und hätte gern gewußt, warum die Zwerge so sorgfältig ihre Füße bärgen und ob diese anders gestaltet wären als Menschenfüße. Da nun das nächste Jahr wieder der Sommer und die Zeit kam, daß die Zwerge heimlich die Kirschen abbrachen und in den Speicher trugen, nahm der Hirt einen Sack voll Asche und streute sie rings um den Baum herum aus. Den andern Morgen mit Tagesanbruch eilte er zur Stelle hin, der Baum war richtig leer gepflückt, und er sah unten in der Asche die Spuren von vielen Gänsefüßen eingedrückt. Da lachte der Hirt und spottete, daß der Zwerge Geheimnis verraten war. Bald aber zerbrachen und verwüsteten diese ihre Häuser und flohen tiefer in die Berge hinab, grollen dem Menschengeschlecht und versagen ihm ihre Hilfe. Jener Hirt, der sie verraten hatte, wurde siech und blödsinnig fortan bis an sein Lebensende.

## 151. Die wilden Geister

Unter den vicentinischen und veronesischen Deutschen wagt's von der zweiten Hälfte des Dezember bis gegen das Ende der ersten Jännerhälfte selbst der kühnsten Jäger keiner, die Wildbahn zu besuchen. Sie fürchten den *wilden Mann* und die *Waldfrau*. Die Hirten treiben zu dieser Zeit das Vieh nicht, Kinder holen das Wasser in irdenen Gefäßen von der nächsten Quelle, und die Herden werden im Stall getränkt. Auch spinnen die Weiber der Waldfrau ein Stück Haar am Rocken und werfen es ihr ins Feuer, um sie zu versöhnen. Am Vorabend des Festes wird die Hausküche und jeder Ort, wo ein Rauchfang ist oder eine Öffnung, aus der Luft herabfährt, mit Asche bestreut. Dann achtet man auf die Fußtritte in der Asche und sieht an ihrer Lage, Größe und zumal daran, ob sie ein- oder ausgehen, welche guten oder bösen Geister das Haus besuchen.

## 152. Die Heilingszwerge

Am Fluß Eger zwischen dem Hof Wildenau und dem Schloss Aicha ragen ungeheure große Felsen hervor, die man vor alters den *Heilingsfelsen* nannte. Am Fuß derselben erblickt man eine Höhle, inwendig gewölbt, auswendig aber nur durch eine kleine Öffnung, in die man, den Leib gebückt, kriechen muß, erkennbar. Die Höhle wurde von kleinen Zwerglein bewohnt, über die zuletzt ein unbekannter, alter Mann, des Namens *Heiling*, als Fürst geherrscht haben soll. Einmal vorzeiten ging ein Weib, aus dem Dorfe Taschwitz gebürtig, am Vorabend von Peter Pauli in den Forst und wollte Beeren suchen; es wurde ihr Nacht, und sie sah neben diesem Felsen ein schönes Haus stehen. Sie trat hinein, und als sie die Tür öffnete, saß ein alter Mann an einem Tisch, schrieb emsig und eifrig. Die Frau bat um Herberge und wurde willig angenommen. Außer dem alten Mann war aber kein lebendes Wesen im ganzen Gemach, allein es rumorte heftig in allen Ecken, der Frau ward greulich und schauerlich, und sie fragte den Alten: »Wo bin ich denn eigentlich?« Der Alte versetzte, daß er Heiling heiße, bald aber auch abreisen werde, »denn zwei Drittel meiner Zwerge sind schon fort und entflohen«. Diese sonderbare Antwort machte das Weib nur noch unruhiger, und sie wollte mehr fragen, allein er gebot ihr Stillschweigen und sagte nebenbei: »Wäret Ihr nicht gerade in dieser merkwürdigen Stunde gekommen, solltet Ihr nimmer Herberge gefunden haben.« Die furchtsame Frau kroch demütig in einen Winkel und schlief sanft, und wie sie den Morgen mitten unter dem Felsstein erwachte, glaubte sie geträumt zu haben, denn nirgends war ein Gebäude da zu sehen. Froh und zufrieden, daß ihr in der gefährlichen Gegend kein Leid widerfahren sei, eilte sie nach ihrem Dorf zurück, es war alles so verändert und seltsam. Im Dorf waren die Häuser neu und anders aufgebaut, die Leute, die ihr begegneten, kannte sie nicht und wurde auch nicht von ihnen erkannt. Mit Mühe fand sie endlich die Hütte, wo sie sonst wohnte, und auch die war besser gebaut; nur dieselbe Eiche beschattete sie noch, welche einst ihr Großvater dahin gepflanzt hatte. Aber wie sie in die Stube treten wollte, ward sie von den unbekannten Bewohnern als eine Fremde von der Tür gewiesen und lief weinend und klagend im Dorfe umher. Die Leute hielten sie für wahnwitzig und führten sie vor die Obrigkeit, wo sie verhört und ihre Sache untersucht wurde; siehe da, es fand sich in den Gedenk- und Kirchenbüchern, daß grad vor hundert Jahren an ebendiesem Tag eine Frau ihres Namens, welche nach dem Forst in die Beeren gegangen, nicht wieder heimgekehrt sei und auch nicht mehr zu finden gewesen war. Es war also deutlich erwiesen, daß sie volle hundert Jahr im Felsen geschlafen hatte und die Zeit über nicht älter geworden war. Sie lebte nun ihre übrigen Jahre ruhig und sorgenlos aus und wurde von der ganzen Gemeinde anständig verpflegt zum Lohn für die Zauberei, die sie hatte erdulden müssen.

### 153. Der Abzug des Zwergvolks über die Brücke

Die kleinen Höhlen in den Felsen, welche man auf der Südseite des Harzes, besonders in einigen Gegenden der Grafschaft Hohenstein, findet und die größtenteils so niedrig sind, daß erwachsene Menschen nur hineinkriechen können, teils aber einen räumigen Aufenthaltsort für größere Gesellschaften darbieten, waren einst von Zwergen bewohnt und heißen nach ihnen noch jetzt *Zwerglöcher*. Zwischen Walkenried und Neuhof in der Grafschaft Hohenstein hatten einst die Zwerge zwei Königreiche. Ein Bewohner jener Gegend merkte einmal, daß seine Feldfrüchte alle Nächte beraubt wurden, ohne daß er den Täter entdecken konnte. Endlich ging er auf den Rat einer weisen Frau bei einbrechender Nacht an seinem Erbsenfelde auf und ab und schlug mit einem dünnen Stabe über dasselbe in die bloße Luft hinein. Es dauerte nicht lange, so standen einige Zwerge leibhaftig vor ihm. Er hatte ihnen die unsichtbar machenden Nebelkappen abgeschlagen. Zitternd fielen die Zwerge vor ihm nieder und bekannten, daß ihr Volk es sei, welches die Felder der Landesbewohner beraubte, wozu aber die äußerste Not sie zwänge. Die Nachricht von den eingefangenen Zwergen brachte die ganze Gegend in Bewegung. Das Zwergvolk sandte endlich Abgeordnete und bot Lösung für sich und die gefangenen Brüder und wollte dann auf immer das Land verlassen. Doch die Art des Abzuges erregte neuen Streit. Die Landeseinwohner wollten die Zwerge nicht mit ihren gesammelten und versteckten Schätzen abziehen lassen, und das Zwergvolk wollte bei seinem Abzug nicht gesehen sein. Endlich kam man dahin überein, daß die Zwerge über eine schmale Brücke bei Neuhof ziehen und daß jeder von ihnen in ein dorthin gestelltes Gefäß einen bestimmten Teil seines Vermögens als Abzugszoll werfen sollte, ohne daß einer der Landesbewohner zugegen wäre. Dies geschah. Doch einige Neugierige hatten sich unter die Brücke gesteckt, um den Zug der Zwerge wenigstens zu hören. Und so hörten sie denn viele Stunden lang das Getrappel der kleinen Menschen; es war ihnen, als wenn eine sehr große Herde Schafe über die Brücke ging. – Seit dieser letzten großen Auswanderung des Zwergvolks lassen sich nur selten einzelne Zwerge sehen. Doch zu den Zeiten der Elterväter stahlen zuweilen einige in den Berghöhlen zurückgebliebene aus den Häusern der Landesbewohner kleine, kaum geborene Kinder, die sie mit Wechselbälgen vertauschten.

## 154. Der Zug der Zwerge über den Berg

Auch auf der Nordseite des Harzes wohnten einst viele tausend Zwerge oder Kröpel in den Felsklüften und den noch vorhandenen Zwerglöchern. Bei Seehausen, einem magdeburgischen Städtchen, zeigt man ebenfalls solche Kröpellöcher. Aber nur selten erschienen sie den Landesbewohnern in sichtbarer Gestalt, gewöhnlich wandelten sie, durch ihre Nebelkappen geschützt, ungesehen und ganz unbemerkt unter ihnen umher. Manche dieser Zwerge waren gutartig und den Landesbewohnern unter gewissen Umständen sehr behilflich; bei Hochzeiten und Kindtaufen borgten sie mancherlei Tischgeräte aus den Höhlen der Zwerge. Nur durfte sie niemand zum Zorn reizen, sonst wurden sie tückisch und bösartig und taten dem, der sie beleidigte, allen möglichen Schaden an. In dem Tal zwischen Blankenburg und Quedlinburg bemerkte einmal ein Bäcker, daß ihm immer einige der gebackenen Brote fehlten, und doch war der Dieb nicht zu entdecken. Dieser beständig fortdauernde geheime Diebstahl machte, daß der Mann allmählich verarmte. Endlich kam er auf den Verdacht, die Zwerge könnten an seinem Unheil schuld sein. Er schlug also mit einem Geflechte von schwanken Reisern so lange um sich her, bis er die Nebelkappen einiger Zwerge traf, die sich nun nicht mehr verbergen konnten. Es wurde Lärm. Man ertappte bald noch mehrere Zwerge auf Diebereien und nötigte endlich den ganzen Überrest des Zwergvolks auszuwandern. Um aber die Landeseinwohner einigermaßen für das Gestohlene zu entschädigen und zugleich die Zahl der Auswandernden überrechnen zu können, wurde auf dem jetzt sogenannten Kirchberg bei dem Dorfe Thale, wo sonst Wendhausen lag, ein großes Gefäß hingestellt, worin jeder Zwerg ein Stück Geld werfen mußte. Dieses Faß fand sich nach dem Abzuge der Zwerge ganz mit alten Münzen angefüllt. So groß war ihre Zahl. Das Zwergvolk zog über Warnstedt (unweit Quedlinburg) immer nach Morgen zu. Seit dieser Zeit sind die Zwerge aus der Gegend verschwunden. Selten ließ sich seitdem hier und da ein einzelner sehen.

### 155. Die Zwerge bei Dardesheim

Dardesheim ist ein Städtchen zwischen Halberstadt und Braunschweig. Dicht an seiner nordöstlichen Seite fließt ein Quell des schönsten Wassers, welcher der *Smansborn* (Leßmannsborn) heißt und aus einem Berge quillt, in dem vormals die Zwerge wohnten. Wenn die ehemaligen Einwohner der Gegend ein Feierkleid oder zu einer Hochzeit ein seltenes Gerät brauchten, so gingen sie vor diesen Zwergberg, klopften dreimal an und sagten mit deutlicher, vernehmlichen Stimme ihr Anliegen, und

*frühmorgens eh die Sonne aufgeht,*
*schon alles vor dem Berge steht.*

Die Zwerge fanden sich hinlänglich belohnt, wenn ihnen etwas von den festlichen Speisen vor den Berg hingesetzt wurde. Nachher allmählich störten Streitigkeiten das gute Vernehmen des Zwergvolks und der Landeseinwohner. Anfangs auf kurze Zeit, aber endlich wanderten die Zwerge aus, weil ihnen die Neckworte und Spöttereien vieler Bauern unerträglich waren sowie der Undank für erwiesene Gefälligkeiten. Seit der Zeit sieht und hört man keine Zwerge mehr.

## 156. Schmied Riechert

Den Dardesheimer Zwergberg zieht auf der östlichen Seite ein Stück Acker hinan. Dieses Feld hatte einst ein Schmied, namens Riechert, mit Erbsen bestellt. Er bemerkte, als sie am wohlschmeckendsten waren, daß sie häufig ausgepflückt wurden. Um dem Erbsendieb aufzulauern, baute sich Riechert ein Hüttchen auf seinen Acker und wachte tags und nachts dabei; bei Tage entdeckte er keine Veränderung, aber alle Morgen sah er, daß seines Wachens unerachtet über Nacht das Feld bestohlen war. Voll Verdruß über seine mißlungene Mühe, beschloß er die noch übrigen Erbsen auf dem Acker auszudreschen. Mit Tagesanbruch begann Schmied Riechert seine Arbeit. Aber noch hatte er nicht die Hälfte der Erbsen ausgedroschen, so hörte er ein klägliches Schreien, und beim Nachsuchen fand er auf der Erde unter den Erbsen einen der Zwerge, dem er mit seinem Dreschflegel den Schädel eingeschlagen hatte und der nun sichtbar wurde, weil ihm seine Nebelkappe verlorengegangen war. Der Zwerg floh eilends in den Berg zurück.

## 157. Grinkenschmidt

In den Detterberge, drei Stunden von Mönster, do wuhrnde vor ollen Tieden en wilden Man, de hedde Grinkenschmidt, un de lag in en deip Lok unner de Erde, dat is nu ganz met Greß und Strüker bewassen; men man kann doch noch seihn, wo et west ist. In düt Lok hadde he siene Schmiede, un he mock so eislike rohre Saken, de duerden ewig, un siene Schlörter konn kien Mensk orpenkriegen sonner Schlürtel. An de Kerkendöhr to Nienberge sall auk en Schlott von em sien, do sind de Deiwe all vör west, men se könnt et nicht toschande maken. Wenn der denn ne Hochtied was, queimen de Bueren und lenden von Grinken en Spitt, do mosten se em en Broden vör gierwen. Kam auk es en Buer vör dat Lok und sede: »Grinkenschmidt, giff mi en Spitt.« – »Krigst kien Spitt, giff mi en Broden.« – »Krigst kienen Broden, holt dien Spitt.« Do word Grinken so hellig aße der to un reep: »Wahr du, dat ik kienen Broden nierme.« De Buer gonk den Berg enbilink no sien Hues, do lag sien beste Perd in en Stall, un en Been was em utrierten, dat was Grinkenschmidt sien Broden[19].

### 158. Die Hirtenjungen

Am Johannistag kamen zwei Hirtenknaben, indem sie den jungen Vögeln nachstellten, in die Gegend des Heilingsfelsen und erblickten unten an demselben eine kleine Türe offenstehen. Die Neugierde trieb sie hinein; in der Ecke standen zwei große Truhen, eine geöffnet, die andere verschlossen. In der offenen lag ein großer Haufen Geld, sie griffen hastig danach und füllten ihre Brotsäcklein voll. Darauf kam's ihnen greulich; sie eilten nach der Tür, glücklich trat der erste durch. Als aber der zweite folgte, knarrten die Angeln fürchterlich, er machte einen jähen großen Sprung nach der Schwelle, die Tür fuhr schnell zu und riß ihm noch den hölzernen Absatz seines linken Schuhes ab. So kam er noch heil davon, und sie brachten das Geld ihren erfreuten Eltern heim.

### 159. Die Nußkerne

Zwei junge Burschen, der Peter und Knipping zu Wehren im Korveischen, wollten Vogelnester suchen, der Peter aber, weil er erstaunend faul war, nachdem er sich ein wenig umgeschaut, legte sich unter einen Baum und schlief ein. Auf einmal war's

---

19 Wuhrnde, nierme, utrierten: wohnte, nehme, ausgerissen; eislike rohr: sehr rar; sonner: ohne; Spitt: Spieß; Broden: Braten; so hellig aße der to: so böse als möglich; enbilink: entlang.

ihm, als packte ihn einer an den Ohren, so daß er aufwachte und herumsah, aber niemand erblickte. Also legte er den Kopf wieder und schlief aufs neue ein. Da kam's zum zweitenmal und packte ihn an den Ohren, als er aber niemand gewahr werden konnte, schlief er zum drittenmal ein. Aber zum drittenmal ward er wieder gezupft, da war er des Dinges müde, stand auf und wollte sich einen andern Ort suchen, wo er in Ruhe liegen könnte. Auf einmal aber sah er vor sich das Fräulein von Willberg gehen, das knackte Nüsse entzwei und steckte die Schalen in die Tasche und warf die Kerne auf die Erde. Als die Nüsse zu Ende gingen, war sie verschwunden. Der Peter aber war immer hinter ihr hergegangen, hatte die Nüsse aufgelesen und gegessen. Darauf kehrte er um, suchte den Knipping und erzählte ihm alles, was er gesehen hatte. Da gingen sie nach Hause, holten noch andere zu Hilfe und fingen an, da, wo das Fräulein verschwunden war, zu graben, und kamen da auf eine alte Küche, darin noch altes Kochgerät stand, endlich in einen Keller mit Tonnen voll Geld. Sie nahmen so viel, als sie tragen konnten, und wollten den andern Tag wiederkommen, aber alles war fort, und sie konnten die Stätte gar nicht wiederfinden, sie mochten suchen, wo sie wollten. Der Peter baute sich von seinem Geld ein Haus, darin er noch lebt.

### 160. Der Soester Schatz

Im Dreißigjährigen Krieg befand sich unweit der Stadt Soest in Westfalen ein altes Gemäuer, von dem die Sage ging, daß darin eine eiserne Truhe voll Geldes wäre, welche ein schwarzer Hund hütete samt einer verfluchten Jungfrau. Nach der Erzählung der Großeltern werde einstens ein fremder Edelmann ins Land kommen, die Jungfrau erlösen und mit einem feurigen Schlüssel den Kasten eröffnen. Mehrere fahrende Schüler und Teufelsbanner hätten sich bei Mannsgedenken dahin begeben, um zu graben, wären aber so seltsam empfangen und abgewiesen worden, daß es seither niemand weiter gelüstet; besonders nach ihrer Eröffnung, daß der Schatz keinem zuteil werden könne, der nur ein einziges Mal Weibermilch getrunken. Vor kurzer Zeit noch wäre ein Mägdlein aus ihrem Dorf nebst etlichen Geißen an den Ort zu weiden gewesen, und als deren eine sich in das Gemäuer verlaufen, nachgefolgt. Da sei eine Jungfrau inwendig im Hof gewesen und habe es angeredet, was es da zu schaffen. Auch nach erhaltenem Bescheid, auf ein Körblein Kirschen weisend, weiter gesagt: »So gehe und nimm dort von dem, was du vor dir siehst, mitsamt deiner Geiß, komm aber nicht wieder noch sieh dich um, damit dir nichts Arges geschehe!« Darauf habe das erschrockene Kind sieben Kirschen ertappt und sei in Angst aus der Mauer gekommen; die Kirschen seien aber sogleich zu Geld geworden.

## 161. Das quellende Silber

Im Februar des Jahrs 1605, unter dem Herzog Heinrich Julius von Braunschweig, trug sich zu, daß eine Meile Wegs von Quedlinburg, *Zum Tal* genannt, ein armer Bauer seine Tochter in den nächsten Busch schickte, Brennholz aufzulesen. Das Mädchen nahm dazu einen Tragkorb und einen Handkorb mit, und als es beide angefüllt hatte und nach Hause gehen wollte, trat ein weißgekleidetes Männlein zu ihm hin und fragte: »Was trägst du da?« – »Aufgelesenes Holz«, antwortete das Mädchen, »zum Heizen und Kochen.« – »Schütte das Holz aus«, sprach weiter das Männlein, »nimm deine Körbe und folge mir; ich will dir etwas zeigen, das besser und nützlicher ist als das Holz.« Nahm es dabei an der Hand, führte es zurück an einen Hügel und zeigte ihm einen Platz, etwa zweier gewöhnlichen Tische breit, ein schön lauter Silber von kleiner und großer Münze von mäßiger Dicke, darauf ein Bild, wie eine Maria gestaltet, und ringsherum ein Gepräge von uralter Schrift. Als dieses Silber in großer Menge gleichsam aus der Erde hervorquoll, entsetzte sich das Mägdlein davor und wich zurück; wollte auch nicht seinen Handkorb von Holz ausschütten. Hierauf tat's das weiße Männlein selbst, füllte ihn mit dem Geld und gab ihn dem Mägdlein und sprach: »Das wird dir besser sein als Holz.« Es nahm ihn voll Bestürzung, und als das Männlein begehrte, es sollte auch seinen Tragkorb ausschütten und Silber hineinfassen, wehrte es ab und sprach: es müsse auch Holz mit heimbringen, denn es wären kleine Kinder daheim, die müßten eine warme Stube haben, und dann müßte auch Holz zum Kochen dasein. Damit war das Männlein zufrieden und sprach: »Nun, so ziehe damit hin«, und verschwand darauf.

Das Mädchen brachte den Korb voll Silber nach Hause und erzählte, was ihm begegnet war. Nun liefen die Bauern haufenweise mit Hacken und anderm Gerät in das Wäldchen und wollten sich ihren Teil vom Schatz auch holen, aber niemand konnte den Ort finden, wo das Silber hervorgequollen war.

Der Fürst von Braunschweig hat sich von dem geprägten Silber ein Pfund holen lassen, so wie sich auch ein Bürger aus Halberstadt, N. Everkan, eins gelöst.

## 162. Goldsand auf dem Untersberg

Im Jahre 1753 ging ein ganz mittelloser, beim Hofwirt zu St. Zeno stehender Dienstknecht, namens Paul Mayr, auf den Berg. Als er unweit dem Brunnental fast die halbe Höhe erreicht hatte, kam er zu einer Steinklippe, worunter ein Häuflein Sand lag. Weil er schon so manches gehört hatte und nicht zweifelte, daß es Goldsand wäre, füllte er sich alle Taschen damit und wollte vor Freude nach Hause gehen; aber in dem Augenblick stand ein fremder Mann vor seinem Angesicht und sprach: »Was trägst du da?« Der Knecht wußte vor Schrecken und Furcht nichts zu antworten, aber der fremde Mann ergriff ihn, leerte ihm die Taschen aus und sprach: »Jetzt gehe nimmer den alten Weg zurück, sondern einen andern, und sofern du dich hier wieder sehen läßt, wirst du nicht mehr lebend davonkommen.« Der gute Knecht ging heim, aber das Gold reizte ihn so, daß er beschloß, den Sand noch einmal zu suchen, und einen guten Gesellen mitnahm. Es war aber alles umsonst, und dieser Ort ließ sich nimmermehr finden.

Ein andermal verspätete sich ein Holzmeister auf dem Berg und mußte in einer Höhle die Nacht zubringen. Anderen Tages kam er zu einer Steinklippe, aus welcher ein glänzend schwerer Goldsand herabrieselte. Weil er aber kein Geschirr bei sich hatte, ging er ein andermal hinauf und setzte das Krüglein unter. Und als er mit dem angefüllten Krüglein hinwegging, sah er unweit dieses Orts eine Tür sich öffnen, durch die er schaute, und da kam es ihm natürlich vor, als sehe er in den Berg hinein und darin eine besondere Welt mit einem Tageslicht, wie wir es haben. Die Tür blieb aber kaum eine Minute lang offen; wie sie zuschlug, hallte es in den Berg hinein wie in ein großes Weinfaß. Dieses Krüglein hat er sich allzeit angefüllt nach Hause tragen können, nach seinem Tode aber ist an dem Gold kein Segen gewesen. Jene Tür hat in folgender Zeit niemand wieder gesehen.

## 163. Goldkohlen

Im Jahre 1753 ging von Salzburg eine Kräutelbrockerin auf den Wunderberg; als sie eine Zeitlang auf demselben herumgegangen war, kam sie zu einer Steinwand, da lagen Brocken, grau und schwarz, so wie Kohlen. Sie nahm davon etliche zu sich, und als sie nach Hause gekommen, merkte sie, daß in solchen klares Gold vermischt war. Sie kehrte alsbald wieder zurück auf den Berg, mehr davon zu holen, konnte aber alles Suchens ungeachtet den Ort nicht mehr finden.

## 164. Der Brunnen zu Steinau

Im Jahre 1271 waren dem Abt Berold zu Fulda seine eigenen Untertanen feind und verschworen sich wider sein Leben. Als er einmal in der St.-Jakobs-Kapelle Messe las, überfielen ihn die Herren von Steinau, von Eberstein, Albrecht von Brandau, Ebert von Spala und Ritter Konrad und erschlugen ihn. Bald danach wurden die Räuber selbdreißig, mit zwanzig Pferden, zu Hasselstein auf dem Kirchenraub betrappt, mit dem Schwert hingerichtet und ihre Wohnungen zerbrochen. Dieser Tat halber haben die Herren von Steinau in ihrem Wappen hernachmals drei Räder mit drei Schermessern führen müssen, und an der Stätte, da sie das Verbündnis über den Abt gemacht, nämlich bei Steinau (an der Straße im Hanauischen[20]) an einem Brunnen auf einem Rasen, wächst noch zur Zeit kein Gras.

### 165. Die fünf Kreuze

Vor dem Klaustor in Höxter, welches nach Pyrmont führt, gleich linker Hand, stehen an dem Weg fünf alte Steine, welche die fünf Kreuze heißen, vermutlich weil es versunkene Kreuze sind. Nun geht die Sage, es seien fünf Hünen dabei erschlagen worden: nach andern fünf Grafen von Reischach; wieder nach andern sind fünf Bürger von Tilly im Dreißigjährigen Krieg aufgehängt worden.

### 166. Der Schwerttanz zu Weißenstein

Unfern Marburg auf dem Wege nach Wetter liegt ein Dorf Wehre und dabei ein spitzer Berg, auf dem vor alten Zeiten eine Raubburg gestanden haben soll, genannt der *Weißenstein*, und Trümmer davon sind noch übrig. Aus diesem Schloß wurde den Umliegenden großer Schaden zugefügt, allein man konnte den Räubern nicht beikommen, wegen der Feste der Mauer und Höhe des Bergs. Endlich verfielen die Bauern aus Wehre auf eine List. Sie versahen sich heimlich mit allerhand Wehr und Waffen, gingen zum Schloß hinauf und gaben den Edelleuten vor, daß sie ihnen einen Schwerttanz[21] bringen wollten. Unter diesem Schein wurden sie eingelassen; da entblößtem sie ihre Waffen und hieben das Raubvolk tapfer nieder, bis sich die

---

20 Wahrscheinlicher Steinau an der Haun, stundenweit von Fulda.
21 Die Sitte des hessischen Schwerttanzes samt dem Lied der Schwerttänzer wird anderswo mitgeteilt werden.

Edelleute auf Gnaden ergaben und von den Bauern samt der Burg ihrem Landesfürsten überliefert wurden.

### 167. Der Steintisch zu Bingenheim

In dem hessischen Ort Bingenheim in der Wetterau wurden ehemals vor dem Rathaus unter der Linde jährlich drei Zentgerichte gehalten, wozu sich viel vornehmer Adel, der in der fuldischen Mark angesessen war, leiblich einfand. Unter der Linde stand ein steinerner Tisch, von dem erzählt wurde, er sei aus dem Hohen Berg, einem gegen Staden hin gelegenen Wald, dahin gebracht worden. In diesem Wald hätten früherhin wilde Leute gehaust, deren Handgriffe man noch in den Steinen sähe und von denen sich noch drei ausgehöhlte Steinsitze vorfänden. Im Jahr 1604 bei Sommerszeit habe man in gedachtem Wald an hellem Tag drei Leute in weißer Gestalt umwandern sehen.

## 168. Der lange Mann in der Mordgasse zu Hof

Vor diesem Sterben (der Pest zu Hof im Jahr 1519) hat sich bei Nacht ein großer, schwarzer, langer Mann in der Mordgasse sehen lassen, welcher mit seinen ausgebreiteten Schenkeln die zwei Seiten der Gassen betreten und mit dem Kopf hoch über die Häuser gereicht hat; welchen meine Ahnfrau Walburg Widmännin, da sie einen Abend durch gedachte Gasse gehen müssen, selbst gesehen, daß er den einen Fuß bei der Einfurt des Wirtshauses, den andern gegenüber auf der andern Seite bei dem großen Haus gehabt. Als sie aber vor Schrecken nicht gewußt, ob sie zurück- oder fortgehen sollen, hat sie es in Gottes Namen gewagt, ein Kreuz vor sich gemacht und ist mitten durch die Gasse und also zwischen seinen Beinen hindurchgegangen, weil sie ohne das besorgen müssen, solch Gespenst möchte ihr nacheilen. Da sie kaum hindurchgekommen, schlägt das Gespenst seine beiden Beine hinter ihr so hart zusammen, daß sich ein solch großes Geprassel erhebt, als wenn die Häuser der ganzen Mordgasse einfielen. Es folgte darauf die große Pest und fing das Sterben in der Mordgasse am ersten an.

## 169. Krieg und Frieden

Im Jahre 1644, am 18. August, zog Kurfürst Johann Georg I. an der Stadt Chemnitz vorbei. Da fingen seine Leute in dem Gehölz der Gegend ein wildes Weiblein, das nur eine Elle groß, sonst aber recht menschlich gestaltet war. Angesicht, Hände und Füße waren glatt, aber der übrige Leib rauch. Es fing an zu reden und sagte: »Ich verkündige und bringe den Frieden im Lande.« Der Kurfürst befahl, man sollte es wieder frei gehen lassen, weil vor etwa fünfundzwanzig Jahren auch ein Männlein von gleicher Gestalt gefangen worden, welches den Unfrieden und Krieg verkündigt.

### 170. Rodensteins Auszug

Nahe an dem zum gräflich erbachischen Amt Reichenberg gehörigen Dorf Oberkainsbach, unweit dem Odenwald, liegen auf einem Berg die Trümmer des alten Schlosses Schnellerts; gegenüber eine Stunde davon, in der Rodsteiner Mark, lebten ehemals die Herren von Rodenstein, deren männlicher Stamm erloschen ist. Noch sind die Ruinen ihres alten Raubschlosses zu sehen.

Der letzte Besitzer desselben hat sich besonders durch seine Macht, durch die Menge seiner Knechte und des erlangten Reichtums berühmt gemacht; von ihm geht folgende Sage: Wenn ein Krieg bevorsteht, so zieht er von seinem gewöhnlichen Aufenthaltsort Schnellerts bei grauender Nacht aus, begleitet von seinem Hausgesind und schmetternden Trompeten. Er zieht durch Hecken und Gesträuche, durch die Hofraite und Scheune Simon Daums zu Oberkainsbach bis nach dem Rodenstein, flüchtet gleichsam, als wolle er das Seinige in Sicherheit bringen. Man hat das Knarren der Wagen und ein Hoho-Schreien, die Pferde anzutreiben, ja selbst die einzelnen Worte gehört, die einherziehendem Kriegsvolk vom Anführer zugerufen werden und womit ihm befohlen wird. Zeigen sich Hoffnungen zum Frieden, dann kehrt er in gleichem Zuge vom Rodenstein nach dem Schnellerts zurück, doch in ruhiger Stille, und man kann dann gewiß sein, daß der Frieden wirklich abgeschlossen wird[22]. Ehe

---

[22] Bei dem erbachischen Amt Reichenberg zu Reichelsheim hat man viele Personen deshalb abgehört; die Protokolle fangen mit dem Jahre 1742 an und endigen mit 1764. Im Juli 1792 war ein Auszug. Im Jahre 1816 erneuern sich in der Rheingegend ähnliche Gerüchte und Aussagen. Einige nennen statt des Rodensteiners den Lindenschmied, von dem das bekannte Volkslied anhebt: »Es ist noch nicht lang, daß es geschah, daß man den Lindenschmied reiten sah auf seinem hohen Rosse, er ritt den Rheinstrom auf

Napoleon im Frühjahr 1815 landete, war bestimmt die Sage, der Rodensteiner sei wieder in die Kriegburg ausgezogen.

## 171. Der Tannhäuser

Der edle Tannhäuser, ein deutscher Ritter, hatte viele Länder durchfahren und war auch in Frau Venus' Berg zu den schönen Frauen geraten, das große Wunder zu schauen. Und als er eine Weile darin gehaust hatte, fröhlich und guter Dinge, trieb ihn endlich sein Gewissen, wieder herauszugehen in die Welt, und begehrte Urlaub. Frau Venus aber bot alles auf, um ihn wanken zu machen: sie wolle ihm eine ihrer Gespielen geben zum ehelichen Weibe, und er möge gedenken an ihren roten Mund, der lache zu allen Stunden. Tannhäuser antwortete, kein ander Weib gehre er, als die er sich in den Sinn genommen, wolle nicht ewig in der Hölle brennen, und gleichgültig sei ihm ihr roter Mund, könne nicht länger bleiben, denn sein Leben wäre krank geworden. Und da wollte ihn die Teufelin in ihr Kämmerlein locken, der Minne zu pflegen, allein der edle Ritter schalt sie laut und rief die himmlische Jungfrau an, daß sie ihn scheiden lassen mußte. Reuevoll zog er die Straße nach Rom zu Papst Urban, dem wollte er alle seine Sünden beichten, damit ihm Buße aufgelegt würde und seine Seele gerettet wäre. Wie er aber beichtete, daß er auch ein ganzes Jahr bei Frauen Venus im Berg gewesen, da sprach der Papst: »Wenn der dürre Stecken grünen wird, den ich in der Hand halte, sollen dir deine Sünden verziehen sein, und nicht anders.« Der Tannhäuser sagte: »Und hätte ich nur noch ein Jahr leben sollen auf Erden, so wollte ich solche Reue und Buße getan haben, daß sich Gott erbarmt hätte;« und vor Jammer und Leid, daß ihn der Papst verdammte, zog er wieder

---

und ab, hat's gar wohl genossen.« Andere sagen, daß Schnellert aus seiner Burg nach dem Rodenstein auszöge, um seinen geschworen Todfeind, den Rodensteiner, auch noch als Geist zu befehden. – Eine Abbildung der Ruine Rodenstein vor Theodor von Haupts »Ährenlese aus der Vorzeit«, 1816. Daselbst der Schnellertsgeist als Kriegs- und Friedensherold nach amtlichen Berichten und Zeugenaussagen, Seite 281 bis 316.

fort aus der Stadt und von neuem in den teuflischen Berg, ewig und immerdar drinnen zu wohnen. Frau Venus aber hieß ihn willkommen, wie man einen lang abwesenden Buhlen empfängt; danach wohl auf den dritten Tag hub der Stecken an zu grünen, und der Papst sandte Botschaft in alle Land, sich zu erkundigen, wohin der edle Tannhäuser gekommen wäre. Es war aber nun zu spät, er saß im Berg und hatte sich sein Lieb erkoren, daselbst muß er nun sitzen bis zum Jüngsten Tag, wo ihn Gott vielleicht anderswohin weisen wird. Und kein Priester soll einem sündigen Menschen Mißtrost geben, sondern verzeihen, wenn er sich anbietet zu Buß und Reue.

## 172. Der wilde Jäger Hackelberg[23]

Vorzeiten soll im Braunschweiger Land ein Jägermeister gewesen sein, *Hackelberg* genannt, welcher zum Waidwerk und Jagen solche große Lust getragen, daß, da er jetzt an seinem Todbett lag und vom Jagen so ungern abgeschieden, er von Gott soll begehrt und gebeten haben (ohnzweifelig aus Ursache seines christlichen und gottseligen Lebens halber, so er bisher geführt), daß er für sein Teil Himmelreich bis zum Jüngsten Tag am Solling möcht jagen. Auch deswegen in ermeldete Wildnis und Wald sich zu begraben befohlen, wie geschehen. Und wird ihm sein gottloser, ja teuflischer Wunsch verhängt, denn viermal wird ein greulich und erschrecklich Hornblasen und Hundegebell die Nacht gehört: jetzt hie, ein andermal anderswo in dieser Wildnis, wie mich diejenigen, die solch Gefährd auch selbst angehört, berichtet. Zudem soll es gewiß sein, daß, wenn man nachts ein solch Jagen vermerkt und am folgenden Tag gejagt wird, einer ein Arm, Bein, wo nicht den Hals gar bricht, oder sonst ein Unglück sich zuträgt.

Ich bin selbst (ist mir recht im Jahr 1558), als ich von Einbeck

---

23 Im Hackel? Der Hackel: Ein Forst unweit Halberstadt bei der alten Dornburg. Vgl. Nr. 312.

übern Solling nach Ußlar geritten und mich verirrte, auf des Hackelbergers Grab ungefähr gestoßen. War ein Platz wie eine Wiese, doch von unartigem Gewächs und Schilf in der Wildnis, etwas länger denn breit, mehr denn ein Acker zu achten; darauf kein Baum sonst stand wie um die Ende. Der Platz kehrte sich mit der Länge nach Aufgang der Sonne, und am Ende lag die Zwerch, ein erhabener roter (ich halt Wacken-) Stein, bei acht oder neun Schuhen lang und fünfe, wie mich deuchte, breit. Er war aber nicht, wie ein anderer Stein, gegen Osten, sondern mit dem einen Vorhaupt gegen Süden, mit dem andern gegen Norden gekehrt.

Man sagte mir, es vermochte niemand dieses Grab aus Vorwitz oder mit Fleiß, wie hoch er sich des unterstünde, zu finden, käme aber jemand ungefähr, lägen etliche greuliche schwarze Hunde daneben. Solches Gespensts und Wusts ward ich aber im geringsten nicht gewahr, sonst hatte ich wenig Haare meines Haupts, die nicht emporstiegen.

### 173. Der wilde Jäger und der Schneider

Ein Schneider saß einmal auf seinem Tisch am Fenster und arbeitete, da fuhr der wilde Jäger mit seinen Hunden über das Haus her, und das war ein Lärmen und Bellen, als wenn die Welt verginge. Man sagt sonst den Schneidern nach, sie seien furchtsam, aber dieser war es nicht, denn er spottete des wilden Jägers und schrie: »Huhu, huhu, kliffklaff, kliffklaff!« und hetzte die Hunde noch mehr an; da kam aber ein Pferdefuß ins Fenster hereingefahren und schlug den Schneider vom Tische herab, daß er wie tot niederfiel. Als er wieder zur Besinnung kam, hörte er eine fürchterliche Stimme:

> *»Wust du met mi jagen,*
> *dan sost du auk met mi knagen!«*

Ich weiß gewiß, er wird nie wieder den wilden Jäger geneckt haben.

## 174. Der Höselberg[24]

Im Lande zu Thüringen nicht fern von Eisenach liegt ein Berg, genannt der *Höselberg*, worin der Teufel haust und zu dem die Hexen wallfahrten. Zuweilen erschallt jämmerliches Heulen und Schreien her daraus, das die Teufel und armen Seelen ausstoßen; im Jahre 1398 am hellen Tag erhoben sich bei Eisenach drei große Feuer, brannten eine Zeitlang in der Luft, taten sich zusammen und wieder voneinander und fuhren endlich alle drei in diesen Berg. Fuhrleute, die ein andermal mit Wein vorbeigefahren kamen, lockte der böse Feind mit einem Gesicht hinein und wies ihnen etliche bekannte Leute, die bereits in der höllischen Flamme saßen.

Die Sage erzählt: Einmal habe ein König von England mit seiner Gemahlin, namens Reinschweig, gelebt, die er aus einem geringen Stand, bloß ihrer Tugend willen, zur Königin erhoben. Als nun der König gestorben war, den sie aus der Maßen lieb hatte, wollte sie ihrer Treu an ihm nicht vergessen, sondern gab Almosen und betete für die Erlösung seiner Seele. Da war gesagt, daß ihr Herr sein Fegefeuer zu Thüringen im Höselberg hätte, also zog die fromme Königin nach Deutschland und baute sich unten am Berg eine Kapelle, um zu beten, und ringsumher entstand ein Dorf. Da erschienen ihr die bösen Geister, und sie nannte den Ort *Satansstedt*, woraus man nach und nach *Sattelstedt* gemacht hat.

## 175. Des Rechenbergers Knecht

Es sagte im Jahre 1520 Herr Hans von Rechenberg im Beisein Sebastian Schlichs und anderer viel ehrlicher und rechtlicher Leute, wie seinem Vater und ihm ein Knecht zur Zeit, da König

---

24 Man findet gleichbedeutend: Horsel-, Hursel-, Hosel-, Oselberg. Die eigentliche Ableitung von Ursel, Usel (favilla) liegt nahe. Man hat auch Hieselberg. Die Hörsel, ein Flüßchen, fällt in die Werra und heißt beim Ursprung Leine.

Matthias in Ungarn gegen die Türken gestritten, treulich und wohl gedient hätte viele Jahre, so daß sie nie einen besseren Knecht gehabt. Auf eine Zeit aber ward ihm Botschaft an einen großen Herrn auszurichten vertrauet, und da Herr Hans meinte, der Knecht wäre längst hinweg, ging er von ohngefähr in den Stall, da fand er den Knecht auf der Streu bei den Pferden liegen und schlafen, ward zornig und sprach, wie das käme. Der Knecht stand auf und zog einen Brief aus dem Busen, sagte: »Da ist die Antwort.« Nun war der Weg ferne und unmöglich einem Menschen, daß er da sollte gewesen sein. Dabei ward der Knecht erkannt, daß es ein Geist gewesen wäre. Bald nach diesem wurde er auf eine Zeit bedrängt von den Feinden, da hob der Knecht an: »Herr, erschreckt nicht, gebt eilends die Flucht, ich aber will zurückreiten und Kundschaft von den Feinden nehmen.« Der Knecht kam wieder, klingelte und klapperte feindlich in seinen vollgepfropften Taschen. »Was hast du da?« sprach der Herr. »Ich hab allen ihren Pferden die Eisen abgebrochen und weggenommen, die bring ich hier.« Damit schüttete er die Hufeisen aus, und die Feinde konnten Herrn Hansen nicht verfolgen.

Herr Hans von Rechenberg sagte auch, der Knecht wäre zuletzt weggekommen, niemand wüßte, wohin, nachdem man ihn erkannt hätte.

Kirchhof, welcher von einem andern Edelmann, der sich aus dem Stegreif ernährt, die Sage erzählt, hat noch folgende Züge: Einmal ritt sein Herr fort und befahl ihm ein Pferd, das ihm sehr lieb war; er sollte dessen fleißig warten. Als der Junker weg war, führte der Knecht das Pferd auf einen hohen Turm, höher denn zehn Stufen; wie aber der Herr wiederkam, vernahm und kannte es ihn im Hineintreten, steckte den Kopf oben im Turm zum Fenster hinaus und fing an zu schreien, daß er sich gar sehr verwunderte und es mit Stricken und Seilen mußte vom Turm herablassen.

Auf eine andere Zeit lag der Edelmann um eines Totschlags willen gefangen und rief den Knecht an, daß er ihm hülfe.

Sprach der Knecht: »Obschon es schwer ist, will ich's doch tun, doch müßt Ihr nicht viel mit den Händen vor mir flattern und Schirmstreich brauchen.« Damit meinte er ein Kreuz vor sich machen, und sich segnen. Der Edelmann sprach, er sollte fortfahren, er wollte sich damit recht halten. Was geschah? Er nahm ihn mit Ketten und Fesseln, führte ihn in der Luft daher; wie sich aber der Edelmann in der Höhe fürchtet und schwindelt und rief: »Hilf Gott, hilf! Wo bin ich!« ließ er ihn herunter in einen Pfuhl fallen, kam heim und zeigte es der Frau an, daß sie ihn holen und heilen ließ, wie sie tat.

## 176. Geisterkirche

Um das Jahr 1516 hat sich eine wunderbare, doch wahrhaftige Geschichte in der St.-Lorenz-Kirche und auf desselben Kirchhof zugetragen. Als eine andächtige, alte, fromme Frau ihrer Gewohnheit nach einsmals frühmorgens vor Tag hinaus gen St. Lorenz in die Engelmesse gehen wollte, in der Meinung, es sei die rechte Zeit, kommt sie um Mitternacht vor das obere Tor, findet es offen und geht also hinaus in die Kirche, wo sie dann einen alten, unbekannten Pfaffen die Messe vor dem Altar verrichten sieht. Viele Leut, mehrersteils unbekannte, sitzen hin und wieder in den Stühlen zu beiden Seiten, einesteils ohne Kopf, auch unter denselben etliche, die unlängst verstorben waren und die sie in ihrem Leben wohlgekannt hatte.

Das Weib setzt sich mit großer Furcht und Schrecken in der Stühle einen und, weil sie nichts denn verstorbene Leute, bekannte und unbekannte, sieht, vermeint, es wären der Verstorbenen Seelen; weiß auch nicht, ob sie wieder aus der Kirche gehen oder drinnen bleiben soll, weil sie viel zu früh gekommen wäre, und Haut und Haar ihr zu Berge steigen. Da geht eine aus dem Haufen, welche bei Leben, wie sie meinte, ihre Gevatterin gewesen und vor drei Wochen gestorben war, ohne Zweifel ein guter Engel Gottes, hin zu ihr, zupft sie bei der Kursen (Mantel), beutet ihr einen guten Morgen und spricht: »Ei, liebe Gevatterin, behüt uns der allmächtige Gott, wie kommt Ihr daher? Ich bitte Euch um Gottes und seiner lieben Mutter willen, habt eben acht auf, wenn der Priester wandelt und segnet, so lauft, wie Ihr laufen könnt, und seht Euch nur nicht um, es kostet Euch sonst Euer Leben.« Darauf sie, als der Priester wandeln will, aus der Kirche geeilt, sosehr sie gekonnt, und hat hinter ihr ein gewaltig Prasseln, als wenn die ganze Kirche einfiele, gehört, ist ihr auch alles Gespenst aus der Kirche nachgelaufen und hat sie noch auf dem Kirchhof erwischt, ihr auch die Kursen (wie die Weiber damals trugen) vom Hals gerissen, welche sie dann hinter sich gelassen, und ist sie also unversehrt davonkommen und entronnen. Da sie nun wiederum zum obern Tor kommt und herein in die Stadt gehen will, findet sie es noch verschlossen, dann es etwa um ein Uhr nach Mitternacht gewesen: mußt deswegen wohl bei dreien Stunden in einem Haus verharren, bis das Tor geöffnet wird, und kann hieraus vermerken, daß kein guter Geist ihr zuvor durch das Tor geholfen habe und daß die Schweine, die sie anfangs vor dem Tor gesehen und gehört, gleich als wenn es Zeit wäre, das Vieh auszutreiben, nichts anders denn der leidige Teufel gewesen. Doch weil es ein beherztes Weib ohnedas gewesen und sie dem Unglück entgangen, hat sie sich des Dings nicht mehr angenommen, sondern ist zu Hause und am Leben unbeschädigt geblieben, obwohl sie wegen des eingenommenen Schreckens zwei Tage zu Bett hat liegen müssen. Denselben Morgen aber, da ihr solches zuhanden gestoßen, hat sie, als es nun Tag geworden, auf den Kirchhof hinausgeschickt und nach ihrer Kursen, ob dieselbe noch vorhanden, umsehen und suchen lassen; da ist dieselbe zu kleinen Stücklein zerrissen gefunden worden, so daß auf jedem Grabe ein kleines Flecklein gelegen, darob sich die Leut, die haufenweise deshalb hinaus auf den Kirchhof liefen, nicht wenig wunderten.

Diese Geschichte ist unsern Eltern sehr wohl bekannt gewesen, da man nicht allein hier in der Stadt, sondern auch auf dem Land in den benachbarten Orten und Flecken davon zu sagen gewußt, wie dann noch heute Leute gefunden werden, die es vor der Zeit von ihren Eltern gehört und vernommen haben. –

Nach mündlichen Erzählungen hat es sich in der Nacht vor dem Allerseelentag zugetragen, an welchem die Kirche feierlich das Gedächtnis der abgeschiedenen Seelen begeht. Als die Messe zu Ende ist, verschwindet plötzlich alles Volk aus der Kirche, so voll sie vorher war, und sie wird ganz leer und finster. Sie sucht ängstlich den Weg zur Kirchentür, und wie sie heraustritt, schlägt die Glocke im Turm ein Uhr, und die Tür fährt mit solcher Gewalt gleich hinter ihr zu, daß ihr schwarzer Regenmantel eingeklemmt wird. Sie läßt ihn, eilt fort, und als sie am Morgen kommt, ihn zu holen, ist er zerrissen, und auf jedem Grabhügel liegt ein Stücklein davon.

## 177. Geistermahl

Als König Friedrich III. von Dänemark eine öffentliche Zusammenkunft nach Flensburg ausgeschrieben, trug sich zu, daß ein dazu herbeigereister Edelmann, weil er spät am Abend anlangte, in dem Gasthaus keinen Platz finden konnte. Der Wirt sagte ihm, alle Zimmer wären besetzt bis auf ein einziges großes; darin aber die Nacht zuzubringen wolle er ihm selbst nicht anraten, weil es nicht geheuer und Geister darin ihr Wesen trieben. Der Edelmann gab seinen unerschrockenen Mut lächelnd zu erkennen und sagte, er fürchte keine Gespenster und begehre nur ein Licht, damit er, was sich etwa zeige, besser sehen könne. Der Wirt brachte ihm das Licht, welches der Edelmann auf den Tisch setzte und sich mit wachenden Augen versichern wollte, daß Geister nicht zu sehen wären. Die Nacht war noch nicht halb herum, als es anfing im Zimmer hier und dort sich zu regen und rühren, und bald ein Rascheln über das andere sich hören ließ. Er hatte anfangs Mut, sich wider den anschauernden Schrecken festzuhalten, bald aber, als das Geräusch immer wuchs, ward die Furcht Meister, so daß er zu zittern anfing, er mochte widerstreben, wie er wollte. Nach diesem Vorspiel von Getöse und Getümmel kam durch einen Kamin, welcher im Zimmer war, das Bein eines Menschen herabgefallen, bald auch ein Arm, dann Leib, Brust und alle Glieder, zuletzt, wie nichts mehr fehlte, der Kopf. Alsbald setzten sich die Teile nach ihrer Ordnung zusammen, und ein ganz menschlicher Leib, einem Hofdiener ähnlich, hob sich auf. Jetzt fielen immer mehr und mehr Glieder herab, die sich schnell zu menschlicher Gestalt vereinigten, bis endlich die Tür des Zimmers aufging und der helle Haufen eines völligen königlichen Hofstaats eintrat.

Der Edelmann, der bisher wie erstarrt am Tisch gestanden, als er sah, daß der Zug sich näherte, eilte zitternd in einen Winkel des Zimmers; zur Tür hinaus konnte er vor dem Zuge nicht.

Er sah nun, wie mit ganz unglaublicher Behendigkeit die Geister eine Tafel deckten, alsbald köstliche Gerichte herbeitrugen und silberne und goldene Becher aufsetzten. Wie das geschehen war, kam einer zu ihm gegangen und begehrte, er solle sich als ein Gast und Fremdling zu ihnen mit an die Tafel setzen und mit ihrer Bewirtung vorliebnehmen. Als er sich weigerte, ward ihm ein großer silberner Becher dargereicht, daraus Bescheid zu tun. Der Edelmann, der vor Bestürzung sich nicht zu fassen wußte, nahm den Becher, und es schien auch, als würde man ihn sonst dazu nötigen, aber als er ihn ansetzte, kam ihn ein so innerliches, Mark und Bein durchdringendes Grausen an, daß er Gott um Schutz und Schirm laut anrief. Kaum hatte er das Gebet gesprochen, so war in einem Augenblick alle Pracht, Lärm und das ganze glänzende Mahl mit den herrlich scheinenden stolzen Geistern verschwunden.

Indessen blieb der silberne Becher in seiner Hand, und wenn auch alle Speisen verschwunden waren, blieb doch das silberne Geschirr auf der Tafel stehen, auch das eine Licht, das der Wirt ihm gebracht. Der Edelmann freute sich und glaubte, das alles sei ihm gewonnenes Eigentum, allein der Wirt tat Einspruch, bis es dem König zu Ohren kam, welcher erklärte, daß das Silber ihm heimgefallen wäre und es zu seinen Händen nehmen ließ.

Woher es gekommen, hat man nicht erfahren können, da auch nicht, wie gewöhnlich, Wappen und Namen eingegraben war.

## 178. Der Dachdecker

Ein junger Dachdecker sollte sein Meisterstück machen und auf der Spitze eines glücklich fertigen Turms die Rede halten. Mitten im Spruch aber fing er an zu stocken und rief plötzlich seinem unten unter vielem Volk stehenden Vater zu: »Vater, die Dörfer, Berge und Wälder dort, die kommen zu mir her!« Da fiel der Vater sogleich nieder auf die Knie und betete für die Seele seines Sohnes und ermahnte die Leute, ein gleiches zu tun. Bald auch stürzte der Sohn tot herab. – Es soll auch nach ihren Rechten dem Vater zukommen, wenn der Sohn das erstemal vor ihm aufsteigt und anfängt irr zu reden, ihn gleich zu fassen und selbst herabzuwerfen, damit er im Sturz nicht selbst mitgerissen wird.

## 179. Die Spinnerin am Kreuz

Dicht bei Wien, wenn man die Vorstadt Landstraße hinausgeht, steht ein steinernes, gut gearbeitetes Heiligenbild, unbedenklich über zwei Jahrhunderte alt. Davon geht die Sage: Eine arme Frau habe zu Gottes Ehren dieses Heiligtum wollen aufrichten lassen und so lang gesponnen, bis sie für ihren Verdienst nach und nach das zum Bau nötige Geld zusammengebracht[25].

Zwischen Calw und Zabelstein steht an der Straße ein steinernes Kreuz, worin ein Spinnrocken und die Jahreszahl 1447 gehauen ist. Ein siebzigjähriger Mann erzählte, einst von einem Hundertjährigen gehört zu haben, es wäre eine arme Spinnerin gewesen, allda im greulich tiefen Schnee erstickt.

---

25 Diz ist ein mere, wie eine arme spinnerin mit einem helbeling ein munster eines koniges vollbracht. Colocz, XXXVI.

## 180. Buttermilchturm

Vom Buttermilchturm zu Marienburg in Preußen wird erzählt, einstmal habe der Deutschmeister auf einem nahegelegenen Dorf etwas Buttermilch für sich fordern lassen. Allein die Bauern spotteten seines Boten und sandten tags darauf zwei Männer in die Burg, die brachten ein ganzes Faß voll Buttermilch getragen. Erzürnt sperrte der Deutschmeister die beiden Bauern in einen Turm und zwang sie, so lange drinzubleiben, bis sie die Milch sämtlich aus dem Faß gegessen hätten. Seitdem hat der Burgturm den Namen.

Andere aber berichten folgendes: Die Einwohner eines benachbarten Dorfs mußten bis zu dem Bauplatz einen Weg mit Mariengroschen legen und so viel Buttermilch herbeischaffen, wie zur Bereitung des Kalks statt Wassers nötig war, und mit diesem Mörtel wurde dann der Turm aufgemauert.

Nach Fürst: Die Bauern von *Großlichtenau* waren so gottlos, daß sie eine Sau ins Bett legten und den Pfaffen des Orts, dem Kranken die letzte Ölung zu geben, rufen ließen. Zur Strafe dieser Leichtfertigkeit wurde ihnen befohlen, auf ihre Kosten den Turm aufzuführen und den Kalk dazu mit Buttermilch anzumachen.

## 181. Der heilige Winfried

Als der heilige Winfried, genannt Bonifatius, die Hessen bekehren wollte, kam er auf einen Berg, wo ein heidnisches Gotteshaus stand, das ließ er umreißen und die erste christliche Kirche bauen. Seitdem heißt der Berg *Christenberg* (vier Stunden von Marburg), und zweihundert Schritt von der Kirche weisen die Leute noch heute einen Fußtritt im Stein, der von Bonifatius herrührt, als er vor heiligem Eifer auf den Boden stampfte. Er sagte: »So gewiß sich mein Fuß in den Stein drückt, so gewiß will ich die Heiden bekehren.« Der heidnische Name des Berges war *Castorberg*. Bonifatius wollte das C von diesem Wort erhalten, indem er ihn Christenberg nannte. In der Gegend von Christenberg erzählt das Volk noch von dem *Bonifatiusweg,* auf dem er durch den Wald gekommen und fortgegangen. Äcker, die daran stoßen, sind noch heute zehntfrei, während alle anderen die Lasten tragen, und Frevel, der darauf verübt wird, muß härter gebüßt werden. Auf dem Totenhof um die Christenberger Kirche werden noch heute die Bauern der umliegenden Dörfer begraben und mühsam hinaufgetragen. Wie Bonifatius nach Thüringen kam, ließ er zu Großvargula eine Kirche bauen, die er selbst einweihen sollte. Da steckte er seinen dürren Stab in die Erde, trat in die Kirche und las die Messe; nach vollbrachtem Gottesdienst hatte der Stab gegrünt und Sprossen getrieben.

## 182. Der Hülfenberg

Eine Stunde von Wanfried auf der eichsfeldischen Grenze liegt der Hülfenberg, auf diesen Berg befahl der heilige Bonifaz eine Kapelle zu bauen. Unter dem Bauen kam nun oft ein Mann gegangen, der fragte, was es denn geben sollte. Die Zimmerleute antworteten immer: »Ei, eine Scheuer soll's geben.« Da ging er wieder seiner Wege. Zuletzt aber wurde die Kirche immer mehr fertig und der Altar aufgebaut und das Kreuz glücklich gesteckt. Wie nun der böse Feind wiederkam und das alles sehen mußte, ergrimmte er und fuhr aus, oben durch den Giebel; und das Loch, das er da gemacht, ist auch bis auf den heutigen Tag zu sehen und kann nimmer zugebaut werden. Auch ist er inwendig in den Berg gefahren und suchte die Kirche zu zertrümmern, es war aber eitel und vergebens. Es soll noch ein dem Abgott heiliger Eichenbaum in die Kapelle miteingemauert sein. Das Loch, worin er verschwand, nennt man das *Stuffensloch* (wie den ganzen Berg auch Stuffensberg), und es soll zuzeiten daraus dampfen und Nebel aufsteigen. Von dieser Kapelle wird weiter erzählt, sie sei einer Heiligen geweiht, rühre ein Kranker deren Gewand an, so genese er zur Stunde. Diese Heilige aber wäre vordem eine wunderschöne Prinzessin gewesen, in die sich ihr eigener

Vater verliebt. In der Not hätte sie aber zu Gott im Himmel um Beistand gebetet, da wäre ihr plötzlich ein Bart gewachsen und ihre irdische Schönheit zu Ende gegangen.

### 183. Das Teufelsloch zu Goslar

In der Kirchenmauer zu Goslar sieht man einen Spalt und erzählt davon so: Der Bischof von Hildesheim und der Abt von Fulda hatten einmal einen heftigen Rangstreit, jeder wollte in der Kirche neben dem Kaiser sitzen, und der Bischof behauptete den ersten Weihnachtstag die Ehrenstelle. Da bestellte sich der Abt heimlich bewaffnete Männer in die Kirche, die sollten ihn den morgenden Tag mit Gewalt in Besitz seines Rechtes setzen. Dem Bischof wurde das aber verkundschaftet und erordnete sich auch bewaffnete Männer hin. Tags darauf erneuerten sie den Rangstreit mit Worten, dann mit der Tat, die bewaffneten Ritter traten hervor und fochten; die Kirche glich einer Walstätte, das Blut floß stromweise zur Kirche hinaus auf den Gottesacker. Drei Tage dauerte der Streit, und während des Kampfes stieß der Teufel ein Loch in die Wand und stellte sich den Kämpfern dar. Er entflammte sie zum Zorn, und von den gefallenen Helden holte er manche Seele ab. Solange der Kampf währte, blieb der Teufel auch da, dann verschwand er wieder, als nichts mehr für ihn zu tun war. Man versuchte später, das Loch in der Kirche wieder zuzumauern, und das gelang bis auf den letzten Stein; sobald man diesen einsetzte, fiel alles wieder ein, und das Loch stand ganz offen da. Man besprach und besprengte es vergebens mit Weihwasser, endlich wandte man sich an den Herzog von Braunschweig und erbat sich dessen Baumeister. Diese Baumeister mauerten eine schwarze Katze mit ein, und beim Einsetzen des letzten Steines bedienten sie sich der Worte: »Willst du nicht sitzen in Gottes Namen, so sitz in Teufels Namen!« Dieses wirkte, und der Teufel verhielt sich ruhig, bloß bekam in der folgenden Nacht die Mauer eine Ritze, die noch zu sehen ist bis auf den heutigen Tag.

Nach Aug. Lerchheimer: Von der Zauberei, sollen der Bischof und Abt darüber gestritten haben, wer dem Erzbischof von Mainz zunächst sitzen dürfe. Nachdem der Streit gestillt war, habe man in der Messe ausgesungen: »*Hunc diem gloriosum fecisti.*« Da fiel der Teufel unterm Gewölb mit grober, lauter Stimme ein und sang: »*Hunc diem bellicosum ego feci.*«

### 184. Die Teufelsmühle

Auf dem Gipfel des Rammberges im Haberfeld liegen teils zerstreute, teils geschichtete Granitblöcke, welche man *Des Teufels Mühle* heißt. Ein Müller hatte sich am Abhang des Bergs eine Windmühle erbaut, der es aber zuweilen an Wind fehlte. Da wünschte er sich oft eine, die oben auf dem Berggipfel stünde und beständig im Gang bliebe. Menschenhänden war sie aber unmöglich zu erbauen. Weil der Müller keine Ruhe darüber hatte, erschien ihm der Teufel, und sie dingten lange miteinander. Endlich verschrieb ihm der Müller seine Seele gegen dreißig Jahre langes Leben und eine tadelfreie Mühle von sechs Gängen auf dem Gipfel des Rammbergs, die aber in der nächstfolgenden Nacht vor Hahnenschrei fix und fertig gebaut sein müßte. Der böse Feind war das zufrieden und begann den Bau zur gesetzten Zeit; da aber der Müller aus der geschwinden Arbeit merkte, daß noch vor dem Ziel alles vollendet sein könnte, setzte er den schon fertig daliegenden Mühlstein insgeheim auf die runde Seite und ließ ihn den Berg hinablaufen. Wie das der Teufel sah, dachte er noch den Stein zu haschen und sprang ihm nach. Allein der Mühlstein tat einen Satz stärker als den andern, so daß ihm der Böse nicht folgen konnte, sondern ganz bergab mußte, ehe er ihn zu fassen bekam. Nun mühte er sich, ihn schnell wieder bergan zu wälzen, und noch hatte er ihn nicht ganz oben, als der Hahn krähte und den Vertrag zunichte machte. Wütend faßte der böse Feind das Gebäude, riß Flügel, Räder und Wellen herab und streute sie weit umher, um dem Müller, der eine beinahe fertige Mühle umsonst zu erhalten glaubte, das Wiederaufbauen zu vereiteln. Dann schleuderte er auch die Felsen, daß sie den Rammberg bedeckten. Nur ein kleiner Teil der Grundlage blieb stehen zum Angedenken seiner Mühle. Unten am Berg soll noch ein großer Mühlstein liegen.

## 185. Der Herrgottstritt

Auf einem Felsen der Alb bei Heuberg, in einem anmutigen, von der Rems durchflossenen Tal, liegen Trümmer der Burg *Rosenstein*, und unlängst sah man die Spur eines schönen menschlichen Fußes im Stein, den aber die Regierung mit Pulver hat versprengen lassen, weil Aberglauben damit getrieben wurde. Gegenüber auf dem *Scheulberg*[26] steht die ähnliche Spur eines Tritts landeinwärts, wie auf dem Rosenstein auswärts. Gegenüber im Wald ist die Kapelle der wundertätigen Maria vom Beißwang[27]. Links eine Kluft, geheißen *Teufelsklinge*, aus der bei anhaltendem Regen trübes Wasser fließt; hintern Schloß ein gehöhlter Felsen namens *Scheuer*.

Vor grauer Zeit zeigte von diesem Berge herab der Versucher Christo die schöne Gegend, das Remstal, die Lein, Ellwangen, Rechberg, Staufen, und bot sie ihm an, wenn er vor ihm kniebeugen wollte. Alsbald befahl Christus, der Herr, ihm zu entweichen, und der Satan stürzte den Berg hinab. Allein er wurde verflucht, tausend Jahre in Ketten und Banden in der Teufelsklinge zu liegen, und das trübe Wasser, das noch daraus strömt, sind seine teuflischen Tränen. Christus tat aber einen mächtigen Schritt übers Gebirgee, und wo er seine Füße hingesetzt, drückten sich die Spuren ein[28].

---

26 Bei Seyfried: Schawelberg. Jenes der linke, dieses der rechte Fuß.
27 Gestiftet von Friedrich mit dem Biß in der Wange.
28 Zeiler erzählt abweichend: Christus auf der Flucht vor den Juden habe die Merkzeichen eingedrückt. Die Leute holen sich allda Augenwasser. Seine Quelle ist Crusii Liber paral., p. 48.

Später, lang darauf, bauten die Herren von Rosenstein hier eine Burg und waren Raubritter, welche das Raubgut in der Scheuer bargen. Einmal gab ihnen der Teufel ein, daß sie die Waldkapelle stürmen möchten. Kaum aber waren sie mit dem Kirchengut heimgekehrt, als sich ein ungeheurer Sturm hob und das ganze Raubnest zertrümmerte. Darüber hörte man den Teufel laut lachen.

## 186. Die Sachsenhäuser Brücke zu Frankfurt

In der Mitte der Sachsenhäuser Brücke sind zwei Bogen oben zum Teil nur mit Holz zugelegt, damit dies in Kriegszeiten weggenommen und die Verbindung leicht, ohne etwas zu sprengen, gehemmt werden kann. Davon gibt es folgende Sage:

Der Baumeister hatte sich verbindlich gemacht, die Brücke bis zu einer bestimmten Zeit zu vollenden. Als diese herannahte, sah er, daß es unmöglich war, und wie nur noch zwei Tage übrig waren, rief er in der Angst den Teufel an und bat um seinen Beistand. Der Teufel erschien und erbot sich, die Brücke in der letzten Nacht fertigzubauen, wenn ihm der Baumeister dafür das erste lebendige Wesen, das darüber ging, überliefern wollte. Der Vertrag wurde geschlossen, und der Teufel baute in der letzten Nacht, ohne daß ein Menschenauge in der Finsternis sehen konnte, wie es zuging, die Brücke ganz richtig fertig. Als nun der erste Morgen anbrach, kam der Baumeister und trieb einen Hahn über die Brücke vor sich her und überlieferte ihn dem Teufel. Dieser aber hatte eine menschliche Seele gewollt, und wie er sich also betrogen sah, packte er zornig den Hahn, zerriß ihn und warf ihn durch die Brücke, wovon die zwei Löcher entstanden sind, die bis auf den heutigen Tag nicht können zugemauert werden, weil alles in der Nacht wieder zusammenfällt, was tags daran gearbeitet ist. Ein goldener Hahn auf einer Eisenstange steht aber noch jetzt zum Wahrzeichen auf der Brücke.

## 187. Der Wolf und der Tannenzapf

In Aachen im Dom zeigt man an dem einen Flügel des ehernen Kirchentors einen Spalt und das Bild eines Wolfs nebst einem Tannenzapfen, beide gleichfalls aus Erz gegossen. Die Sage davon lautet: Vorzeiten, als man diese Kirche zu bauen angefangen, habe man mitten im Werk einhalten müssen aus Mangel an Geld. Nachdem nun die Trümmer eine Weile so dagestanden, sei der Teufel zu dem Ratsherrn gekommen mit dem Erbieten, das benötigte Geld zu geben unter der Bedingung, daß die erste Seele, die bei der Einweihung der Kirche in die Tür hineinträte, sein eigen würde. Der Rat habe lang gezaudert, endlich doch eingewilligt und versprochen, den Inhalt der Bedingung geheimzuhalten. Darauf sei mit dem Höllengeld das Gotteshaus ausgebaut, inzwischen aber auch das Geheimnis ruchbar geworden. Niemand wollte also die Kirche zuerst betreten, und man sann endlich eine List aus. Man fing einen Wolf im Wald, trug ihn zum Haupttor der Kirche, und an dem Festtag, als die Glocken zu läuten anhuben, ließ man ihn los und hineinlaufen. Wie ein Sturmwind fuhr der Teufel hintendrein und erwischte das, was ihm nach dem Vertrag gehörte. Als er aber merkte, daß er betrogen war und man ihm eine bloße Wolfsseele geliefert hatte, erzürnte er und warf das eherne Tor so gewaltig zu, daß der eine Flügel sprang und den Spalt bis auf den heutigen Tag behalten hat. Zum Andenken goß man den Wolf und seine Seele, die dem Tannenzapf ähnlich sein soll. Die Franzosen hatten beide Altertümer nach Paris geschleppt, 1815 wurden sie zurückgegeben und zu beiden Seiten der Tür auf Postamenten wieder hingestellt. Der Wolf hat aber ein Paar Pfoten verloren. – Andere erzählen es von einer sündhaften Frau, die man für das Wohl der ganzen Stadt dem Teufel geopfert habe, und erklären die Frucht durch eine Artischocke, welche der Frauen arme Seele bedeuten soll.

## 188. Der Teufel von Ach

In Aachen steht ein großer Turm in der Stadtmauer, genannt *Ponellenturm*, darin sich der Teufel mit viel Wundersgeschrei, Glockenklingen und anderm Unfug oftmals sehen und hören läßt, und ist die Sage, er sei hineinverbannt, und da muß er bleiben bis an den Jüngsten Tag. Darum, wenn man daselbst von unmöglichen Dingen redet, so sagt man: »Ja, es wird geschehen, wenn der Teufel von Ach kommt«, das ist nimmermehr.

## 189. Die Teufelsmauer

Von der Nordgauer Pfahlhecke, zwischen Ellingen und Pleinfeld, anderthalb Stunden unweit Weißenburg, erzählten die Bauern um Obern- und Otmannsfeld: Der Teufel habe von Gott dem Herrn einen Teil der Erde gefordert und dieser insoweit dreingewilligt: dasjenige Stück Land, daß er vor Hahnenkrat mit Mauer umschlossen habe, solle ihm zufallen. Der böse Feind habe sich stracks ans Werk gemacht, doch ehe er die letzte Hand angelegt und den Schlußstein aufgesetzt, der Hahn gekräht. Vor Zorn nun, daß das Geding und seine Hoffnung zunichte geworden, sei er ungestüm über das ganze Werk hergefallen und habe alle Steine übern Haufen geworfen. Noch jetzt spuke es auf dieser Teufelsmauer.

## 190. Des Teufels Tanzplatz

Auf dem nördlichen Harz, zwischen Blankenburg und Quedlinburg, sieht man südwärts vom Dorf Thale eine Felsenfläche, die das Volk des Teufels Tanzplatz nennt, und nicht weit davon Trümmer einer Mauer, denen gegenüber nordwärts vom Dorfe sich ein großes Felsenriff erhebt. Jene Trümmer und dieses Riff nennt das Volk *Teufelmauer*. Der Teufel stritt lange mit dem lieben Gott um die Herrschaft der Erde. Endlich wurde eine Teilung des damals bewohnten Landes verabredet. Die Felsen, wo jetzt der Tanzplatz ist, sollten die Grenze scheiden, und der Teufel erbaute unter lautem Jubeltanz seine Mauer. Aber bald erhub der Nimmersatte neuen Zank, der damit endigte, daß ihm noch das am Fuße jenes Felsens gelegene Tal zugegeben wurde. Darauf türmte er noch eine zweite Teufelsmauer.

### 191. Die Teufelskanzel

Unweit Baden im Murgtal steht eine Felsenreihe. Die Leute nennen sie Teufelskanzel und behaupten, der böse Feind habe einsmals darauf gepredigt.

### 192. Das Teufelsohrkissen

Am Fuße des Schlosses Bentheim stehen einige sonderbare glatte Felsen. Einer derselben, oben flach wie ein aufrecht stehender runder Pfahl, wird *Teufelsohrkissen* genannt, weil der Teufel einmal darauf geschlafen habe. Die Spuren seines Ohrs drückten sich in den Stein und sind noch sichtbar darauf.

### 193. Der Teufelsfelsen

Die Fichtelberger erzählen: Es habe der Satan den Herrn Christus auf den Kösseinfelsen geführt und ihm die Reiche der Welt gezeigt, auch alle zu schenken verheißen, wenn er ihn anbeten wolle, außer den Dörfern N. und R. nicht, welche sein Leibgeding. –

Die Einwohner dieser Dörfer sind rauh und mißgestalt; die Gegend dabei ist unfreundlich und heißt Türkei und Tartar bei einigen Leuten.

### 194. Teufelsmauer

Diese Teufelsmauer läuft an der Donau hinter Melk nach Wien zu. Einst wollte der Teufel die Donau zumauern, aber die Steine entglitten ihm immer, wenn er sie zusammenfügen wollte.

## 195. Teufelsgitter

In Wismar in der Marienkirche um den Taufstein herum geht ein überkünstliches Gitter, das sollte ein Schmied bauen. Als er sich aber daran zerarbeitete und es nicht konnte zustande bringen, brach er unmutig aus: »Ich wollte, daß es der Teufel fertigmachen müßte!« Auf diesen Wunsch kam der Teufel und baute das Gitter fertig. Keiner soll es nachahmen oder das Ende daran finden können, so schlecht es aussieht.

## 196. Teufelsmühle

Im Wolfenbüttelischen zwischen Pestorf und Grave an der Weser liegt eine Mühle, die der Teufel, der Volkssage nach, gebaut und durch ein Felsenwasser das Rad in Trieb gesetzt. Eine *Teufelsmühle* liegt auch auf der Rhöne.

## 197. Teufelskirche

Auf der Rhöne stehen oben Basaltfelsen getürmt. Der Teufel, als man im Tal eine Kirche bauen wollte, zürnte und trug alle Bausteine hin auf den Berg, wo er sie nebeneinander aufstellte und kein Mensch sie wieder heruntertragen konnte.

Man erzählt, da, wo der Teufel seinen Stein einmal hingelegt habe, könne man ihn nicht wegbringen, denn sooft man ihn auch wegnehme, lege der Teufel einen andern oder denselben wieder ebendahin.

## 198. Teufelsstein bei Reichenbach

Nicht weit von Reichenbach, Amts Lichtenau, dem hohen Steine gegenüber in einem Wald liegt der Teufelsstein. Er sieht aus, als wären etliche hundert Karren Steine kunstreich zusammengeschüttet, indem sich wunderbarlich Gemächer, Keller und Kammern von selbst gebildet, in welchen bei schweren und langen Kriegen die Bewohner der Gegend mit ihrem ganzen Haushalt gewohnt. Diesen Stein soll der Teufel in einer einzigen Nacht, nach der gemeinen Sage, so gebildet haben.

### 199. Teufelsstein zu Köln

In Köln bei der Kirche liegt ein schwerer Stein, genannt *Teufelsstein*, man sieht darauf noch die Kralle des bösen Feindes eingedrückt. Er warf ihn[29] nach der Kapelle der Heiligen Drei Könige und wollte sie niederschmettern, es ist ihm aber mißlungen.

### 200. Süntelstein zu Osnabrück

Bei Osnabrück liegt ein uralter Stein, dreizehn Fuß aus der Erde ragend, von dem die Bauern sagen, der Teufel hätte ihn durch die Luft geführt und fallen lassen. Sie zeigen auch die Stelle daran, in welcher die Kette gesessen, woran er ihn gehalten, nennen ihn den *Süntelstein*[30].

### 201. Der Lügenstein

Auf dem Domplatz zu Halberstadt liegt ein runder Fels von ziemlichem Umfang, den das Volk nennt den *Lügenstein*. Der Vater der Lügen hatte, als der tiefe Grund zu der Domkirche gelegt wurde, große Felsen hinzugetragen, weil er hoffte, hier ein Haus für sein Reich entstehen zu sehen. Aber als das Gebäude aufstieg und er merkte, daß es eine christliche Kirche werden würde, da beschloß er, es wieder zu zerstören. Mit einem ungeheuren Felsstein schwebte er herab, Gerüst und Mauer zu zerschmettern. Allein man besänftigte ihn schnell durch das Versprechen, ein Weinhaus dicht neben die Kirche zu bauen. Da wendete er

---

29 Nach Berkenmeyer 1414, den 30. Oktober, während eines Sturmwinds.
30 Wohl Heiligenstein, von sünt, sant, sanctus, vgl. den Süntel, Süntelberg in Westfalen im Schaumburgischen.

den Stein, so daß er neben dem Dom auf dem geebneten Platz niederfiel. Noch sieht man daran die Höhle, die der glühende Daumen seiner Hand beim Tragen eindrückte.

## 202. Die Felsenbrücke

Ein Hirt wollte abends spät seine Geliebte besuchen, und der Weg führte ihn über die Visper, da, wo sie in einer tiefen Felsenschlucht rauscht, worüber nur eine schmale Bretterbrücke hängt. Da sah er, der Chiltbube, was ihm sonst niemals widerfahren war, einen Haufen schwarze Kohlen mitten auf der Brücke liegen, daß sie den Weg versperrten; ihm war dabei nicht recht zumute, doch faßte er sich ein Herz und tat einen tüchtigen Sprung über den tiefen Abgrund von dem einen Ende glücklich bis zu dem andern. Der Teufel, der aus dem Dampf des zerstobenen Kohlenhaufens auffuhr, rief ihm nach: »Das war dir geraten, denn wärst du zurückgetreten, hätte ich dir den Hals umgedreht, und wärst du auf die Kohlen getreten, so hättest du unter ihnen versinken und in die Schlucht stürzen müssen.« Zum Glück hatte der Hirt, trotz der Gedanken an seine Geliebte, nicht unterlassen, vor dem Kapellchen der Mutter Gottes hinter St. Niklas, an dem er vorbeikam, wie immer sein Ave zu beten.

## 203. Das Teufelsbad zu Dassel

Unweit Dassel, in einem grundlosen Meerpfuhl, welcher der *bedessische* oder *bessoische* heißt, soll eine schöne und wohlklingende Glocke liegen, welche der leibhaftige Teufel aus der Kirche zum Portenhagen dahin geführt hat und von der die alten Leute viel wunderbare Dinge erzählen. Sie ist von lauterem Golde, und der böse Feind brachte sie aus Neid weg, damit sich die Menschen ihrer nicht mehr zum Gottesdienst bedienen können, weil sie besonders kräftig und heilig gewesen. Ein Taucher erbot sich, hinabzufahren und sie mit Stricken zu fassen, dann sollten die Leute oben getrost ziehen und ihrer Glocke wieder mächtig werden. Allein er kam unverrichteter Sachen heraus und sagte, daß unten in der Tiefe des Meerpfuhls eine grüne Wiese wäre, wo die Glocke auf einem Tische stehe und ein schwarzer Hund dabeiliege, welcher nicht gestatten wolle, sie anzurühren. Auch habe sich daneben ein Meerweib ganz erschrecklich sehen und hören lassen, die gesagt, es wäre viel zu früh, diese Glocke von dannen abzuholen. Ein achtzigjähriger Mann erzählte von diesem Teufelsbad: Einen Sonnabend habe ein Bauer aus Leuthorst unfern des Pfuhls länger als Brauch gewesen, nachdem man schon zur Vesper geläutet, gepflügt und beides, Pferde und Jungen, mit Fluchen und Schlägen genötigte. Da sei ein großer, schwarzer und starker Gaul aus dem Wasser ans Land gestiegen. Der gottlose und tobende Bauer habe ihn genommen und in Teufels Namen vor die andern Pferde gespannt, in der Meinung, nicht eher Feierabend zu machen, bis der Acker herumgepflügt wäre. Der Junge hub an zu weinen und wollte lieber nach Hause, aber der Bauer fuhr ihn hart an. Da soll der schwarze Gaul frisch und gewaltig die armen ausgemergelten Pferde mitsamt Pflug, Jung und Bauer in das grundlose Loch und Teufelsbad gezogen haben und nimmermehr von Menschen gesehen worden sein. Wer den Teufel fordert, muß ihm auch Werk schaffen.

## 204. Der Turm zu Schartfeld

Von dem Turm auf Schartfeld berichten viele alte Leute, daß er keine Dachung leide, der Teufel darin hausen und nachts viel Gerumpels droben sein sollte. Vorzeiten trug Kaiser Heinrich IV. unziemliche Liebe zu eines Herrn auf Schartfeld Eheweib, konnte lange seinen Willen nicht vollführen. Da kam er ins Kloster Pölde in der Grafschaft Lutterberg, und ein Mönch machte ihm einen Anschlag. Er ließ den Herrn von Schartfeld zu sich fordern ins Kloster und trug ihm eine weite Reise mit einer Werbung auf. Der Ritter war dem Kaiser untertan und gehorsam. Tags darauf zog der Kaiser mit dem Mönch in weltlichen Kleidern auf die Jagd, kam insgeheim vor das Haus Schartfeld und wurde von dem Mönch bis vor der Edelfrau Kemenate geleitet. Da überfiel sie Heinrich und nötigte sie zu seinem Willen. Da soll der Teufel die Dachung vom Turm abgeworfen und, in der Luft hinfahrend, über den Mönch geschrien haben, daß er an dieser Untat schuldiger sei als der Kaiser. Der Mönch war seit der Zeit im Kloster stets traurig und unfroh.

## 205. Der Dom zu Köln

Als der Bau des Doms zu Köln begann, wollte man gerade auch eine Wasserleitung ausführen. Da vermaß sich der Baumeister und sprach: »Eher soll das große Münster vollendet sein als der geringe Wasserbau!« Das sprach er, weil er allein wußte, wo zu diesem die Quelle sprang und er das Geheimnis niemandem als seiner Frau entdeckt, ihr aber zugleich bei Leib und Leben geboten hatte, es wohl zu bewahren. Der Bau des Doms fing an und hatte guten Fortgang, aber die Wasserleitung konnte nicht angefangen werden, weil der Meister vergeblich die Quelle suchte. Als dessen Frau nun sah, wie er sich darüber grämte, versprach sie ihm Hilfe, ging zu der Frau des andern Baumeisters und lockte ihr durch List endlich das Geheimnis heraus, wonach die Quelle gerade unter dem Turm des Münsters sprang; ja, jene bezeichnete selbst den Stein, der sie zudeckte. Nun war ihrem Mann geholfen; folgenden Tags ging er zu dem Stein, klopfte darauf, und sogleich drang das Wasser hervor. Als der Baumeister sein Geheimnis verraten sah und mit seinem stolzen Versprechen zuschanden werden mußte, weil die Wasserleitung ohne Zweifel nun in kurzer Zeit zustande kam, verfluchte er zornig den Bau, daß er nimmermehr sollte vollendet werden, und starb darauf vor Traurigkeit. Hat man fortbauen wollen, so war, was an einem Tag zusammengebracht und aufgemauert stand, am andern Morgen eingefallen, und wenn es noch so gut eingefügt war und aufs festeste haftete, so daß von nun an kein einziger Stein mehr hinzugekommen ist.

Andere erzählen abweichend. Der Teufel war neidig auf das stolze und heilige Werk, das Herr Gerhard, der Baumeister, erfunden und begonnen hatte. Um doch nicht ganz leer dabei auszugehen oder gar die Vollendung des Doms noch zu verhindern, ging er mit Herrn Gerhard die Wette ein: er wolle eher einen Bach von Trier nach Köln, bis an den Dom, geleitet als Herr Gerhard seinen Bau vollendet haben, doch müsse ihm, wenn er gewänne, des Meisters Seele zugehören. Herr Gerhard war nicht säumig, aber der Teufel kann teufelsschnell arbeiten. Eines Tags stieg der Meister auf den Turm, der schon so hoch war, als er noch heutzutage ist, und das erste, was er von oben herab gewahrte, waren Enten, die schnatternd von dem Bach, den der Teufel herbeigeleitet hatte, aufflogen. Da sprach der Meister in grimmem Zorn: »Zwar hast du, Teufel, mich gewonnen, doch sollst du mich nicht lebendig haben!« So sprach er und stürzte sich Hals über Kopf den Turm herunter, in Gestalt eines Hundes sprang schnell der Teufel hintennach, wie beides in Stein gehauen noch wirklich am Turme zu schauen ist. Auch soll, wenn man sich mit dem Ohr auf die Erde legt, noch heute der Bach zu hören sein, wie er unter dem Dom wegfließt.

Endlich hat man eine dritte Sage, welche den Teufel mit des Meisters Frau Buhlschaft treiben läßt, wodurch er vermutlich, wie in der ersten, hinter das Baugeheimnis ihres Mannes kam.

## 206. Des Teufels Hut

Nicht weit von Altenburg bei dem Dorf Ehrenberg liegt ein mächtiger Stein, so groß und schwer, daß ihn hundert Pferde nicht fortziehen würden. Vorzeiten trieb der Teufel sein Spiel damit, indem er ihn auf den Kopf sich legte, damit umherging und ihn als einen Hut trug. Einmal sprach er in Stolz und Hochmut: »Wer kann wie ich diesen Stein tragen? Selbst der ihn erschaffen, vermag's nicht und läßt ihn liegen, wo er liegt!« Da erschien Christus, der Herr, nahm den Stein, steckte ihn an seinen kleinen Finger und trug ihn daran. Beschämt und gedemütigt wich der Teufel und ließ sich nie wieder an diesem Ort erblicken. Und noch heute sieht man in dem Stein den Abdruck von des Teufels Haupt und von des Herrn Finger.

## 207. Des Teufels Brand

Es liegt ein Städtlein im Schweizerland mit Namen Schiltach, welches im Jahr 1533 am 10. April plötzlich in den Grund abgebrannt ist. Man sagt, daß dieser Brand folgenderweise, wie die Bürger des Orts vor der Obrigkeit zu Freiburg angezeigt, entstanden sei: Es hat sich in einem Haus oben hören lassen, als ob jemand mit linder, lispelnder Stimme einem andern zuriefe und winkte, er solle schweigen. Der Hausherr meint, es habe sich ein Dieb verborgen, geht hinauf, findet aber niemand. Darauf hat er es wiederum von einem höheren Gemach her vernommen, er geht auch dahin und vermeint den Dieb zu greifen. Wie aber niemand vorhanden ist, hört er endlich die Stimme im Schornstein. Da denkt er, es müsse ein Teufelsgespenst sein, und spricht den Seinigen, die sich fürchten, zu, sie sollten getrost und unverzagt sein, Gott werde sie beschirmen. Darauf bat er zwei Priester zu kommen, damit sie den Geist beschwüren. Als diese nun fragten, wer er sei, antwortete er: »Der Teufel.« Als sie weiterfragten, was sein Beginnen sei, antwortete er: »Ich will die Stadt in Grund verderben!« Da bedräuen sie ihn, aber der Teufel spricht: »Euere Drohworte gehen mich nichts an, einer von euch ist ein liederlicher Bube, alle beide aber seid ihr Diebe.« Bald darauf hat er ein Weib, mit welchem jener Geistliche vierzehn Jahre zusammen gelebt, hinauf in die Luft geführt, oben auf den Schornstein gesetzt, ihr einen Kessel gegeben und sie geheißen, ihn umkehren und ausschütten. Wie sie das getan, ist der ganze Flecken vom Feuer ergriffen worden und in einer Stunde abgebrannt.

## 208. Die Teufelshufeisen

In Schwarzenstein, eine halbe Meile von Rastenburg in Preußen, hängen zwei große Hufeisen in der Kirche, davon eine gemeine Sage ist: Es war daselbst eine Krügerin (Bierwirtin), die den Leuten sehr übel das Bier zumaß, die soll der Teufel des Nachts vor die Schmiede geritten haben. Ungestüm weckte er den Schmied auf und rief: »Meister, beschlage mir mein Pferd!« Der Schmied war nun gerade der Bierschenkin Gevatter, daher, als er sich über sie hermachte, raunte sie ihm heimlich zu: »Gevattermann, seid doch nicht so rasch!« Der Schmied, der sie für ein Pferd angesehen, erschrak heftig, als er diese Stimme hörte, die ihm bekannt deuchte, und geriet aus Furcht in Zittern. Dadurch verschob sich der Beschlag, und der Hahn krähte. Der Teufel mußte zwar das Reißaus nehmen, allein die Krügerin ist lange nachher krank geblieben. Sollte der Teufel alle Bierschenken, die da knapp messen, beschlagen, lassen, würde das Eisen gar teuer werden.

## 209. Der Teufel führt die Braut fort

In Sachsen hatte eine reiche Jungfrau einem schönen, aber armen Jüngling die Ehe verheißen. Dieser, weil er sah, was kommen würde, da sie reich und nach ihrer Art wankelmütig war, sprach zu ihr, sie werde ihm nicht Glauben halten. Sie fing an sich zu verschwören mit diesen Worten: »Wenn ich einen andern denn dich nehme, so hole mich der Teufel auf der Hochzeit!« Was geschieht? Nach geringer Zeit wird sie andern Sinnes und verspricht sich einem andern mit Verachtung des ersten Bräutigams, welcher sie ein- oder etlichemal der Verheißung und des großen Schwurs erinnerte. Aber sie schlug alles in den Wind, verließ den ersten und hielt Hochzeit mit dem andern.

Am hochzeitlichen Tage, als die Verwandten, Freunde und Gäste fröhlich waren, ward die Braut, da ihr das Gewissen aufwachte, trauriger, als sie sonst zu sein pflegte. Endlich kommen zwei Edelleute in das Brauthaus geritten, werden als fremde geladene Gäste empfangen und zu Tisch geführt. Nach Essenszeit wird dem einen von Ehren wegen, als einem Fremden, der Vorreigen mit der Braut gebracht, mit welcher er einen Reihen oder zwei tät und sie endlich vor ihren Eltern und Freunden mit großem Seufzen und Heulen zur Tür hinaus in die Luft führte.

Des andern Tages suchten die betrübten Eltern und Freunde die Braut, daß sie sie, wo sie etwa herabgefallen, begraben möchten. Siehe, da begegneten ihnen eben die Gesellen und brachten die Kleider und Kleinode wieder mit diesen Worten: »Über diese Dinge hatten wir von Gott keine Gewalt empfangen, sondern über die Braut.«

### 210. Das Glücksrad

Zwölf Landsknechte kamen aus dem Ditmarser Krieg und hatten wenig vor sich gebracht. Da sie nun traurig und kleinmütig im Land umherstrichen und heute nicht wußten, was sie morgen zu beißen hatten, begegnete ihnen ein Grauröcklein, tat seinen Gruß und fragte: »Woher des Wegs und wohin?« Sie aber sagten: »Daher aus dem Krieg und dahin, wo wir reich werden sollen, können aber den Ort nicht finden.« Das Grauröcklein sagte: »Die Kunst soll euch offenbar werden, wenn ihr mir folgen wollt, begehr auch nichts dafür zu haben.« Die Landsknechte meinten, was es denn wäre. »Man heißt es das *Glücksrad*, das steht mir zu Gebot, und wen ich darauf bringe, der lernt wahrsagen den Leuten und graben den Schatz aus der Erde; doch nicht anders vermag ich euch darauf zu setzen als mit dem Beding, daß ich Macht und Gewalt habe, einen aus eurem Haufen mit mir wegzuführen.«

Sie begehrten nun zu wissen, welchen von ihnen er zu nehmen willens sei. Der Graurock antwortete: »Zu welchem ich Lust trage, das wird sich dann zeigen, voraus weiß ich's nicht.« Darauf nahmen die Landsknechte eine lange Überlegung, sollten sie's tun oder aber lassen, schlossen endlich: »Sterben muß der Mensch doch einmal; wie nun, so wir in Ditmarsen gefallen wären in der Schlacht oder die Pest uns weggerafft hätte; wir wollen dies wagen, was viel leichter ist und nur einen einzigen trifft.« Ergaben sich also miteinander in des Mannes Hand mit dem Beding, daß er sie aufs Glücksrad brächte und dafür zum Lohn einen aus ihnen hinhätte, den, der ihm dazu gefiele.

Nach diesem führte sie der Graurock hin an die Stelle, wo sein Rad stand, das war so groß, daß wie sie alle darauf kamen, jeglicher drei Klaftern weit ab vom andern saß; eins aber verbot er ihnen: daß ja keiner den andern ansähe, solange sie auf dem Rad säßen; wer das nicht tue, dem bräche er den Hals. Als sie nun ordnungsmäßig aufgesessen, packte der Meister das Rad mit den Klauen, die er beides an Händen und Füßen hatte, und hub zu drehen an, bis es umgedreht war, zwölf Stunden nacheinander und alle Stunden einmal. Ihnen aber deuchte, als ob unter ihnen helles Wasser sei, gleich einem Spiegel, worin sie alles sehen konnten, was sie vorhatten, Gutes oder Böses, und wen sie von Leuten da sahen, erkannten sie und wußten ihre Namen zu nennen. Über ihnen aber war es wie Feuer, und glühende Zapfen hingen herab.

Wie sie nun zwölf Stunden ausgehalten hatten, rückte der Glücksmeister einen feinen jungen Menschen vom Rad, der eines Bürgermeisters Sohn aus Meißen war, und führte ihn mitten durch die Feuerflamme mit sich hin. Die elf andern wußten nicht, wie ihnen geschehen, und sanken betäubt nieder in tiefen Schlaf, und als sie etliche Stunden lang unter freiem Himmel gelegen, wachten sie auf, aber ihre Kleider auf dem Leibe und ihre Hemden, die waren ganz mürbe geworden und zerfielen beim Angreifen, von der großen Hitze wegen, die auf dem Rad gewesen war.

Darauf erhoben sie sich und gingen jeder seines Weges, in der Hoffnung, ihr Lebtag alles genug und eitel Glück zu haben, aber nach wie vor arm und mußten das Brot vor anderer Leute Haustür suchen.

## 211. Der Teufel als Fürsprecher

In der Mark geschah es, daß ein Landsknecht seinem Wirt Geld aufzuheben gab, und als er es wiederforderte, dieser etwas empfangen zu haben ableugnete. Als der Landsknecht darüber mit ihm uneins ward und das Haus stürmte, ließ ihn der Wirt gefänglich einziehen und wollte ihn übertäuben, damit er das Geld behielte. Er klagte daher den Landsknecht zu Haut und Haar, zu Hals und Bauch an als einen, der ihm seinen Hausfrieden gebrochen hätte. Da kam der Teufel zu ihm ins Gefängnis und sprach: »Morgen wird man dich vor Gericht führen und dir den Kopf abschlagen, darum daß du den Hausfrieden gebrochen hast; willst du mein sein mit Leib und Seele, so will ich dir davonhelfen.« Aber der Landsknecht wollte nicht. Da sprach der Teufel: »So tue ihm also: Wenn du vor Gericht kommst und man dich hart anklagt, so beruhe darauf, daß du dem Wirt das Geld gegeben, und sprich, du seiest übel beredt, man wolle dir vergönnen, einen Fürsprecher zu haben, der dir das Wort rede. Alsdann will ich nicht weit stehen in einem blauen Hut mit weißer Feder und dir deine Sache führen.« Dies geschah also; aber da der Wirt hartnäckig leugnete, so sagte des Landsknechts Anwalt im blauen Hut: »Lieber Wirt, wie magst du es doch leugnen! Das Geld liegt in deinem Bett unter dem Hauptpfühl: Richter und Schöffen, schickt hin, so werdet ihr es befinden.« Da verschwor sich der Wirt und sprach: »Hab ich das Geld empfangen, so führe mich der Teufel hinweg!« Als nun das Geld gefunden und gebracht war, sprach der im blauen Hütlein mit weißer Feder: »Ich wußte wohl, ich sollte einen davon haben, entweder den Wirt oder den Gast;« drehte damit dem Wirt den Kopf um und führte ihn in der Luft davon.

## 212. Traum vom Schatz auf der Brücke

Es hat auf eine Zeit einem geträumt, er solle gen Regensburg gehen auf die Brücken, da sollte er reich werden. Er ist auch hingegangen, und als er einen Tag oder vierzehn allda gegangen ist, ist ein reicher Kaufmann zu ihm kommen, der sich wunderte, was er alle Tage auf der Brücke mache, und ihn fragte, was er da suche. Dieser antwortete: »Es hat mir geträumt, ich soll gen Regensburg auf die Brücke gehen, da würde ich reich werden.« – »Ach«, sagte der Kaufmann, »was redest du von Träumen, Träume sind Schäume und Lügen; mir hat auch geträumt, daß unter jenem großen Baum (und zeigte ihm den Baum) ein großer Kessel mit Geld begraben sei, aber ich acht sein nicht, denn Träume sind Schäume.« Da ging der andere hin, grub unter dem Baum ein, fand einen großen Schatz, der ihn reich machte, und sein Traum wurde ihm bestätigt.

Agricola fügt hinzu: »Das hab ich oftmals von meinem lieben Vater gehört.« Es wird aber auch von andern Städten erzählt, wie von Lübeck (Kempen), wo einem Bäckerknecht träumt, er werde einen Schatz auf der Brücke finden. Als er oft darauf hin und her geht, redet ihn ein Bettler an und fragt nach der Ursache und sagt dann, ihm habe geträumt, daß auf dem Kirchhof zu Mölken unter einer Linde (zu Dordrecht unter einem Strauche) ein Schatz liege, aber er wolle den Weg nicht daranwenden. Der Bäckerknecht antwortet: »Ja, es träumt einem oft närrisch Ding, ich will mich meines Traums begeben und Euch meinen Brükkenschatz vermachen;« geht aber hin und hebt den Schatz unter der Linde.

### 213. Der Kessel mit dem Schatz

An einem Winterabend saß vor vielen Jahren der Wagnermeister Wolf zu Großbieberau im Odenwald mit Kindern und Gesinde beim Ofen und sprach von diesem oder jenem. Da ward auf einmal ein verwunderlich Geräusch vernommen, und siehe, es drückte sich unter dem Stubenofen plötzlich ein großer Kessel voll Geldes hervor. Hätte nun gleich einer stillschweigend ein wenig Brot oder einen Erdschollen darauf geworfen, dann wäre es gut gewesen; aber nein, der Böse war dabei, und da mußte es wohl verkehrt gehen. Des Wagners Töchterlein hatte nie soviel Geld beisammen gesehen und rief laut: »Blitz, Vater, was Geld, was Geld!« Der Vater kehrte sich nicht ans Schreien, weil er besser wußte, was hier zu tun wäre. Schnell nahm er das Heft vom großen Nabenbohrer und steckte es rasch durch den Kesselring. Doch es war vorbei, der Kessel versank, und nur der Ring blieb zurück. Vor ungefähr zwanzig Jahren wurde der Kesselring noch gezeigt.

Zu Quedlinburg steht ein Haus, in dessen Grundtiefen sich große Goldschätze befinden sollen. Vor Jahren wohnte ein Kupferschmied darin, dessen Frau den Lehrjungen verschiedenes Handwerksgerät in Ordnung bringen hieß, besonders sollte er einen großen Kessel im Hintergebäude rein machen. Als am Abend der Junge mit der Arbeit zu Ende gekommen war und jetzt zum großen Kessel trat, fand er diesen bis oben gefüllt mit glänzenden Goldstücken. Vor Freude erschrocken, griff er einige Stücke heraus, eilte damit zur Meisterin und erzählte ihr, was er gesehen. Sie lief mit hin, aber noch waren beide nicht über die Schwelle der Tür zum Hintergebäude gekommen, als sie ein plötzliches Krachen, Rauschen und Klingen hörten; und drinnen sahen sie noch, wie sich der große Kessel in seiner alten Fuge bewegte und dann stillstand. Als sie aber hinzutraten, war er schon wieder leer und das Gold hinabgesunken.

## 214. Der Werwolf

Ein Soldat erzählte folgende Geschichte, die seinem eigenen Großvater begegnet sein soll: Dieser, sein Großvater, sei einmal zu Wald Holz hauen gegangen, mit einem Gevatter und noch einem dritten, welchen dritten man immer im Verdacht gehabt, daß es nicht ganz richtig mit ihm gewesen; doch so hätte man nichts Gewisses davon zu sagen gewußt. Nun hätten die drei ihre Arbeit getan und wären müde geworden, worauf dieser dritte vorgeschlagen: ob sie nicht ein bißchen ausschlafen wollten. Das sei denn nun so geschehen, jeder hätte sich nieder auf den Boden gelegt; er, der Großvater, aber nur so getan, als schliefe er, und die Augen ein wenig aufgemacht. Da hätte der dritte erst recht um sich gesehen, ob die andern auch schliefen, und als er solches geglaubt, auf einmal den Gürtel abgeworfen[31] und wäre ein Werwolf gewesen, doch sehe ein solcher Werwolf nicht ganz aus wie ein natürlicher Wolf, sondern etwas anders. Darauf wäre er weggelaufen zu einer nahen Wiese, wo gerade ein junges Fohlen gegraset, das hätte er angefallen und gefressen mit Haut und Haar. Danach wäre er zurückgekommen, hätte den Gürtel wieder umgetan[32] und nun, wie vor, in menschlicher Gestalt dagelegen. Nach einer kleinen Weile, als sie alle zusammen aufgestanden, wären sie heim nach der Stadt gegangen, und wie sie eben am Schlagbaum gewesen, hätte jener dritte über Magenweh geklagt. Da hätte ihm der Großvater heimlich ins Ohr geraunt: »Das will ich wohl glauben, wenn man ein Pferd mit Haut und Haar in den Leib gegessen hat.« Jener aber geantwortet. »Hättest du mir das im Walde gesagt, so solltest du es jetzo nicht mehr sagen.«

Ein Weib hatte die Gestalt eines Werwolfs angenommen und war so einem Schäfer, den sie gehaßt, in die Herde gefallen und hatte ihm großen Schaden getan. Der Schäfer aber verwundete den Wolf durch einen Beilwurf in die Hüfte, so daß er in ein Gebüsch kroch. Da ging der Schäfer ihm nach und gedachte ihn ganz zu überwältigen, aber er fand ein Weib, beschäftigt, mit einem abgerissenen Stück ihres Kleides das aus der Wunde strömende Blut zu stillen.

Zu Lüttich werden im Jahre 1610 zwei Zauberer hingerichtet, weil sie sich in Werwölfe verwandelt und viele Kinder getötet. Sie hatten einen Knaben bei sich von zwölf Jahren, welchen der Teufel zum Raben machte, wenn sie Raub zerrissen und gefressen.

---

31 Oder, wie andere erzählen: einen Gürtel angelegt.
32 Abgelegt.

## 215. Der Werwolfstein

Bei dem magdeburgischen Dorfe Eggenstedt, unweit Sommerschenburg und Schöningen, erhebt sich auf dem Anger nach Seehausen zu ein großer Stein, den das Volk den *Wolf-* oder *Werwolfstein* nennt. Vor langer, langer Zeit hielt sich an dem Brandsleber Holz, das sonst mit dem Hackel und dem Harz zusammenhing, ein Unbekannter auf, von dem man nie erfahren hat, wer er sei, noch woher er stamme. Überall bekannt unter dem Namen des *Alten* kam er öfters ohne Aufsehen in die Dörfer, bot seine Dienste an und verrichtete sie zu der Landleute Zufriedenheit. Besonders pflegte er die Hütung der Schafe zu übernehmen. Es geschah, daß in der Herde des Schäfers Melle zu Neindorf ein niedliches, buntes Lamm fiel; der Unbekannte bat den Schäfer dringend und ohne Ablaß, es ihm zu schenken. Der Schäfer wollte es nicht lassen. Am Tag der Schur brauchte Melle den Alten, der ihm dabei half; bei seiner Zurückkunft fand er zwar alles in Ordnung und die Arbeit getan, aber weder den Alten noch das bunte Lamm. Niemand wußte geraume Zeit lang von dem Alten. Endlich stand er einmal unerwartet vor dem Melle, welcher im Kattental weidete, und rief höhnisch: »Guten Tag, Melle, dein buntes Lamm läßt dich grüßen!« Ergrimmt griff der Schäfer seinen Krummstab und wollte sich rächen. Da wandelte plötzlich der Unbekannte die Gestalt und sprang ihm als Werwolf entgegen. Der Schäfer erschrak, aber seine Hunde fielen wütend auf den Wolf, welcher entfloh; verfolgt rannte er durch Wald und Tal bis in die Nähe von Eggenstedt. Die Hunde umringten ihn da, und der Schäfer rief: »Nun sollst du sterben!« Da stand der Alte wieder in Menschengestalt, flehte bittend um Schonung und erbot sich zu allem. Aber wütend stürzte der Schäfer mit seinem Stock auf ihn ein – urplötzlich stand vor ihm ein aufsprießender Dornenstrauch. Auch so schonte der Rachsüchtige ihn nicht, sondern zerhieb grausam die Zweige. Noch einmal wandelte sich der Unbekannte in einen Menschen und bat um sein Leben. Allein der hartherzige

Melle blieb unerbittlich. Da suchte er als Werwolf zu entfliehen, aber ein Streich des Melle streckte ihn tot zur Erde. Wo er fiel und beigescharrt wurde, bezeichnet ein Felsstein den Ort und heißt nach ihm auf ewige Zeiten.

### 216. Die Werwölfe ziehen aus

In Livland ist folgende Sage: Wenn der Christtag verflossen ist, so geht ein Junge, der mit einem Bein hinkt, herum und fordert alle dem Bösen Ergebenen, deren eine große Zahl ist, zusammen und heißt sie nachfolgen. Zaudern etliche darunter und sind säumig, so ist ein anderer großer langer Mann da, der mit einer von Eisendraht und Kettlein geflochtenen Peitsche auf sie haut und mit Zwang forttreibt. Er soll so grausam auf die Leute peitschen, daß man nach langer Zeit Flecken und Narben auf ihrem Leibe sehen kann, wovon sie viele Schmerzen empfinden.

Sobald sie anheben, ihm zu folgen, gewinnt es das Ansehen, als ob sie ihre vorige Gestalt ablegten und in Wölfe verwandelt würden. Da kommen ihrer ein paar Tausende zusammen; der Führer mit der eisernen Geißel in der Hand geht voran. Wenn sie nun aufs Feld geführt sind, fallen sie das Vieh grausam an und zerreißen, was sie nur ergreifen können, womit sie großen Schaden tun. Doch Menschen zu verletzen ist ihnen nicht vergönnt. Kommen sie an ein Wasser, so schlägt der Führer mit seiner Rute oder Geißel hinein und teilt es voneinander, so daß sie trockenen Fußes übergehen können. Sind zwölf Tage verflossen, so legen sie die Werwolfsgestalt ab und werden wieder zu Menschen.

### 217. Der Drache fährt aus

Das Alpenvolk in der Schweiz hat noch viele Sagen bewahrt von Drachen und Würmern, die vor alter Zeit auf dem Gebirge hausten und oftmals verheerend in die Täler herabkamen. Noch jetzt, wenn ein ungestümer Waldstrom über die Berge stürzt, Bäume und Felsen mit sich reißt, pflegt es in einem tiefsinnigen Sprichwort zu sagen: »Es ist ein Drach ausgefahren.« Folgende Geschichte ist eine der merkwürdigsten:

Ein Binder aus Luzern ging aus, Daubenholz für seine Fässer zu suchen. Er verirrte sich in eine wüste, einsame Gegend, die Nacht brach ein, und er fiel plötzlich in eine tiefe Grube, die jedoch schlammig war, wie in einen Brunnen hinab. Zu beiden Seiten auf dem Boden waren Eingänge in große Höhlen; als er diese genauer untersuchen wollte, stießen ihm zu seinem großen Schrecken zwei scheußliche Drachen auf. Der Mann betete eifrig, die Drachen umschlangen seinen Leib verschiedenemal, aber sie taten ihm kein Leid. Ein Tag verstrich und mehrere, er mußte vom 6. November bis 10. April in Gesellschaft der Drachen harren. Er nährte sich gleich ihnen von einer salzigen Feuchtigkeit, die aus den Felsenwänden schwitzte. Als nun die Drachen witterten, daß die Winterszeit vorüber war, beschlossen sie auszufliegen. Der eine tat es mit großem Rauschen, und während der andere sich gleichfalls dazu bereitete, ergriff der unglückselige Faßbinder des Drachen Schwanz, hielt fest daran und kam aus dem Brunnen mit heraus. Oben ließ er los, wurde frei und begab sich wieder in die Stadt. Zum Andenken ließ er die ganze Begebenheit auf einen Priesterschmuck sticken, der noch jetzt in des heiligen Leodagars Kirche zu Luzern zu sehen ist. Nach den Kirchenbüchern hat sich die Geschichte im Jahre 1420 zugetragen.

## 218. Winkelried und der Lindwurm

In Unterwalden beim Dorf Wyler hauste in der uralten Zeit ein scheußlicher Lindwurm, welcher alles, was er ankam, Vieh und Menschen, tötete und den ganzen Strich verödete, dergestalt, daß der Ort selbst davon den Namen *Ödwyler* empfing. Da begab es sich, daß ein Eingeborener, Winkelried geheißen, als er einer schweren Mordtat wegen landesflüchtig werden musste, sich erbot, den Drachen anzugreifen und umzubringen, unter der Bedingung, daß man ihn nachher wieder in seine Heimat lassen würde. Da wurden die Leute froh und erlaubten ihm wieder in das Land; er wagte es und überwand das Ungeheuer, indem er ihm einen Bündel Dörner in den aufgesperrten Rachen stieß. Während es nun suchte, diesen auszuspeien, und nicht konnte, versäumte das Tier seine Verteidigung, und der Held nutzte die Blößen. Frohlockend warf er den Arm auf, womit er das bluttriefende Schwert hielt, und zeigte den Einwohnern die Siegestat, da floß das giftige Drachenblut auf den Arm und an die bloße Haut, und er mußte alsbald das Leben lassen. Aber das Land war errettet und ausgesöhnt; noch heute zeigt man des Tieres Wohnung im Felsen und nennt sie die Drachenhöhle.

## 219. Der Lindwurm am Brunnen

Zu Frankenstein, einem alten Schlosse anderthalb Stunden weit von Darmstadt, hausten vor alten Zeiten drei Brüder zusammen, deren Grabsteine man noch heute in der Oberbirbacher Kirche sieht. Der eine der Brüder hieß Hans, und er ist ausgehauen, wie er auf einem Lindwurm steht. Unten im Dorfe fließt ein Brunnen, in dem sich sowohl die Leute aus dem Dorf als aus dem Schloß ihr Wasser holen müssen; dicht neben den Brunnen hatte sich ein gräßlicher Lindwurm gelagert, und die Leute konnten nicht anders Wasser schöpfen als dadurch, daß sie ihm täglich ein Schaf oder ein Rindvieh brachten; solange der Drache daran fraß, durften die Einwohner zum Brunnen. Um diesen Unfug aufzuheben, beschloß Ritter Hans den Kampf zu wagen; lange stritt er, endlich gelang es ihm, dem Wurm den Kopf abzubauen. Nun wollte er auch den Rumpf des Untiers, der noch zappelte, mit der Lanze durchstechen, da kringelte sich der spitzige Schweif um des Ritters rechtes Bein und stach ihn gerade in die Kniekehle, die einzige Stelle, welche der Panzer nicht deckte. Der ganze Wurm war giftig, und Hans von Frankenstein mußte sein Leben lassen.

## 220. Das Drachenloch

Bei Burgdorf im Bernischen liegt eine Höhle, genannt das Drachenloch, worin man vor alten Zeiten bei Erbauung der Burg zwei ungeheure Drachen gefunden haben soll. Die Sage berichtet: Als im Jahr 712 zwei Gebrüder Sintram und Beltram (nach andern Guntram und Waltram genannt), Herzoge von Lenzburg, ausgingen zu jagen, stießen sie in wilder und wüster Waldung auf einen hohlen Berg. In der Höhlung lag ein ungeheurer Drache, der das Land weit umher verödete. Als er die Menschen gewahrte, fuhr er in Sprüngen auf sie los, und im Augenblick verschlang er Beltram, den jüngeren Bruder, lebendig. Sintram aber setzte sich kühn zur Wehr und bezwang nach heißem Kampf das wilde Getier, in dessen gespaltenem Leib sein Bruder noch ganz lebendig lag. Zum Andenken ließen die Fürsten am Ort selbst eine Kapelle, der heiligen Margareta gewidmet, bauen und die Geschichte abmalen, wo sie heute noch zu sehen ist.

## 221. Die Schlangenkönigin

Ein Hirtenmädchen fand oben auf dem Fels eine kranke Schlange liegen, die wollte verschmachten. Da reichte es ihr mitleidig seinen Milchkrug, die Schlange leckte begierig und kam sichtbar zu Kräften. Das Mädchen ging weg, und bald darauf geschah es, daß ihr Liebhaber um sie warb, allein ihrem reichen, stolzen Vater zu arm war und spöttisch abgewiesen wurde, bis er auch einmal so viel Herden besäße wie der alte Hirt. Von der Zeit an hatte der alte Hirt kein Glück mehr, sondern lauter Unfall; man wollte des Nachts einen feurigen Drachen über seinen Fluren sehen, und sein Gut verdarb. Der arme Jüngling war nun ebenso reich und warb nochmals um seine Geliebte, die wurde ihm jetzt zuteil. An dem Hochzeitstag trat eine Schlange ins Zimmer, auf deren gewundenem Schweif eine schöne Jungfrau saß, die sprach, daß sie es wäre, der einstmal die gute Hirtin in der

Hungersnot ihre Milch gegeben, und aus Dankbarkeit nahm sie ihre glänzende Krone vom Haupt ab und warf sie der Braut in den Schoß. Sodann verschwand sie, aber die jungen Leute hatten großen Segen in ihrer Wirtschaft und wurden bald wohlhabend.

## 222. Die Jungfrau im Oselberg

Zwischen Dinkelsbühl und Hahnkamm stand auf dem Oselberg vor alten Zeiten ein Schloß, wo eine einige Jungfrau gelebt, die ihrem Vater als Wittiber haushielt und den Schlüssel zu allen Gemächern in ihrer Gewalt gehabt. Endlich ist sie mit den Mauern verfallen und umgekommen, und das Geschrei kam aus, daß ihr Geist um das Gemäuer schwebe und nachts an den vier Quatembern in Gestalt eines Fräuleins, das ein Schlüsselbund an der Seite trägt, erscheine. Dagegen sagen alte Bauern dieser Orte aus, von ihren Vätern gehört zu haben, diese Jungfer sei eines alten Heiden Tochter gewesen und in eine abscheuliche Schlange verwünscht worden; auch werde sie in Weise einer Schlange, mit Frauenhaupt und Brust, ein Gebund Schlüssel am Hals, zu jener Zeit gesehen.

## 223. Der Krötenstuhl[33]

Auf Notweiler, einer elsässischen Burg im Wasgau, lebte vor alten Zeiten die schöne Tochter eines Herzogs, die aber so stolz war, daß sie keinen ihrer vielen Freier gut genug fand und viele umsonst das Leben verlieren mußten. Zur Strafe wurde sie dafür verwünscht und muß so lange auf einem öden Felsen hausen, bis sie erlöst wird. Nur einmal die Woche, nämlich am Freitag, darf sie sichtbar erscheinen, aber einmal in Gestalt einer Schlange, das zweitemal als Kröte und das drittemal als Jungfrau in ihrer natürlichen Art. Jeden Freitag wäscht sie sich auf dem Felsen, der noch heute *Krötenstuhl* heißt, an einem Quellborn und sieht sich dabei in die Weite um, ob niemand nahe, der sie erlöse. Wer das Wagstück unternehmen will, der findet oben auf dem Krötenstuhl eine Muschel mit drei Wahrzeichen: einer Schlangenschuppe, einem Stück Krötenhaut und einer gelben Haarlocke. Diese drei Dinge bei sich tragend, muß er einen Freitagmittag in die wüste Burg steigen, warten, bis sie sich zu waschen kommt, und sie drei Wochen hintereinander in jeder ihrer Erscheinungen auf den Mund küssen, ohne zu entfliehen. Wer das aushält, bringt sie zur Ruhe und empfängt alle ihre Schätze. Mancher hat schon die Merkzeichen gefunden und sich in die Trümmer der alten Burg gewagt, und viele sind vor Furcht und Greuel umgekommen. Einmal hatte ein kühner Bursche schon den Mund der Schlange berührt und wollte auf die andre Erscheinung warten, da ergriff ihn Entsetzen und er rannte bergab; zornig und raschelnd verfolgte sie ihn als Kröte bis auf den Krötenstuhl. Sie bleibt übrigens die Länge der Zeit hindurch, wie sie war, und altert nimmer. Als Schlange ist sie am gräßlichsten und nach dem Spruch des Volks »groß wie ein Wieschbaum (Heubaum), als Krott groß wie ein Backofen, und da spaucht sie Feuer«.

---

33 In den gemeinen Mundarten heißt der Waldschwamm Kröten- oder Paddenstuhl.

## 224. Die Wiesenjungfrau

Ein Bube von Auerbach an der Bergstraße hütete seines Vaters Kühe auf der schmalen Talwiese, von der man das alte Schloß sehen kann. Da schlug ihn auf einmal von hintenher eine weiche Hand sanft an den Backen, daß er sich umdrehte, und siehe, ein wunderschöne Jungfrau stand vor ihm, von Kopf zu den Füßen weiß gekleidet, und wollte eben den Mund auftun, ihn anzureden. Aber der Bub erschrak wie vor dem Teufel selbst und nahm das Reißaus ins Dorf hinein. Weil indessen sein Vater bloß die eine Wiese hatte, mußte er die Kühe immer wieder zu derselben Weide treiben, er mochte wollen oder nicht. Es währte lange Zeit, und der Junge hatte die Erscheinung bald vergessen, da raschelte etwas in den Blättern an einem schwülen Sommertag, und er sah eine kleine Schlange kriechen, die trug eine blaue Blume in ihrem Mund und fing plötzlich zu sprechen an: »Hör, guter Jung, du könntest mich erlösen, wenn du diese Blume nähmest, die ich trage und die ein Schlüssel ist zu meinem Kämmerlein droben im Schloß, da würdest du die Fülle Gelds finden.« Aber der Hirtenbub erschrak, da er sie reden hörte, und lief wieder nach Hause. Und an einem der letzten Herbsttage hütete er wieder auf der Wiese, da zeigte sie sich zum drittenmal in Gestalt der ersten weißen Jungfrau und gab ihm wieder einen Backenstreich, bat auch flehentlich, er möchte sie doch erlösen, wozu sie ihm alle Mittel und Wege angab. All ihr Bitten war für nichts und wieder nichts, denn die Furcht überwältigte den Buben, daß er sich kreuzte und segnete und wollte nichts mit dem Gespenst zu tun haben. Da holte die Jungfrau einen tiefen Seufzer und sprach: »Weh, daß ich mein Vertrauen auf dich gesetzt habe; nun muß ich neuerdings harren und warten, bis auf der Wiese ein Kirschenbaum wachsen und aus des Kirschbaums Holz eine Wiege gemacht sein wird. Nur das Kind, das in der Wiege zuerst gewiegt wird, kann mich dereinst erlösen.« Darauf verschwand sie, und der Bub, heißt es, sei nicht gar alt geworden; woran er gestorben, weiß man nicht.

### 225. Das Niesen im Wasser

An einem Brücklein, das über die Auerbach geht, hörte jemand etwas im Wasser dreimal niesen, da sprach er dreimal: »Gott hilf!« und damit wurde der Geist eines Knaben erlöst, der schon dreißig Jahre auf diese Worte gelauert hatte. Oberhalb demselben Brücklein hörte, nach einer andern Erzählung, ein anderer dreimal aus dem Bach heraus niesen. Zweimal sagte er: »Gott hilf!« beim drittenmal aber: »Der Teufel hol dich!« Da tat das Wasser einen Wall, wie wenn sich einer mit Gewalt darin umdrehte.

### 226. Die arme Seele

Et sit en arme Seele unner de Brügge för Haxthusen-Hofe to Paderborn, de prustet unnerwielen. Wenn nu ter sülvtigen Tiet en Wage deröverfärt und de Fohrmann seid nich: »Gott seegen«, so mot de Wage ümfallen. Un hät oll manig Mann Arm un Bein terbroken.

### 227. Die verfluchte Jungfer

Unweit Eisenach in einer Felsenhöhle zeigt sich zuweilen um die Mittagsstunde ein Fräulein, das nur dadurch erlöst werden kann, daß ihr jemand auf dreimaliges Niesen dreimal: »Hilf, Gott« zuruft. Sie war eine halsstarrige Tochter und wurde vorzeiten von ihrer guten Mutter im Zorn dahin verwünscht.

### 228. Das Fräulein von Staufenberg

Auf dem Harz bei Sorge, einem braunschweigischen Dorfe, liegt der Staufenberg, ehedem mit einer Burg bebaut. Man sieht jetzt eine Klippe da, auf der ein Menschenfuß eingedrückt steht. Diese Fußtapfe drückte einst die Tochter des alten Burgherrn in den Fels, auf dem sie oft lange stand, weil es ihr Lieblingsplätzchen war. Noch von Zeit zu Zeit zeigt sich dort das verzauberte Fräulein in ihren goldgelben, geringelten Haaren.

### 229. Der Jungfernstein

In Meißen, unweit der Festung Königstein, liegt ein Felsen, genannt *Jungfernstein*, auch *Pfaffenstein*. Einst verfluchte eine Mutter ihre Tochter, welche sonntags nicht zur Kirche, sondern in die Heidelbeeren gegangen war. Da wurde die Tochter zu Stein und ihr Bild ist gegen Mittag noch zu sehen.

Im Dreißigjährigen Krieg flüchteten dahin die Leute vor den Soldaten.

### 230. Das steinerne Brautbett

In Deutschböhmen türmt sich ein Felsen, dessen Spitze, in zwei Teile geteilt, gleichsam ein Lager und Bett oben bildet. Davon hört man sagen: Es habe sonst da ein Schloß gestanden, worin eine Edelfrau mit ihrer einzigen Tochter lebte. Diese liebte wider Willen der Mutter einen jungen Herrn aus der Nachbarschaft, und die Mutter wollte niemals erlauben, daß sie ihn heiratete. Aber die Tochter übertrat das Gebot und versprach sich heimlich ihrem Liebhaber mit der Bedingung, daß sie auf den Tod der Mutter warten und sich dann vermählen wollten. Allein die Mutter erfuhr noch vor ihrem Tode das Verlöbnis, sprach einen strengen Fluch aus und bat Gott inbrünstig, daß er ihn hören und der Tochter Brautbett in einen Stein verwandeln möge. Die Mutter starb, die ungehorsame Tochter reichte dem Bräutigam die Hand, und die Hochzeit wurde mit großer Pracht auf dem Felsenschloß gefeiert. Um Mitternacht, wie sie in die Brautkammer gingen, hörte die Nachbarschaft ringsumher einen fürchterlichen Donner schlagen. Am andern Morgen war das Schloß verschwunden, kein Weg und Steg führte zum Felsen, und auf dem Gipfel saß die Braut in dem steinernen Bett, welches man noch jetzt deutlich sehen und betrachten kann. Kein Mensch konnte sie erretten, und jeder, der versuchen wollte, die Steile zu erklettern, stürzte herab. So mußte sie verhungern und verschmachten; ihren toten Leichnam fraßen die Raben.

### 231. Zum Stehen verwünscht

Im Jahr Christi 1545 begab sich's zu Freiberg in Meißen, daß Lorenz Richter, ein Weber seines Handwerks, in der Weingasse wohnend, seinem Sohn, einem Knaben von vierzehn Jahren, befahl, etwas eilends zu tun; der aber verweilte sich, blieb in der Stube stehen und ging nicht bald dem Worte nach. Deswegen der Vater entrüstet wurde und im Zorn ihm fluchte: »Ei stehe, daß du nimmermehr könnst fortgehen!« Auf diese Verwünschung blieb der Knabe alsbald stehen, konnte von der Stelle nicht kommen und stand so fort drei ganzer Jahre an dem Ort, so daß er tiefe Gruben in die Dielen eindrückte, und ward ihm ein Pult untergesetzt, darauf er mit Haupt und Armen sich lehnen und ruhen konnte. Weil aber die Stelle, wo er stand, nicht weit von der Stubentür und auch nahe dem Ofen war und deshalb den Leuten, welche hineinkamen, sehr hinderlich, so haben die Geistlichen der Stadt auf vorhergehendes fleißiges Gebet ihn von selbem Ort erhoben und gegenüber in den andern Winkel glücklich und ohne Schaden, wiewohl mit großer Mühe, fortgebracht. Denn wenn man ihn sonst forttragen wollte, ist er alsbald mit unsäglichen Schmerzen befallen und wie ganz rasend geworden. An diesem Ort, nachdem er niedergesetzt worden, ist er ferner bis ins vierte Jahr gestanden und hat die Dielen noch tiefer durchgetreten. Man hatte nachgehende einen Umhang um ihn geschlagen, damit ihn die Aus- und Eingehenden nicht also sehen konnten, welches auf sein Bitten geschehen, weil er gern allein gewesen ist und vor steter Traurigkeit nicht viel geredet. Endlich hat der gütige Gott die Strafe in etwas gemildert, so daß er das letzte halbe Jahr sitzen und sich in das Bett, das neben ihn gestellt worden, hat niederlegen können. Fragte ihn jemand, was er mache, so gab er gemeinlich zur Antwort, er leide Gottes

Züchtigung wegen seiner Sünden, setze alles in dessen Willen und halte sich an das Verdienst seines Herrn Jesu Christi, worauf er hoffe selig zu werden. Er hat sonst gar elend ausgesehen, war blaß und bleich von Angesicht, am Leibe gar schmächtig und abgezehrt, im Essen und Trinken mäßig, so daß er zur Speise oft Nötigens bedurfte. Nach Ausgang des siebenten Jahres ist er dieses seines betrübten Zustandes den 11. September 1552 gnädig entbunden worden, indem er eines vernünftigen und natürlichen Todes in wahrer Bekenntnis und Glauben an Jesus Christus selig entschlafen. Die Fußtapfen sieht man auf heutigen Tag in obgedachter Gasse und Haus (dessen jetziger Zeit Severin Tränkner Besitzer ist) in der oberen Stube, da sich die Geschichte begeben, die erste bei dem Ofen, die andere in der Kammer nächst dabei, weil nachgehender Zeit die Stuben unterschieden worden.

### 232. Die Bauern zu Kolbeck

Im Jahr 1012 war ein Bauer im Dorfe Kolbeck bei Halberstadt, der hieß Albrecht, der machte in der Christnacht einen Tanz mit andern fünfzehn Bauern, während man Messe hielt, außen auf dem Kirchhof, und waren drei Weibsbilder unter ihnen. Und da der Pfarrherr heraustrat und sie darum strafte, sprach jener: »Mich heißt (man) Albrecht, so heißt dich Ruprecht; du bist drinne fröhlich, so laß uns haußen fröhlich sein; du singst drinnen deine Leisen, so laß uns unsern Reihen singen.« Sprach der Pfarrherr: »So wolle Gott und der Herr St. Magnus, daß ihr ein ganzes Jahr also tanzen müsst!« Das geschah, und Gott gab den Worten Kraft, so daß weder Regen noch Frost ihre Häupter berührte, noch sie Hitze, Hunger und Durst empfanden, sondern sie tanzten allum, und ihre Schuhe zerschlissen auch nicht. Da lief einer (der Küster) zu und wollte seine Schwester aus dem Tanze ziehen, da folgten ihm ihre Arme. Als das Jahr vorüber war, kam der Bischof von Köln, Heribert, und erlöste sie aus dem Bann: da starben ihrer vier sobald, die andern wurden sehr krank, und man sagt, daß sie sich in die Erde fast an den Mittel (das heißt an den Gürtel) sollen getanzt haben und ein tiefer Graben in dem Grund ausgehöhlt wurde, der noch zu sehen ist. Der Landesherr ließ zum Zeichen soviel Steine darum setzen, wie Menschen mitgetanzt hatten.

### 233. Der heilige Sonntag

Zu Kindstadt in Franken pflegte eine Spinnerin des Sonntags über zu spinnen und zwang auch ihre Mägde dazu. Einsten deuchte sie miteinander, es ginge Feuer aus ihren Spinnrocken, täte ihnen aber weiter kein Leid. Den folgenden Sonntag kam das Feuer wahrhaftig in den Rocken, wurde doch wieder gelöscht. Weil sie's aber nicht achtete, ging den dritten Sonntag das ganze Haus an vom Flachs und verbrannte die Frau mit zwei Kindern, aber durch Gottes Gnade wurde ein kleines Kind in der Wiege erhalten, daß ihm kein Leid geschah.

Man sagt auch, einem Bauer, der sonntags in die Mühle ging, sein Getreide zu mahlen, sei es zu Aschen geworden, einem andern Scheuer und Korn abgebrannt. Einer wollte auf den heiligen Tag pflügen und die Pflugschar mit einem Eisen scheuern, das Eisen wuchs ihm an die Hand und mußte es zwei Jahre in großem Schmerz tragen, bis ihn Gott nach vielem inbrünstigen Gebet von der Plage erledigte.

### 234. Frau Hütt

In uralten Zeiten lebte im Tirolerland eine mächtige Riesenkönigin, *Frau Hütt* genannt, und wohnte auf den Gebirgen über Innsbruck, die jetzt grau und kahl sind, aber damals voll Wälder, reicher Äcker und grüner Wiesen waren. Auf eine Zeit kam ihr kleiner Sohn heim, weinte und jammerte, Schlamm bedeckte ihm Gesicht und Hände, dazu sah sein Kleid schwarz aus wie ein Köhlerkittel. Er hatte sich eine Tanne zum Steckenpferd abknikken wollen, weil der Baum aber am Rande eines Morastes stand,

war das Erdreich unter ihm gewichen und er bis zum Haupt in den Moder gesunken, doch hatte er sich noch glücklich herausgeholt. Frau Hütt tröstete ihn, versprach ihm ein neues schönes Röcklein und rief einen Diener, der sollte weiche Brosamen nehmen und ihm damit Gesicht und Hände reinigen. Kaum aber hatte dieser angefangen, mit der heiligen Gottesgabe also sündlich umzugehen, so zog ein schweres, schwarzes Gewitter daher, das den Himmel ganz zudeckte, und ein entsetzlicher Donner schlug ein. Als es wieder sich aufgehellt, da waren die reichen Kornäcker, grünen Wiesen und Wälder und die Wohnung der Frau Hütt verschwunden, und überall war nur eine Wüste mit zerstreuten Steinen, wo kein Grashalm mehr wachsen konnte, in der Mitte aber stand Frau Hütt, die Riesenkönigin, versteinert und wird so stehen bis zum jüngsten Tag.

In vielen Gegenden Tirols, besonders in der Nähe von Innsbruck, wird bösen und mutwilligen Kindern die Sage zur Warnung erzählt, wenn sie sich mit Brot werfen oder sonst Übermut damit treiben. »Spart eure Brosamen«, heißt es, »für die Armen, damit es euch nicht ergehe wie der Frau Hütt.«

**235. Der Kindelsberg**

Hinter dem Geißenberg in Westfalen ragt ein hoher Berg mit drei Köpfen hervor, davon heißt der mittelste noch der *Kindelsberg*, da stand vor alten Zeiten ein Schloß, das gleichen Namen führte, und in dem Schloß wohnten Ritter, die waren gottlose Leute. Zur Rechten hatten sie ein sehr schönes Silberbergwerk, davon wurden sie stockreich, und von dem Reichtum wurden sie so übermütig, daß sie sich silberne Kegel machten, und wenn sie spielten, warfen sie diese Kegel mit silbernen Kugeln. Der Übermut ging aber noch weiter, denn sie buken sich große Kuchen von Semmelmehl wie Kutschenräder, machten mitten Löcher darein und steckten sie an die Achsen. Das war eine himmelschreiende Sünde, denn so viele Menschen hatten kein Brot zu essen. Gott ward es endlich auch müde. Eines Abends spät kam ein weißes Männchen ins Schloß und sagte an, daß sie alle binnen drei Tagen sterben müßten, und zum Wahrzeichen gab er ihnen, daß diese Nacht eine Kuh zwei Lämmer werfen würde. Das traf auch ein, aber niemand kehrte sich daran als der jüngste Sohn, der Ritter Siegmund hieß, und eine Tochter, die eine gar schöne Jungfrau war. Diese beteten Tag und Nacht. Die andern starben an der Pest, aber diese beiden blieben am Leben. Nun aber war auf dem Geißenberg ein junger kühner Ritter, der ritt beständig ein großes, schwarzes Pferd und hieß darum *Der Ritter mit dem schwarzen Pferd*. Er war ein gottloser Mensch, der immer raubte und mordete. Dieser Ritter gewann die schöne Jungfrau auf dem Kindelsberg lieb und wollte sie zur Ehe haben, sie schlug es ihm aber beständig ab, weil sie mit einem jungen Grafen von der Mark verlobt war, der mit ihrem Bruder in den Krieg gezogen war und dem sie treu bleiben wollte. Als aber der Graf immer nicht aus dem Krieg zurückkam und der Ritter mit dem schwarzen Pferd sehr um sie warb, sagte sie endlich: »Wenn die grüne Linde hier vor meinem Fenster wird dürr sein, so will ich dir gewogen werden.« Der Ritter mit dem schwarzen Pferd suchte so lange in dem Lande, bis er eine dürre Linde fand, so groß wie jene grüne, und in einer Nacht bei Mondenschein grub er diese aus und setzte die dürre dafür hin. Als nun die schöne Jungfrau aufwachte, so war's so hell vor ihrem Fenster, da lief sie hin und sah erschrocken, daß eine dürre Linde da stand. Weinend setzte sie sich unter die Linde, und als der Ritter nun kam und ihr Herz verlangte, sprach sie in ihrer Not: »Ich kann dich nimmermehr lieben.« Da ward der Ritter mit dem schwarzen Pferd zornig und stach sie tot. Der Bräutigam kam noch denselben Tag zurück, machte ihr ein Grab und setzte eine Linde dabei und einen großen Stein, der noch zu sehen ist.

### 236. Die Semmelschuhe

Im Klatauer Kreis, eine Viertelstunde vom Dorf Oberkamenz, stand auf dem Hradekberg ein Schloß, davon noch einige Trümmer bleiben. Vor alter Zeit ließ der Burgherr eine Brücke bauen, die bis nach Stankau, welches eine Stunde Wegs weit ist, führte, und die Brücke war der Weg, den sie zur Kirche gehen mußten. Dieser Burgherr hatte eine junge, hochmütige Tochter, die war so vom Stolz besessen, daß sie Semmeln aushöhlen ließ und statt der Schuhe anzog. Als sie nun einmal auf jener Brücke mit solchen Schuhen zur Kirche ging und eben auf die letzte Stufe trat, soll sie und das ganze Schloß versunken sein. Ihre Fußstapfe sieht man noch jetzt in einem Stein, welcher eine Stufe dieser Brücke war, deutlich eingedrückt.

### 237. Der Erdfall bei Hochstädt

Im brandenburgischen Amt Klettenberg gegen den Unterharz, unfern des Dorfs Hochstädt, sieht man einen See und einen Erdfall, von dem die Einwohner folgende Sage haben: In vorigen Zeiten sei an der Stelle des Sees eine Grasweide gewesen. Da hüteten etliche Pferdejungen ihr Vieh, und als die andern sahen, daß einer unter ihnen Weißbrot aß, bekamen sie auch Lust, davon zu genießen, und forderten es dem Jungen ab. Dieser wollte ihnen aber nichts mitteilen, denn er bedürfe es zur Stillung seines eigenen Hungers. Darüber erzürnten sie, fluchten ihren Herrn, daß sie ihnen bloß gemeines, schwarz hausbackenes Brot gäben, warfen ihr Brot frevelhaft zur Erde, traten's mit Füßen und geißelten's mit ihren Peitschen. Alsbald kam Blut aus dem Brot geflossen, da erschraken die Knechte, wußten nicht, wohin sich wenden; der unschuldige aber (den, wie einige hinzufügen, ein alter, unbekannter, dazukommender Mann gewarnt haben soll) schwang sich zu Pferd und entfloh dem Verderben. Zu spät wollten die andern nachfolgen, sie konnten nicht mehr von der Stelle, und plötzlich ging der ganze Platz unter. Die bösen Buben samt ihren Pferden wurden tief in die Erde verschlungen, und nichts von ihnen kam je wieder ans Tageslicht. Andere erzählen anders. Auch sollen aus dem See Pflanzen mit Blättern wie Hufeisen wachsen.

### 238. Die Brotschuhe

Einer Bürgersfrau war ihr junges Kind gestorben, das ihr Augapfel war, und wußte gar nicht genug, was sie ihm noch Liebes und Gutes antun sollte, ehe es unter die Erde käme und sie's nimmermehr sehen würde. Und wie sie's nun im Sarg auf das beste putzte und kleidete, so deuchten ihr die Schühlein doch nicht gut genug und nahm das weißeste Mehl, was sie hatte, machte einen Teig und buk dem Kind welche von Brot. In diesen Schuhen wurde das Kind begraben, allein es ließ der Mutter nicht Rast noch Ruh, sondern erschien ihr jammervoll, bis sein Sarg wieder ausgegraben wurde und die Schühlein aus Brot von den Füßen genommen und andere ordentliche angezogen waren. Von da an stillte es sich.

### 239. Das taube Korn

Zu Stavoren in Friesland waren die Einwohner durch ihren Reichtum stolz und übermütig geworden, daß sie Hausflur und

Türen mit Gold beschlagen ließen, den ärmeren Städten der Nachbarschaft zum Trotz. Von diesen wurden sie daher nicht anders genannt als »die verwöhnten Kinder von Stavoren«. Unter ihnen war besonders eine alte geizhalsige Witwe, die trug einem Danzigfahrer auf, das Beste, was er laden könne, für ihre Rechnung mitzubringen. Der Schiffer wußte nichts Bessers, als er nahm einige tausend Lasten schönes polnisches Getreide, denn zur Zeit der Abreise hatte die Frucht gar hoch gestanden in Friesland. Unterwegs aber begegnete ihm nichts wie Sturm und Unwetter und nötigten ihn zu Bornholm überwintern, dergestalt, daß, wie er frühjahrs endlich daheim anlangte, das Korn gänzlich im Preise gefallen war und die Witwe zornig die sämtliche Ladung vor der Stadt in die See werfen ließ. Was geschah? An derselben Stelle tat sich seit der Zeit eine mächtige Sandbank empor, geheißen der *Frauensand*, darauf nichts als taubes Korn (Wunderkorn, Dünenhelm, weil es die Dünen wider die See helmt [schützt], *arundo arenaria*) wuchs, und die Sandbank lag vor dem Hafen, den sie sperrte, und der ganze Hafen ging zugrunde. So wuchs an der Sünde der alten Frau die Buße für die ganze Stadt auf.

## 240. Der Frauensand

Westlich im Südersee wachsen mitten aus dem Meer Gräser und Halme hervor an der Stelle, wo die Kirchtürme und stolzen Häuser der vormaligen Stadt Stavoren in tiefer Flut begraben liegen. Der Reichtum hatte ihre Bewohner ruchlos gemacht, und als das Maß ihrer Übeltaten erfüllt war, gingen sie bald zugrunde. Fischer und Schiffer am Strand des Südersees haben die Sage von Mund zu Mund fortbewahrt.

Die vermögendste aller Insassen der Stadt Stavoren war eine sichere Jungfrau, deren Namen man nicht mehr nennt. Stolz auf ihr Geld und Gut, hart gegen die Menschen, strebte sie bloß, ihre Schätze immer noch zu vermehren. Flüche und gotteslästerliche Reden hörte man viel aus ihrem Mund. Auch die üb-

rigen Bürger dieser unmäßig reichen Stadt, zu deren Zeit man Amsterdam noch nicht nannte und Rotterdam ein kleines Dorf war, hatten den Weg der Tugend verlassen.

Eines Tags rief die Jungfrau ihren Schiffsmeister und befahl ihm auszufahren und eine Ladung des Edelsten und Besten mitzubringen, was auf der Welt wäre. Vergebens forderte der Seemann, gewohnt an pünktliche und bestimmte Aufträge, nähere Weisung; die Jungfrau bestand zornig auf ihrem Wort und hieß ihn alsbald in die See stechen. Der Schiffsmeister fuhr unschlüssig und unsicher ab, er wußte nicht, wie er dem Geheiß seiner Frau, deren bösen, strengen Sinn er wohl kannte, nachkommen möchte und überlegte hin und her, was zu tun. Endlich dachte er: Ich will ihr eine Ladung des köstlichsten Weizen bringen, was ist Schöners und Edlers zu finden auf Erden als dies herrliche Korn, dessen kein Mensch entbehren kann? Also steuerte er nach Danzig, befrachtete sein Schiff mit ausgesuchtem Weizen und kehrte alsdann, immer noch unruhig und furchtsam vor dem Ausgang, wieder in seine Heimat zurück. »Wie, Schiffsmeister«, rief ihm die Jungfrau entgegen, »du bist schon hier? Ich glaubte dich an der Küste von Afrika, um Gold und Elfenbein zu handeln, laß sehen, was du geladen hast.« Zögernd, denn an ihren Reden sah er schon, wie wenig sein Einkauf ihr behagen würde, antwortete er: »Meine Frau, ich führe Euch zu dem köstlichsten Weizen, der auf dem ganzen Erdreich mag gefunden werden.« – »Weizen«, sprach sie, »so elendes Zeug bringst du mir?« – »Ich dachte, das wäre so elend nicht, was uns unser tägliches und gesundes Brot gibt.« – »Ich will dir zeigen, wie verächtlich mir deine Ladung ist; von welcher Seite ist das Schiff geladen?« – »Von der rechten Seite (Stuurboordsyde)«, sprach der Schiffsmeister. – »Wohlan, so befehl ich dir, daß du zur Stunde die ganze Ladung auf der linken Seite (Backboord) in die See schüttest; ich komme selbst hin und sehe, ob mein Befehl erfüllt worden.«

Der Seemann zauderte, einen Befehl auszuführen, der sich so greulich an der Gabe Gottes versündigte, und berief in Eile alle armen und dürftigen Leute aus der Stadt an die Stelle, wo das Schiff lag, durch deren Anblick er seine Herrin zu bewegen hoffte. Sie kam und frug: »Wie ist mein Befehl ausgerichtet?« Da fiel eine Schar von Armen auf die Knie vor ihr und sie baten, daß sie ihnen das Korn austeilen möchte, lieber als es vom Meer verschlingen zu lassen. Aber das Herz der Jungfrau war hart wie Stein, und sie erneuerte den Befehl, die ganze Ladung schleunig über Bord zu werfen. Da bezwang sich der Schiffsmeister länger nicht und rief laut: »Nein, diese Bosheit kann Gott nicht ungerächt lassen, wenn es wahr ist, daß der Himmel das Gute lohnt und das Böse straft; ein Tag wird kommen, wo Ihr gerne die edlen Körner, die Ihr so verspielt, eins nach dem andern auflesen möchtet, Euren Hunger damit zu stillen!« – »Wie«, rief sie mit höllischem Gelächter, »ich soll dürftig werden können? Ich soll in Armut und Brotmangel fallen? So wahr dies geschieht, so wahr sollen auch meine Augen diesen Ring wieder erblicken, den ich hier in die Tiefe der See werfe.« Bei diesem Wort zog sie einen kostbaren Ring vom Finger und warf ihn in die Wellen. Die ganze Ladung des Schiffes und aller Weizen, der darauf war, wurde also in die See ausgeschüttet.

Was geschieht? Einige Tage darauf ging die Magd dieser Frau zu Markt, kaufte einen Schellfisch und wollte ihn in der Küche zurichten; als sie ihn aufschnitt, fand sie darin einen kostbaren Ring und zeigte ihn ihrer Frau. Wie ihn die Meisterin sah, erkannte sie ihn sogleich für ihren Ring, den sie neulich ins Meer geworfen hatte, erbleichte und fühlte die Vorboten der Strafe in ihrem Gewissen. Wie groß war aber ihr Schrecken, als in demselben Augenblick die Botschaft eintraf, ihre ganze, aus Morgenland kommende Flotte wäre gestrandet! Wenige Tage darauf kam die neue Zeitung von untergegangenen Schiffen, worauf sie noch reiche Ladungen hatte. Ein anderes Schiff raubten die Mohren und Türken; der Fall einiger Kaufhäuser, worin sie verwickelt war, vollendete bald ihr Unglück, und kaum war ein Jahr verflossen, so erfüllte sich die schreckliche Drohung des Schiffsmeisters in allen Stücken. Arm und von keinem betrauert, von vielen verhöhnt, sank sie je länger, je mehr in Not und Elend, hungrig bettelte sie Brot vor den Türen und bekam oft keinen Bissen, endlich verkümmerte sie und starb verzweifelnd.

Der Weizen aber, der in das Meer geschüttet worden war, sproß und wuchs das folgende Jahr, doch trug er taube Ähren. Niemand achtete das Warnungszeichen, allein die Ruchlosigkeit von Stavoren nahm von Jahr zu Jahr überhand, da zog Gott der Herr seine schirmende Hand ab von der bösen Stadt. Auf eine Zeit schöpfte man Hering und Butt aus dem Ziehbrunnen, und in der Nacht öffnete sich die See und verschwalg mehr als drei Viertel der Stadt in rauschender Flut. Noch beinahe jedes Jahr versinken einige Hütten der Insassen, und es ist seit der Zeit kein Segen und kein wohlhabender Mann in Stavoren zu finden. Noch immer wächst jährlich an derselben Stelle ein Gras aus dem Wasser, das kein Kräuterkenner kennt, das keine Blüte trägt und sonst nirgends mehr auf Erden gefunden wird. Der Halm treibt lang und hoch, die Ähre gleicht der Weizenähre, ist aber taub und ohne Körner. Die Sandbank, worauf es grünt, liegt entlang der Stadt Stavoren und trägt keinen andern Namen als den des *Frauensands*.

## 241. Brot zu Stein geworden

Man hat an vielen Orten, namentlich in Westfalen, die Sagen, daß zur Zeit großer Teurung eine hartherzige Schwester ihre arme Schwester, die für sich und ihre Kindlein um Brot gebeten, mit den Worten abgewiesen: »Und wenn ich Brot hätte, wollte ich, daß es zu Stein würde!«, worauf sich ihr Brotvorrat alsbald in Stein verwandelte. Zu Leiden in Holland hebt man in der großen Peterskirche ein solches Steinbrot auf und zeigt es den Leuten zur Bewahrung der Geschichte.

Im Jahr 1579 hatte ein Dortmunder Bäcker in der Hungersnot viel Korn aufgekauft und freute sich, damit recht zu wuchern. Als er aber mitten in diesem Geschäft war, ist ihm sein Brot im ganzen Haus eines Tages zu Stein worden und, wie er einen Laib ergriffen und mit dem Messer aufschneiden wollte, Blut daraus geflossen. Darüber hat er sich alsbald in seiner Kammer erhängt.

In der dem heiligen Kastulus geweihten Hauptkirche zu Landshut hängt mit silberner Einfassung ein runder Stein in Gestalt eines Brotes, in dessen Oberfläche sich vier kleine Höhlungen befinden. Davon geht folgende Sage: Kurz vor seinem Tod kam der heilige Kastulus als ein armer Mann zu einer Witwe in der Stadt und bat um ein Almosen. Die Frau hieß ihre Tochter, das einzige Brot, das sie noch übrig hatten, dem Dürftigen reichen. Die Tochter, die es ungern weggab, wollte vorher noch eilig einige Stücke abbrechen, aber in dem Augenblick verwandelte sich das dem Heiligen schon eigene Brot in Stein, und man erblickt noch jetzt darin die eingedrückten Finger deutlich.

Zur Zeit einer großen Teurung ging ein armes Weib, ein Kind auf dem Arm, eins neben sich herlaufend und nach Brot laut schreiend, durch eine Straße der Stadt Danzig. Da begegnete ihr ein Mönch aus dem Kloster Oliva, den sie flehentlich um ein bißchen Brot für ihre Kinder bat. Der Mönch aber sagte: »Ich habe keins.« Die Frau sprach: »Ach, ich sehe, daß Ihr in Euerm Busen Brot stecken habt.« – »Ei, das ist nur ein Stein, die

Hunde damit zu werfen«, antwortete der Mönch und ging fort. Nach einer Weile wollte er sein Brot holen und essen, aber er fand, daß es sich wirklich in Stein verwandelt hatte. Er erschrak, bekannte seine Sünde und gab den Stein ab, der noch jetzt in der Klosterkirche dort hängt.

### 242. Der Binger Mäuseturm

Zu Bingen ragt mitten aus dem Rhein ein hoher Turm, von dem nachstehende Sage umgeht: Im Jahre 974 ward große Teuerung in Deutschland, daß die Menschen aus Not Katzen und Hunde aßen und doch viele Leute Hungers starben. Da war ein Bischof zu Mainz, der hieß Hatto der Andere, ein Geizhals, dachte nur daran, seinen Schatz zu mehren, und sah zu, wie die armen Leute auf der Gasse niederfielen und bei Haufen zu den Brotbänken liefen und das Brot nahmen mit Gewalt. Aber kein Erbarmen kam in den Bischof, sondern er sprach: »Lasst alle Armen und Dürftigen sammeln in einer Scheune vor der Stadt, ich will sie speisen.« Und wie sie in die Scheune gegangen waren, schloß er die Türe zu, steckte mit Feuer an und verbrannte die Scheune samt den armen Leuten, jung und alt, Mann und Weib. Als nun die Menschen unter den Flammen wimmerten und jammerten, rief Bischof Hatto: »Hört, hört, wie die Mäuse pfeifen!« Allein Gott, der Herr, plagte ihn bald, daß die Mäuse Tag und Nacht über ihn liefen und an ihm

fraßen, und vermochte sich mit aller seiner Gewalt nicht wider sie behalten und bewahren. Da wußte er endlich keinen andern Rat, als er ließ einen Turm bei Bingen mitten im Rhein bauen, der noch heute zu sehen ist, und meinte sich darin zu fristen, aber die Mäuse schwammen durch den Strom heran, erklommen den Turm und fraßen den Bischof lebendig auf.

## 243. Das Bubenried

In der Großbieberauer Gemarkung liegt ein Tal gegen Überau zu, das nennen die Leute das Bubenried und gehen nicht bei nächtlicher Weile dadurch, ohne daß ihnen die Hühnerhaut ankommt. Vorzeiten, als Krieg und Hungersnot im Reich war, gingen zwei Bettelbuben von Überau zurück, die hatten sich immer zueinander gehalten, und in dem Tal pflegten sie immer ihr Almosen zu teilen. Sie hatten heute nur ein paar Blechpfennige gekriegt, aber dem einen hatte der reiche Schulze ein Armenlaibchen geschenkt, das könne er mit seinem Gesellen teilen. Wie nun alles andre redlich geteilt war und der Bub das Brot aus dem Schubsack zog, roch es ihm so lieblich in die Nase, daß er's für sich allein behalten und dem andern nichts davon geben wollte. Da nahm der Friede sein Ende, sie zankten sich, und von den Worten kam's zum Raufen und Balgen, und als keiner den andern zwingen konnte, riß sich jeder einen Pfahl aus dem Pferch. Der böse Feind führte ihnen die Kolben, und jeder Bub schlug den andern tot. Drei Nächte lang nach dem Mord regte sich kein Blatt und sang kein Vogel im Ried, und seitdem ist es da ungeheuer, und man hört die Buben wimmern und winseln.

## 244. Kindelbrück

Diese thüringische Landstadt soll daher ihren Namen haben: Es seien vorzeiten zwei kleine Kinder auf Steckenpferden auf der Brücke, die über die Wipper führt, geritten und ins Wasser gefallen.

### 245. Die Kinder zu Hameln

Im Jahr 1284 ließ sich zu Hameln ein wunderlicher Mann sehen. Er hatte einen Rock von vielfarbigem, bunten Tuch an, weshalb er *Bundting* soll geheißen haben, und gab sich für einen Rattenfänger aus, indem er versprach, gegen ein gewisses Geld die Stadt von allen Mäusen und Ratten zu befreien. Die Bürger wurden mit ihm einig und versicherten ihm einen bestimmten Lohn. Der Rattenfänger zog demnach ein Pfeifchen heraus und pfiff, da kamen alsbald die Ratten und Mäuse aus allen Häusern hervorgekrochen und sammelten sich um ihn herum. Als er nun meinte, es wäre keine zurück, ging er hinaus, und der ganze Haufen folgte ihm, und so führte er sie an die Weser; dort schürzte er seine Kleider und trat in das Wasser, worauf ihm alle die Tiere folgten und hineinstürzend ertranken.

Nachdem die Bürger aber von ihrer Plage befreit waren, reute sie der versprochene Lohn, und sie verweigerten ihn dem Mann unter allerlei Ausflüchten, so daß er zornig und erbittert wegging. Am 26. Juni auf Johannis- und Paulitag, morgens früh sieben Uhr, nach andern zu Mittag, erschien er wieder, jetzt in Gestalt eines Jägers, erschrecklichen Angesichts, mit einem roten, wunderlichen Hut, und ließ seine Pfeife in den Gassen hören. Alsbald kamen diesmal nicht Ratten und Mäuse, sondern Kinder, Knaben und Mägdlein vom vierten Jahr an in großer Anzahl gelaufen, worunter auch die schon erwachsene Tochter des Bürgermeisters war. Der ganze Schwarm folgte ihm nach, und er führte sie hinaus in einen Berg, wo er mit ihnen verschwand. Dies hatte ein Kindermädchen gesehen, welches mit einem Kind auf dem Arm von fern nachgezogen war, danach umkehrte und das Gerücht in die Stadt brachte. Die Eltern liefen haufenweise vor alle Tore und suchten mit betrübtem Herzen ihre Kinder; die Mütter erhoben ein jämmerliches Schreien und Weinen. Von Stunde an wurden Boten zu Wasser und Land an alle Orte herumgeschickt, zu erkundigen, ob man die Kinder oder auch nur etliche gesehen, aber alles war vergeblich. Es waren im ganzen hundertunddreißig verloren. Zwei sollen, wie einige sagen, sich verspätet und zurückgekommen sein, wovon aber das eine blind, das andere stumm gewesen, so daß das blinde den Ort nicht hat zeigen können, aber wohl erzählen, wie sie dem Spielmann gefolgt wären; das stumme aber den Ort gewiesen, ob es gleich nichts gehört. Ein Knäblein war im Hemd mitgelaufen und kehrte um, seinen Rock zu holen, wodurch es dem Unglück entgangen; denn als es zurückkam, waren die andern schon in der Grube eines Hügels, die noch gezeigt wird, verschwunden.

Die Straße, auf der die Kinder zum Tor hinausgegangen, hieß noch in der Mitte des XVIII. Jahrhunderts (wohl noch heute) die *bunge-lose* (trommel-, tonlose, stille), weil kein Tanz darin geschehen noch Saitenspiel durfte gerührt werden. Ja, wenn eine Braut mit Musik zur Kirche gebracht ward, mußten die Spielleute über die Gasse hin stillschweigen. Der Berg bei Hameln, wo die Kinder verschwanden, heißt der *Poppenberg*, wo links und rechts zwei Steine in Kreuzform sind aufgerichtet worden. Einige sagen, die Kinder wären in eine Höhle geführt worden und in Siebenbürgen wieder herausgekommen.

Die Bürger von Hameln haben die Begebenheit in ihr Stadtbuch einzeichnen lassen und pflegten in ihren Ausschreiben nach dem Verlust ihrer Kinder Jahr und Tag zu zählen. Nach Seyfried ist der 22. statt des 26. Juni im Stadtbuch angegeben. An dem Rathaus standen folgende Zeilen:

> *Im Jahr 1284 na Christi gebort*
> *to Hamel worden uthgevort*
> *hundert und dreißig Kinder dasülvest geborn*
> *dorch einen Piper under den Köppen verlorn.*

Und an der neuen Pforte:

> *Centum ter denos cum magus ab urbe puellos*
> *duxerat ante annos CCLXXII condita porta fuit.*

Im Jahre 1572 ließ der Bürgermeister die Geschichte in die Kirchenfenster abbilden mit der nötigen Überschrift, welche größtenteils unleserlich geworden. Auch ist eine Münze darauf geprägt[34].

## 246. Der Rattenfänger

Der Rattenfänger weiß einen gewissen Ton, pfeift er den neunmal, so ziehen ihm alle Ratten nach, wohin er sie haben will, in Teich oder Pfütze.

Einmal konnte man in einem Dorf die Ratten gar nicht loswerden und ließ endlich den Fänger holen. Der richtete nun einen Haselstock so zu, daß alle Ratten daran gebannt waren, und wer den Stock ergriff, dem mußten sie nach; er wartete aber bis sonntags und legte ihn vor die Kirchentür. Als nun die Leute vom Gottesdienst heimkamen, ging auch ein Müller vorbei und sah gerade den hübschen Stock liegen, sprach: »Das gibt mir einen feinen Spazierstock.« Also nahm er ihn zur Hand und ging das Dorf hinaus, seiner Mühle zu. Indessen huben schon einzelne Ratten an, aus ihren Ritzen und Winkeln zu laufen, und sprangen querfeldein immer näher und näher, und wie mein Müller, der von nichts ahnte und den Stock immer behielt, auf die Wiese kam, liefen sie ihm aus allen Löchern nach, über Akker und Feld, und liefen ihm bald zuvor, waren eher in seinem Haus als er selbst und blieben nach der Zeit bei ihm zur unausstehlichen Plage.

---

34 Vgl. eine ganz ähnliche Sage in den (erdichteten oder komponierten) Aventures du Mandarin Fum Hoam, 44 soirée. Deutsche Übers. Lpzg., 1727, II, p. 167–172. Chardin hat bloß den Namen des Turms der vierzig Jungfrauen. – Martin Schock: Fabula hamelensis widerlegt die Wirklichkeit der Geschichte gegen Erich. – Inschrift eines Hauses zu Hameln mit goldenen Buchstaben: Anno 1284 am dage Johannis et Pauli war der 26. junii dorch einen piper mit allerlei farve bekledet gewesen 130 Kinder verledet binnen Hameln gebon (orn?) to calvarie bi den koppen verloren (Schöppach).

## 247. Der Schlangenfänger

In Salzburg rühmte sich ein Zauberer, er wollte alle Schlangen, die in derselben Gegend auf eine Meile Wegs wären, in eine Grube zusammenbringen und töten. Als er es aber versuchen wollte, kam zuletzt eine große, alte Schlange hervorgekrochen, welche, da er sie mit Zauberworten in die Grube zu zwingen wagte, aufsprang, ihn umzingelte, so daß sie wie ein Gürtel sich um seine Weiche wand, danach in die Grube schleifte und umbrachte.

## 248. Das Mäuselein

In Thüringen bei Saalfeld auf einem vornehmen Edelsitz zu Wirbach hat sich anfangs des XVII. Jahrhunderts folgendes begeben: Das Gesinde schälte Obst in der Stube, einer Magd kam der Schlaf an, sie ging von den andern weg und legte sich abseits, doch nicht weit davon, auf eine Bank nieder, um zu ruhen. Wie sie eine Weile stillgelegen, kroch ihr zum offenen Maule heraus ein rotes Mäuselein. Die Leute sahen es meistenteils und zeigten es sich untereinander. Das Mäuselein lief eilig nach dem gerade geklefften Fenster, schlich hinaus und blieb eine Zeitlang aus. Dadurch wurde eine vorwitzige Zofe neugierig gemacht, sosehr es ihr die andern verboten, ging hin zu der entseelten Magd, rüttelte und schüttelte an ihr, bewegte sie auch an eine andre Stelle etwas fürder, ging dann wieder davon. Bald danach kam das Mäuselein wieder, lief nach der vorigen bekannten Stelle, da es aus der Magd Maul gekrochen war, lief hin und her, und wie es nicht ankommen konnte noch sich zurechtfinden, verschwand es. Die Magd aber war tot und blieb tot. Jene Vorwitzige bereute es vergebens. Im übrigen war auf demselben Hof ein Knecht vorhermals oft von der Trud gedrückt worden und konnte keinen Frieden haben, dies hörte mit dem Tod der Magd auf.

## 249. Der ausgehende Rauch

In Hersfeld dienten zwei Mägde in einem Haus, die pflegten jeden Abend, ehe sie zu Bett schlafen gingen, eine Zeitlang in der Stube stillzusitzen. Den Hausherrn nahm das endlich wunder, er blieb daher einmal auf, verbarg sich im Zimmer und wollte die Sache ablauern. Wie die Mägde sich nun beim Tisch allein sitzen sahen, hob die eine an und sagte:

>*»Geist, tue dich entzücken*
>*und tue jenen Knecht drücken!«*

Darauf stieg ihr und der andern Magd gleichsam ein schwarzer Rauch aus dem Halse und kroch zum Fenster hinaus; die Mägde fielen zugleich in tiefen Schlaf. Da ging der Hausvater zu der einen, rief sie mit Namen und schüttelte sie, aber vergebens, sie blieb unbeweglich. Endlich ging er davon und ließ sie. Des Morgens darauf war diejenige Magd tot, die er gerüttelt hatte, die andere aber, die er nicht angerührt, blieb lebendig.

## 250. Die Katze aus dem Weidenbaum

Ein Bauernknecht von Straßleben erzählte, daß in ihrem Dorf eine gewisse Magd wäre, dieselbe hätte sich zuweilen vom Tanze hinweg verloren, daß niemand wußte, wo sie hinkommen, bis sie eine feine Weile danach sich wieder eingefunden. Einmal beredete er sich mit andern Knechten, dieser Magd nachzugehen. Als sie nun sonntags wieder zum Tanz kam und sich mit den Knechten erlustigte, ging sie auch wieder ab. Etliche schlichen ihr nach, sie ging das Wirtshaus hinaus aufs Feld und lief ohne Umsehen fort, einer hohlen Weide zu, in welcher sie sich versteckte. Die Knechte folgten nach, begierig zu sehen, ob sie lange in der Weide verharren würde, und warteten an einem Ort, wo sie wohlverborgen standen. Eine kleine Weile darauf merkten sie, daß eine Katze aus der Weide sprang und immer querfeldein nach Langendorf lief. Nun traten die Knechte näher zur Weide, da lehnte der Mensch oder vielmehr ihr Leib ganz erstarrt, und sie vermochten ihn weder mit Rütteln noch Schütteln zum Leben bringen. Ihnen kommt ein Grauen an, sie lassen den Leib stehen und gehen an ihren vorigen Ort. Nach einiger Zeit spüren sie, daß die Katze den ersten Weg zurückgeht, in die Weide einschlüpft, die Magd aus der Weide kriecht und nach dem Dorf zugeht.

### 251. Wetter und Hagel machen

Im Jahre 1553 sind zu Berlin zwei Zauberweiber gefangen worden, welche sich unterstanden, Eis zu machen, die Frucht damit zu verderben. Und diese Weiber hatten ihrer Nachbarin ein Kindlein gestohlen und dasselbe zerstückelt gekocht. Ist durch Gottes Schickung geschehen, daß die Mutter, ihr Kind suchend, dazukommt und ihres verlorenen Kindes Gliederlein in ein Töpfchen gelegt sieht. Da nun die beiden Weiber gefangen und peinlich gefragt worden, haben sie gesagt, wenn ihr Geköch fortgegangen, so wäre ein großer Frost mit Eis kommen, so daß alle Frucht verderbt wäre.

Zu einer Zeit waren in einem Wirtshaus zwei Zauberinnen zusammengekommen, die hatten zwei Gelten oder Kübel mit Wasser an einen besonderen Ort gesetzt und ratschlagten miteinander, ob es dem Korn oder dem Wein sollte gelten. Der Wirt, der auf einem heimlichen Winkel stand, hörte das mit an, und abends, als sich die zwei Weiber zu Bett gelegt, nahm er die Gelten und goß sie über sie hin; da ward das Wasser zu Eis, so daß beide sich von Stunde an zu Tode froren.

Eine arme Witfrau, die nicht wußte, wie sie ihre Kinder ernähren sollte, ging in den Wald, Holz zu lesen, und bedachte ihr Unglück. Da stand der Böse in eines Försters Gestalt und fragte, warum sie so traurig. Ob ihr Mann gestorben? Sie antwortete: »Ja.« Er sprach: »Willst du mich nehmen und mir gehorchen, will ich dir die Fülle Gelds geben.« Er überredete sie mit vielen

Worten, daß sie zuletzt wich, Gott absagte und mit dem Teufel buhlte. Nach Monatsfrist kam ihr Buhler wieder und reichte ihr einen Besen zu, darauf ritt sie durch dick und dünn, trocken und naß auf den Berg zu einem Tanz. Da waren noch andre Weiber mehr, deren sie aber nur zwei kannte, und die eine gab dem Spielmann zwölf Pfennig Lohn. Nach dem Tanze wurden die Hexen eins und taten zusammen Ähren, Rebenlaub und Eichblätter, damit Korn, Trauben und Eicheln zu verderben; es gelang aber nicht damit, und das Hagelwetter traf nicht, was es treffen sollte, sondern fuhr daneben. Ihr selbst brachte sie damit ein Schaf um, weil es zu spät heimkam.

### 252. Der Hexentanz

Eine Frau von Hembach hatte ihren kaum sechzehnjährigen Sohn Johannes mit zu der Hexenversammlung geführt, und weil er hatte pfeifen lernen, verlangte sie, er sollte ihnen zu ihrem Tanze pfeifen, und damit man es besser hören könnte, auf den höchsten Baum steigen. Der Knabe gehorchte und stieg auf den Baum. Als er nun daherpfiff und ihrem Tanz mit Fleiß zusah, vielleicht weil ihm alles so wunderseltsam deuchte, denn da geht es auf närrische Weise zu, sprach er: »Behüt, lieber Gott, woher kommt soviel närrisches und unsinniges Gesinde!« Kaum aber hatte er diese Worte ausgeredet, so fiel er vom Baum herab, verrenkte sich eine Schulter und rief, sie sollten ihm zu Hilfe kommen, aber da war niemand, nur er allein.

### 253. Die Weinreben und Nasen

An dem Hofe zu H. war ein Geselle, der seinen Gästen ein seltsam schimpfliches Gaukelwerk machte. Nachdem sie gegessen hatten, begehrten sie, darum sie vornehmlich gekommen waren, daß er ihnen zur Lust ein Gaukelspiel vorbringe. Da ließ er aus dem Tisch eine Rebe wachsen mit zeitigen Trauben, deren vor jedem eine hing: hieß jeglichen die seine mit der Hand angreifen und halten und mit der andern das Messer an den Stengel setzen, als wenn er sie abschneiden wollte; aber er sollte beileibe nicht schneiden. Darnach ging er aus der Stube, kam wieder: Da saßen sie alle und hielten sich ein jeglicher selber die Nase und das Messer darauf. Hätten sie geschnitten, hätte ein jeder sich selbst die Nase verwundet.

### 254. Festhängen

In Magdeburg war zu seiner Zeit ein seltsamer Zauberer, welcher in Gegenwart einer Menge Zuschauer, von denen er ein großes Geld gehoben, ein wunderkleines Rößlein, das im Ring herumtanzte, zeigte und, wenn sich das Spiel dem Ende näherte, klagte, wie er bei der undankbaren Welt so gar nichts Nutzes schaffen könnte, dieweil jedermann so karg wäre, daß er sich Bettelns kaum erwehren möchte. Deshalb wollte er von ihnen Urlaub nehmen und den allernächsten Weg gen Himmel, ob vielleicht seine Sache daselbst besser würde, fahren. Und als er diese Worte gesprochen, warf er ein Seil in die Höhe, welchem das Rößlein ohne allen Verzug stracks nachfuhr, der Zauberer erwischte es beim Wadel, seine Frau ihn bei den Füßen, die Magd die Frau an den Kleidern, so daß sie alle, als wären sie zusammengeschmiedet, nacheinander ob sich dahinfuhren. Als nun das Volk dastand, das Maul offen hatte und dieser Sache, wie wohl zu gedenken, erstaunt war, kam ohne alle Gefahr ein Bürger daher, welchem, als er fragte, was sie dastünden, geantwortet ward, der Gaukler wäre mit dem Rößlein in die Luft gefahren. Darauf er berichtete, er habe ihn eben zugegen seiner Herberge gesehen dahergehn.

### 255. Das Nothemd

Das Nothemd wird auf folgende Weise zubereitet: In der Christnacht müssen zwei unschuldige Mägdlein, die noch nicht sieben Jahre alt sind, linnen Garn spinnen, weben und ein Hemd daraus zusammennähen. Auf der Brust hat es zwei Häupter, eins auf der rechten Seite mit einem langen Bart und Helm, eins auf der linken mit einer Krone, wie sie der Teufel trägt. Zu beiden Seiten wird es mit einem Kreuz bewahrt. Das Hemd ist so lang, daß es den Menschen vom Hals an bis zum halben Leib bedeckt.

Wer ein solches Nothemd im Krieg trägt, ist sicher vor Stich, Hieb, Schuß und anderm Zufall, daher es Kaiser und Fürsten hochhielten. Auch Gebärende ziehen es an, um schneller und leichter entbunden zu werden. *Contra vero tale indusium, viro tamen mortuo ereptum, a foeminis luxuriosis quaeri ferunt, quo indutae non amplius gravescere perhibentur.*

## 256. Fest gemacht

Ein vornehmer Kriegsmann ging bei einer harten Belagerung mit zwei andern außerhalb der Laufgräben auf und ab. Von der Festung herab wurde heftig auf ihn gefeuert, er aber fuhr mit seinem Befehlshaberstab links und rechts umher und hieß die beiden an ihn halten und nicht ausweichen; wovon alle Kugeln abseits fielen und weder ihn noch die andern beiden treffen oder verwunden konnten.

Ein General, welcher in eine Stadt aus einem Treffen fliehen mußte, schüttelte die Büchsenkugeln wie Erbsen häufig aus dem Ärmel, deren keine ihn hatte verwunden können.

Meister Peter, Bartscherer zu Wittenberg, hatte einen Schwiegersohn, der Landsknecht im Kriege gewesen. Er hatte die Kunst verstanden, sich sicher und unverwundbar zu machen. Ferner hat er auch seinen Tod vorhergesehen und gesagt: »Mein Schwager soll's tun.« Desgleichen soll er denselben Tag zu seinem Weib gesagt haben: »Kauf ein, du wirst heute Gäste bekommen, das ist: Zuseher.« Welches also geschah, denn da ihn sein Schwager erstach, lief jeder in des Bartscherers Haus und wollt den toten Menschen sehen.

### 257. Der sichere Schuß

Ein Büchsenmeister, den ich gekannt, vermaß sich, er wolle alles treffen, was ihm nur innerhalb Schusses wäre, daß er's erreichen könnte, ob er's gleich nicht sähe. Der ließ sich brauchen in der Stadt W. bei der Belagerung. Davor hielt in einem Wäldlein ein vornehmer Oberster und Herr, den er nicht sah, erbot sich, er wollte ihn erschießen; aber es ward ihm gesagt, er sollt's nicht tun. Da schoß er durch den Baum, darunter er hielt auf seinem Roß und zu Morgen aß. Valvassor (Ehre von Crain, I, 676) gedenkt eines vornehmen Herrn, welcher täglich nur drei unfehlbare Schüsse hatte, damit aber konnte er, was man ihm nur nannte, sicher treffen. Ein solcher Schütze kann sich aufgeben lassen, was er schießen soll, Hirsch, Reh oder Hasen, und braucht dann nur aufs Geratewohl die Flinte zum Fenster hinaus abzudrücken, so muß das Wild fallen.

### 258. Der herumziehende Jäger

Es trug sich zu, daß in einem großen Wald der Förster, welcher die Aufsicht darüber führte, totgeschossen wurde. Der Edelmann, dem der Wald gehörte, gab einem andern den Dienst, aber dem widerfuhr ein gleiches, und so noch einigen, die aufeinanderfolgten, bis sich niemand mehr fand, der den gefährlichen Wald übernehmen wollte. Sobald nämlich der neue Förster hineintrat, hörte man ganz in der Ferne einen Schuß fallen, und gleich auch streckte eine mitten auf die Stirn treffende Kugel ihn nieder; es war aber keine Spur ausfindig zu machen, woher und von wem sie kam.

Gleichwohl meldete sich nach ein paar Jahren ein herumziehender Jäger wieder um den Dienst. Der Edelmann verbarg ihm nicht, was geschehen war, und setzte noch ausdrücklich hinzu, so lieb es ihm wäre, den Wald wieder unter Aufsicht zu wissen, könnte er ihm doch selbst nicht zu dem gefährlichen Amt raten. Der Jäger antwortete zuversichtlich, er wolle sich vor dem un-

sichtbaren Scharfschützen schon Rat schaffen, und übernahm den Wald. Andern Tags, als er, von mehreren begleitet, zuerst hineingeführt wurde, hörte man, wie er eintrat, schon in der Ferne den Schuß fallen. Alsbald warf der Jäger seinen Hut in die Höhe, der dann, von einer Kugel getroffen, wieder herabfiel. »Nun«, sprach er, »ist aber die Reihe an mir«, lud seine Büchse und schoß sie mit den Worten »Die Kugel bringt die Antwort!« in die Luft. Darauf bat er seine Gefährten, mitzugehen und den Täter zu suchen. Nach langem Herumstreifen fanden sie endlich in einer an dem gegenseitigen Ende des Waldes gelegenen Mühle den Müller tot und von der Kugel des Jägers auf die Stirn getroffen.

Dieser herumziehende Jäger blieb noch einige Zeit in Diensten des Edelmanns, doch weil er das Wild festbannen und die Feldhühner aus der Tasche fliegen lassen konnte, auch in ganz unglaublicher Entfernung immer sicher traf und andere dergleichen unbegreifliche Kunststücke verstand, so bekam der Edelmann eine Art Grausen vor ihm und entließ ihn bei einem schicklichen Vorwand aus seinem Dienst.

### 259. Doppelte Gestalt

Ein Landfahrer kam zu einem Edelmann, der mit langwieriger Ohnmacht und Schwachheit behaftet war, und sagte zu ihm: »Ihr seid verzaubert, soll ich Euch das Weib vor Augen bringen, das Euch das Übel angetan?« Als der Edelmann einwilligte, sprach jener: »Welches Weib morgen in Euer Haus kommt, sich auf den Herd zum Feuer stellt und den Kesselhaken mit der Hand angreift und hält, die ist es, welche Euch das Leid angetan.« Am andern Tag kam die Frau eines seiner Untertanen, der neben ihm wohnte, ein ehrliches und frommes Weib, und stellte sich dahin genau auf die Weise, wie der Landfahrer vorhergesagt hatte. Der Edelmann verwunderte sich gar sehr, daß eine so ehrbare, gottesfürchtige Frau, der er nicht übelwollte, so böse Dinge treiben sollte, und fing an zu zweifeln, ob es auch recht zugehe. Er gab darum seinem Diener heimlichen Befehl, hinzulaufen und zu sehen, ob diese Nachbarin zu Hause sei oder nicht. Als dieser hinkommt, sitzt die Frau über ihrer Arbeit und hechelt Flachs. Er heißt sie zum Herrn kommen, sie spricht: »Es wird sich ja nicht schicken, daß ich so staubig und ungeputzt vor den Junker trete.« Der Diener aber sagt, es habe nichts zu bedeuten, sie solle nur eilig mit ihm gehen. Sobald sie nun in des Herrn Türe trat, verschwand die andere als ein Gespenst aus dem Saal, und der Herr dankte Gott, daß er ihm in den Sinn gegeben, den Diener hinzuschicken, sonst hätte er auf des Teufels Trug vertraut und die unschuldige Frau verbrennen lassen.

## 260. Gespenst als Eheweib

Zur Zeit des Herzogs Johann Casimir von Coburg wohnte dessen Stallmeister G. P. v. Z. zuerst in der Spitalgasse, hierauf in dem Haus, welches nach ihm D. Frommann bezogen, dann in dem großen Haus bei der Vorstadt, die Rosenau genannt, endlich im Schloß, darüber er Schloßhauptmann war. Zu so vielfachem Wechsel zwang ihn ein Gespenst, welches seiner noch lebenden Ehefrau völlig gleichsah, so daß er, wenn er in die neue Wohnung kam und am Tisch saß, bisweilen darüber zweifelte, welches seine rechte leibhafte Frau wäre, denn es folgte ihm, wenn er gleich aus dem Haus zog, doch allenthalben nach. Als ihm eben seine Frau vorschlug, in die Wohnung, die hernach jener Doktor innehatte, zu ziehen, dem Gespenst auszuweichen, hub es an mit lauter Stimme zu reden und sprach: »Du ziehst gleich hin, wo du willst, so ziehe ich dir nach, wenn auch durch die ganze Welt.« Und das waren keine bloßen Drohworte, denn nachdem der Stallmeister ausgezogen war, ist die Tür des Hinterhauses wie mit übermäßiger Gewalt zugeschlagen worden, und von der Zeit an hat sich das Gespenst nie wieder in dem verlassenen Haus sehen lassen, sondern ist in dem neubezogenen wieder erschienen.

Wie die Edelfrau Kleidung anlegte, in derselben ist auch das Gespenst erschienen, es mochte ein Feierkleid oder ein alltägliches sein und welche Farbe, als es nur wollte; weswegen sie niemals allein in ihren Hausgeschäften, sondern von jemand begleitet ging. Gemeinlich ist es in der Mittagszeit zwischen elf und zwölf Uhr erschienen. Wenn ein Geistlicher da war, so kam es nicht zum Vorschein. Als einmal der Beichtvater Johann Prüscher eingeladen war und ihn beim Abschied der Edelmann mit seiner Frau und seiner Schwester an die Treppe geleitete, stieg es von unten die Treppe hinauf und faßte durch ein hölzernes Gitter des Fräuleins Schürze und verschwand, als dieses zu schreien anfing. Einmal ist es auf der Küchenschwelle mit dem Arm gelegen, und als die Köchin gefragt: »Was willst du?«, hat es geantwortet: »Deine Frau will ich.« Sonst hat es der Edelfrau keinen Schaden zugefügt. Dem Fräulein aber, des Edelmanns Schwester, ist es gefährlich gewesen und hat ihm einmal einen solchen Streich ins Gesicht gegeben, daß die Backe davon aufgeschwollen ist und es in des Vaters Haus zurückkehren mußte. Endlich hat sich das Gespenst verloren, und es ist ruhig im Haus geworden.

### 261. Tod des Erstgeborenen

In einem vornehmen Geschlecht hat es sich vor ein paar hundert Jahren zugetragen, daß das erste Kind, ein Söhnlein, morgens bei der Amme im Bett tot gefunden wurde. Man verdächtigte sie, es absichtlich erdrückt zu haben, und ob sie gleich ihre Unschuld beteuerte, so ward sie doch zum Tode verurteilt. Als sie nun niederkniete und eben den Streich empfangen sollte, sprach sie noch einmal: »Ich bin so gewiß unschuldig, als in Zukunft jedesmal der Erstgeborene dieses Geschlechts sterben wird.« Nachdem sie dieses gesprochen, flog eine weiße Taube über ihr Haupt hin; darauf ward sie gerichtet. Die Weissagung aber kam in Erfüllung, und der älteste Sohn aus diesem Haus ist noch immer in früher Jugend gestorben.

### 262. Der Knabe zu Kolmar

Bei Pfeffel in Kolmar war ein Kind im Hause, das wollte nie über einen gewissen Flecken im Hausgarten gehen, auf dem seine Kameraden ruhig spielten. Diese wußten nicht, warum, und zogen es einmal mit Gewalt dahin; da sträubten ihm die Haare empor, und kalter Schweiß brach aus seinem Leib. Wie der Knabe von der Ohnmacht endlich zu sich kam, wurde er um die Ursache befragt, wollte lange nichts gestehen, endlich auf vieles Zureden sagte er: »Es liegt an der Stelle ein Mensch begraben, dessen Hände so und so liegen, dessen Beine so und so gestellt sind (welches er alles genau beschrieb), und am Finger der einen Hand hat er einen Ring.« Man grub nach, der Platz war mit Gras bewachsen, und drei Fuß unter der Erde tief fand sich ein Gerippe in der beschriebenen Lage und am benannten Finger ein Ring. Man beerdigte es ordentlich, und seitdem ging der Knabe, dem man weder davon noch vom Ausgraben das mindeste gesagt, ruhig auf den Flecken. – Dies Kind hatte die Eigenschaft, daß es an dem Ort, wo Tote lagen, immer ihre ganze Gestalt in Dünsten aufsteigen sah und in allem erkannte. Der vielen schrecklichen Erscheinungen wegen härmte es sich ab und verzehrte schnell sein Leben.

### 263. Tod des Domherrn zu Merseburg

Von langer Zeit her ward in der Stiftskirche zu Merseburg drei Wochen vor dem Absterben eines jeglichen Domherrn bei der Nacht ein großer Tumult gehört, indem auf dem Stuhl dessen, welcher sterben sollte, ein solcher Schlag geschah, als ob ein starker Mann aus allen Kräften mit geschlossener Faust einen gewaltsamen Streich täte. Sobald solches die Wächter vernommen, deren etliche sowohl bei Tag als bei Nacht in der Kirche gewacht und wegen der stattlichen Kleinodien, die darin vorhanden waren, die Runde gemacht, haben sie es gleich andern Tags danach dem Kapitel angezeigt. Und solches ist dem Domherrn, dessen Stuhl der Schlag getroffen, eine persönliche Vertagung gewesen, daß er in drei Wochen an den blassen Reigen mußte.

### 264. Die Lilie im Kloster zu Korvei

Das Kloster der Abtei zu Korvei an der Weser hat von Gott die sonderbare Gnade gehabt, daß, sooft einer aus den Brüdern sterben sollte, er drei Tage zuvor, ehe er verschieden, eine Vorwarnung bekommen, vermittelst einer Lilie an einem ehernen Kranz, der im Chor hing. Denn dieselbe Lilie kam allezeit wunderbarlich herab und erschien in dem Stuhl desjenigen Bruders, dessen Lebensende vorhanden war; so daß dieser dabei unfehlbar merkte und versichert war, er würde in drei Tagen von der Welt scheiden. Dieses Wunder soll etliche hundert Jahre gewährt haben, bis ein junger Ordensbruder, als er auf diese Weise seiner herannahenden Sterbestunde ermahnt worden, solche Erinnerung verachtet und die Lilie in eines alten Geistlichen Stuhl versetzt hat; der Meinung, es würde das Sterben dem Alten besser anstehen als dem jungen. Wie der gute alte Bruder die Lilie erblickt, ist er darüber, als über einen Geruch des Todes, so hart erschrocken, daß er in eine Krankheit, doch gleichwohl nicht ins Grab gefallen, sondern bald wieder gesund, dagegen der junge Warnungsverächter am dritten Tag durch einen jählingen Tod dahingerissen worden.

### 265. Rebundus im Dom zu Lübeck

Wenn in alten Zeiten ein Domherr zu Lübeck bald sterben sollte, so fand sich morgens unter seinem Stuhlkissen im Chor eine weiße Rose, daher es Sitte war, daß jeder, wie er anlangte, sein Kissen gleich umwendete, zu schauen, ob diese Grabesverkündigung darunterliege. Es geschah, daß einer von den Domherren, namens *Rebundus*, eines Morgens diese Rose unter seinem Kissen fand, und weil sie seinen Augen mehr ein schmerzlicher Dornstachel als eine Rose war, nahm er sie behend weg und steckte sie unter das Stuhlkissen seines nächsten Beisitzers, obgleich dieser schon darunter nachgesehen und nichts gefunden hatte. Rebundus fragte darauf, ob er nicht sein Kissen umkehren wollte. Der andere entgegnete, daß er es schon getan habe; aber Rebundus sagte weiter, er habe wohl nicht recht zugeschaut und solle noch einmal nachsehen, denn ihm bedünke, es habe etwas Weißes darunter geschimmert, als er dahin geblickt. Hierauf wendete der Domherr sein Kissen um und fand die Grabblume; doch sprach er zornig; das sei Betrug, denn er habe gleich anfangs fleißig genug zugeschaut und unter seinem Sitz keine Rose gefunden. Damit schob und stieß er sie dem Rebundus wieder unter sein Kissen, dieser aber wollte sie nicht wieder sich aufdrängen lassen, so daß sie einer dem andern zuwarf und ein Streit und heftiges Gezänk zwischen ihnen entstand. Als sich das Kapitel ins Mittel schlug und sie auseinanderbringen, Rebundus aber durchaus nicht eingestehen wollte, daß er die Rose am ersten gehabt, sondern auf seinem unwahrhaftigen Vorgeben beharrte, hub endlich der andere, aus verbitterter Ungeduld, an zu wünschen: »Gott wolle geben, daß der von uns beiden, welcher unrecht hat, statt der Rosen in Zukunft zum Zeichen werde, und wenn ein Domherr sterben soll, in seinem Grabe klopfen möge, bis an den jüngsten Tag!« Rebundus, der diese Verwünschung wie einen leeren Wind achtete, sprach frevelig dazu: »Amen! Es sei also!«

Da nun Rebundus nicht lange danach starb, hat es von dem an unter seinem Grabstein, sooft eines Domherrn Ende sich nahte, entsetzlich geklopft, und es ist das Sprichwort entstanden: »Rebundus hat sich gerührt, es wird ein Domherr sterben!« Eigentlich ist es kein bloßes Klopfen, sondern es geschehen unter seinem sehr großen, langen und breiten Grabstein drei Schläge, die nicht viel gelinder krachen, als ob das Wetter einschlüge oder dreimal ein Kartaunenschuß geschähe. Beim dritten Schlag dringt über dem Gewölbe der Schall der Länge nach durch die ganze Kirche mit so starkem Krachen, daß man denken sollte, das Gewölbe würde ein- und die Kirche übern Haufen fallen. Es wird dann nicht bloß in der Kirche, sondern auch in den umstehenden Häusern vernehmlich gehört.

Einmal hat sich Rebundus an einem Sonntag zwischen neun und zehn Uhr mitten unter der Predigt geregt und so gewaltig angeschlagen, daß etliche Handwerksgesellen, welche eben auf dem Grabstein gestanden und die Predigt angehört, teils durch starke Erbebung des Steins, teils aus Schrecken nicht anders herabgeprellt wurden, als ob sie der Donner weggeschlagen hätte. Beim dritten entsetzlichen Schlag wollte jedermann zur Kirche hinausfliehen, in der Meinung, sie würde einstürzen; der Prediger aber ermunterte sich und rief der Gemeinde zu, dazubleiben und sich nicht zu fürchten; es wäre nur ein Teufelsgespenst, das den Gottesdienst stören wolle, das müsse man verachten und ihm im Glauben Trotz bieten. Nach etlichen Wochen ist des Dechants Sohn verblichen, denn Rebundus tobte auch, wenn eines Domherrn naher Verwandter bald zu Grabe kommen wird.

## 266. Glocke läutet von selbst

In einer berühmten Reichsstadt hat im Jahr 1686, am 27. März, die sogenannte Marktglocke von sich selbst drei Schläge getan, worauf bald danach ein Herr des Rats, welcher zugleich auch Marktherr war, gestorben.

In einem Haus fing sechs oder sieben Wochen vor dem Tod des Hausherrn eine überaus helle Glocke an zu läuten, und zwar zu zwei verschiedenen Malen. Da der Hausherr damals noch frisch und gesund, seine Ehefrau aber bettlägerig war, verbot er dem Gesinde, ihr etwas davon zu sagen, besorgend, sie möchte erschrecken, von schwermütiger Einbildung noch kränker werden und gar davon sterben. Aber diese Anzeigung hatte ihn selbst gemeint, denn er kam ins Grab, seine Frau aber erholte sich wieder zu völliger Gesundheit. Siebzehn Wochen nachher, als sie ihres seligen Eheherrn Kleider und Mäntel reinigt und ausbürstet, fängt vor ihren Augen und Ohren die Tennenglocke an sich zu schwingen und ihren gewöhnlichen Klang zu geben. Acht Tage danach erkrankt ihr ältester Sohn und stirbt in wenigen Tagen. Als diese Witwe sich wieder verheiratet und mit ihrem zweiten Mann etliche Kinder zeugte, sind diese wenige Wochen nach der Geburt gleich den Märzblumen verwelkt und begraben. Da dann jedesmal jene Glocke dreimal nacheinander stark angezogen wurde, obgleich das Zimmer, darin sie gehangen, versperrt war, so daß niemand den Draht erreichen konnte.

Einige glauben, dieses Läuten (welches oft nicht von den Kranken und Sterbläsrigen, sondern nur von andern gehört wird) geschehe von bösen Geistern, andere dagegen: von guten Engeln. Wiederum andere sagen, es komme von dem Schutzgeist, welcher den Menschen warnen und erinnern wollte, daß er sich zu seinem heraneilenden Ende bereite.

### 267. Todesgespenst

Zu Schwaz und Innsbruck in Tirol läßt sich zur Sterbenszeit ein Gespenst sehen, bald klein, bald groß wie ein Haus. Zu welchem Fenster es hineinschaut, aus demselben Haus sterben die Leute.

### 268. Frau Berta oder die weiße Frau

*Die weiße Frau* erscheint in den Schlössern mehrerer fürstlicher Häuser, namentlich zu Neuhaus in Böhmen, zu Berlin, Bayreuth, Darmstadt und Karlsruhe und in allen, deren Geschlechter nach und nach durch Verheiratung mit dem ihren verwandt geworden sind. Sie tut niemanden zuleide, neigt ihr Haupt, vor wem sie begegnet, spricht nichts, und ihr Besuch bedeutet einen nahen Todesfall, manchmal auch etwas Fröhliches, wenn sie nämlich keine schwarzen Handschuh anhat. Sie trägt einen Schlüsselbund und eine weiße Schleierhaube. Nach einigen soll sie im Leben *Perchta von Rosenberg* geheißen, zu Neuhaus in Böhmen gewohnt haben und mit Johann von Lichtenstein, einem bösen, störrischen Mann, vermählt gewesen sein. Nach ihres Gemahls Tod lebte sie in Witwenschaft zu Neuhaus und fing an, zu großer Beschwerde ihrer Untertanen, die ihr frönen mußten, ein Schloß zu bauen. Unter der Arbeit rief sie ihnen zu, fleißig zu sein: »Wenn das Schloß zustande sein wird, will ich euch und euren Leuten einen süßen Brei vorsetzen«, denn dieser Redensart bedienten sich die Alten, wenn sie jemand zu Gast luden. Den Herbst nach Vollendung des Baues hielt sie nicht nur ihr Wort, sondern stiftete auch, daß auf ewige Zeiten hin alle Rosenbergs ihren Leuten ein solches Mahl geben sollten. Dieses ist bisher fort geschehen[35], und unterbleibt es, so erscheint sie mit zürnenden Mienen. Zuweilen soll sie in fürstliche Kinderstuben nachts, wenn die Ammen Schlaf befällt, kommen, die Kinder wiegen und vertraulich umtragen. Einmal, als eine unwissende Kinderfrau erschrocken fragte: »Was hast du mit dem Kind zu schaffen?« und sie mit Worten schalt, soll sie doch gesagt haben: »Ich bin keine Fremde in diesem Haus wie du, sondern gehöre ihm zu; dieses Kind stammt von meinen Kindeskindern. Weil ihr mir aber keine Ehre erwiesen habt, will ich nicht mehr wieder einkehren.«

### 269. Die wilde Berta kommt

In Schwaben, Franken und Thüringen ruft man halsstarrigen Kindern zu: »Schweig, oder die wilde Berta kommt!« Andere nennen sie Bildaberta, Hildaberta, auch wohl: die eiserne Berta. Sie erscheint als eine wilde Frau mit zottigen Haaren und besudelt dem Mädchen, das den letzten Tag im Jahr seinen Flachs nicht abspinnt, den Rocken. Viele Leute essen diesen Tag Klöße und Hering. Sonst, behaupten sie, käme die Perchta oder Prechta, schnitte ihnen den Bauch auf, nähme das Erstgenossene heraus und tue Häckerling hinein. Dann nähe sie mit einer Pflugschar statt der Nadel und mit einer Röhmkette statt des Zwirns den Schnitt wieder zu.

### 270. Der Türst, das Posterli und die Sträggele

Wenn der Sturm nachts im Wald heult und tobt, sagt das Volk im Luzernergau: »Der Türst (oder der *Dürst*) jagt!« Im Entlebuch weiß man dagegen von dem *Posterli*, einer Unholdin, deren Jagd die Einwohner Donnerstag vor Weihnachten in einem großen Aufzug, mit Lärm und Geräusch, jährlich vorstellen. In der

---

35 Der Brei wird aus Erbsen und Heidegrütz gekocht, auch werden jedesmal Fische dazugegeben.

Stadt Luzern heißt die *Sträggele* eine Hexe, welche in der Fronfastennacht am Mittwoch vor den heiligen Weihnachten herumspukt und die Mädchen, wie sie ihr Tagewerk nicht gesponnen, auf mancherlei Art schert; daher auch diese Nacht die *Sträggelenacht* genannt wird.

### 271. Der Nachtjäger und die Rüttelweiber

Die Einwohner des Riesengebirges hören bei nächtlichen Zeiten oft Jägerruf, Hornblasen und Geräusch von wilden Tieren; dann sagen sie: »Der Nachtjäger jagt.« Kleine Kinder fürchten sich davor und werden geschwiegt, wenn man ihnen zuruft: »Sei still, hörst du nicht den Nachtjäger jagen?« Er jagt aber besonders die *Rüttelweiber*, welche kleine, mit Moos bekleidete Weiblein sein sollen, verfolgt und ängstigt sie ohne Unterlaß. Es sei denn, daß sie an einen Stamm eines abgehauenen Baumes geraten, und zwar eines solchen, wozu der Hölzer (Holzbauer) »Gott wael's!« (Gott walte es) gesprochen hat. Auf solchem Holz haben sie Ruhe. Sollte er aber, als er die Axt zum erstenmal an den Baum gelegt, gesagt haben: »Wael's Gott!« (so daß er das Wort Gott hintangesetzt), so gibt ein solcher Stamm keinem Rüttelweibchen Ruh und Frieden, sondern es muß vor dem Nachtjäger auf stetiger Flucht sein.

### 272. Der Mann mit dem Schlackhut

Es hat vor ein paar Jahren noch eine alte Frau eines der Zimmer des verfallenen Freiensteins bewohnt. Eines Abends trat zu ihr ganz unbefangen in die Stube herein ein Mann, der einen grauen Rock, einen großen Schlackhut und einen langen Bart trug. Er hing seinen Hut an den Nagel, saß, ohne sich um jemand zu bekümmern, nieder an den Tisch, zog ein kurzes Tabakspfeifchen aus dem Sack und rauchte. So blieb dieser Graue immer hinter seinem Tisch sitzen. Die Alte konnte seinen Abgang nicht erwarten und legte sich ins Bett. Morgens war das Gespenst verschwunden. – Des Schulzen Sohn erzählte: »Den ersten Christtagmorgen, während Amt in der Kirche gehalten wurde, saß meine Frähle (Großmutter) in unsrer Stube und betete. Als sie einmal vom Buch aufsah und gerade nach dem Schloßgarten guckte, erblickte sie oben einen Mann in grauer Kutte und einem Schlackhut stehen, der hackte von Zeit zu Zeit. So haben wir und alle Nachbarn ihn gesehen. Als die Sonne unterging, verschwand er.«

### 273. Der graue Hockelmann

Vor vielen Jahren ging einmal ein Bauer aus Auerbach abends unten am Schloßberg vorüber. Da wurde er plötzlich von einem grauen Mann angehalten und gezwungen, ihn bis hinauf in das Schloß zu hockeln. Auf einer dunklen Stiege des Schlosses wurde der Bauer den andern Tag gefunden, wie einer, der sich übermüdet. Er starb kurze Zeit darauf.

### 274. Chimmeke in Pommern

Auf dem Schloss Loyz soll ein Poltergeist, den die alten Pommern *Chimmeke* nennen, einen Küchenbuben klein gehackt und in einen irdenen Topf gesteckt haben, weil er ihm die Milch, die dem Geist in der Zeit des Aberglaubens alle Abend mußte hingesetzt werden, verzehrt hatte. Diesen Topf oder Grapen, worin Chimmeke sein Mütlein gekühlt, hat man lange Zeit vorgezeigt.

### 275. Der Krischer

Johann Peter Kriechbaum, Schultheiß der Oberkainsbacher Zent, erzählte den 12. März 1753: Im Bezirk, genannt die Spreng, halte sich ein Geist oder Gespenst auf, so allerhand Gekreisch als wie ein Reh, Fuchs, Esel, Hund, Schwein und andere Tiere, auch gleich allerhand Vögel führe, daher es von den Leuten der *Krischer* geheißen werde. Es habe schon viele irregeleitet, und getraue niemand, besonders die Hirten nicht, sich in dasigen Wiesen aufzuhalten. Ihm sei neulich selbst begegnet, als er nachts auf seine Wiese in der Spreng gegangen und das Wasser zum Wässern aufgewendet, da habe ein Schwein in dem Wäldchen auf der Langenbrombacher Seite geschrien, als ob ihm das Messer im Hals stäke. Das Gespenst gehe bis in den Holler Wald, wo man vor sechzehn Jahren Kohlen brennen lassen, über welches die Kohlenbrenner damals sehr geklagt und daß sie vielfältig von ihm geängstigt würden, indem es ihnen in Gestalt eines Esels erschienen. Ein Gleiches habe der verstorbene Johann Peter Weber versichert, der in der Nacht Kohlen allda geladen, um sie auf den Michelstädter Hammer zu führen. Heinrich Germann, der alte Zentschultheiß, versicherte, als er einstmals die Ochsen in seiner Sprengswiese gehütet, wäre ein Fuchs auf ihn zugelaufen gekommen, nach dem er mit der Peitsche geschlagen, worauf er Augenblicks verschwunden.

### 276. Die überschiffenden Mönche

In der Stadt Speyer lebte vorzeiten ein Fischer. Als dieser in einer Nacht an den Rhein kam und sein Garn ausstellen wollte, trat ein Mann auf ihn zu, der trug eine schwarze Kutte in Weise der Mönche, und nachdem ihn der Fischer ehrsam gegrüßt hatte, sprach er: »Ich komm, ein Bote, fernher und möchte gern über den Rhein.« – »Tritt in meinen Nachen ein zu mir«, antwortete der Fischer, »ich will dich überfahren.« Da er nun diesen übergesetzt hatte und zurückkehrte, standen noch fünf andere Mönche am Gestade, die begehrten auch zu schiffen, und der Fischer frug bescheiden, was sie doch bei so eitler Nacht reisten. »Die Not treibt uns«, versetzte einer der Mönche, »die Welt ist uns feind, so nimm du dich unser an und Gottes Lohn dafür.« Der Fischer verlangte zu wissen, was sie ihm geben wollten für seine Arbeit. Sie sagten: »Jetzt sind wir arm, wenn es uns wieder besser geht, sollst du unsere Dankbarkeit schon spüren.« Also stieß der Schiffer ab, wie aber der Nachen mitten auf den Rhein kam, hob sich ein fürchterlicher Sturm. Wasserwellen bedeckten das Schiff, und der Fischer erblaßte. »Was ist das«, dachte er sich, »bei Sonnenniedergang war der Himmel klar und lauter, und schön schien der Mond, woher dieses schnelle Unwetter?« Und wie er seine Hände hob, zu Gott zu beten, rief einer der Mönche: »Was liegst du Gott mit Beten in den Ohren, steuere dein Schiff.« Bei den Worten riß er ihm das Ruder aus der Hand und fing an, den armen Fischer zu schlagen. Halbtot lag er im Nachen, der Tag begann zu dämmern, und die schwarzen Männer verschwanden. Der Himmel war klar wie vorher, der Schiffer ermannte sich, fuhr zurück und erreichte mit Not seine Wohnung. Des andern Tags begegneten dieselben Mönche einem früh aus Speyer reisenden Boten in einem rasselnden, schwarzbedeckten Wagen, der aber nur drei Räder und einen langnasigten Fuhrmann hatte. Bestürzt stand er still, ließ den Wagen vorüber und sah bald, daß er sich mit Prasseln und Flammen in die Lüfte verlor, dabei vernahm man Schwerterklingen, als ob ein Heer zusammenginge. Der Bote wandte sich, kehrte zur Stadt und zeigte alles an; man schloß aus diesem Gesicht auf Zwietracht unter den deutschen Fürsten.

### 277. Der Irrwisch

An der Bergstraße zu Hänlein, auch in der Gegend von Lorsch, nennt man die Irrlichter *Heerwische*; sie sollen nur in der Adventszeit erscheinen, und man hat einen Spottreim auf sie: »Heerwisch, ho ho, brennst wie Haberstroh, schlag mich blitzebloe!« Vor länger als dreißig Jahren, wird erzählt, sah ein Mädchen abends einen Heerwisch und rief ihm den Spottreim entgegen. Aber er lief auf das Mädchen gerade zu, und als es floh und in das Haus zu seinen Eltern flüchtete, folgte er ihr auf der Ferse nach, trat mit ihr zugleich ins Zimmer hinein und schlug alle Leute, die darin waren, mit seinen feurigen Flügeln, daß ihnen Hören und Sehen verging.

## 278. Die feurigen Wagen

Konrad Schäfer aus Gammelsbach erzählte: »Ich habe vor einigen Jahren Frucht auf der Hirschhörnerhöhe nicht weit von Freienstein, dem alten Schloß, gehütet. Nachts um zwölf begegneten mir zwei feurige Kutschen mit gräßlichem Gerassel; jede mit vier feurigen Rossen bespannt. Der Zug kam gerade vom Freienstein. Er ist mir öfter begegnet und hat mich jedesmal gewaltig erschreckt; denn es saßen Leute in den Kutschen, denen die Flamme aus Maul und Augen schlug.«

## 279. Räderberg

Ein Metzger von Nassau ging aus, zu kaufen. Auf der Landstraße stößt er bald auf eine dahinfahrende Kutsche und geht ihr nach, den Gleisen in Gedanken folgend. Mit einmal hält sie an und vor einem schönen, großen Landhaus, mitten auf der Heerstraße, das er aber sonst noch niemals erblickt, sooft er auch dieses Wegs gekommen. Drei Mönche steigen aus dem Wagen, und der erstaunte Metzger folgt ihnen unbemerkt in das hell erleuchtete Haus. Erst gehen sie in ein Zimmer, einem die Kommunion zu reichen, und nachher in einen Saal, wo große Gesellschaft um einen Tisch sitzt, in lautem Lärmen und Schreien ein Mahl verzehrend. Plötzlich bemerkt der Obensitzende den fremden Metzger, und sogleich ist alles still und verstummt. Da steht der oberste auf und bringt dem Metzger einen Weinbecher mit den Worten: »Noch einen Tag!« Der Metzger erschauert und will nicht trinken. Bald danach erhebt sich ein zweiter, tritt den Metzger mit einem Becher an und spricht wieder: »Noch ein Tag.« Er schlägt ihn wieder aus. Nachdem kommt ein dritter mit dem Becher und denselben Worten: »Noch ein Tag!« Nunmehr trinkt der Metzger. Aber kurz darauf nähert sich demselben ein vierter aus der Gesellschaft, den Wein nochmals darbietend. Der Metzger erschrickt heftig, und als er ein Kreuz vor sich gemacht, verschwindet auf einmal die ganze Erscheinung, und er befindet sich in dichter Dunkelheit. Wie endlich der Morgen anbricht, sieht sich der Metzger auf dem Räderberg, weit weg von der Landstraße, geht auf steinigem, mühsamem Weg zurück in seine Vaterstadt, entdeckt dem Pfarrer die Begebenheit und stirbt genau in drei Tagen.

Die Sage war schon lang verbreitet, daß auf jenem Berg ein Kloster gestanden, dessen Trümmer noch jetzt zu sehen sind, dessen Orden aber ausgestorben wäre.

### 280. Die Lichter auf Hellebarden

Von dem uralten hanauischen Schloß Lichtenberg auf einem hohen Felsen im Unterelsaß, eine Stunde von Ingweiler gelegen, wird erzählt: Sooft sich Sturm und Ungewitter rege, daß man auf den Dächern und Knöpfen des Schlosses, ja selbst auf den Spitzen der Hellebarden viele kleine blaue Lichter erblicke. Dies hat sich seit langen Jahren also befunden und nach einigen selbst dem alten Schloß den Namen gegeben.

Zwei Bauern gingen aus dem Dorf Langenstein (nahe bei Kirchhain in Oberhessen) nach Embsdorf zu, mit ihren Heugabeln auf den Schultern. Unterwegs erblickte der eine unversehens ein Lichtlein auf der Partisan seines Gefährten, der nahm sie herunter und strich lachend den Glanz mit den Fingern ab, daß er verschwand. Wie sie hundert Schritte weitergingen, saß das Lichtlein wieder an der vorigen Stelle und wurde nochmals abgestrichen. Aber bald darauf stellte es sich zum drittenmal ein, da stieß der andere Bauer einige harte Worte aus, strich es jenem nochmals ab, und darauf kam es nicht wieder. Acht Tage danach zu derselben Stelle, wo der eine dem andern das Licht zum drittenmal abgestrichen hatte, trafen sich diese beiden Bauern, die sonst gute alte Freunde gewesen, verunwilligten sich, und von den Worten zu Schlägen kommend, erstach der eine den andern.

### 281. Das Wafeln

An der Ostsee glauben die Leute den Schiffbruch, das Stranden, oftmals vorherzusehen, indem solche Schiffe vorher spukten, einige Tage oder Wochen an dem Ort, wo sie verunglücken, bei Nachtzeit wie dunkle Luftgebilde erschienen, alle Teile des Schiffs, Rumpf, Tauwerk, Maste, Segel, in bloßem Feuer vorgestellt. Dies nennen sie *wafeln*.

Es wafeln auch Menschen, die ertrinken, Häuser, die abbrennen werden, und Orte, die untergehen. Sonntags hört man noch unter dem Wasser die Glocken versunkener Städte klingen.

### 282. Weberndes Flammenschloß

In Tirol auf einem hohen Berg liegt ein altes Schloß, in welchem alle Nacht ein Feuer brennt; die Flamme ist so groß, daß sie über die Mauern hinausschlägt und man sie weit und breit sehen kann. Es trug sich zu, daß eine arme Frau, der es an Holz mangelte, auf diesem Schloßberg abgefallene Reiser zusammensuchte und endlich zu dem Schloßtor kam, wo sie aus Vorwitz sich umschaute und endlich hereintrat, nicht ohne Mühe, weil alles zerfallen und nicht leicht weiterzukommen war. Als sie in den Hof gelangte, sah sie eine Gesellschaft von Herren und Frauen da an einer großen Tafel sitzen und essen. Diener warteten auf, wechselten Teller, trugen Speisen auf und ab und schenkten Wein ein. Wie sie so stand, kam einer der Diener und holte sie herbei, da ward ihr ein Stück Gold in das Schürztuch geworfen, worauf in einem Augenblick alles verschwunden war und die arme Frau erschreckt den Rückweg suchte. Als sie aber den Hof hinausgekommen, stand da ein Kriegersmann mit brennender Lunte, den Kopf hatte er nicht auf dem Hals sitzen, sondern hielt ihn unter dem Arm. Der hub an zu reden und verbot der Frau, keinem Menschen, was sie gesehen und erfahren, zu offenbaren, es würde ihr sonst übel ergehen. Die Frau kam, noch voller Angst, nach Haus, brachte das Gold mit, aber sie sagte nicht, woher sie es empfangen. Als die Obrigkeit davon hörte, ward sie vorgefordert, aber sie wollte kein Wort sich verlauten lassen und entschuldigte sich damit, daß, wenn sie etwas sagte, ihr großes Übel daraus zuwachsen würde. Nachdem man schärfer mit ihr verfuhr, erzählte sie dennoch alles, was ihr in dem Flammenschloß begegnet war, haarklein. In dem Augenblick aber, wo sie ihre Aussage beendigt, war sie hinwegentrückt, und niemand hat erfahren können, wo sie hingekommen ist.

Es hatte sich aber an diesem Ort ein junger Edelmann ins zweite Jahr aufgehalten, ein Ritter, wohlerfahren in allen Dingen. Nachdem er den Hergang dieser Sache erkundet, machte er sich tief in der Nacht mit seinem Diener zu Fuß auf den Weg nach dem Berg. Sie stiegen mit großer Mühe hinauf und wurden sechsmal von einer Stimme davon abgemahnt, sie würden's sonst mit großem Schaden erfahren müssen. Ohne aber darauf zu achten, gingen sie immer weiter und gelangten endlich vor das Tor. Da stand jener Kriegersmann wieder als Schildwache und rief wie gebräuchlich: »Wer da?« Der Edelmann, ein frischer Herr, gab zur Antwort: »Ich bin's.« Das Gespenst fragte weiter: »Wer bist du?« Der Edelmann gab diesmal keine Antwort, sondern hieß den Diener das Schwert herlangen. Als dieses geschehen, kam ein schwarzer Reiter aus dem Schloß geritten, gegen welchen sich der Edelmann wehren wollte; der Reiter aber schwang ihn auf sein Pferd und ritt mit ihm in den Hof hinein, und der Kriegsmann jagte den Diener den Berg hinab. Der Edelmann ist nirgends zu finden gewesen.

## 283. Der Feuerberg

Einige Stunden von Halberstadt liegt ein ehemals kahler, jetzt mit hohen Tannen und Eichen bewachsener Berg, der von vielen der *Feuerberg* genannt wird. In seinen Tiefen soll der Teufel sein Wesen treiben und alles in hellen Flammen brennen. Vor alten Zeiten wohnte in der Gegend von Halberstadt ein Graf, der böse und raubgierig war und die Bewohner des Landes ringsherum drückte, wo er nur konnte. Einem Schäfer war er viel Geld seit langen Jahren schuldig, jedesmal aber, wenn dieser kam und darum mahnte, gab er ihm schnöde und abweisende Antworten. Auf einmal verschwand der Graf, und es hieß, er wäre gestorben in fernen Landen. Der Schäfer ging betrübt zu Felde und klagte über seinen Verlust, denn die Erben und Hinterlassenen des Grafen wollten von seiner Forderung nichts wissen und jagten ihn, als er sich meldete, die Burg hinab. Da geschah es, daß, als er zu einer Zeit im Wald war, eine Gestalt zu ihm trat und sprach: »Willst du deinen alten Schuldner sehen, so folge mir nach.« Der Schäfer folgte und ward durch den Wald geführt bis zu einem hohen, nackten Berg, der sich alsbald vor beiden mit Getöse öffnete, sie aufnahm und sich wieder schloß. Innen war alles ein Feuer. Der zitternde Schäfer erblickte den Grafen, sitzend auf einem Stuhl, um welchen sich, wie an den glühenden Wänden und auf dem Boden, tausend Flammen wälzten. Der Sünder schrie: »Willst du Geld haben, Schäfer, so nimm dieses Tuch und bringe es den Meinigen; sage ihnen, wie du mich im Höllenfeuer sitzen gesehen, in dem ich bis in Ewigkeit leiden muß.« Hierauf riß er ein Tuch von seinem Haupt und gab es dem Schäfer, und an seinen Augen und Händen sprühten Funken. Der Schäfer eilte mit schwankenden Füßen, von seinem Führer geleitet, zurück; der Berg tat sich wieder auf und verschloß sich hinter ihm. Mit dem Tuch ging er dann auf des Grafen Burg, zeigte es und erzählte, was er gesehen; worauf sie ihm gern sein Geld gaben.

### 284. Der feurige Mann

In düssem Jare (1125) sach me einen feurigen Man twischen den Borgen twen, de de heten Gelichghen (Gleichen), dat was in der rechten Middernacht. De Man gingk von einer Borch to der anderen unde brande alse ein Blase, alse ein glonich Für; düt segen de Wechters, und dede dat in dren Nechten unde nig mer.

Georg Miltenberger, im sogenannten Hoppelrain bei Kailbach, Amts Freienstein, wohnhaft, erzählte: »In der ersten Adventssonntagsnacht zwischen elf und zwölf Uhr, nicht weit von meinem Haus, sah ich einen ganz in Feuer brennenden Mann. An seinem Leib konnte man alle Rippen zählen. Er hielt seine Straße von einem Markstein zum andern, bis er nach Mitternacht plötzlich verschwand. Viele Menschen sind durch ihn in Furcht und Schrecken geraten, weil er durch Maul und Nase Feuer ausspie und in einer fliehenden Schnelligkeit hin und her flog, die Kreuz und die Quer.«

### 285. Die verwünschten Landmesser

Die Irrwische, welche nachts an den Ufern und Feldrainen hin und her streifen, sollen ehedem Landmesser gewesen sein und die Marken trüglich gemessen haben. Darum sind sie verdammt, nach ihrem Leben umzugehen und die Grenzen zu hüten.

### 286. Der verrückte Grenzstein

Auf dem Feld um Eger herum läßt sich nicht selten ein Gespenst in Gestalt eines Mannsbildes sehen, welches die Leute den Junker Ludwig nennen. Ehedessen soll einer dieses Namens da gelebt und die Grenz- und Marksteine des Feldes betrüglich verrückt haben. Bald nach seinem Tode fing er nun an zu wandern und hat viele Leute durch seine Begegnung erschreckt. Noch in jüngern Zeiten erfuhr das ein Mädchen aus der Stadt. Es ging einmal allein vor dem Tor und geriet von ungefähr in die berüchtigte Gegend. An der Stätte, wo der Markstein, wie man sagt, verrückt sein soll, wandelte ihr ein Mann entgegen, geradeso aussehend, als man ihr schon mehrmals die Erscheinung des bösen Junkers beschrieben hatte. Er ging auf sie zu, griff ihr mit der Faust an die Brust und verschwand. In tiefster Entsetzung ging das Mädchen heim zu den Ihrigen und sprach: »Ich hab mein Teil.« Da fand man ihre Brust da, wo der Geist sie angerührt hatte, schwarz geworden. Sie legte sich gleich zu Bett und verschied dritten Tags darauf.

### 287. Der Grenzstreit

Zu Wilmshausen, einem hessischen Dorf unweit Münden, war vormals Uneinigkeit zwischen der Gemeinde und einer benachbarten über ihre Grenze entsprungen. Man wußte sie nicht mehr recht auszumitteln. Also kam man überein, einen Krebs zu nehmen und ihn über das streitige Ackerfeld laufen zu lassen, folgte seinen Spuren und legte die Marksteine danach. Weil er nun so wunderlich in die Kreuz und Quer lief, ist daselbst eine sonderbare Grenze mit mancherlei Ecken und Winkeln bis zum heutigen Tag.

### 288. Der Grenzlauf

Über den Klußpaß und die Bergscheide hinaus vom Schächental weg erstreckt sich das Urner Gebiet am Fletschbach fort und in Glarus hinüber. Einst stritten die Urner mit den Glarnern bitter um ihre Landesgrenze, beleidigten und schädigten einander täglich. Da ward von den Biedermännern der Ausspruch getan, zur

Tag- und Nachtgleiche solle von jedem Teil frühmorgens, sobald der Hahn krähte, ein rüstiger, kundiger Felsgänger ausgesandt werden und jedweder nach dem jenseitigen Gebiet zulaufen und da, wo sich beide Männer begegneten, die Grenzscheide festgesetzt bleiben, das kürzere Teil möge nun fallen diesseits oder jenseits. Die Leute wurden gewählt, und man dachte besonders darauf, einen solchen Hahn zu halten, der sich nicht verkrähe und die Morgenstunde auf das allerfrüheste ansagte. Und die Urner nahmen einen Hahn, setzten ihn in einen Korb und gaben ihm sparsam zu essen und zu saufen, weil sie glaubten, Hunger und Durst werden ihn früher wecken. Dagegen die Glarner fütterten und mästeten ihren Hahn, daß er freudig und hoffärtig den Morgen grüßen könne, und dachten damit am besten zu fahren. Als nun der Herbst kam und der bestimmte Tag erschien, da geschah es, daß zu Altdorf der schmachtende Hahn zuerst erkrähte, kaum wie es dämmerte, und froh brach der Urner Felsenklimmer auf, der Marke zulaufend. Allein im Lintal drüben stand schon die volle Morgenröte am Himmel, die Sterne waren verblichen, und der fette Hahn schlief noch in guter Ruh. Traurig umgab ihn die ganze Gemeinde, aber es galt die Redlichkeit, und keiner wagt es, ihn aufzuwecken; endlich schwang er die Flügel und krähte. Aber dem Glarner Läufer wird's schwer sein, dem Urner den Vorsprung wieder abzugewinnen! Ängstlich sprang er und schaute gegen das Scheideck, wehe, da sah er oben am Giebel des Grats den Mann schreiten und schon bergabwärts niederkommen; aber der Glarner schwang die Fersen und wollte seinem Volke noch vom Lande retten soviel als möglich. Und bald stießen die Männer aufeinander, und der von Uri rief: »Hier ist die Grenze!« – »Nachbar«, sagte betrübt der von Glarus, »sei gerecht und gib mir noch ein Stück von dem Weidland, das du errungen hast!« Doch der Urner wollte nicht, aber der Glarner ließ ihm nicht Ruhe, bis er barmherzig wurde und sagte: »Soviel will ich dir noch gewähren, als du mich an deinem Hals tragend bergan laufst.« Da faßte ihn der rechtschaffene Sennhirt von Glarus und klomm noch ein

Stück Felsen hinauf, und manche Tritte gelangen ihm noch, aber plötzlich versiegte ihm der Atem, und tot sank er zu Boden. Und noch heute wird das Grenzbächlein gezeigt, bis zu welchem der einsinkende Glarner den siegreichen Urner getragen habe. In Uri war große Freude ob ihres Gewinns, aber auch die zu Glarus gaben ihrem Hirten die verdiente Ehre und bewahrten seine große Treue in steter Erinnerung.

## 289. Die Alpschlacht

Die Obwaldner und Entlebucher Hirten stritten sich um einige Weiden, aber die Obwaldner waren im Besitz und trieben ihr Vieh darauf. Weil sie etwa von ihren mutigen Gegnern einen Überfall fürchteten, stellten sie Wächter zu ihrer Herde. Die geschwinden und feinen Entlebucher dachten auf einen Streich; nachdem sie sich eine Zeitlang still und ruhig verhalten hatten und die treuherzigen Obwaldner wenig Böses ahnten, sondern statt Wache zu haben, sich die Langeweile mit Spielen verkürzten, schlichen kühne Entlebucher Hirten auf die schlecht bewahrte Trift, banden dem Vieh ganz leise die klingenden Schellen ab und führten den Raub eilig zur Seite. Einer aus ihnen mußte zurückbleiben und so lange mit den Kühglocken läuten, bis die Räuber vor aller Gefahr sicher wären. Er tat's, warf dann all den Klumpen von Schellen auf den Boden und sprang unter lautem Hohngelächter mit überflügelnden Schritten fort. Die Obwaldner horchten auf und sahen das Unglück. Sie wollten sich rächen, sammelten bald einen Haufen Volks und überfielen jählings die Entlebucher, welche sich aber darauf vorbereitet hatten. Die Obwaldner wetzten ihren Schimpf nicht aus, sondern wurden noch dazu geschlagen; das ihnen damals abgewonnene Fähnlein bewahren die Entlebucher noch heute in ihrer Heimlichkeit (einem alten Turm im Dorf Schüpfen), und der Ort, wo das kleine Gefecht sich ereignete, wird auch diesen Augenblick noch immer die Alpschlacht genannt.

### 290. Der Stein bei Wenthusen

Wenthusen im Quedlinburgischen war vorzeiten ein Frauenkloster und kam nachher an die Grafen von Regenstein, nach deren Absterben an andere Herren. Man gibt vor, es läge auf diesem Gut von Klosterzeiten her noch ein Stein, der stets unberührt und unbeschädigt liegenbleiben müßte, wenn nicht dem Besitzer ein großes Unglück widerfahren sollte. Einer derselben soll ihn aus Neugierde haben wegnehmen lassen, aber dafür auf alle mögliche Art und Weise so lange gequält worden sein, bis der Stein wieder auf seiner rechten Stelle gelegen habe.

### 291. Die Altenberger Kirche

Oberhalb des Dorfes Altenberg im Thüringer Wald liegt auf einem hohen Berg lustig zwischen Bäumen das Kirchlein des Orts, die *Johanneskirche* genannt. Wegen des beschwerlichen Weges dahin, besonders im Winter bei Glatteis und wenn Leichen oder Kinder zur Taufe hinaufzutragen waren, wollten, nach der Sage, die Altenberger die Kirche abbrechen und unten im Dorfe aufrichten, aber sie waren es nicht vermögend. Denn was sie heute abgetragen und ins Tal herabgebracht hatten, fanden sie am andern Morgen wieder an seiner Stelle in gehöriger Ordnung oben auf der Kapelle, so daß sie von ihrem Vorhaben absehen mußten.

Diese Kirche hat der heilige Bonifatius gestiftet und auf dem Berge öfters gepredigt. Einmal, als er es dort unter freiem Himmel tat, geschah es, daß eine große Menge Raben, Dohlen und Krähen herbeigeflogen kamen und ein solches Gekrächz und Geschrei anfingen, daß die Worte des heiligen Bonifatius nicht mehr konnten verstanden werden. Da bat er Gott, daß er solchen Vögeln in diese Gegend zu kommen nimmermehr erlaube. Seine Bitte wurde ihm gewährt, und man hat sie danach nie wieder an diesem Ort gesehen.

## 292. Der König im Lauenburger Berg

Auf einem Berg bei der Lauenburg in Kassuben fand man 1596 eine ungeheure Kluft. Der Rat hatte zwei Missetäter doch zum Tod verurteilt und schenkte ihnen unter der Bedingung das Leben, daß sie diesen Abgrund besteigen und besichtigen sollten. Als diese hineingefahren waren, erblickten sie unten auf dem Grund einen schönen Garten, darin stand ein Baum mit lieblich weißer Blüte; doch durften sie nicht daran rühren. Ein Kind war da, das führte sie über einen weiten Plan hin zu einem Schloß. Aus dem Schloß ertönte mancherlei Saitenspiel; wie sie eintraten, saß da ein König auf silbernem Stuhl, in der einen Hand ein goldenes Zepter, in der andern einen Brief. Das Kind mußte den Brief den beiden Missetätern überreichen.

## 293. Der Schwanberg

Man hat gesagt bei Menschen Gezeiten her, und niemand weiß, von wem es ausgekommen ist: »Es soll *Schwanberg* noch mitten in der Schweiz liegen«, das ist: ganz Deutschland wird Schweiz werden. Diese Sage ist gemein und ungeachtet[36].

## 294. Der Robbedisser Brunnen

Wenn man von Dassel über die Höhe, *Bier* genannt, und über den Kirchberg gehen will, hat man zur linken Hand einen Ort namens Robbedissen, wo ein Quellbrunnen fließt. Von diesem, von dem schwarzen Grund hinter dem Gericht und der großen Pappel vor Eilenhausen haben die Leute der Gegend den festen Glauben: Wenn der Robbedisser Brunnen seine Stätte verrükke, der schwarze Grund der andern Erde gleich werde und der große Eilenhäuser Pappelbaum verdorre und vergehe, alsdann

---

36 Schwanberg, Schwanberger Alpen liegen in Steiermark.

werde in der Schöffe, einem Feld zwischen Eilenhausen und Markoldendorf, eine große, blutige Schlacht gehalten werden.

### 295. Bamberger Waage

In Bamberg, auf Kaiser Heinrichs Grab, ist die Gerechtigkeit mit einer Waagschale in der Hand eingehauen. Die Zunge der Waage steht aber nicht in der Mitte, sondern neigt etwas auf eine Seite. Es geht hierüber ein altes Gerücht, daß, sobald das Zünglein ins Gleiche komme, die Welt untergehen werde.

### 296. Kaiser Friedrich zu Kaiserslautern

Etliche wollen, daß Kaiser Friedrich, als er aus der Gefangenschaft bei den Türken befreit worden, gen Kaiserslautern gekommen und daselbst seine Wohnung lange Zeit gehabt. Er baute dort das Schloß, dabei einen schönen See oder Weiher, noch jetzt der *Kaisersee* genannt, darin soll er einmal einen großen Karpfen gefangen und ihm zum Gedächtnis einen goldenen Ring von seinem Finger an ein Ohr gehangen haben. Derselbige Fisch soll, wie man sagt, ungefangen in dem Weiher bleiben bis auf Kaiser Friedrichs Zukunft. Auf eine Zeit, als man den Weiher gefischt, hat man zwei Karpfen gefangen, die mit goldenen Ketten um die Hälse zusammen verschlossen gewesen, welche noch bei Menschengedächtnis zu Kaiserslautern an der Metzlerpforte in Stein gehauen sind. Nicht weit vom Schloß war ein schöner Tiergarten gebaut, damit der Kaiser alle wunderbaren Tiere vom Schloß aus sehen konnte, woraus aber seit der Zeit ein Weiher und Schießgraben gemacht worden. Auch hängt in diesem Schloß des Kaisers Bett an vier eisernen Ketten, und, wie man sagt, so man das Bett zu Abend wohl gebettet, war es des Morgens wiederum zerbrochen, so daß deutlich jemand über Nacht darin gelegen zu sein schien.

Ferner: Zu Kaiserslautern ist ein Felsen, darin eine große Höhle oder Loch, so wunderbarlich, daß niemand weiß, wo es

Grund hat. Doch ist allenthalben das gemeine Gerücht gewesen, daß Kaiser Friedrich, der Verlorene, seine Wohnung darin haben sollte. Nun hat man einen an einem Seil hinabgelassen und oben an das Loch eine Schelle gehangen, wenn er nicht weiter könne, daß er damit läute, so wolle man ihn wieder heraufziehen. Als er hinabgekommen, hat er den Kaiser Friedrich in einem goldenen Sessel sitzen sehen, mit einem großen Bart. Der Kaiser hat ihm zugesprochen und gesagt, er solle mit niemand hier reden, so werde ihm nichts geschehen, und solle seinem Herrn erzählen, daß er ihn hier gesehen. Darauf hat er sich weiter umgeschaut und einen schönen weiten Plan erblickt und viele Leute, die um den Kaiser standen. Endlich hat er seine Schelle geläutet, ist ohne Schaden wieder hinaufgekommen und hat seinem Herrn die Botschaft gesagt.

### 297. Der Hirt auf dem Kyffhäuser

Etliche sprechen, daß bei Frankenhausen in Thüringen ein Berg liege, darin Kaiser Friedrich seine Wohnung habe und vielmal gesehen worden. Ein Schafhirt, der auf dem Berg hütete und die Sage gehört hatte, fing an, auf seiner Sackpfeife zu pfeifen, und als er meinte, er habe ein gutes Hofrecht gemacht, rief er überlaut: »Kaiser Friedrich, das sei dir geschenkt!« Da soll sich der Kaiser hervorgetan, dem Schäfer offenbart und zu ihm gesprochen haben: »Gott grüß dich, Männlein, wem zu Ehren hast du gepfiffen?« – »Dem Kaiser Friedrich«, antwortete der Schäfer. Der Kaiser sprach weiter: »Hast du das getan, so komm mit mir, er soll dir darum lohnen.« Der Hirt sagte: »Ich darf nicht von den Schafen gehen.« Der Kaiser aber antwortete: »Folge mir nach, den Schafen soll kein Schaden geschehen.« Der Hirt folgte ihm, und der Kaiser Friedrich nahm ihn bei der Hand und führte ihn nicht weit von den Schafen zu einem Loch in den Berg hinein. Sie kamen zu einer eisernen Tür, die alsbald aufging. Nun zeigte sich ein schöner, großer Saal, darin waren viele Herren und tapfre Diener, die ihm Ehre erzeugten. Nachfolgends erwies sich der Kaiser auch freundlich gegen ihn und fragte, was er für einen Lohn begehre, daß er ihm gepfiffen. Der Hirt antwortete: »Keinen.« Da sprach aber der Kaiser: »Geh hin und nimm von meinem goldnen Handfaß den einen Fuß zum Lohn.« Da tat der Schäfer, wie ihm befohlen ward, und wollte darauf von dannen scheiden, da zeigte ihm der Kaiser noch viele seltsame Waffen, Harnische, Schwerter und Büchsen, und sprach, er sollte den Leuten sagen, daß er mit diesen Waffen das Heilige Grab gewinnen werde. Hierauf ließ er den Hirt wieder hinausgeleiten, der nahm den Fuß mit, brachte ihn den andern Tag zu einem Goldschmied, der ihn für echtes Gold anerkannte und ihm abkaufte.

### 298. Die drei Telle

In der wilden Berggegend der Schweiz um den Waldstättersee ist nach dem Glauben der Leute und Hirten eine Felskluft, worin die drei Befreier des Landes, die *drei Tellen* genannt, schlafen. Sie sind mit ihrer uralten Kleidung angetan und werden wieder auferstehen und rettend hervorgehen, wenn die Zeit der Not fürs Vaterland kommt. Aber der Zugang der Höhle ist nur für den glücklichen Finder.

Ein Hirtenjunge erzählte folgendes einem Reisenden: Sein Vater, eine verlaufene Ziege in den Felsenschluchten suchend, sei in diese Höhle gekommen, und gleich, wie er gemerkt, daß die drei darin schlafenden Männer die drei Tellen seien, habe auf einmal der alte eigentliche Tell sich aufgerichtet und gefragt: »Welche Zeit ist's auf der Welt?« und auf des Hirten erschrockene Antwort: »Es ist hoch am Mittag«, gesprochen: »Es ist noch nicht an der Zeit, daß wir kommen«, und sei darauf wieder eingeschlafen. Der Vater, als er mit seinen Gesellen, die Telle für die Not des Vaterlands zu wecken, nachher oft die Höhle gesucht, habe sie doch nie wiederfinden können.

## 299. Das Bergmännchen

In der Schweiz hat es im Volk viele Erzählungen von Berggeistern, nicht bloß auf dem Gebirge allein, sondern auch unten am Belp, zu Gelterfingen und Rümlingen im Bernerland. Diese Bergmänner sind auch Hirten, aber nicht Ziegen, Schafe und Kühe sind ihr Vieh, sondern Gemsen, und aus der Gemsenmilch machen sie Käse, die so lange wieder wachsen und ganz werden, wenn man sie angeschnitten oder angebissen, bis man sie unvorsichtigerweise völlig und auf einmal, ohne Reste zu lassen, verzehrt. Still und friedlich wohnt das Zwergvolk in den innersten Felsklüften und arbeitet emsig fort, selten erscheinen sie den Menschen, oder ihre Erscheinung bedeutet ein Leid und ein Unglück; außer wenn man sie auf den Matten tanzen sieht, welches ein gesegnetes Jahr anzeigt. Verirrte Lämmer führen sie oft den Leuten nach Hause, und arme Kinder, die nach Holz gehen, finden zuweilen Näpfe mit Milch im Wald stehen, auch Körbchen mit Beeren, die ihnen die Zwerge hinstellen.

Vorzeiten pflügte einmal ein Hirt mit seinem Knecht den Acker, da sah man neben aus der Felswand dampfen und rauchen. »Da kochen und sieden die Zwerge«, sprach der Knecht, »und wir leiden schweren Hunger, hätten wir doch auch ein Schüsselchen voll davon.« Und wie sie das Pflugsterz umkehrten, siehe, da lag in der Furche ein weißes Laken gebreitet, und darauf stand ein Teller mit frischgebackenem Kuchen, und sie aßen dankbar und wurden satt. Abends beim Heimgehen war Teller und Messer verschwunden, bloß das Tischtuch lag noch da, das der Bauer mit nach Hause nahm.

## 300. Die Zirbelnüsse

Die Frucht der Arven oder Zirbeln, einer auf den Alpen wachsenden Gattung Tannen (*Pinus Cembra*), hat einen rötlichen, wohl- und süßschmeckenden Kern, fast wie Mandelnüsse sind. Allein man kann bloß selten und mit Mühe dazugelangen, weil die Bäume meistens einzeln über Felsenhängen und Abgründen, selten im Wald beisammenstehen. Die Bewohner geben allgemein vor, die Meisterschaft habe diesen Baum verwünscht und unfruchtbar gemacht, darum, weil die Dienerschaft zur Zeit, wo sie auf dem Feld fleißig arbeiten sollen, sich damit abgegeben hätte, ihres lieblichen Geschmacks wegen diese Nüsse abzuwerfen und zu essen, worüber alle nötige Arbeit versäumt oder schlecht getan worden wäre.

### 301. Das Paradies der Tiere

Oben auf den hohen und unersteiglichen Felsen und Schneerücken des Mattenbergs soll ein gewisser Bezirk liegen, worin die schönsten Gemsen und Steinböcke, außerdem aber noch andere wunderbare und seltsame Tiere wie im Paradies zusammen hausen und weiden. Nur alle zwanzig Jahre kann es einem Menschen gelingen, in diesen Ort zu kommen, und wieder unter zwanzig Gemsjägern nur einem einzigen. Sie dürfen aber kein Tier mit herunterbringen. Die Jäger wissen manches von der Herrlichkeit dieses Orts zu erzählen, auch daß daselbst in den Bäumen die Namen vieler Menschen eingeschnitten ständen, die nach und nach dort gewesen wären. Einer soll auch einmal eine prächtige Steinbockshaut mit herausgebracht haben.

### 302. Der Gemsjäger

Ein Gemsjäger stieg auf und kam zu dem Felsgrat, und immer weiterklimmend, als er je vorher gelangt war, stand plötzlich ein häßlicher Zwerg vor ihm, der sprach zornig: »Warum erregst du mir lange schon meine Gemsen und lässt mir nicht meine Herde? Jetzt sollst du's mit deinem Blut teuer bezahlen!« Der Jäger erbleichte und wäre bald hinabgestürzt, doch faßte er sich noch und bat den Zwerg um Verzeihung, denn er habe nicht gewußt, daß ihm diese Gemsen gehörten. Der Zwerg sprach: »Gut, aber laß dich hier nicht wieder blicken, so verheiß ich dir, daß du

jeden siebten Tag morgenfrüh vor deiner Hütte ein geschlachtetes Gemstier hängen finden sollst, aber hüte dich vor mir und schone die andern.« Der Zwerg verschwand, und der Jäger ging nachdenklich heim, und die ruhige Lebensart behagte ihm wenig. Am siebten Morgen hing eine fette Gemse in den Ästen des

Baums vor seiner Hütte, davon zehrte er ganz vergnügt, und die nächste Woche ging's ebenso und dauerte ein paar Monate fort. Allein zuletzt verdroß den Jäger seine Faulheit, und er wollte lieber selber Gemsen jagen, möge erfolgen, was da werde, als sich den Braten zutragen lassen. Da stieg er auf, und nicht lange, so erblickte er einen stolzen Leitbock, legte an und zielte. Und als ihm nirgends der böse Zwerg erschien, wollte er eben losdrücken, da war der Zwerg hinterhergeschlichen und riß den Jäger am Knöchel des Fußes nieder, daß er zerschmettert in den Abgrund sank.

Andere erzählen: Es habe der Zwerg dem Jäger ein Gemskäslein geschenkt, an dem er wohl sein Leben lang hätte genug haben mögen, er es aber unvorsichtig einmal aufgegessen oder ein unkundiger Gast ihm den Rest verschlungen. Aus Armut habe er demnach wieder die Gemsjagd unternommen und sei vom Zwerg in die Fluh gestürzt worden.

## 303. Die Zwerglöcher

Am Harz in der Grafschaft Hohenstein, sodann zwischen Elbingerode und dem Rübenland findet man oben in den Felsenhöhlen an der Decke runde und andere Öffnungen, die der gemeine Mann *Zwerglöcher* nennt, wo die Zwerge vor alters vermittelst einer Leiter ein- und ausgestiegen sein sollen. Diese Zwerge erzeugten den Einwohnern zu Elbingerode alle Güte. Fiel eine Hochzeit in der Stadt vor, so gingen die Eltern oder Anverwandten der Verlobten nach solchen Höhlen und verlangten von den Zwergen messingne und kupferne Kessel, eherne Töpfe, zinnerne Schüsseln und Teller und anderes nötiges Küchengeschirr mehr. Darauf traten sie ein wenig abwärts, und gleich danach stellten die Zwerge die geforderten Sachen vor den Eingang der Höhle hin. Die Leute nahmen sie sodann weg und mit nach Hause; als aber die Hochzeit vorbei war, brachten sie alles wieder zur selben Stelle, setzten zur Dankbarkeit etwas Speise dazu.

## 304. Der Zwerg und die Wunderblume

Ein junger, armer Schäfer aus Sittendorf an der südlichen Seite des Harzes in der Goldenen Aue gelegen, trieb einst am Fuß des Kyffhäusers und stieg immer trauriger den Berg hinauf. Auf der Höhe fand er eine wunderschöne Blume, dergleichen er noch nicht gesehen, pflückte und steckte sie an den Hut, seiner Braut ein Geschenk damit zu machen. Wie er so weiterging, fand er oben auf der alten Burg ein Gewölbe offenstehen, bloß der Eingang war etwas verschüttet. Er trat hinein, sah viele kleine glänzende Steine auf der Erde liegen und steckte seine Taschen ganz voll damit. Nun wollte er wieder ins Freie, als eine dumpfe Stimme erscholl: »Vergiß das Beste nicht!« Er wußte aber nicht, wie ihm geschah und wie er herauskam aus dem Gewölbe. Kaum sah er die Sonne und seine Herde wieder, schlug die Tür, die er vorhin gar nicht wahrgenommen, hinter ihm zu. Als der Schäfer nach seinem Hut faßte, war ihm die Blume abgefallen beim Stolpern. Urplötzlich stand ein Zwerg vor ihm: »Wo hast du die Wunderblume, welche du fandest?« – »Verloren«, sagte betrübt der Schäfer. »Dir war sie bestimmt«, sprach der Zwerg, »und sie ist mehr wert denn die ganze Rothenburg.« Wie der Schäfer zu Hause in seine Tasche griff, waren die glimmernden Steine lauter Goldstücke. Die Blume ist verschwunden und wird von den Bergleuten bis auf den heutigen Tag gesucht, in den Gewölben des Kyffhäusers nicht allein, sondern auch auf der Questenburg und selbst auf der Nordseite des Harzes, weil verborgene Schätze rucken.

## 305. Der Nix an der Kelle

An der Kelle, einem kleinen See unweit Werne im Hohensteinischen, wohnten sonst Nixen. Einmal holte der Nix des Nachts die Hebamme aus einem Dorf und brachte sie unter großen Versprechungen zu der Untiefe hin, wo er mit seinem Weib wohnte. Er führte sie hinab in das unterirdische Gemach, wo die

Hebamme ihr Amt verrichtete. Der Nix belohnte sie reichlich. Ehe sie aber wegging, winkte ihr die Kindbetterin und klagte heimlich mit einem Tränenstrom, daß der Nix das neugeborene Kind bald würgen würde. Und wirklich sah die Hebamme einige Minuten nachher auf der Oberfläche des Wassers einen blutroten Strahl. Das Kind war ermordet.

### 306. Schwarzach

Von der alten Burg Schwarzach in der Pfalz hat es zweierlei Sagen. Ein Ritter lebte da vorzeiten, dessen Töchterlein, als sie am See auf der Wiese spielte, von einer großen Schlange, die aus dem Felsen kam, in den See gezogen wurde. Der Vater ging tagtäglich ans Ufer und klagte. Einmal glaubte er eine Stimme aus dem Wasser zu vernehmen und rief laut: »Gib mir ein Zeichen, mein Töchterlein!« Da schlug ein Glöcklein an. Fortan hörte er es jeden Tag schallen, und einmal lautete es heller, und der Ritter vernahm die Worte: »Ich lebe, mein Vater, bin aber an die Wasserwelt gebannt; lange hab ich mich gewehrt, aber der erste Trunk hat mich um die Freiheit gebracht; hüte dich vor diesem Trunk.« Der Vater blieb traurig stehen, da traten zwei Knaben zu und reichten ihm aus einem goldenen Becher zu trinken. Er kostete ihn kaum, so stürzte er in den See und sank unter.

Eine andere Erzählung erwähnt einen alten, blinden Ritter, der mit seinen neun Töchtern auf Schwarzach lebte. Nahe dabei hauste ein Räuber im Wald, der den Töchtern lange vergeblich nachstellte. Eines Tages kam er in Pilgrimkleidern und sagte den Jungfrauen. »Wenn ihr euren Vater heilen wollt, so weiß ich drunten in der kalten Klinge ein Kraut dafür, das muß gebrochen werden, ehe die Sonne aufgeht.« Die Töchter baten, daß er es ihnen zeige. Als sie nun frühmorgens hinab in die kalte Klinge kamen, mordete sie der Bösewicht alle neun und begrub sie zur Stelle. Der Vater starb. Dreißig Jahre später trieb den Mörder die Reue, daß er die Totengebeine ausgraben und in geweihte Erde legen ließ.

### 307. Die drei Jungfern aus dem See

Zu Epfenbach bei Sinsheim traten seit der Leute Gedenken jeden Abend drei wunderschöne, weißgekleidete Jungfrauen in die Spinnstube des Dorfs. Sie brachten immer neue Lieder und Weisen mit, wußten hübsche Märchen und Spiele, auch ihre Rocken und Spindeln hatten etwas eigenes, und keine Spinnerin konnte so fein und behend den Faden drehen. Aber mit dem Schlag elf standen sie auf, packten ihre Rocken zusammen und ließen sich durch keine Bitte einen Augenblick länger halten. Man wußte nicht, woher sie kamen, noch, wohin sie gingen; man nannte sie nur: die Jungfern aus dem See oder die Schwestern aus dem See. Die Burschen sahen sie gern und verliebten sich in sie, zuallermeist des Schulmeisters Sohn. Der konnte nicht satt werden, sie zu hören und mit ihnen zu sprechen, und nichts tat ihm leider, als daß sie jeden Abend schon so früh aufbrachen. Da verfiel er einmal auf den Gedanken und stellte die Dorfuhr eine Stunde zurück, und abends im steten Gespräch und Scherz merkte kein Mensch den Verzug der Stunde. Und als die Glocke elf schlug, es aber schon eigentlich zwölf war, standen die drei Jungfern auf, legten die Rocken zusammen und gingen fort. Den folgenden Morgen kamen etliche Leute am See vorbei; da hörten sie wimmern und sahen drei blutige Stellen oben auf der Fläche. Seit der Zeit kamen die Schwestern nimmermehr zur Stube. Des Schulmeisters Sohn zehrte ab und starb kurz danach.

### 308. Der tote Bräutigam

Ein Adliger verlobte sich zu Magdeburg mit einem schönen Fräulein. Da geschah's, daß der Bräutigam in die Elbe fiel, wo man ihn drei Tage suchte und nicht finden konnte. Die ganze Verwandtschaft war in tiefer Bekümmernis, endlich kam ein Schwarzkünstler zu der Liebsten Eltern und sprach: »Den ihr sucht, hat die Nixe unterm Wasser und wird ihn auch lebendig nicht loslassen, es sei denn, daß eure Tochter und ihr Liebster

Leib und Seele der Nixe verschwören oder daß eure Tochter sich flugs an seiner Statt von den Nixen das Leben nehmen lasse, oder auch, daß der Bräutigam sich der Nixe verspreche, welches er aber jetzund nicht tun will.« Die Braut wollte sich gleich für ihren Liebsten stellen, allein die Eltern bewilligten es nicht, sondern drangen in den Zauberer, daß er den Bräutigam schaffen solle, lebendig oder tot. Bald darauf fand man seinen Leichnam am Ufer liegen, ganz voll blauer Flecken. – Ein Ähnliches soll sich mit dem Bräutigam eines Fräuleins von Arnheim begeben haben, der auch im Wasser umgekommen war. Weil man aber die Stelle nicht wußte, brachte der Zauberer durch seine Kunst zuwege, daß der Leichnam dreimal aus dem Wasser hervorsprang, worauf man an dem Ort suchte und den Toten im Grund des Flusses fand.

### 309. Der ewige Jäger

Graf Eberhard von Württemberg ritt eines Tages allein den grünen Wald aus und wollte zu seiner Kurzweil jagen. Plötzlich hörte er ein starkes Brausen und Lärmen, wie wenn ein Waidmann vorüberkäme; erschrak heftig und fragte, nachdem er vom Roß gestanden und auf eines Baumes Tolde getreten war, den Geist, ob er ihm schaden wolle. »Nein«, sprach die Gestalt, »ich bin gleich dir ein Mensch und stehe vor dir ganz allein, war vordem ein Herr. An dem Jagen hatte ich aber solche Lust, daß ich Gott anflehte, er möge mich jagen lassen bis zu dem Jüngsten Tag. Mein Wunsch wurde leider erhört, und schon fünfthalb hundert Jahre jage ich an einem und demselben Hirsch. Mein Geschlecht und mein Adel sind aber noch niemandem offenbart worden.« Graf Eberhard sagte: »Zeig mir dein Angesicht, ob ich dich etwa erkennen kann.« Da entblößte sich der Geist, sein Antlitz war kaum faustgroß, verdorrt wie eine Rübe und gerunzelt als ein Schwamm. Darauf ritt er dem Hirsch nach und verschwand, der Graf kehrte heim in sein Land zurück.

## 310. Hans Jagenteufel

Man glaubt: Wer eine der Enthauptung würdige Untat verrichte, die bei seinen Lebzeiten nicht herauskomme, der müsse nach dem Tod mit dem Kopf unterm Arm umgehen.

Im Jahr 1644 ging ein Weib aus Dresden eines Sonntags früh in einen nahen Wald, daselbst Eicheln zu lesen. In der Heide, an einem Grund nicht weit von dem Ort, *Das verlorene Wasser* genannt, hörte sie stark mit dem Jägerhorn blasen, darauf tat es einen harten Fall, als ob ein Baum fiele. Das Weib erschrak und barg ihr Säcklein Eicheln ins Gestrüpp, bald darauf blies das Horn wieder, und als sie sich umsah, erblickte sie auf einem Grauschimmel in langem grauem Rock einen Mann ohne Kopf reiten, er trug Stiefel und Sporn und hatte ein Hifthorn über dem Rücken hängen. Weil er aber ruhig vorbeiritt, faßte sie wieder Mut, las ihre Eicheln fort und kehrte abends ungestört heim. Neun Tage später kam die Frau in gleicher Absicht in dieselbe Gegend, und als sie am Försterberg niedersaß, einen Apfel zu schälen, rief hinter ihr eine Stimme: »Habt ihr den Sack voll Eicheln und seid nicht gepfändet worden?« – »Nein«, sprach sie, »die Förster sind fromm und haben mir nichts getan, Gott sei mir Sünder gnädig!« Mit diesen Worten drehte sie sich um, da stand derselbe Graurock, aber ohne Pferd, wieder und hielt den Kopf mit bräunlichem, krausendem Haar unter dem Arm. Die Frau fuhr zusammen, das Gespenst aber sprach: »Hieran tut Ihr wohl, Gott um Vergebung Eurer Sünden zu bitten, mir hat's nicht so wohl werden können.« Darauf erzählte es: Vor hundertdreißig Jahren habe er gelebt und wie sein Vater Hans Jagenteufel geheißen. Sein Vater habe ihn oft ermahnt, den armen Leuten nicht zu scharf zu sein, er aber die Lehre in den Wind geschlagen und dem Saufen und Trinken abgelegen und Böses genug getan. Darum müsse er nun als ein verdammter Geist umwandern.

## 311. Des Hackelnberg Traum

Hans von Hackelnberg war braunschweigischer Oberjägermeister und ein gewaltiger Waidmann. Eine Nacht hatte er auf der Harzburg einen schweren Traum; es deuchte ihm, als ob er mit einem furchtbaren Eber kämpfe, der ihn nach langem Streit zuletzt besiegte. Diesen Traum konnte er gar nicht aus den Gedanken wieder loswerden. Einige Zeit danach stieß er im Vorharz wirklich auf einen Eber, dem im Traum gesehenen ähnlich. Er griff ihn an; der Kampf blieb lange unentschieden, endlich gewann Hans und streckte den Feind zu Boden nieder. Froh, als er ihn so zu seinen Füßen erblickte, stieß er mit dem Fuß nach den schrecklichen Hauern des Ebers und rief aus: »Du sollst es mir noch nicht tun!« Aber er hatte mit solcher Gewalt gestoßen, daß der scharfe Zahn den Stiefel durchdrang und den Fuß verwundete. Erst achtete Hackelnberg der Wunde nicht und setzte die Jagd fort. Bei seiner Zurückkunft aber war der Fuß so geschwollen, daß der Stiefel vom Bein getrennt werden mußte. Er eilte nach Wolfenbüttel zurück; die Erschütterung des Wagens wirkte so schädlich, daß er mit genauer Not das Hospital zu Wülperode unweit Hornburg erreichte und bald daselbst starb. Auf seinem Grabe liegt ein Stein, der einen geharnischten Ritter auf einem Maultier vorstellt.

## 312. Die Tut-Osel

Mitternacht, wenn in Sturm und Regen der Hackelnberg »fatscht[37]« und auf dem Wagen mit Pferd und Hunden durch den Thüringer Wald, den Harz und am liebsten durch den Hakkel zieht, pflegt ihm eine Nachteule voranzufliegen, welche das Volk die *Tut-Osel* nennt. Wanderer, denen sie aufstößt, werfen sich still auf den Bauch und lassen den wilden Jäger über sich wegfahren; und bald hören sie Hundebellen und den Waidruf:

---

37 Fatschen braucht man, wenn die Füße der Pferde im zähen Kot und Moor schnalzen.

huhu! – In einem fernen Kloster zu Thüringen lebte vorzeiten eine Nonne, Ursel geheißen, die störte mit ihrem heulenden Gesang noch bei Lebzeiten den Chor; daher nannte man sie *Tut-Ursel*. Noch ärger wurde es nach ihrem Tod, denn von elf Uhr abends steckte sie den Kopf durch ein Loch des Kirchturms und tutete kläglich, und alle Morgen um vier Uhr stimmte sie ungerufen in den Gesang der Schwestern. Einige Tage ertrugen sie es; den dritten Morgen aber sagte eine voll Angst leise zu ihrer Nachbarin: »Das ist gewiß die Ursel!« Da schwieg plötzlich aller Gesang, ihre Haare sträubten sich zu Berge, und die Nonnen stürzten aus der Kirche, laut schreiend: »Tut-Ursel, Tut-Ursel!« Und keine Strafe konnte eine Nonne bewegen, die Kirche zu betreten, bis endlich ein berühmter Teufelsbanner aus einem Kapuzinerkloster an der Donau geholt wurde. Der bannte Tut-Ursel in Gestalt einer Ohreule in die Dummburg auf den Harz. Hier traf sie den Hackelnberg und fand an seinem huhu! so großen Gefallen, als er an ihrem uhu! Und so ziehen sie beide zusammen auf die Luftjagd.

### 313. Die schwarzen Reiter und das Handpferd

Es soll vorzeiten der Rechenberger, ein Raub- und Diebsritter, mit seinem Knecht eines Nachts auf Beute ausgeritten sein. Da begegnete ihnen ein Heer schwarzer Reiter; er wich aus, konnte sich aber nicht enthalten, den letzten im Zug, der ein schön gesattelt leeres Handpferd führte, zu fragen, wer diese wären, die da vorübergeritten. Der Reiter versetzte: »Das wütende Heer.« Darauf hielt auch der Knecht an und frug, wem doch das schöne Handpferd wäre. Dem wurde zur Antwort: Seines Herrn treustem Knecht, welcher übers Jahr tot sein und auf diesem Pferd reiten werde. Dieses Rechenbergers Knecht wollte sich nun bekehren und dingte sich zu einem Abt als Stallknecht. Binnen Jahres wurde er mit seinem Nebenknecht uneins, der ihn erstach.

## 314. Der getreue Eckhart

Man sagt von dem treuen Eckhart, daß er vor dem Venusberg oder Höselberg sitze und alle Leute warne, die hineingehen wollen. Johann Kennerer, Pfarrherr zu Mansfeld, seines Alters über achtzig Jahre, erzählte, daß zu Eisleben und im ganzen Land Mansfeld das wütende Heer vorübergezogen sei, alle Jahre auf den Fastnacht Dornstag, und die Leute sind zugelaufen und haben darauf gewartet; nicht anders, als sollte ein großer mächtiger Kaiser oder König vorüberziehen. Vor dem Haufen ist ein alter Mann hergegangen mit einem weißen Stab, hat sich selbst den *treuen Eckhart* geheißen. Dieser Mann hat die Leute heißen aus dem Wege weichen, auch etliche Leute gar heimgehen, sie würden sonst Schaden nehmen. Nach diesem Mann haben etliche geritten, etliche gegangen, und es sind Leute gesehen worden, die neulich an den Orten gestorben waren, auch der eins Teils noch lebten. Einer hat geritten auf einem Pferd mit zwei Füßen. Der andere hat auf einem Rade gebunden gelegen, und das Rad ist von selbst umgelaufen. Der dritte hat einen Schenkel über die Achsel genommen und hat gleich sehr gelaufen. Ein anderer hat keinen Kopf gehabt und der Stück ohne Maßen. In Franken ist's noch neulich geschehen, und zu Heidelberg am Neckar hat man's oft im Jahr gesehen. Das wütende Heer erscheint in Einöden, in der Luft und im Finstern, mit Hundegebell, Blasen auf Waldhörnern und Brüllen wilder Tiere, auch sieht man dabei Hasen laufen und hört Schweine grunzen.

## 315. Das Fräulein vom Willberg

Ein Mann aus Wehren bei Höxter ging nach der Amelungsmühle, Korn zu mahlen; auf dem Rückweg wollte er sich ein wenig am Teich im Lau ausruhen. Da kam ein Fräulein von dem Willberg, welcher Godelheim gegenüberliegt, herab, trat zu ihm und sprach: »Bringt mir zwei Eimer voll Wasser oben auf die Stolle (Spitze) vom Willberg, dann sollt Ihr gute Belohnung haben.« Er trug ihr das Wasser hinauf; oben aber sprach sie: »Morgen um diese Stunde kommt wieder und bringt den Busch Blumen mit, welchen der Schäfer vom Osterberge auf seinem Hut trägt, aber seht zu, daß Ihr sie mit Güte nur von ihm erlangt.« Der Mann forderte den andern Tag die Blumen von dem Osterbergsschäfer und erhielt sie, doch erst nach vielem Bitten. Darauf ging er wieder zu der Stolle des Willbergs, da stand das Fräulein, führte ihn zu einer eisernen Tür und sprach: »Halte den Blumenbusch vors Schloß.« Wie er das tat, sprang die Tür gleich auf, und sie traten hinein; da saß in der Berghöhle ein kleines Männlein vor dem Tisch, dessen Bart ganz durch den steinernen Tisch gewachsen war, ringsherum aber standen große, übermächtige Schätze. Der Schäfer legte vor Freude seinen Blumenbusch auf den Tisch und fing an, sich die Taschen mit Gold zu füllen. Das Fräulein aber sprach zu ihm: »Vergeßt das Beste nicht!« Der Mann sah sich um und glaubte, damit wäre ein großer Kronleuchter gemeint, wie er aber danach griff, kam unter dem Tisch eine Hand hervor und schlug ihm ins Angesicht. Das Fräulein sprach nochmals: »Vergeßt das Beste nicht!« Er hatte aber nichts als die Schätze im Sinn, und an den Blumenbusch dachte er gar nicht. Als er seine Taschen gefüllt hatte, wollte er wieder fort, kaum aber war er zur Tür hinaus, so schlug sie mit entsetzlichem Krachen zu. Nun wollt er seine Schätze ausladen, aber er hatte nichts als Papier in der Tasche; da fiel ihm der Blumenbusch ein, und nun sah er, daß dieser das Beste gewesen, und ging traurig den Berg hinunter nach Hause.

### 316. Der Schäfer und der Alte aus dem Berg

Nicht weit von der Stadt Wernigerode befindet sich in einem Tal eine Vertiefung in steinigem Erdboden, welche *Das Weinkellerloch* genannt wird und worin große Schätze liegen sollen. Vor vielen Jahren weidete ein armer Schäfer, ein frommer und stiller Mann, dort seine Herde. Einmal, als es eben Abend werden wollte, trat ein greiser Mann zu ihm und sprach: »Folge mir, so

will ich dir Schätze zeigen, davon du dir nehmen kannst, soviel du Lust hast.« Der Schäfer überließ dem Hund die Bewachung der Herde und folgte dem Alten. In einer kleinen Entfernung tat sich plötzlich der Boden auf, sie traten beide ein und stiegen in die Tiefe, bis sie zu einem Gemach kamen, in welchem die größten Schätze von Gold und edlen Steinen aufgetürmt lagen. Der Schäfer wählte sich einen Goldklumpen, und jemand, den er nicht sah, sprach zu ihm: »Bringe das Gold dem Goldschmied in der Stadt, der wird dich reichlich bezahlen.« Darauf leitete ihn sein Führer wieder zum Ausgang, und der Schäfer tat, wie ihm geheißen war, und erhielt von dem Goldschmied eine große Menge Geldes. Erfreut brachte er es seinem Vater, dieser sprach: »Versuche noch einmal in die Tiefe zu steigen.« – »Ja, Vater«, antwortete der Schäfer, »ich habe dort meine Handschuhe liegenlassen, wollt Ihr mitgehen, so will ich sie holen.« In der Nacht machten sie sich beide auf, fanden die Stelle und den geöffneten Boden und gelangten zu den unterirdischen Schätzen. Es lag noch alles wie das erstemal, auch die Handschuhe des Schäfers waren da; beide luden so viel in ihre Taschen, wie sie tragen konnten, und gingen dann wieder heraus, worauf sich der Eingang mit lautem Krachen hinter ihnen schloß. Die folgende Nacht wollten sie es zum drittenmal wagen, aber sie suchten lange hin und her, ohne die Stelle des Eingangs oder auch nur eine Spur zu entdecken. Da trat ihnen der alte Mann entgegen und sprach zum Schäfer: »Hättest du deine Handschuhe nicht mitgenommen, sondern unten liegengelassen, so würdest du auch zum drittenmal den Eingang gefunden haben, denn dreimal sollte er dir zugänglich und geöffnet sein; nun aber ist er dir auf immer unsichtbar und verschlossen.« Geister, heißt es, können das, was in ihrer Wohnung von den irdischen Menschen zurückgelassen worden, nicht behalten und haben nicht Ruhe, bis es jene wieder zu sich genommen.

### 317. Jungfrau Ilse

Der *Ilsenstein* ist einer der größten Felsen des Harzgebirges, liegt auf der Nordseite in der Grafschaft Wernigerode unweit Ilsenburg am Fuße des Brockens und wird von der Ilse bespült. Ihm gegenüber ein ähnlicher Fels, dessen Schichten zu diesem passen und bei einer Erderschütterung davon getrennt zu sein scheinen.

Bei der Sintflut flohen zwei Geliebte dem Brocken zu, um der immer höher steigenden allgemeinen Überschwemmung zu entrinnen. Ehe sie noch denselben erreichten und gerade auf einem andern Felsen zusammen standen, spaltete sich solcher und wollte sie trennen. Auf der linken Seite, dem Brocken zugewandt, stand die Jungfrau; auf der rechten der Jüngling, und miteinander stürzten sie umschlungen in die Fluten. Die Jungfrau hieß *Ilse*. Noch alle Morgen schließt sie den Ilsenstein auf, sich in der Ilse zu baden. Nur wenigen ist es vergönnt, sie zu sehen, aber wer sie kennt, preist sie. Einst fand sie frühmorgens ein Köhler, grüßte sie freundlich und folgte ihrem Winken bis vor den Fels; vor dem Fels nahm sie ihm seinen Ranzen ab, ging hinein damit und brachte ihn gefüllt zurück. Doch befahl sie dem Köhler, er sollte ihn erst in seiner Hütte öffnen. Die Schwere fiel ihm auf, und als er auf der Ilsenbrücke war, konnte er sich nicht länger enthalten, machte den Ranzen auf und sah Eicheln und Tannäpfel. Unwillig schüttelte er sie in den Strom, sobald sie aber die Steine der Ilse berührten, vernahm er ein Klingeln und sah mit Schrecken, daß er Gold verschüttet hatte. Der nun sorgfältig aufbewahrte Überrest in den Ecken des Sacks machte ihn aber noch reich genug. – Nach einer andern Sage stand auf dem Ilsenstein vorzeiten eines Harzkönigs Schloß, der eine sehr schöne Tochter namens Ilse hatte. Nahe dabei hauste eine Hexe, deren Tochter über alle Maßen häßlich aussah. Eine Menge Freier warben um Ilse, aber niemand begehrte die Hexentochter; da zürnte die Hexe und wandte durch Zauber das Schloß in einen Felsen, an dessen Fuße sie eine nur der Königstochter sichtbare Tür anbrachte. Aus dieser Tür schreitet noch heute alle Morgen die verzauberte Ilse und badet sich im Fluss, der nach ihr heißt. Ist ein Mensch so glücklich und sieht sie im Bade, so führt sie ihn mit ins Schloß, bewirtet ihn köstlich und entläßt ihn reichlich beschenkt. Aber die neidische Hexe macht, daß sie nur an einigen Tagen des Jahrs im Bade sichtbar ist. Nur derjenige vermag sie zu erlösen, der mit ihr zu gleicher Zeit im Flusse badet und ihr an Schönheit und Tugend gleicht.

### 318. Die Heidenjungfrau zu Glatz

Alte und junge Leute zu Glatz erzählten: In der heidnischen Zeit habe da eine gottlose, zauberhafte Jungfrau das Land beherrscht, die mit ihrem Ranzenbogen vom Schloß herab bis zur großen Eisersdorfer Linde geschossen, als sie mit ihrem Bruder gewettet, wer den Pfeil am weitesten schießen könnte. Des Bruders Pfeil reichte kaum auf den halben Weg, und die Jungfrau gewann. An dieser Linde steht die Grenze, und sie soll so alt sein wie der Heidenturm zu Glatz, und wenn sie gleich ein Mal oder das ander verdorrt, so ist sie doch immer ausgewachsen und steht noch. Auf der Linde saß einmal die Wahrsagerin und weissagte von der Stadt viel zukünftige Dinge: Der Türke werde bis nach Glatz dringen, aber wenn er über die steinerne Brücke auf den Ring einziehe, eine schwere Niederlage erleiden durch die vom Schloß herab auf ihn ziehenden Christen; solches werde aber nicht geschehen, bevor ein Haufen Kraniche durch die Brotbänke geflogen. – Zum Zeichen, daß die Jungfrau ihren Bruder mit dem Bogen überschossen, setzte man auf der Meile hinter dem Graben zwei spitzige Steine. Weil sie aber mit ihrem eigenen Bruder unerlaubte Liebe gepflogen, war sie vom Volk verabscheut, und es wurde ihr nach dem Leben getrachtet, allein sie wußte durch ihre Zauberkunst und Stärke, da sie oftmals aus Kurzweil ein ganzes Hufeisen zerriß, stets zu entrinnen. Zuletzt jedoch blieb sie gefangen und in einem großen Saal, welcher bei dem Tor, dadurch man aus dem Niederschloß ins Oberschloß geht, vermauert. Da kam sie ums Leben, und zum Andenken steht ihr Bildnis links desselben Tors an der Mauer über dem tiefen Graben in Stein ausgehauen und wird bis auf den heutigen Tag allen fremden Leuten gezeigt. Außerdem hing ihr Gemälde im grünen Schloßsaal und in der Schloßkirche an einem eisernen Nagel in der Wand schönes gelbes Haar, etlichemal aufgeflochten nach der Länge. Die Leute nennen es allgemein das Haar der Heidenjungfrau; es hänge so hoch, daß es ein großer Mann auf der Erde stehend mit der Hand erreichen kann, ungefähr drei Schritte von der Tür weit. Sie soll in der Gestalt und Kleidung, wie sie abgemalt wird, öfters im Schloss erscheinen, beleidigt doch niemanden, außer wer sie höhnt und spottet oder ihre Haarflechte aus der Kirche wegzunehmen gedenkt. Zu einem Soldaten, der sie verspottete, kam sie auf die Schildwache und gab ihm mit kalter Hand einen Backenstreich. Einem andern, der das Haar entwendete, erschien sie nachts, kratzte und krengelte ihn bis nahe an den Tod, wenn er nicht schnell durch seinen Rottgesellen das Haar wieder an den alten Ort hätte tragen lassen.

### 319. Der Roßtrapp und der Kreetpfuhl

Den Roßtrapp oder die Roßtrappe nennt man einen Felsen mit einer eirunden Vertiefung, welche einige Ähnlichkeit mit dem Eindruck eines riesenmäßigen Pferdehufes hat, in dem hohen Vorgebirge des Nordharzes hinter Thale. Davon folgende abweichende Sagen:

1. Eines Hünenkönigs Tochter stellte vorzeiten die Wette an, mit ihrem Pferd über den tiefen Abgrund, Kreetpfuhl genannt, von einem Felsen zum andern zu springen. Zweimal hatte sie es glücklich verrichtet, beim drittenmal aber schlug das Roß rückwärts über und stürzte mit ihr in die Schlucht hinab. Darin befindet sie sich immer noch. Ein Taucher hatte sie einmal einigen zu Gefallen um ein Trinkgeld so weit außer Wasser gebracht, daß man etwas von der Krone sehen konnte, die sie auf dem Haupt getragen. Als er zum drittenmal dran sollte, wagte er's anfänglich nicht, entschloß sich zuletzt doch und vermeldete dabei: »Wenn aus dem Wasser ein Blutstrahl steigt, so hat mich die Jungfrau umgebracht; dann eilt alle davon, daß ihr nicht auch in Gefahr geratet.« Wie er sagte, geschah's, ein Blutstrahl stieg auf.

2. Vor alters wohnte ein König auf den herumgelegenen alten Schlössern, der eine sehr schöne Tochter hatte, diese wollte ein Prinz, der sich in sie verliebte, entführen und verband sich dazu mit dem Teufel, durch dessen schwarze Kunst er ein Pferd aus der Hölle bekam. So entführte er sie, und beim Übersetzen von Fels zu Fels schlug das Roß mit dem Hufeisen dieses Wahrzeichen ein.

3. Eine Königstochter wohnte am Harz und hatte wider den Willen ihres Vaters eine geheime Liebschaft. Um sich vor seinem Zorn zu retten, floh sie, nahm die Königskrone mit und wollte sich in dem Felsen verbergen. Auf dem Felsen jenseits, gegenüber dem Roßtrapp, sollen noch die Radenägel ihres Fuhrwerks eingedrückt sein. Sie wurde verfolgt und umringt. Es war keine Rettung übrig, als einen Sprung ans andere Ufer zu wagen. Die Jungfrau sah das, da tanzte sie noch einmal zu guter Letzt, als wäre es ihr Hochzeittag, und davon bekam der Fels den Namen *Tanzplatz*. Dann tat sie glücklich den großen Sprung; wo ihr Roß den ersten Fuß hinsetzte, drückte sich sein Huf ein, fortan hieß dieser Fels der *Roßtrapp*. In der Luft war ihr aber die unschätzbare Krone vom Haupt gefallen in einen tiefen Strudel der Bode, davon das *Kronenloch* benannt. Da liegt sie noch auf den heutigen Tag.

4. Vor tausend und mehr Jahren, ehe noch die Raubritter die Hoymburg, Leuenburg, Steckelnburg und Winzenburg erbauten, war das Land rings um den Harz von Riesen bewohnt, die Heiden und Zauberer waren, Raub, Mord und Gewalttat übten. Sechzigjährige Eichen rissen sie samt den Wurzeln aus und fochten damit. Was sich entgegenstellte, wurde mit Keulen niedergeschlagen und die Weiber in Gefangenschaft fortgeschleppt, wo sie Tag und Nacht dienen mußten. In dem Boheimer Wald hauste dazumal ein Riese, *Bodo* genannt. Alles war ihm untertan, nur *Emma*, die Königstochter vom Riesengebirge, die konnte er nicht zu seiner Liebe zwingen. Stärke noch List halfen ihm nichts, denn sie stand mit einem mächtigen Geist im Bund. Einst aber ersah sie Bodo jagend auf der Schneekoppe und sattelte sogleich seinen Zelter, der meilenlange Fluren im Augenblick übersprang; er schwur, Emma zu fahen oder zu sterben. Fast hätte er sie erreicht, als sie ihn aber zwei Meilen weit von sich erblickte und an den Torflügeln eines zerstörten Städtleins, welche er im Schild führte, erkannte, da schwenkte sie schnell das Roß. Und von ihren Sporen getrieben, flog es über Berge, Klippen und Wälder durch Thüringen in die Gebirge des Harzes. Oft hörte sie einige

Meilen hinter sich das schnaubende Roß Bodos und jagte dann den nimmermüden Zelter zu neuen Sprüngen auf. Jetzt stand ihr Roß verschnaufend auf dem furchtbaren Fels, der Teufels *Tanzplatz* heißt. Angstvoll blickte Emma in die Tiefe, denn mehr als tausend Fuß ging senkrecht die Felsenmauer herab zum Abgrund. Tief rauschte der Strom unten und kreiste in furchtbaren Wirbeln. Der entgegenstehende Fels schien noch entfernter und kaum Raum zu haben für einen Vorderfuß des Rosses. Von neuem hörte sie Bodos Roß schnauben, in der Angst rief sie die Geister ihrer Väter zu Hilfe, und ohne Besinnung drückte sie ihrem Zelter die ellenlangen Spornen in die Seite. Und das Roß sprang über den Abgrund glücklich auf die spitze Klippe und schlug seinen Huf vier Fuß tief in das harte Gestein, daß die Funken stoben. Das ist jener Roßtrapp. Die Zeit hat die Vertiefung kleiner gemacht, aber kein Regen kann sie ganz verwischen. Emma war gerettet, aber die zentnerschwere goldene Königskrone fiel während des Sprungs von ihrem Haupt in die Tiefe. Bodo, in blinder Hitze nachsetzend, stürzte in den Strudel und gab dem Fluß den Namen. (Die Bode ergießt sich mit der Emme und Saale in die Elbe.) Hier als schwarzer Hund bewacht er die goldene Krone der Riesentochter, daß kein Gelddurstiger sie heraushole. Ein Taucher wagte es einst unter großen Versprechungen. Er stieg in die Tiefe, fand die Krone und hob sie in die Höhe, daß das versammelte Volk schon die Spitzen golden schimmern sah. Aber zu schwer entsank sie zweimal seinen Händen. Das Volk rief ihm zu, das drittemal hinabzusteigen. Er tat's, und ein Blutstrahl sprang hoch in die Höhe. Der Taucher kam nimmer wieder auf. Jetzt deckt tiefe Nacht und Stille den Ungrund, kein Vogel fliegt darüber. Nur um Mitternacht hört man oft in der Ferne das dumpfe Hundegeheul des Heiden. Der Strudel heißt der *Kreetpfuhl*[38] und der Fels, wo Emma die Hilfe der Höllengeister erflehte, des Teufels *Tanzplatz*.

---

38 Das heißt *Teufelspfuhl*, wie die nördlichen Harzbewohner Kreetkind *Teufelskind* nennen.

5. In Böhmen lebte vorzeiten eine Königstochter, um die ein gewaltiger Riese warb. Der König, aus Furcht seiner Macht und Stärke, sagte sie ihm zu. Weil sie aber schon einen andern Liebhaber hatte, der aus dem Stamm der Menschen war, so widersetzte sie sich dem Bräutigam und dem Befehl ihres Vaters. Aufgebracht wollte der König Gewalt brauchen und setzte die Hochzeit gleich auf den nächsten Tag. Mit weinenden Augen klagte sie das ihrem Geliebten, der zu schneller Flucht riet und sich in der finsteren Nacht einstellte, die getroffene Verabredung ins Werk zu setzen. Es hielt aber schwer zu entfliehen, die Marställe des Königs waren verschlossen und alle Stallmeister ihm treu und ergeben. Zwar stand des Riesen ungeheurer Rappe in einem für ihn eigens erbauten Stall, wie sollte aber eine schwache Frauenhand das mehr denn zehn Ellen hohe Untier leiten und lenken? Und wie war ihm beizukommen, da es an einer gewaltig dicken Kette lag, die ihm statt Halfters diente und dazu mit einem großen Schloss verwahrt war, dessen Schlüssel der Riese bei sich trug? Der Geliebte half aber aus, er stellte eine Leiter ans Pferd und hieß die Königstochter hinaufsteigen; dann tat er einen mächtigen Schwerteshieb auf die Kette, daß sie voneinander sprang, schwang sich selbst hinten auf, und in einem Flug ging's auf und davon. Die kluge Jungfrau hatte ihre Kleinode mitgenommen, dazu ihres Vaters goldene Krone aufs Haupt gesetzt. Während sie nun aufs Geratewohl forteilten, fiel's dem Riesen ein, in dieser Nacht auszureiten. Der Mond schien hell, und er stand auf, sein Roß zu satteln. Erstaunt sah er den Stall leer. Es gab Lärm im ganzen Schloss, und als man die Königstochter aufwecken wollte, war sie auch verschwunden. Ohne sich lange zu besinnen, bestieg der Bräutigam das erste beste Pferd und jagte über Stock und Block. Ein großer Spürhund witterte den Weg, den die Verliebten genommen hatten; nahe am Harzwalde kam der Riese hinter sie. Da hatte aber auch die Jungfrau den Verfolger erblickt, wandte den Rappen flugs und sprengte waldein, bis der Abgrund, in welchem die Bode fließt, ihren Weg durchschneidet. Der Rappe stutzt einen

Augenblick, und die Liebenden sind in großer Gefahr. Sie blickt hinterwärts, und in strengem Galopp naht der Riese, da stößt sie mutig dem Rappen in die Rippen. Mit einem gewaltigen Sprung, der den Eindruck eines Hinterhufes im Felsen läßt, setzt er über, und die Liebenden sind gerettet. Denn die Mähre des nacheilenden Riesen springt seiner Schwere wegen zu kurz, und beide mit gräßlichem Geprassel fallen in den Abgrund. Auf dem jenseitigen Rand steht die Königstochter und tanzt vor Freude. Davon heißt die Stätte noch jetzt der *Tanzplatz*. Doch hat sie im Taumel des Sprungs die Krone verloren, die in den Kessel der Bode gefallen ist. Da liegt sie noch heutzutage von einem großen Hunde mit glühenden Augen bewacht. Schwimmer, die der Gewinn geblendet, haben sie mit eigener Lebensgefahr aus der Tiefe zu holen gesucht, aber beim Wiederkommen ausgesagt, daß es vergebens sei, der große Hund sinke immer tiefer, sowie sie ihm nahe kämen, und die goldene Krone stehe nicht mehr zu erlangen.

### 320. Der Mägdesprung

Zwischen Ballenstedt und Harzgerode in dem Selketal zeigt das Volk auf einen hohen, durch eine Säule ausgezeichneten Felsen, auf eine Vertiefung im Gestein, die einige Ähnlichkeit mit der Fußtapfe eines Menschen hat und achtzig bis hundert Fuß weiter auf eine zweite Fußtapfe. Die Sage davon ist aber verschieden.

Eine Hünin oder Riesentochter erging sich einst auf dem Rücken des Harzes, von dem Petersberge herkommend. Als sie die Felsen erreicht hatte, die jetzt über den Hüttenwerken stehen, erblickte sie ihre Gespielin, die ihr winkte, auf der Spitze des Rammberges. Lange stand sie so zögernd, denn ihren Standort und den nächsten Berggipfel trennte ein breites Tal. Sie blieb hier so lange, daß sich ihre Fußtapfe ellentief in den Felsen drückte, wovon heutzutage noch die schwachen Spuren zu sehen sind. Ihres Zögerns lachte höhnisch ein Knecht des

Menschenvolks, das diese Gegend bewohnte, und der bei Harzgerode pflügte. Die Hünin merkte das, streckte ihre Hand aus und hob den Knecht samt Pflug und Pferden in die Höhe, nahm alles zusammen in ihr Obergewand und sprang damit über das Tal weg, und in einigen Schritten hatte sie ihre Gespielin erreicht.

Oft hört man erzählen, die Königstochter sei in ihrem Wagen gefahren gekommen und habe auf das jenseitige Gebirge gewollt. Flugs tat sie den Wagen nebst den Pferden in die Schürze und sprang von einem Berg zu dem andern.

Endlich werden die Fußtritte einer Bauerdirne zugeschrieben, die zu ihrem Liebhaber, einem Schäfer, jenseits den Sprung gemacht und beim Ansatz so gewaltsam aufgetreten habe, daß sich ihre Spur eindrückte. Auch ein Ziegenbock scheint hierbei im Spiel gewesen zu sein.

### 321. Der Jungfernsprung

In der Lausitz unfern der böhmischen Grenze ragt ein steiler Felsen, *Oybin* genannt, hervor, auf dem man den Jungfernsprung zu zeigen und davon zu erzählen pflegt, vorzeiten sei eine Jungfrau in das jetzt zertrümmerte Bergkloster zu Besuch gekommen. Ein Bruder sollte sie herumführen und ihr die Gänge und Wunder der Felsengegend zeigen; da weckte ihre Schönheit sündhafte Lust in ihm, und sträflich streckte er seine Arme nach ihr aus. Sie aber floh und flüchtete, von dem Mönch verfolgt, den verschlungenen Pfad entlang; plötzlich stand sie vor einer tiefen Kluft des Berges und sprang keusch und mutig in den Abgrund. Engel des Herrn faßten und trugen sie sanft ohne einigen Schaden hinab.

Andere behaupten, ein Jäger habe auf dem Oybin ein schönes Bauernmädchen wandeln sehen und sei auf sie losgeeilt. Wie ein gejagtes Reh stürzte sie durch die Felsengänge, die Schlucht öffnete sich vor ihren Augen, und sie sprang unversehrt nieder bis auf den Boden.

Noch andere berichten, es habe ein rasches Mädchen mit ihren Gespielinnen gewettet, über die Kluft wegzuspringen. Im Sprung aber glitschte ihr Fuß aus dem glatten Pantoffel, und sie wäre zerschmettert worden, wenn sie nicht glücklicherweise ihr Reifrock allenthalben geschützt und ganz sanft bis in die Tiefe hinuntergebracht hätte.

### 322. Der Harrassprung

Bei Lichtenwalde im sächsischen Erzgebirge zeigt man an dem Zschopautal eine Stelle, genannt der *Harrassprung*, wo vorzeiten ein Ritter, von seinen Feinden verfolgt, die steile Felsenwand hinunter in den Abgrund geritten sein soll. Das Roß wurde zerschmettert, aber der Held entkam glücklich auf das jenseitige Ufer.

### 323. Der Riese Hidde

Zu Karls des Großen Zeit lebte ein Friese namens *Hidde*, groß von Leib und ein starker Mann, ging ins Land Braunschweig und wurde vom Herzog zum Vogt seiner Wälder und Bäume gemacht. Als er einmal durch die Wildnis ging, stieß er auf eine Löwin mit ihren jungen Welpen im Nest, tötete die Alte und brachte die Jungen als Wölfe, die er gefangen habe, dem Herzog an Hof. Diesem gefiel die Einfalt des Mannes, welcher keinen Unterschied machte zwischen Löwen und Wölfen, und begabte ihn mit vielen Ländereien in der Gegend der Elbe. Da baute er sich ein Wohnhaus und nannte es *Hiddesacker* nach seinem Namen.

### 324. Das Ilefelder Nadelöhr

Bei dem Kloster Ilefeld, zur linken Hand gleich bei dem Harzfahrwege, steht aus einem hohen Berg ein starker Stein hervor, der in seiner Mitte eine enge und schmale durchgehende Höhle hat. Alle Knechte aus Nordhausen und den umliegenden Orten, wenn sie das erstemal in den Harzwald hinter Ilefeld nach Brennholz fahren, müssen durch dieses Nadelöhr dreimal kriechen, mit großer Mühe und Beschwerde, und werden beim Ein- und Auskriechen von ihren Kameraden dazu mit Peitschenstielen tapfer abgeschlagen. Wollen sie die Kurzweil nicht ausstehen, so müssen sie sich mit Geld loskaufen. Die Obrigkeit hat diese Sitte schon mehrmals bei ziemlicher Strafe, aber fruchtlos verboten, und der Knecht, der sich dem Brauch entziehen will, hat vor seinen Kameraden keinen Frieden und wird nicht bei ihnen gelitten. Vom Ursprung dieses Steins gibt der gemeine Mann vor, ein *Hüne* sei einstmals etliche Meilen Wegs gereist; als er nun hinter Ilefeld gekommen, habe er gefühlt, daß ihn etwas in dem einen Schuh drücke, ihn also ausgezogen und diesen Stein drin gefunden. Darauf habe er den Stein an den Ort, wo er noch liege, geworfen.

### 325. Die Riesen zu Lichtenberg

Der Lichtenberg ist ein Bergschloß, das man späterhin aus den uralten Trümmern wieder erneuert hat, und in allen Dörfern, die in seiner Nähe liegen, lebt noch die Sage fort, daß es hier vor alten Zeiten Riesen gegeben habe. Unter den Steinen befinden sich manche, die keine Menschenkraft den jähen Berg hinauf hätte tragen können. Ein Riese schleppte einen über achtzig Zentner schweren Block auf seiner Schulter herbei, aber er zerbrach ihm unterwegs und blieb eine Stunde von Lichtenberg auf der Höhe liegen; er wird noch heutzutage Riesenstein genannt. Im Schloß wird ein Knochen, anderthalb Schuh im Umfang haltend und mit einem andern, einen halben Schuh dicken, einen Fuß langen Bein verwachsen, aufbewahrt; auch soll daselbst vor fünfundzwanzig Jahren noch eine ungeheure Bettlade außer den Knochen zu sehen gewesen sein. Es wird auch wiederum erzählt, daß die Riesenfrau einmal weiter als gewöhnlich von dem Lichtenberg weggegangen sei und einen Bauern getroffen habe, der mit Ochsen seinen Acker pflügte. Das hatte sie noch nie gesehen, nahm also Bauer, Pflug und Ochsen zusammen in ihre Schürze und brachte es ihrem Mann aufs Schloß mit den Worten: »Sieh einmal, Mann, was ich für schöne Tierchen gefunden habe!«

### 326. Das Hünenblut

Zwischen dem magdeburgischen Städtchen Egeln und dem Dorfe Westeregeln, unweit des Hakels, findet sich in einer flachen Vertiefung rotes Wasser, welches das Volk *Hünenblut* nennt. Ein Hüne floh, verfolgt von einem andern, überschritt die Elbe, und als er in die Gegend kam, wo jetzt Egeln liegt, blieb er mit einem Fuße, den er nicht genug aufhob, an der Turmspitze der alten Burg hängen, stolperte, erhielt sich noch ein paar tausend Fuß zwischen Fall und Aufstehen, stürzte aber endlich nieder. Seine Nase traf gerade auf einen großen Feldstein bei Westeregeln mit solcher Gewalt, daß er das Nasenbein zerschmetterte und ihm ein Strom von Blut entstürzte, dessen Überreste noch jetzt zu sehen sind.

Nach einer zweiten Erzählung wohnte der Hüne in der Gegend von Westeregeln. Oft machte er sich das Vergnügen, über das Dorf und seine kleinen Bewohner wegzuspringen. Bei einem Sprung aber ritzte er seine große Zehe an der Turmspitze, die er berührte. Das Blut spritzte aus der Wunde in einem tausendfüßigen Bogen bis in die Lache, in der sich das nie versiegende Hünenblut sammelte.

### 327. Es rauscht im Hünengrab

Bei Köslin in Pommern zeigt man einen Hünenberg, und man hat da ein großes Horn, ein großes Schwert und ungeheure Knochen ausgegraben. Auch in Vorpommern sollen vorzeiten Riesen gewesen sein. In der Gegend von Greifswald ließ man 1594 solche Hünengräber »kleuben und abschlichten«, da fanden die Steinmetzen Leiber, elf und wohl sechzehn Schuh lang, und Krüge daneben. Wie sie aber an einen andern Graben, dem vorigen gleich, kamen und ihn auch versuchen wollten, soll sich ihrem Vorgeben nach ein Getümmel, als wenn etwas mit Schlüsseln um sie her rauschte und tanzte, haben vernehmen lassen. Da standen sie ab vom Stören des Grabs.

### 328. Tote aus den Gräbern wehren dem Feind

Wehrstedt, ein Dorf nahe bei Halberstadt, hat nach der Sage seinen Namen davon erhalten, daß bei einem gefahrvollen Überfall fremder Heiden, da die Landesbewohner der Übermacht schon unterlagen, die Toten aus den Gräbern aufstanden, diese Unholde tapfer abwehrten und so ihre Kinder retteten.

### 329. Hans Heilings Felsen

An der Eger, dem Dorfe Aich gegenüber, ragen seltsame Felsen empor, die das Volk *Hans Heilings Felsen* nennt und wovon es heißt, vor alten Zeiten habe ein gewisser Mann, namens Hans Heiling, im Lande gelebt, der genug Geld und Gut besessen, aber sich jeden Freitag in sein Haus verschlossen und diesen Tag über unsichtbar geblieben sei. Dieser Heiling stand mit dem Bösen im Bunde und floh, wo er ein Kreuz sah. Einst soll er sich in ein schönes Mädchen verliebt haben, die ihm auch anfangs zugesagt, dann aber wieder verweigert worden war. Als diese mit ihrem Bräutigam und vielen Gästen Hochzeit hielt, erschien mitternachts zwölf Uhr Heiling plötzlich unter ihnen und rief laut: »Teufel, ich lösche dir deine Dienstzeit, wenn du mir diese vernichtest!« Der Teufel antwortete: »So bist du mein«, und verwandelte alle Hochzeitleute in Felsensteine. Braut und Bräutigam stehen da, wie sie sich umarmen; die übrigen mit gefalteten Händen. Hans Heiling stürzte vom Felsen in die Eger hinab, die ihn zischend verschlang, und kein Auge hat ihn wiedergesehen. Noch jetzt zeigt man die Steinbilder, die Liebenden, den Brautvater und die Gäste, auch die Stelle, wo Heiling hinabstürzte.

### 330. Die Jungfrau mit dem Bart

Zu Saalfeld mitten im Fluß steht eine Kirche, zu welcher man durch eine Treppe von der nahe gelegenen Brücke eingeht, worin aber nicht mehr gepredigt wird. An dieser Kirche ist als Beiwappen oder Zeichen der Stadt in Stein ausgehauen eine gekreuzigte Nonne, vor welcher ein Mann mit einer Geige kniet, der neben sich einen Pantoffel liegen hat. Davon wird folgendes erzählt: Die Nonne war eine Königstochter und lebte zu Saalfeld in einem Kloster. Wegen ihrer großen Schönheit verliebte sich ein König in sie und wollte nicht nachlassen, bis sie ihn zum Gemahl nähme. Sie blieb ihrem Gelübde treu und weigerte sich beständig, als er aber immer von neuem in sie drang und sie sich seiner nicht mehr zu erwehren wußte, bat sie endlich Gott, daß er zu ihrer Rettung die Schönheit des Leibes von ihr nähme und ihr Ungestaltheit verliehe; Gott erhörte die Bitte, und von Stunde an wuchs ihr ein langer, häßlicher Bart. Als der König das sah, geriet er in Wut und ließ sie ans Kreuz schlagen.

Aber sie starb nicht gleich, sondern mußte in unbeschreiblichen Schmerzen etliche Tage am Kreuz schmachten. Da kam in dieser Zeit aus sonderlichem Mitleiden ein Spielmann, der ihr die Schmerzen lindern und die Todesnot versüßen wollte. Der hub an und spielte auf seiner Geige, so gut er vermochte, und als er nicht mehr stehen konnte vor Müdigkeit, da kniete er nieder und ließ seine tröstliche Musik ohn Unterlaß erschallen. Der heiligen Jungfrau aber gefiel das so gut, daß sie ihm zum Lohn und Angedenken einen köstlichen, mit Gold und Edelstein gestickten Pantoffel von dem einen Fuß herabfallen ließ.

### 331. Die weiße Jungfrau zu Schwanau

Die freien Schweizer brachen die Burg Schwanau auf dem Lowerzer See, weil darin der böse und grausame Vogt des Kaisers wohnte. Einmal jährlich erschüttert bei nächtlicher Stille ein Donner die Trümmer und ertönt im Turm Klaggeschrei; rings um die Mauer wird der Vogt von dem weißgekleideten Mädchen, das er entehrt hatte, verfolgt, bis er mit Geheul sich in den See stürzt. Drei Schwestern flohen vor der Vögte Lüste in des Rigi Klüfte und sind nimmer wieder herausgekommen. St.-Michels-Kapelle bezeichnet den Ort.

### 332. Schwarzkopf und Seeburg am Mummelsee

Der Mummelsee liegt im tiefen Murgtal rings von ehemaligen Burgen umgeben; gegeneinander stehen die Überreste der ehemaligen Festen *Schwarzkopf* und *Seeburg*. Die Sage erzählte, daß jeden Tag, wenn Dämmerung die Bergspitzen verhüllt, von der Seite des Seeburger Burghofes dreizehn Stück Rotwild zu einem Pförtchen herein-, über den Platz und zu dem entgegengesetzten flügellosen Burgtor hinauseilen. Geübte Wildschützen bekamen von diesen Tieren immer eins, aber nie mehr in ihre Gewalt. Die andern Kugeln gingen fehl oder fuhren in die Hunde. Kein Jäger schoß seit der Zeit auf ein anderes Tier, als das in diesem Zuge lief und sich durch Größe und Schönheit auszeichnete. Von diesem täglichen Zuge ist jedoch der Freitag ausgenommen, der deswegen den noch jetzt üblichen Namen Jägersabbat erhielt und an welchem niemand die Seeburg betritt. Aber an diesem Tag, um die Mitternacht, wird eine andere Erscheinung gesehen. Zwölf Nonnen, in ihrer Mitte ein blutender Mann, in dessen Leib zwölf Dolche stecken, kommen durch die kleine Waldpforte in den Hof und wandeln still dem großen Burgtor zu. In diesem Augenblick erscheint aus dem Portal eine ähnliche Reihe, bestehend aus zwölf ganz schwarzen Männern, aus deren Leibern Funken sprühen und überall brennende Flekken hervorlodern; sie wandeln dicht an den Nonnen und ihrem blutigen Begleiter vorüber, in ihrer Mitte aber schleicht eine weibliche Gestalt. Dieses Gesicht erklärt die Sage auf folgende Weise: In der Seeburg lebten zwölf Brüder, Raubgrafen, und bei ihnen eine gute Schwester; auf dem Schwarzkopf aber ein edler Ritter mit zwölf Schwestern. Es geschah, daß die zwölf Seeburger in einer Nacht die zwölf Schwestern vom Schwarzkopf entführten, dagegen aber auch der Schwarzkopf die einzige Schwester der zwölf Raubgrafen in seine Gewalt bekam. Beide Teile trafen in der Ebene des Murgtales aufeinander, und es entstand ein Kampf, in welchem die Seeburger die Oberhand erhielten und den Schwarzkopfer gefangennahmen. Sie führten ihn auf die Burg, und jeder von den Zwölf stieß ihm einen Dolch vor den Augen seiner sterbenden Geliebten, ihrer Schwester, in die Brust. Bald danach befreiten sich die zwölf geraubten Schwestern aus ihren Gemächern, suchten die zwölf

Dolche aus der Brust ihres Bruders und töteten in der Nacht sämtliche Mordgrafen. Sie flüchteten nach der Tat, wurden aber von den Knechten ereilt und getötet. Als hierauf das Schloß durch Feuer zerstört ward, da sah man die Mauern, in welchen die Jungfrauen geschmachtet, sich öffnen, zwölf weibliche Gestalten, jede mit einem Kindlein auf dem Arm, traten hervor, schritten zu dem Mummelsee und stürzten sich in seine Fluten. Nachher hat das Wasser die zertrümmerte Burg verschlungen, in welcher Gestalt sie noch hervorragt.

Ein armer Mann, der in der Nähe des Mummelsees wohnte und oftmals für die Geister des Wassers gebetet hatte, verlor seine Frau durch den Tod. Abends darauf hörte er in der Kammer, wo sie auf Spänen lag, eine leise Musik ertönen. Er öffnete ein wenig die Tür und schaute hinein und sah sechs Jungfrauen, die mit Lichtlein in den Händen um die Tote standen; am folgenden Abend waren es ebensoviel Jünglinge, die bei der Leiche wachten und sie sehr traurig betrachteten.

### 333. Der Krämer und die Maus

Vor langen Jahren ging ein armer Krämer durch den Böhmerwald gen Reichenau. Er war müde geworden und setzte sich, ein Stückchen Brot zu verzehren; das einzige, was er für den Hunger hatte. Während er aß, sah er zu seinen Füßen ein Mäuschen herumkriechen, das sich endlich vor ihn hinsetzte, als erwartete es etwas. Gutmütig warf er ihm einige Bröcklein von seinem Brot hin, so not es ihm selber tat, die es auch gleich wegnagte. Dann gab er ihm, solange er noch etwas hatte, immer sein kleines Teil, so daß sie ordentlich zusammen Mahlzeit hielten. Nun stand der Krämer auf, einen Trunk Wasser an einer nahen Quelle zu tun; als er wieder zurückkam, siehe, da lag ein Goldstück auf der Erde, und eben kam die Maus mit einem zweiten, legte es dabei und lief fort, das dritte zu holen. Der Krämer ging nach und sah, wie sie in ein Loch lief und daraus das Gold hervorbrachte. Da nahm er seinen Stock, öffnete den Boden und fand einen

großen Schatz von lauter alten Goldstücken. Er hob ihn heraus und sah sich dann nach dem Mäuslein um, aber das war verschwunden. Nun trug er voll Freude das Gold nach Reichenau, teilte es halb unter die Armen und ließ von der andern Hälfte eine Kirche daselbst bauen. Diese Geschichte ward zum ewigen

Andenken in Stein gehauen und ist noch am heutigen Tag in der Dreieinigkeitskirche zu Reichenau in Böhmen zu sehen.

### 334. Die drei Schatzgräber

Unter der St.-Dionysien-Kirche, nicht weit von Erfurt, sollte ein großer Schatz liegen, welchen drei Männer miteinander zu heben sich vornahmen, nämlich ein Schmied, ein Schneider und ein Hirt oder Schäfer. Aber der böse Geist, der den Schatz bewachte, tötete sie alle drei. Ihre Häupter wurden an dem Gesims der Kirche unterm Dach in Stein ausgehauen nebst einem Hufeisen, einer Schere und einem Schäferstock oder einer Weinmeistershippe.

### 335. Einladung vor Gottes Gericht

In Leuneburg in Preußen war ein sehr behender Dieb, der einem ein Pferd stehlen konnte, wie vorsichtig man auch war. Nun hatte ein Dorfpfarrer ein schönes Pferd, das er dem Fischmeister zu Angerburg verkauft, aber noch nicht gewährt. Da wettete der Dieb, er wolle dieses auch stehlen und danach aufhören; aber der Pfarrer erfuhr es und ließ es so verwahren und verschließen, daß er nicht dazu kommen konnte. Indes ritt der Pfarrer mit dem Pferd einmal in die Stadt, da kam der Dieb auch in Bettlerskleidern mit zwei Krücken in die Herberge. Und als er merkt, daß der Pfarrer schier wollte auf sein, macht er sich zuvor auf das Feld, wirft die Krücken auf einen Baum, legt sich darunter und erwartet den Pfarrer. Dieser kommt dann, wohl bezecht, findet den Bettler da liegen und sagt: »Bruder, auf, auf! Es kommt die Nacht herbei, geh zu Leuten, die Wölfe möchten dich zerreißen.« Der Dieb antwortete: »Ach, lieber Herr! Es waren böse Buben eben hier, die haben mir meine Krücken auf den Baum geworfen, nun muß ich allhier verderben und sterben, denn ohne Krücken kann ich nirgends hinkommen.« Der Pfarrer erbarmt sich seiner, springt vom Pferde, gibt es dem

Schalk am Zügel zu halten, zieht seinen Reitrock aus, legt ihn aufs Pferd und steigt dann auf den Baum, die Krücken abzugewinnen. Indessen springt der Dieb auf das Pferd, rennt davon, wirft die Bauerskleider weg und läßt den Pfarrer zu Fuß nach Hause gehen. Diesen Diebstahl erfährt der Pfleger, läßt den Dieb greifen und an den Galgen henken. Jedermann wußte nun von seiner Listigkeit und Behendigkeit zu erzählen.

Einmal ritten mehrere Edelleute, wohl bezecht, an dem Galgen vorbei, redeten von des Diebs Verschlagenheit und lachten darüber. Einer von ihnen war auch ein wüster und spöttischer Mensch, der rief hinauf: »O du behender und kluger Dieb, du mußt ja viel wissen! Komm auf den Donnerstag mit deinen Gesellen zu mir zu Gast und lehre mich auch Listigkeit.« Des lachten die andern.

Auf den Donnerstag, als der Edelmann die Nacht über getrunken hatte, lag er lange schlafend, da kommen die Diebe Glocke neun des Morgens mit ihren Ketten in den Hof, gehen zur Frau, grüßen sie und sagen, der Junker habe sie zu Gast gebeten, sie sollte ihn aufwecken. Dessen erschrickt sie gar hart, geht vor des Junkers Bett und sagt: »Ach! Ich habe Euch längst gesagt, Ihr würdet mit Eurem Trinken und spöttischen Reden Schande einlegen, steht auf und empfangt Eure Gäste« und erzählt, was sie in der Stube gesagt hätten.

Er erschrickt, steht auf, heißt sie willkommen und daß sie sich setzen sollten. Er läßt Essen vortragen, soviel er in Eile vermag, welches alles verschwindet. Unterdessen sagt der Edelmann zu dem Pferdedieb: »Lieber, es ist deiner Behendigkeit viel gelachet worden, aber jetzt ist mir's nicht lächerlich, doch verwundert mich, wie du so behend bist gewesen, da du doch ein grober Mensch scheinst.« Der antwortet: »Der Satan, wenn er sieht, daß ein Mensch Gottes Wort verläßt, kann einen leicht behend machen.« Der Edelmann fragte andere Dinge, darauf jener antwortete, bis die Mahlzeit entschieden war. Da standen sie auf, dankten ihm und sprachen: »So bitten wir Euch auch zu Gottes himmlischem Gericht an das Holz, da wir um unserer

Missetat willen von der Welt getötet worden; da sollt Ihr mit uns aufnehmen das Gericht zeitlicher Schmach, und dies soll sein heute über vier Wochen.« Und schieden also von ihm.

Der Edelmann erschrak sehr und ward heftig betrübt. Er sagte es vielen Leuten, der eine sprach dies, der andere jenes dazu. Er aber tröstete sich dessen, daß er niemandem etwas genommen und daß jener Tag auf Allerheiligentag fiel, auf welchen um des Fests willen man nicht zu richten pflegt. Doch blieb er zu Hause und lud Gäste, so etwas geschähe, daß er Zeugnis hätte, er wäre nicht auskommen. Denn damals war die Rauberei im Lande, sonderlich Gregor Matternen Reiterei, aus welchen einer den Hauskomtur D. Eberhard von Emden erstochen hatte. Derhalb der Komtur Befehl bekam, wo solche Reiter und Kompans zu finden wären, man sollte sie fangen und richten ohne einige Audienz. Nun war der Mörder erkundschaftet, und der Komtur eilte ihm mit den Seinigen nach. Und weil jenes Edelmannes der letzte Tag war und dazu Allerheiligenfest, gedacht er, nun wäre er frei, wollte sich einmal gegen Abend auf das lange Einsitzen etwas erlustigen und ritt ins Feld. Indessen als seiner des Komturs Leute gewahr werden, deucht sie, es sei des Mörders Pferd und Kleid, und reiten flugs auf ihn zu. Der Reiter stellt sich zur Wehr und ersticht einen jungen Edelmann, des Komturs Freund, und wird deshalb gefangen. Sie bringen ihn vor Leuneburg, geben einem Litauen Geld, der hängt ihn zu seinen Gästen an den Galgen. Und wollte ihm nicht helfen, daß er sagte, er käme aus seiner Behausung erst geritten, sondern muß hören: »Mit ihm fort, ehe andere kommen und sich seiner annehmen, denn er will sich nur also ausreden!«

### 336. Gäste vom Galgen

Ein Wirt einer ansehnlichen Stadt reiste mit zwei Weinhändlern aus dem Weingebirge, wo sie einen ansehnlichen Vorrat Wein eingekauft hatten, wieder heim, und ihr Weg führte sie am Galgen vorbei, und obwohl sie berauscht waren, sahen sie doch und bemerkten drei Gehenkte, welche schon lange Jahre gerichtet waren. Da rief einer von den zwei Weinhändlern. »Du, Bärenwirt, diese drei Gesellen, die da hängen, sind auch deine Gäste gewesen.« – »Hei!« sagte der Wirt in tollem Mute, »sie können heute zu Nacht zu mir kommen und mit mir essen!« Was geschieht? Als der Wirt also trunken anlangt, vom Pferde absteigt, in seine Wohnstube geht und sich niedersetzt, kommt eine gewaltige Angst über ihn, so daß er nicht imstande ist, jemand zu rufen. Indes tritt der Hausknecht herein, ihm die Stiefel abzuziehen, da findet er seinen Herrn halbtot im Sessel liegen. Er ruft alsbald die Frau, und als sie ihren Mann mit starken Sachen ein wenig wieder erquickt, fragt sie, was ihm zugestoßen sei. Darauf erzählt er ihr, im Vorbeireiten habe er die drei Gehenkten zu Gast geladen, und da er in seine Stube gekommen, seien diese drei in der entsetzlichen Gestalt, wie sie am Galgen hängen, in das Zimmer getreten, hätten sich an den Tisch gesetzt und ihm immer gewinkt, daß er herbeikommen solle. Da sei endlich der Hausknecht hereingetreten, worauf die Geister alle drei verschwunden. Dieses wurde als eine bloße Einbildung des Wirts ausgegeben, weil ihm trunkenerweise eingefallen, was er im Vorbeireiten den Sündern zugerufen, aber er legte sich zu Bett und starb am dritten Tag.

### 337. Teufelsbrücke

Ein Schweizer Hirte, der öfters sein Mädchen besuchte, mußte sich immer durch die Reuß mühsam durcharbeiten, um hinüberzugelangen, oder einen großen Umweg nehmen. Es trug sich zu, daß er einmal auf einer außerordentlichen Höhe stand und ärgerlich sprach: »Ich wollte, der Teufel wäre da und baute mir eine Brücke hinüber.« Augenblicklich stand der Teufel bei ihm und sagte: »Versprichst du mir das erste Lebendige, das darübergeht, so will ich dir eine Brücke dahin bauen, auf welcher du stets hinüber und herüber kannst.« Der Hirte willigte ein; in wenigen Augenblicken war die Brücke fertig, aber jener trieb eine Gemse vor sich her und ging hinten nach. Der betrogene Teufel ließ alsbald die Stücke des zerrissenen Tieres aus der Höhe herunterfallen.

### 338. Die zwölf Johannesse

Ein fränkischer König hatte zwölf Jünglinge, die wurden die deutschen Schüler genannt und hießen jeder Johannes. Sie fuhren auf einer Glücksscheibe durch alle Länder und konnten binnen vierundzwanzig Stunden erfahren, was in der ganzen Welt geschehen war. Das berichteten sie dann dem König. Der Teufel aber ließ alle Jahre einen von der Scheibe herabfallen und nahm ihn zum Zoll. Den letzten ließ er auf den Petersberg bei Erfurt fallen, der zuvor der Berbersberg genannt war. Der König bekümmerte sich, wo doch der letzte hingekommen wäre, und als er erfuhr, daß es ein schöner Berg sei, auf den er herabgefallen, ließ er eine Kapelle daselbst bauen und nannte sie *Corpus Christi*; setzte auch einen Einsiedler hinein. Es war aber damals schiffbar Wasser ringsumher und nichts angebaut, und an der Kapelle hing eine Leuchte, danach sich jeder richtete, bis das Wasser an der Sachsenburg abgestochen wurde.

### 339. Teufelsgraben

In der Nähe des Dorfes Rappersdorf, das nicht weit von der Stadt Strehlen in Niederschlesien liegt, erblickt man in flachem Boden einen tiefen Graben, gegen einen etwas entfernten Bach laufend, welcher vom Volk der *Teufelsgraben* genannt wird. Ein Bauer aus Rappersdorf war sehr in Not, weil er nicht wußte, wie er das überhandnehmende Regenwasser von seinen Feldern ableiten solle. Da erschien der Teufel vor ihm und sprach: »Gib mir sieben Arbeiter zur Hilfe, so will ich dir noch in dieser Nacht einen Graben machen, der alles Wasser von deinen Äckern abzieht und fertig sein soll, ehe der Morgen graut.« Der Bauer willigte ein und überlieferte dem Teufel die Arbeiter mit ihren Werkzeugen.

Als er am folgenden Tag hinausging, die Arbeit zu besichtigen, war zwar der große breite Graben vollendet, aber die Arbeitsleute waren verschwunden, bis man die zerrissenen Glieder dieser Unglücklichen auf den Feldern ringsumher zerstreut fand.

### 340. Der Kreuzliberg

Auf einer Burg in der Nähe von Baden im Aargau lebte eine Königstochter, welche oft zu einem nahe gelegenen Hügel ging, da im Schatten des Gebüsches zu ruhen. Diesen Berg aber bewohnten innen Geister, und er ward einmal bei einem furchtbaren Wetter von ihnen verwüstet und zerrissen. Die Königstochter, als sie wieder hinzukam, beschloß, in die geöffnete Tiefe hinabzusteigen, um sie beschauen zu können. Sie trat, als es Nacht wurde, hinein, wurde aber alsbald von wilden, entsetzlichen Gestalten ergriffen und über eine große Menge Fässer immer tiefer und weiter in den Abgrund gezogen. Folgenden Tags fand man sie auf einer Anhöhe in der Nähe des verwüsteten Berges, die Füße in die Erde gewurzelt, die Arme in zwei Baumäste ausgewachsen und den Leib einem Stein ähnlich. Durch ein Wunderbild, das man aus dem nahen Kloster herbeibrachte, wurde sie aus diesem furchtbaren Zustand wieder erlöst und zur Burg zurückgeführt. Auf den Gipfel des Bergs setzte man ein Kreuz, und noch jetzt heißt dieser der *Kreuzliberg* und die Tiefe mit den Fässern des *Teufels Keller*.

### 341. Die Pferde aus dem Bodenloch

Richmuth von Adocht, eines reichen Bürgermeisters zu Köln Ehefrau, starb und wurde begraben. Der Totengräber hatte gesehen, daß sie einen köstlichen Ring am Finger trug, die Begierde trieb ihn nachts zu dem Grab, das er öffnete, willens, den Ring abzuziehen. Kaum aber hatte er den Sargdeckel aufgemacht, so sah er, daß der Leichnam die Hand zusammendrückte und aus dem Sarg steigen wollte. Erschrocken floh er. Die

Frau wand sich aus den Grabtüchern los, trat heraus und ging geraden Schritts auf ihr Haus zu, wo sie den bekannten Hausknecht beim Namen rief, daß er schnell die Tür öffnen sollte, und erzählte ihm mit wenigen Worten, was ihr widerfahren. Der Hausknecht trat zu seinem Herrn und sprach: »Unsere Frau steht unten vor der Tür und will eingelassen sein.« – »Ach«, sagte der Herr, »das ist unmöglich, eh das möglich wäre, eher würden meine Schimmel oben auf dem Heuboden stehen!« Kaum hatte er das Wort ausgeredet, so trappelte es auf der Treppe und dem Boden, und siehe, die sechs Schimmel standen oben alle beisammen. Die Frau hatte nicht nachgelassen mit Klopfen, nun glaubte der Bürgermeister, daß sie wirklich da wäre; mit Freuden wurde ihr aufgetan und sie wieder völlig zum Leben gebracht. Den andern Tag schauten die Pferde noch aus dem Bodenloch, und man mußte ein großes Gerüst anlegen, um sie wieder lebendig und heil herabzubringen. Zum Andenken der Geschichte hat man Pferde ausgestopft, die aus diesem Haus zum Boden herausgucken. Auch ist sie in der Apostelkirche abgemalt, wo man überdem einen langen, leinenen Vorhang zeigt, den Frau Richmuth nachher mit eigener Hand gesponnen und dahin verehrt hat. Denn sie lebte noch sieben Jahre.

### 342. Zusammenkunft der Toten

Eine Königin war gestorben und lag in einem schwarz ausgehängten Trauersaal auf dem Prachtbett. Nachts wurde der Saal mit Wachskerzen hell erleuchtet, und in einem Vorzimmer befand sich die Wache: ein Hauptmann mit neunundvierzig Mann. Gegen Mitternacht hörte dieser, wie ein sechsspänniger Wagen rasch vor das Schloß fährt, geht hinab, und eine in Trauer gekleidete Frau von edlem und vornehmem Anstand kommt ihm entgegen und bittet um die Erlaubnis, eine kurze Zeit bei der Toten verweilen zu dürfen. Er stellt ihr vor, daß er nicht die Macht habe, dies zu bewilligen, sie nennt aber ihren wohlbekannten Namen und sagt, als Oberhofmeisterin der Verstorbenen gebühre ihr das Recht, sie noch einmal, ehe sie beerdigt werde, zu sehen. Er ist unschlüssig, aber sie dringt so lange, daß er nichts Schickliches mehr einzuwenden weiß und sie hineinführt. Er selbst, nachdem er die Tür des Saals wieder zugemacht, geht draußen auf und ab. Nach einiger Zeit bleibt er vor der Tür stehen, horcht und blickt durchs Schlüsselloch, da sieht er, wie die tote Königin aufrecht sitzt und leise zu der Frau spricht, doch mit verschlossenen Augen und ohne eine andere Belebung der Gesichtszüge, als daß die Lippen sich ein wenig bewegen. Er heißt die Soldaten, einen nach dem andern, hineingehen, und jeder erblickt dasselbe; endlich naht er selbst wieder, da legt sich die Tote eben langsam auf das Prachtbett zurück. Gleich darauf kommt die Frau wieder heraus und wird vom Hauptmann hinabgeführt; dieser fühlt, indem er sie in den Wagen hebt, daß ihre Hand eiskalt ist. Der Wagen eilt, so schnell er gekommen, wieder fort, und der Hauptmann sieht, wie in der Ferne die Pferde Feuerfunken ausatmen. Am andern Morgen kommt die Nachricht, daß die Oberhofmeisterin, welche mehrere Stunden weit in einem Landhaus wohnte, um Mitternacht und gerade in der Stunde gestorben ist, wo sie bei der Toten war.

### 343. Das weissagende Vöglein

Im Jahr 1624 hörte man in der Luft rufen: »Weh, weh über Pommerland!« Am 14. Juli ging des Leinenwebers Frau von Colbatz nach Selow, mit Namen Barbara Sellentins, daselbst Fische zu kaufen. Da sie auf dem Rückweg nach Colbatz unterwegs war, hörte sie den Steig herunter am Berg ein Geschrei von Vögeln, und wie sie besser hinankam, schallte ihr die Stimme entgegen: »Höre, höre!« Sie sah mittlerweile ein kleines, weißes Vöglein, einer Schwalben groß, auf einer Eiche sitzend, das redete sie mit deutlichen, klaren Worten an: »Sage dem Hauptmann, daß er soll dem Fürsten sagen, die Anrennung, die er kriegen wird, soll er in Güte vertragen, oder es wird über ihn ausgehen; und soll also richten, daß er's vor Gott und der Welt verantworten kann!«

## 344. Der Ewige Jud auf dem Matterhorn

Der Matterberg unter dem Matterhorn ist ein hoher Gletscher des Walliserlands, auf welchem die Visper entspringt. Der Leutsage nach soll daselbst vorzeiten eine ansehnliche Stadt gelegen haben. Durch diese kam einmal der *laufende Jud*[39] gegangen und sprach: »Wenn ich zum zweitenmal hier durchwandere, werden da, wo jetzt Häuser und Gassen sind, Bäume wachsen und Steine liegen. Und wenn mich zum drittenmal der Weg daherführt, wird nichts dasein als Schnee und Eis.« Jetzz ist schon nichts mehr da zu sehen als Schnee und Eis.

## 345. Der Kessel mit Butter

Unter einem Berg des Vispertales, nicht weit von Alttesch, soll ein ganzes Dorf mit Kirche und Häusern vergraben liegen, und die Ursache dieses Unglücks wird so erzählt: Eine Bäuerin stand vorzeiten an ihrem Herd und hatte einen Kessel mit Anke, welche sie auslassen wollte, über dem Feuer hängen; der Kessel war gerade halb voll Sud. Da kam ein Mann des Weges vorbei und sprach sie an, daß sie ihm etwas von der Anke zu seiner Speise geben möchte. Die Frau war aber hartherzig und sagte: »Ich brauch alles für mich selber und kann nichts davon verschenken.« Da wandte sich der Mann und sprach: »Hättest du mir ein weniges gegeben, so wollt ich deinen Kessel so begabt haben, daß er stets bis zum Rand voll gewesen und nimmer leer geworden wäre.« Dieser Mann war unser Herrgott selber. Das Dorf aber war seit der Zeit verflucht und wurde von einem Bergsturz ganz überschüttet, so daß nichts mehr davon am Licht ist als die Fläche des Kirchenaltars, der ehedem im Ort gestanden; über den fließt nämlich jetzt das Bächlein, das vorher unter ihm hingeflossen und sich nun durch die Schlucht der Felsen windet.

---

39 So nennen viele Schweizer den Ewigen Juden.

### 346. Trauerweide

Unser Herr Jesus Christus ward bei seiner Kreuzigung mit Ruten gegeißelt, die von einem Weidenbaum genommen waren. Seit dieser Zeit senkt dieser Baum seine Zweige trauernd zur Erde und kann sie nicht mehr himmelwärts aufrichten. Das ist nun der Trauerweidenbaum.

### 347. Das Christusbild zu Wittenberg

Zu Wittenberg soll sich ein Christusbild befinden, welches die wunderbare Eigenschaft hat, daß es immer einen Zoll größer ist als der, welcher davorsteht und es anschaut; es mag nun der größte oder der kleinste Mensch sein.

### 348. Das Muttergottesbild am Felsen

Im Vispertal an einer schroffen Felsenwand des Rätibergs hinter St. Niklas steht hoch oben, den Augen kaum sichtbar, ein kleines Marienbild im Stein. Es stand sonst unten am Weg in einem jetzt leeren Kapellchen, daß die vorbeigehenden Leute davor beten konnten. Einmal aber geschah's, daß ein gottloser Mensch, dessen Wünsche unerhört geblieben waren, Kot nahm und das heilige Bild damit bewarf; es weinte Tränen. Als er aber den Frevel wiederholte, da eilte es fort, hoch an die Wand hinauf, und wollte sich auf das Flehen der Leute nicht wieder herunterbegeben. Den Fels hinaufzuklimmen und es zurückzuholen war ganz unmöglich; eher, dachten die Leute, könnten sie ihm oben vom Gipfel herab nahen, erstiegen den Berg und wollten einen Mann, mit starken Stricken umwunden, soweit hierniederschweben lassen, bis er vor das Bild käme und es in Empfang nehmen könnte. Allein im Herunterlassen wurde der Strick, woran sie ihn oben festhielten, unten zu immer dünner und dünner, ja, als er eben dem Bild nahe kam, so dünn wie ein Haar, daß den Menschen eine schreckliche Angst befiel und er hinaufrief, sie sollten ihn um Gottes willen zurückziehen, sonst wäre er verloren. Also zogen sie ihn wieder hinauf, und die Seile erlangten zusehends die vorige Stärke. Da mußten die Leute von dem Gnadenbild abstehen und bekamen es nimmer wieder.

### 349. Das Gnadenbild aus dem Lärchenstock zu Waldrast

Im Jahr 1392 sandte die große Frau im Himmel einen Engel aus nach Tirol in die Waldrast auf dem Serlesberg. Der trat vor einen hohlen Lärchenstock und sprach zu ihm im Namen der Gottesmutter: »Du Stock sollst der Frauen im Himmel Bild fruchten!« Das Bild wuchs nun im Stock, und zwei fromme Hirtenknaben, Hänsle und Peterle aus dem Dorfe Mizens, gewahrten es zuerst im Jahre 1407. Verwundert liefen sie hinab zu den Bauern und erzählten: »Geht auf das Gebirge, da steht etwas Wunderbarliches im hohlen Stock, wir trauten uns nicht, es anzurühren.« Das heilige Bild wurde nun erkannt, mit einer Säge aus dem Stock geschnitten und einstweilen nach Matrey gebracht. Da stand es, bis daß ihm eine eigene Kirche zur Waldrast selbst gebaut wurde, dazu bediente sich Unsere Liebe Frau eines armen Holzhackers namens Lusch, gesessen zu Matrey. Als der eines Pfingsttags nacht in seinem Bett lag und schlief, kam eine Stimme, redete zu dreien Malen und sprach: »Schläfst du oder wachst du?« Und beim drittenmal erwachte er und frug: »Wer bist du oder was willst du?« Die Stimme sprach: »Du sollst aufbringen eine Kapelle in der Ehre Unserer Lieben Frauen auf der Waldrast.« Da sprach der Holzhauer: »Das will ich nit tun.« Aber die Stimme kehrte wieder zu der andern Pfingsttagnacht und redete mit ihm in dem Maße wie zuvor. Da sprach er: »Ich bin zu arm dazu.« Da kam die Stimme zu der dritten Pfingsttagnacht abermal an sein Bett und redete wie zuvor. Also hatte er drei Nächte keine vor Sorgen geschlafen und antwortete der Stimme: »Wie meinst du's, daß du nicht von mir willst lassen?« Da sprach die Stimme: »Du sollst es tun!« Da sprach er: »Ich will sein nit tun!« Da nahm es ihn und hob ihn gerade auf in die Höhe und sagte: »Du sollst es tun, berate dich darum!« Da gedachte er: O ich armer Mann! Was rat ich, daß ich's recht tue? Und sprach, er wollte es tun, wo er nur die rechte Stätte wüßte. Die Stimme sprach: »Im Wald ist ein grüner Fleck im Moos, da leg dich nieder und raste, so wird dir wohl kundgetan die rechte Stätte.« Der Holzhauer machte sich auf, legte sich hin auf das Moos und rastete (davon heißt der Ort die Rast im Walde, *Waldrast*). Wie er entschlafen war, hörte er im Schlaf zwei Glöckel. Da wachte er und sah vor sich auf dem Flecken, wo nun die Kirche steht, eine Frau in weißen Kleidern und hätte ein Kind am Arm, des ward ihm nur ein Blick[40]. Da gedachte er: »Allmächtiger Gott, da ist freilich die rechte Statt!« Und ging auf die Statt, da er das Bild gesehen hatte, und merkt's aus nach dem, als er vermeinte eine Kirche zu machen, und die Glöckel klangen, bis er ausgemerkt hatte, dann hörte er sie nicht mehr. Da sprach er: »Lieber Gott, wie soll ich's verbringen? Ich bin arm und habe kein Gut, da ich solchen Bau mit verbringen möge.« Da sprach wiederum die Stimme: »So geh zu frommen Leuten, die geben dir wohl alsoviel, daß du es verbringst. Und wenn es geschieht, daß man es weihen soll, da wird es stillstehen sechsunddreißig Jahre, danach wird es fürgäng und werden große Zeichen da geschehen zu ewigen Zeiten.« Und da er die Kapelle anfangen wollte zu machen, ging er zu seinem Beichtvater und tat ihm das kund. Da schuf er ihn vor den Bischof gen Brixen, da ging er zu fünf Malen gen Brixen, daß ihm der Bischof den Bau und die Kapelle zu machen erlaubte. Das tat der Bischof und ist geschehen am Erchtag (Dienstag) vor St. Pankratius im Jahre 1409.

### 350. Ochsen zeigen die heilige Stätte

Bei Matten, einem Dorf unweit der Mündung des Fermeltales in der Schweiz, liegt ein gewaltiges, zerstörtes steinernes Gebäude, davon geht folgende Sage: Vor alten Zeiten wollte die Ge-

---

40 Das heißt, er sah die Erscheinung nur einen Augenblick.

meinde dem heiligen Stephan eine Kirche bauen, und man ersah den Platz aus, wo das Mauerwerk steht. Aber jede Nacht wurde zum Schrecken aller wiederum zerstört, was den Tag über die fleißigen Talleute aufgeführt hatten. Da beschloß die Gemeinde, unter Gebeten die Werkzeuge des Kirchenbaus einem ins Joch gespannten Ochsenpaar aufzuerlegen, wo das stillstehen würde, wollten sie Gottes Finger darin erblicken und die Kirche an dem Ort aufbauen. Die Tiere gingen über den Fluß und blieben da stehen, wo nun die Kirche St. Stephan vollendet ward.

### 351. Notburga

Im untern Inntale Tirols liegt das Schloß Rottenburg, auf welchem vor alten Zeiten bei einer adligen Herrschaft eine fromme Magd diente, *Notburga* genannt. Sie ward mildtätig und teilte, soviel sie immer konnte, unter die Armen aus, und weil die habsüchtige Herrschaft damit unzufrieden war, schlugen sie das fromme Mägdelein und jagten es endlich fort. Es begab sich zu armen Bauersleuten auf den nahe gelegenen Berg Eben; Gott aber strafte die böse Frau auf Rottenburg mit einem jähen Tod. Der Mann fühlte nun das der Notburga angetane Unrecht und holte sie von dem Berg Eben wieder zu sich nach Rottenburg, wo sie ein frommes Leben führte, bis die Engel kamen und sie in den Himmel abholten. Zwei Ochsen trugen ihren Leichnam über den Innstrom, und obgleich sein Wasser sonst wild tobt, so war er doch, als die Heilige sich näherte, ganz sanft und still. Sie wurde in der Kapelle des heiligen Ruprecht beigesetzt.

Am Neckar geht eine andere Sage. Noch stehen an diesem Fluss Türme und Mauern der alten Burg Hornberg, darauf wohnte vorzeiten ein mächtiger König mit seiner schönen und frommen Tochter Notburga. Diese liebte einen Ritter und hatte sich mit ihm verlobt; er war aber ausgezogen in fremde Lande und nicht wiedergekommen. Da beweinte sie Tag und Nacht seinen Tod und schlug jeden andern Freier aus, ihr Vater aber war hartherzig und achtete wenig auf ihre Trauer. Einmal sprach er zu ihr: »Bereite deinen Hochzeitschmuck, in drei Tagen kommt ein Bräutigam, den ich dir ausgewählt habe.« Notburga aber sprach in ihrem Herzen: »Eher will ich fortgehen, so weit der Himmel blau ist, als ich meine Treue brechen sollte.«

In der Nacht darauf, als der Mond aufgegangen war, rief sie einen treuen Diener und sprach zu ihm: »Führe mich die Waldhöhe hinüber zu der Kapelle St. Michael, da will ich, verborgen vor meinem Vater, im Dienste Gottes das Leben beschließen.« Als sie auf der Höhe waren, rauschten die Blätter, und ein schneeweißer Hirsch kam hinzu und stand neben Notburga still. Da setzte sie sich auf seinen Rücken, hielt sich an seinem Geweih und ward schnell von ihm fortgetragen. Der Diener sah, wie der Hirsch mit ihr über den Neckar leicht und sicher hinüberschwamm und drüben verschwand.

Am andern Morgen, als der König seine Tochter nicht fand, ließ er sie überall suchen und schickte Boten nach allen Gegenden aus, aber sie kehrten zurück, ohne eine Spur gefunden zu haben; und der treue Diener wollte sie nicht verraten. Aber als es Mittagszeit war, kam der weiße Hirsch auf Hornberg zu ihm, und als er ihm Brot reichen wollte, neigte er seinen Kopf, damit er es ihm an das Geweih stecken möge. Dann sprang er fort und brachte es der Notburga hinaus in die Wildnis, und so kam er jeden Tag und erhielt Speise für sie; viele sahen es, aber niemand wußte, was es zu bedeuten hatte, außer der treue Diener.

Endlich bemerkte der König den weißen Hirsch und zwang dem Alten das Geheimnis ab. Andern Tags zur Mittagszeit setzte er sich zu Pferd, und als der Hirsch wieder die Speise zu holen kam und damit forteilte, jagte er ihm nach, durch den Fluß hindurch bis zu einer Felsenhöhle, in welche das Tier sprang. Der König stieg ab und ging hinein, da fand er seine Tochter, mit gefalteten Händen vor einem Kreuz kniend, und neben ihr ruhte der weiße Hirsch. Da sie vom Sonnenlicht nicht mehr berührt worden, war sie totenblaß, so daß er vor ihrer Gestalt erschrak. Dann sprach er: »Kehre mit nach Hornberg zurück.« Aber sie antwortete: »Ich habe Gott mein Leben gelobt und suche nichts

mehr bei den Menschen.« Was er noch sonst sprach, sie war nicht zu bewegen und gab keine andere Antwort. Da geriet er in Zorn und wollte sie wegziehen, aber sie hielt sich am Kreuz, und als er Gewalt brauchte, löste sich der Arm, an welchem er sie gefaßt, vom Leibe und blieb in seiner Hand. Da ergriff ihn ein Grauen, daß er forteilte und sich nimmer wieder der Höhle zu nähern begehrte.

Als die Leute hörten, was geschehen war, verehrten sie Notburga als eine Heilige. Büßende Sünder schickte der Einsiedler bei der St.-Michael-Kapelle, wenn sie bei ihm Hilfe suchten, zu ihr; sie betete mit ihnen und nahm die schwere Last von ihrem Herzen. Im Herbst, als die Blätter fielen, kamen die Engel und trugen ihre Seele in den Himmel; die Leiche hüllten sie in ein Totengewand und schmückten sie, obgleich alle Blumen verwelkt waren, mit blühenden Rosen. Zwei schneeweiße Stiere, die noch kein Joch auf dem Nacken gehabt, trugen sie über den Fluß, ohne die Hufe zu benetzen, und die Glocken in den nahe liegenden Kirchen fingen von selbst an zu läuten. So ward der Leichnam zur St.-Michael-Kapelle gebracht und dort begraben. In der Kirche des Dorfs Hochhausen am Neckar steht noch heute das Bild der heiligen Notburga in Stein gehauen. Auch die Notburgahöhle, gemeiniglich *Jungfernhöhle* geheißen, ist noch zu sehen und jedem Kind bekannt.

Nach einer andern Erzählung war es König Dagobert, der zu Mosbach Hof gehalten, welchem seine Tochter Notburga entfloh, weil er sie mit einem heidnischen Wenden vermählen wollte. Sie ward mit Kräutern und Wurzeln von einer Schlange in der Felsenhöhle ernährt, bis sie darin starb. Schweifende Irrlichter verrieten das verstohlene Grab, und die Königstochter ward erkannt. Den mit ihrer Leiche beladenen Wagen zogen zwei Stiere fort und blieben an dem Ort stehen, wo sie jetzt begraben liegt und den eine Kirche umschließt. Hier geschehen noch viele Wunder. Das Bild der Schlange befindet sich gleichfalls an dem Stein zu Hochhausen. Auf einem Altargemälde daselbst ist aber Notburga mit ihren schönen Haaren vorgestellt, wie sie zur Sättigung der väterlichen Rachgierde enthauptet wird.

### 352. Mauerkalk mit Wein gelöscht

Im Jahre 1450 wuchsen zu Österreich so saure Trauben, daß die meisten Bürgersleute den gekelterten Wein in die offene Straße ausschütteten, weil sie ihn seiner Herbheit halber nicht trinken mochten. Diesen Wein nannte man Reifbeißer; nach einigen, weil der Reif die Trauben verderbt, nach andern, weil der Wein die Dauben und Reife der Fässer mit seiner Schärfe gebissen hätte. Da ließ Friedrich III., römischer König, ein Gebot ausgehen, daß niemand so die Gabe Gottes vergießen solle, und wer den Wein nicht trinken möge, habe ihn auf den Stephanskirchhof zu führen, da solle der Kalk im Wein gelöscht und die Kirche damit gebaut werden.

In Glatz, gegen dem böhmischen Tor wärts, steht ein alter Turm, rund und ziemlich hoch; man nennt ihn Heidenturm, weil er vor uralten Zeiten im Heidentum erbaut worden. Er hat starke Mauern und soll der Kalk dazu mit eitel Wein zubereitet worden sein.

### 353. Der Judenstein

Im Jahre 1462 ist es zu Tirol im Dorfe Rinn geschehen, daß etliche Juden einen armen Bauern durch eine große Menge Geld dahin brachten, ihnen sein kleines Kind hinzugeben. Sie nahmen es mit hinaus in den Wald und marterten es dort auf einem großen Stein, seitdem der Judenstein genannt, auf die entsetzlichste Weise zu Tode. Den zerstochenen Leichnam hingen sie danach an einen unfern einer Brücke stehenden Birkenbaum. Die Mutter des Kindes arbeitete gerade im Feld, als der Mord geschah; auf einmal kamen ihr Gedanken an ihr Kind, und ihr wurde, ohne daß sie wußte, warum, so angst; indessen fielen auch drei frische Blutstropfen nacheinander auf ihre Hand. Voll Herzensbangigkeit eilte sie heim und begehrte nach ihrem Kind. Der Mann zog sie in die Kammer, gestand, was er getan, und wollte ihr nun das schöne Geld zeigen, das sie aus aller Armut befreie, aber es war alles in Laub verwandelt. Da ward der Vater wahnsinnig und grämte sich tot, aber die Mutter ging aus und suchte ihr Kindlein, und als sie es an dem Baum hängend gefunden, nahm sie es unter heißen Tränen herab und trug es in die Kirche nach Rinn. Noch jetzt liegt es dort und wird vom Volk als ein heiliges Kind betrachtet. Auch der Judenstein ist dorthin gebracht. Der Sage nach hieb ein Hirt den Baum ab, an dem das Kindlein gehangen, aber als er ihn nach Hause tragen wollte, brach er sich ein Bein und mußte daran sterben.

### 354. Das von den Juden getötete Mägdlein

Im Jahre 1267 war zu Pforzheim eine alte Frau, die verkaufte den Juden aus Geiz ein unschuldiges siebenjähriges Mädchen. Die Juden stopften ihm den Mund, daß es nicht schreien konnte, schnitten ihm die Adern auf und umwanden es, um sein Blut aufzufangen, mit Tüchern. Das arme Kind starb bald unter der Marter, und sie warfen's in die Enz, eine Last von Steinen obendrauf. Nach wenigen Tagen reckte Margaretchen ihr Händlein über dem fließenden Wasser in die Höhe; das sahen die Fischer und entsetzten sich; bald lief das Volk zusammen und auch der Markgraf selbst. Es gelang den Schiffern, das Kind herauszuziehen, das noch lebte, aber, nachdem es Rache über seine Mörder gerufen, in den Tod verschied. Der Argwohn traf die Juden, alle wurden zusammengefordert, und wie sie dem Leichnam nahten, floß aus den offenen Wunden stromweise das Blut. Die Juden und das alte Weib bekannten die Untat und wurden hingerichtet. Beim Eingang der Schloßkirche zu Pforzheim, da, wo man die Glockenseile zum Geläut zieht, steht der Sarg des Kindes mit einer Inschrift. Unter der Schifferzunft hat sich von Kind zu Kind einstimmig die Sage fortgepflanzt, daß damals der Markgraf ihren Vorfahren zur Belohnung die Wachtfreiheit, »solange Sonne und Mond leuchten«, in der Stadt Pforzheim und zugleich das Vorrecht verliehen habe, daß alle Jahre um Fastnachtsmarkt vierundzwanzig Schiffer mit Waffen und klingendem Spiel aufziehen und an diesem Tag Stadt und Markt allein bewachen sollen. Dies gilt bis auf den heutigen Tag.

### 355. Die vier Hufeisen

In Ellrich waren ehedem an der Tür der alten Kirche vier ungeheure Hufeisen festgenagelt und wurden von allen Leuten angestaunt; seit die Kirche eingefallen ist, werden sie in des Pfarrers Wohnung aufbewahrt. Vor alten Zeiten soll Ernst Graf zu Klettenberg eines Sonntagsmorgens nach Ellrich geritten sein, um dort durch Trinken den ausgesetzten Ehrenpreis einer Goldkette zu gewinnen. Er erlangte auch den Dank vor vielen andern, und die Kette um den Hals angetan, wollte er durch das Städtlein nach Klettenberg zurückkehren. In der Vorstadt hörte er in der Niklaskirche die Vesper singen; im Taumel reitet er durch die Gemeinde bis vor den Altar; kaum betritt das Roß dessen Stufen, so fallen ihm plötzlich alle vier Hufeisen ab, und es sinkt samt seinem Reiter nieder.

## 336. Der Altar zu Seefeld

In Tirol, nicht weit von Innsbruck, liegt Seefeld, eine alte Burg, wo im XIV. Jahrhundert Oswald Müller, ein stolzer und frecher Ritter, wohnte. Dieser verging sich im Übermut so weit, daß er im Jahre 1384 an einem Grünen Donnerstag mit der ihm im Angesicht des Landvolkes und seiner Knechte in der Kirche gereichten Hostie nicht vorliebnehmen wollte, sondern eine größere, wie sie die Priester sonst haben, vom Kapellan für sich forderte. Kaum hatte er sie empfangen, so hub der steinharte Grund vor dem Altar an unter seinen Füßen zu wanken. In der Angst suchte er sich mit beiden Händen am eisernen Geländer zu halten, aber es gab nach, als ob es von Wachs wäre, so daß sich die Fugen seiner Faust deutlich ins Eisen drückten. Ehe der Ritter ganz versank, ergriff ihn die Reue, der Priester nahm ihm die Hostie wieder aus dem Mund, welche sich, wie sie des Sünders Zunge berührt, alsbald mit Blut überzogen hatte. Bald darauf stiftete er an der Stätte ein Kloster und wurde selbst als Laie hineingenommen. Noch heute ist der Griff auf dem Eisen zu sehen und von der ganzen Geschichte ein Gemälde vorhanden.

    Seine Frau, als sie von dem heimkehrenden Volk erfuhr, was sich in der Kirche zugetragen, glaubte nicht daran, sondern sprach: »Das ist so wenig wahr, als aus dem dürren und verfaulten Stock da Rosen blühen können.« Aber Gott gab ein Zeichen seiner Allmacht, und alsbald grünte der trockene Stock und es kamen schöne Rosen, aber schneeweiße, hervor. Die Sünderin riß die Rosen ab und warf sie zu Boden, in demselben Augenblick ergriff sie der Wahnsinn, und sie rannte die Berge auf und ab, bis sie andern Tags tot zur Erde sank.


## 357. Der Sterbensstein

In Oberhasli auf dem Weg nach Gadmen, unweit Meiringen, liegt am Kirchetbuel, einer engen Felsschlucht, durch welche vor Jahrhunderten sich die trübe Aar wälzte, ein Stein auf der Erde, in welchem sich eine von einer Menschenhand eingedrückte Form von mehreren Fingern zeigt. Vorzeiten, erzählt das Volk, fiel hier eine Mordtat vor; die Unglückliche suchte sich daran festzuhalten und drückte die Spuren des gewaltsamen Sterbens dem Stein ein.

### 358. Sündliche Liebe

Auf dem Petersberg bei Erfurt ist ein Begräbnis von Bruder und Schwester, die auf dem etwas erhabenen Leichenstein abgebildet sind. Die Schwester war so schön, daß der Bruder, als er eine Zeitlang in der Fremde zugebracht und wiederkam, eine heftige Liebe zu ihr faßte und mit ihr sündigte. Beiden riß alsbald der Teufel das Haupt ab. Auf dem Leichenstein wurden ihre Bildnisse ausgehauen, aber die Köpfe verschwanden auch hier von den Leibern, und es blieb nur der Stachel, woran sie befestigt waren. Man setzte andere von Messing darauf, aber auch diese kamen fort, ja, wenn man nur mit Kreide Gesichter darüber zeichnete, so war andern Tags alles wieder ausgelöscht.

### 359. Der Schweidnitzer Ratsmann

Es lebte vorzeiten ein Ratsherr zu Schweidnitz, der mehr das Gold liebte als Gott und eine Dohle abgerichtet hatte, durch eine ausgebrochene Glasscheibe des vergitterten Fensters in die seinem Haus gerade gegenüberliegende Ratskämmerei einzufliegen und ihm ein Stück Geld daraus zu holen. Das geschah jeden Abend, und sie brachte ihm eine der goldenen oder silbernen Münzen, die gerade von der Stadt Einkünften auf dem Tische lagen, mit ihrem Schnabel getragen. Die andern Ratsbedienten gewahrten endlich der Verminderung des Schatzes, beschlossen, dem Dieb aufzulauern, und fanden bald, daß die Dohle nach Sonnenuntergang geflogen kam und ein Goldstück wegpickte. Sie zeichneten darauf einige Stücke und legten sie hin, die von der Dohle nach und nach gleichfalls abgeholt wurden. Nun saß

der ganze Rat zusammen, trug die Sache vor und schloß dahin, falls man den Dieb herausbringen würde, so sollte er oben auf den Kranz des hohen Rathausturms gesetzt und verurteilt werden, entweder oben zu verhungern oder bis auf den Erdboden herabzusteigen. Unterdessen wurde in des verdächtigen

Ratsherrn Wohnung geschickt und nicht nur der fliegende Bote, sondern auch die gezeichneten Goldstücke gefunden. Der Missetäter bekannte sein Verbrechen, unterwarf sich willig dem Spruch, den man, angesehen sein hohes Alter, lindern wollte, welches er nicht zugab, sondern stieg vor aller Augen mit Angst und Zittern auf den Kranz des Turms. Beim Absteigen unterwärts kam er aber bald auf ein steinern Geländer, konnte weder vor noch hinter sich und mußte stehenbleiben. Zehn Tage und Nächte stand der alte, arme Greis da zur Schau, daß es einen erbarmte, ohne Speis und Trank, bis er endlich vor großem Hunger sein eigen Fleisch von den Händen und Armen abnagte und reu- und bußfertig durch solchen grausamen, unerhörten Tod sein Leben endigte. Statt des Leichnams wurde in der Folge sein steinernes Bild nebst dem der Dohle auf jenes Turmgeländer gesetzt. 1642 wehte es ein Sturmwind herunter, aber der Kopf davon soll noch auf dem Rathaus vorhanden sein.

### 360. Regenbogen über Verurteilten

Als im Juni 1621 in Prag siebenundzwanzig angesehene Männer, welche in den böhmischen Aufruhr verwickelt waren, sollten hingerichtet werden, rief einer derselben, Joh. Kutnauer, Bürgerhauptmann in der Altstadt, inständig zum Himmel empor, daß ihm und seinen Mitbürgern ein Zeichen der Gnade gegeben werde, und mit so viel Vertrauen, daß er sprach, er zweifle gar nicht, ein solches zu erhalten. Als nun der Vollzug der Todesstrafen eben beginnen sollte, erschien nach einem kleinen Regen über dem sogenannten Lorenzberge ein kreuzweise übereinandergehender Regenbogen, der bei einer Stunde zum Trost der Verurteilten stehenblieb.

## 361. Gott weint mit dem Unschuldigen

In Hanau ward zu einer Zeit eine Frau wegen eines schweren Verbrechens angeklagt und zum Tode verurteilt. Als sie auf den Richtplatz kam, sprach sie: »Wie der Schein auch gegen mich gezeugt hat, ich bin unschuldig, so gewiß, als Gott jetzt mit mir weinen wird.« Worauf es von heiterem Himmel zu regnen anfing. Sie ward gerichtet, aber später kam ihre Unschuld an den Tag.

## 362. Gottes Speise

Nicht weit von Zwickau im Vogtland hat sich in einem Dorf zugetragen, daß die Eltern ihren Sohn, einen jungen Knaben, in den Wald geschickt, die Ochsen, so allda an der Weide gegangen, heimzutreiben. Als aber der Knabe sich etwas gesäumt, hat ihn die Nacht überfallen, ist auch dieselbe Nacht ein großer, tiefer Schnee herabgekommen, der allenthalben die Berge bedeckt hat, daß der Knabe vor dem Schnee nicht hat können aus dem Wald gelangen. Und als er auch des folgenden Tags nicht heimkommen, sind die Eltern nicht so sehr der Ochsen als des Knaben wegen nicht wenig bekümmert gewesen und haben doch vor dem großen Schnee nicht in den Wald dringen können. Am dritten Tag, nachdem der Schnee zum Teil abgeflossen, sind sie hinausgegangen, den Knaben zu suchen, welchen sie endlich gefunden an einem sonnigen Hügel sitzen, an dem gar kein Schnee gelegen. Der Knabe, nachdem er die Eltern gesehen, hat sie angelacht, und als sie ihn gefragt, warum er nicht heimgekommen, hat er geantwortet, er hätte warten wollen, bis es Abend würde; hat nicht gewußt, daß schon ein Tag vergangen war, ist ihm auch kein Leid widerfahren. Da man ihn auch gefragt, ob er etwas gegessen hätte, hat er berichtet, es sei ein Mann zu ihm gekommen, der ihm Käs und Brot gegeben habe. Ist also dieser Knabe ohne Zweifel durch einen Engel Gottes gespeist und erhalten worden.

## 363. Die drei Alten

Im Herzogtum Schleswig, in der Landschaft Angeln, leben noch Leute, die sich erinnern, nachstehende Erzählung aus dem Munde des vor einiger Zeit verstorbenen, durch mehrere gelehrte Arbeiten bekannten Pastors Oest gehört zu haben; nur weiß man nicht, ob die Sache ihm selbst oder einem benachbarten Prediger begegnet sei. Mitten im XVIII. Jahrhundert geschah es, daß der neue Prediger die Markung seines Kirchsprengels umritt, um sich mit seinen Verhältnissen genau bekannt zu machen. In einer entlegenen Gegend steht ein einsamer Bauernhof, der Weg führt hart am Vorhof der Wohnung vorbei. Auf der Bank sitzt ein Greis mit schneeweißem Haar und weint bitterlich. Der Pfarrer wünscht ihm guten Abend und fragt, was ihm fehle. »Ach«, gibt der Alte Antwort, »mein Vater hat mich so geschlagen.« Befremdet bindet der Prediger sein Pferd an und tritt ins Haus, da begegnet ihm auf der Flur ein Alter, noch viel greiser als der erste, von erzürnter Gebärde und in heftiger Bewegung. Der Prediger spricht ihn freundlich an und fragt nach der Ursache des Zürnens. Der Greis spricht: »Ei, der Junge hat meinen Vater fallen lassen!« Damit öffnet er die Stubentüre, der Pfarrer verstummt vor Erstaunen und sieht einen vor Alter ganz zusammengedrückten, aber noch rührigen Greis im Lehnstuhl hinterm Ofen sitzen.

# Zweiter Band

## 364. Der heilige Salzfluß

Die Germanen gewannen auf diese Art Salz, daß sie das salzhaltige Wasser auf glühende Bäume gossen. Zwischen den Hermunduren und Katten strömte ein salzreicher Fluß (die Saale[41]), um dessen Besitz Krieg ausbrach. Denn die Germanen glaubten, eine solche Gegend liege dem Himmel nahe und die Gebete der Menschen könnten von den Göttern nirgends besser vernommen werden. Durch die Gnade der Götter komme das Salz in diesen Fluß und diese Wälder; nicht wie bei andern Völkern trockne es an dem Erdreich, von dem die wilde Meeresflut zurückgewichen sei, sondern das Flußwasser werde auf glühende Baumschichten gegossen, und aus der Vermischung zweier feindlicher Urstoffe, Wasser und Feuer, gehe das Salz hervor. Der Krieg aber schlug den Hermunduren glücklich, den Katten unselig aus, und die Sieger opferten nach ihrem Gelübde alle eroberten Männer und Pferde.

## 365. Der heilige See der Hertha

Die Reudigner, Avionen, Angeln, Wariner, Eudosen, Suarthonen und Nuithonen, deutsche Völker, zwischen Flüssen und Wäldern wohnend, verehren insgesamt die Hertha, das ist Mutter Erde, und glauben, daß sie sich in die menschlichen Dinge mischt und zu den Völkern gefahren kommt. Auf einem Eiland des Meers liegt ein unentweihter, ihr geheiligter Wald, da steht ihr Wagen, mit Decken umhüllt, nur ein einziger Priester darf ihm nahen. Dieser weiß es, wann die Göttin im heiligen Wagen erscheint; zwei weibliche Rinder ziehen sie fort, und jener folgt ehrerbietig nach. Wohin sie zu kommen und zu herbergen würdigt, da ist froher Tag und Hochzeit; da wird kein Krieg gestritten, keine Waffe ergriffen, das Eisen verschlossen.

---

41 Nach Wenk: Hess. Landesgesch., die fränkische Saale, die bei Gemünden in den Main fließt, nach Zeuß, S. 95, die Werra.

Nur Friede und Ruhe ist dann bekannt und gewünscht; das währt so lange, bis die Göttin genug unter den Menschen gewohnt hat und der Priester sie wieder ins Heiligtum zurückführt. In einem abgelegenen See wird Wagen, Decke und Göttin selbst gewaschen; die Knechte aber, die dabei dienen, verschlingt der See alsbald.

Ein heimlicher Schrecken und eine heilige Unwissenheit sind daher stets über das gebreitet, was nur diejenigen anschauen, die gleich darauf sterben.

### 366. Der heilige Wald der Semnonen

Unter den Sweben waren die Semnonen das älteste und edelste Volk. Zu gewissen Zeiten hielten sie in einem Wald, heilig durch den Gottesdienst der Vorfahren und durch alten Schauer, Zusammenkünfte, wozu alle aus demselben Blut entsprungen Stämme Abgesandte schickten, und brachten ein öffentliches Menschenopfer. Vor dem Hain tragen sie solche Ehrfurcht, daß niemand hineintritt, der sich nicht vorher in Bande hätte binden lassen, zur Anerkennung seiner Schwäche und der göttlichen Allmacht. Fällt er von ungefähr zur Erde, so ist ihm nicht erlaubt, aufzustehen oder aufgehoben zu werden, sondern er wird auf dem Erdboden hinausgeschleift. Dieser Gebrauch weist dahin, wie aus dem Heiligtum das Volk entsprungen und der allwaltende Gott da gegenwärtig sei, dem alles andere unterwürfig und gehorsam sein müsse.

### 367. Die Wanderung der Ansivaren

Die Friesen waren in einen leeren Landstrich unweit des Rheines vorgedrungen, hatten schon ihre Stätte genommen und die Äcker besät, da wurden sie von den Römern mit Gewalt wieder ausgetrieben. Das Erdreich stand von neuem leer, die Ansivaren rückten hinein: ein nicht zahlreiches Volk, aber stark durch den Beistand, den ihm die umliegenden Stämme mitleidig leisteten, weil es heimatlos und von den Chauken aus seinem Sitz verjagt worden war. Bojokal, der Ansivarenführer, wollte sich und sein Volk unter den Schutz der Römer stellen, wenn sie diesen leeren und öden Platz ihnen für Menschen und Viehherden lassen würden. Das Land habe vorzeiten den Chamaven, dann den Tubanten und hierauf den Usipiern gehört; und weil den Göttern der Himmel, den Menschen die Erde zustehe, so dürfe jedes Volk ein leeres Land besetzen. Darauf wandte Bojokal (die Abneigung der Römer voraussehend) seine Augen zur Sonne, rief die übrigen Gestirne an und stellte sie öffentlich zur Rede, ob sie den leeren Grund und Boden bescheinen wollten? Sie möchten lieber das Meer wider diejenigen ausschütten, welche also den Menschen das Land entzögen. Die Römer aber schlugen das Gesuch ab und wollten keinen andern Richter anerkennen über das, was sie zu geben oder zu nehmen hätten, als sich selbst. Das antworteten sie den Ansivaren öffentlich und boten doch zugleich dem Bojokal ein Grundstück für ihn selbst, als ihrem guten Freund, an (den sie sich durch ein solches Geschenk geneigt zu erhalten trachteten). Bojokal verachtete das, um dessentwillen er sein Volk hätte verraten sollen, und sagte: »Haben wir gleich keine Erde, auf der wir leben können, so soll uns doch keine gebrechen, auf der wir sterben.« Darauf zogen sie feindlich ab und riefen ihre Bundesgenossen, die Brukterer, Tenkterer und noch andere, zum Krieg auf. Der Römerfeldherr überzog schnell die Tenkterer, daß sie abstehen mußten, und wie diese sich lossagten, befiel auch die Brukterer und die andern Furcht. Da wichen die verlassenen Ansivaren in das Gebiet der Usipier und Tubanten; die wollten sie nicht leiden. Von da vertrieben, kamen sie zu den Katten und dann zu den Cheruskern. Über dem langen unsteten Herumziehen auf fremdem Boden, bald als Gäste, bald als Dürftige, bald als Feinde, wurde ihre Mannschaft und mannbare Jugend aufgerieben. Die Unmündigen fielen als Beute andern zuteil.

## 368. Die Seefahrt der Usipier

Eine Schar Usipier, von den Römern in Deutschland geworben und nach Britannien gebracht, beging ein großes und bewundernswürdiges Wagstück. Nachdem sie den Hauptmann und die Soldaten der Römer, welche unter ihren Haufen, um sie zum Dienst abzurichten, gemischt worden waren, getötet hatten, bestiegen sie drei leichte Schiffe, deren Steuerleute sie mit Gewalt dazu nötigten. Zwei derselben, die ihnen verdächtig wurden, brachten sie gleichfalls um und stachen mit dem einen Ruderer in die hohe See, ein wahres Wunder! Bald hier, bald dahin getrieben, hatten sie mit den britannischen Küstenbewohnern, die ihre Habe verteidigten, um Lebensmittel zu kämpfen; meistens siegten, einigemal unterlagen sie. Zuletzt stieg die Hungersnot so weit auf ihren Schiffen, daß sie erst ihre Schwachen und Kranken verzehrten, bald aber Lose darum zogen, wer den andern zur Speise dienen mußte. Als sie endlich Britannien umfahren und aus Unkunde der Schiffahrt ihre Schiffe eingebüßt hatten, wurden sie für Räuber angesehen und von den Sweben, dann von den Friesen aufgefangen. Einige darunter kamen verhandelt und verkauft dann wieder in die Hände der Römer nach Italien, wo sie ihre merkwürdige Begebenheit selbst erzählten.

## 369. Wanderung der Goten

Aus der Insel Schanze *(Scanzia)* brachen die Völker wie ein Schwarm Bienen hervor. Die Goten nämlich fuhren von da unter Berich, ihrem König; dem Ort, wo sie aus den Schiffen zuerst landeten, legten sie den Namen Gotenschanze bei. Darauf zogen sie zu den Ulmrügern, die am Meerufer wohnten, und besiegten sie. Dann schlugen sie die Vandalen, deren Nachbarn. Als aber ihres Volkes Menge mächtig wuchs und schon seit Berich ihr fünfter König, namens Filimer, herrschte, wurde beschlossen, daß er mit den Goten weiterziehen solle. Da nun diese sich eine gute Niederlassung aussuchen wollten, kamen sie nach Szythien ins Land Ovin, wo ein Teil des Heers durch eine gebrochene Brücke abgeschnitten wurde. Die, welche den Fluß glücklich hinübergegangen waren, zogen weiter bis an das äußerste Ende Szythiens an das Schwarze Meer.

Sie waren anfangs aus Skanzien unter Berich bloß mit drei Schiffen ausgefahren. Von diesen Schiffen fuhr eins langsamer als die andern, darum wurde es Gepanta (das gaffende[42]) geheißen, und davon bekam der Stamm den Unnamen der *Gepiden*. Denn sie sind auch groß von Leib und träge an Geist. Diese Gepiden blieben auf einer Insel der Weichsel wohnen, die Ostgoten und Westgoten zogen weiter fort, ließen sich aber auch eine Weile nieder. Dann führten sie Krieg mit den Gepiden, schlugen sie und teilten sich nachher selbst voneinander ab; jeder Stamm wanderte seine eigenen Wege.

### 370. Die eingefallene Brücke

Die Goten kamen auf ihren Wanderungen auch in das Land Szythien und fanden einen fruchtbaren Strich, bequem und zur Niederlassung einladend. Ihr Zug mußte aber über einen breiten Fluß setzen, und als die Hälfte des Heers hinüber war, geht die Sage, sei die Brücke gebrochen, so daß kein Mann zurückkehren, der hinüber war, und keiner mehr übersetzen konnte. Die ganze Gegend ist durch Moor und Sumpf, den niemand zu betreten wagt, eingeschlossen. Man soll aber noch heutzutage[43], wie Reisende versichern, von jenseits aus weiter Ferne Vieh brüllen hören und andere Anzeichen daselbst wohnender Menschen finden.

---

42 Die gewöhnliche Ableitung von *beiten* (got. beidan), *warten*, ist unzulässig, die hier gegebene von *gapan, gepan,* unserm *gaffen*, dagegen natürlich; das Wort bedeutet: *das Maul aufsperren, stutzen, gähnen* und hat gleich dem lat. *hiare* den Nebensinn von *harren, faul* und *unentschlossen* sein. Diese ganze Erklärung des Namens ist indessen sagenmäßig und, wie in solchen Fällen insgemein, nie die eigentliche.
43 Das heißt zu Jornandes' Lebzeiten.

### 371. Warum die Goten in Griechenland eingebrochen

Folgende Sage hat man von den silbernen Bildsäulen, die zur Abhaltung der Barbaren eingeweiht worden waren: Zur Zeit der Herrschaft Kaiser Konstantins geschah dem Valerius, Präfekten in Thrazien, Anzeige von einem zu hebenden Schatz. Valerius begab sich an Ort und Stelle und erfuhr von den Einwohnern, daß es ein altes, feierlich geweihtes Heiligtum wäre. Dieses meldete er dem Kaiser, empfing aber Weisung, die Kostbarkeiten zu heben. Man grub daher in die Erde und fand drei aus gediegenem Silber gearbeitete Bildsäulen, nach barbarischer Weise mit gehenkelten (eingestemmten) Armen, in bunten Gewändern und Haaren auf dem Haupt; sie lagen mit den Gesichtern gen Norden, wo der Barbaren Land ist, gewendet. Sobald diese Bildsäulen gehoben und weggenommen waren, brachen wenig Tage darauf die Goten zuerst in Thrazien ein, und ihnen folgten andere Barbaren, von welchen ganz Thrazien und Illyrien überschwemmt wurde. Jene geheiligte Stätte lag zwischen Thrazien und Illyrien, und die drei Bildsäulen schienen gegen alle barbarischen Völker eingeweiht gewesen zu sein.

### 372. Fridigern

Fridigerns Taten priesen die Goten in Liedern. Von ihm ist folgende Sage aufbehalten worden: Als die Westgoten noch keinen festen Wohnsitz hatten, brach Hungersnot über sie ein. Fridigern, Alatheus und Safrach, ihre Vorsteher und Anführer, von dieser Plage bedrängt, wandten sich an die Anführer des römischen Heers, Lupicinus und Maximus, und handelten um Lebensmittel. Die Römer, aus schändlichem Geiz, feilschten ihnen Schaf- und Ochsenfleisch, ja selbst das Aas von Hunden und andern unreinen Tieren zu teurem Preis, so daß sie für ein Brot einen Knecht, für ein Fleisch zehn Pfund (Geld) erhandelten. Die Goten gaben, was sie hatten; als die Knechte und ihre Habe ausgingen, handelte der grausame Käufer um die Söhne der Eltern. Die Goten erwägten, es sei besser, die Freiheit aufzugeben als das Leben, und barmherziger, einen durch Verkauf zu erhalten als durch Behalten zu töten. Unterdessen ersann Lupicinus, der Römer Anführer, einen Verrat und ließ Fridigern zum Gastmahl laden. Dieser kam arglos mit kleinem Gefolge; als er inwendig speiste, drang das Geschrei von Sterbenden zu seinem Ohr. In einer andern Abteilung der Wohnung, wo Alatheus und Safrach speisten, waren Römer über sie gefallen und wollten sie morden. Da erkannte Fridigern sogleich den Verrat, zog das Schwert mitten am Gastmahl, und verwegen und schnell eilte er seinen Gesellen zu Hilfe. Glücklich rettete er noch ihr Leben, und nun rief er alle Goten zur Vernichtung der Römer auf, denen es erwünscht war, lieber in der Schlacht als vor Hunger zu fallen. Dieser Tag machte dem Hunger der Goten und der ruhigen Herrschaft der Römer ein Ende, und die Goten walteten in dem Lande, das sie besetzt hatten, nicht wie Ankömmlinge und Fremde, sondern wie Herren und Herrscher.

### 373. Des Königs Grab

Die Westgoten wollten durch Italien nach Afrika wandern, unterwegs starb plötzlich Alarich, ihr König, den sie über die Maße liebten. Da huben sie an und leiteten den Fluß Barent, der neben der Stadt Consentina vom Fuße des Berges fließt, aus seinem Bette ab. Mitten in dem Bett ließen sie nun durch einen Haufen Gefangener ein Grab graben, und in den Schoß der Grube bestatteten sie, nebst vielen Kostbarkeiten, ihren König Alarich. Wie das geschehen war, leiteten sie das Wasser wieder ins alte Bett zurück und töteten, damit die Stätte von niemand verraten würde, alle die, welche das Grab gegraben hatten.

### 374. Athaulfs Tod

Den Tod König Athaulfs, der mit seinen Westgoten Spanien eingenommen hatte, erzählt die Sage verschieden. Nach einigen nämlich soll ihn Wernulf, über dessen lächerliche Gestalt der König gespottet hatte, mit dem Schwert erstochen haben. Nach andern stand Athaulf im Stall und betrachtete seine Pferde, als ihn Dobbius, einer seiner Hausleute, ermordete. Dieser hatte früher bei einem andern, von Athaulf aus dem Wege geräumten Gotenkönig in Dienst gestanden und war danach in Athaulfs Hausgesinde aufgenommen worden.

So rächte Dobbius seinen ersten Herrn an dem zweiten.

### 375. Die Trullen

Die Vandalen nannten die Goten *Truller*, aus dieser Ursache: Einst litten die Goten Hungersnot und mußten sich Getreide von den Vandalen kaufen. Sie bekamen aber für ein Goldstück nur eine Trulle voll Korn. Eine Trulle hält noch nicht einmal den dritten Teil eines Sechters.

### 376. Sage von Gelimer

Zur Zeit, da die Vandalen Afrika besetzt hatten, war in Karthago ein altes Sprichwort unter den Leuten: daß G. das B., danach aber B. das G. verfolgen würde. Dieses legte man von Genserich aus, der den Bonifatius, und Belisarius, der den Gelimer überwunden hatte. Dieser Gelimer wäre sogleich gefangengenommen worden, wenn sich nicht folgender Umstand zugetragen hätte. Belisarius beauftragte damit den Johannes, in dessen Gefolge sich Uliares, ein Waffenträger, befand. Uliares ersah ein Vöglein auf einem Baum sitzen und spannte den Bogen; weil er aber in Wein berauscht und seiner Sinne nicht recht mächtig war, verfehlte er den Vogel und traf seinen Herrn in den Nacken. Johannes starb an der Wunde, und Gelimer hatte Zeit zu fliehen. Gelimer entrann und langte noch denselben Tag bei den Maurusiern an. Belisarius folgte ihm nach und schloß ihn ganz hinten in Numidien auf einem kleinen Berg ein. So wurde nun Gelimer mitten im Winter hart belagert und litt an allem

Lebensunterhalt Mangel, denn Brot backen die Maurusier nicht, sie haben keinen Wein und kein Öl, sondern essen, unvernünftigen Tieren gleich, unreifes Korn und Gerste. Da schrieb der Vandalenkönig einen Brief an Pharas, Hüter des griechischen Heeres, und bat um drei Dinge: eine Laute, ein Brot und einen Schwamm. Pharas fragte den Boten: »Warum das?«

Der Bote antwortete: »Das Brot will Gelimer essen, weil er keines gesehen, seit er auf dieses Gebirge stieg; mit dem Schwamm will er seine roten Augen waschen, die er die Zeit über nicht gewaschen hat; auf der Laute will er ein Lied spielen und seinen Jammer beweinen.« Pharas aber erbarmte sich des Königs und sandte ihm die Bedürfnisse.

### 377. Gelimer in silberner Kette

Gelimer (Childemer), nach verlorener Schlacht, rettete sich nur mit zwölf Vandalen in eine sehr befestigte Burg, worin er von Belisarius belagert wurde.

Als er nun keinen weiteren Ausweg sah, wollte er sich auf die Bedingung ergeben, daß er frei und ohne Fesseln vor das Angesicht des Kaisers geführt würde. Belisarius sagte ihm zu, weder mit Seilen noch Stricken noch eisernen Ketten sollte er gebunden werden. Gelimer verließ sich auf dieses Wort, aber Belisarius ließ ihn mit einer silbernen Kette binden und führte ihn im Triumph nach Konstantinopel. Hier wurde der unglückliche König von den Höflingen gehöhnt und beschimpft; er flehte zum Kaiser, man möge ihm das Pferd geben, das er vorher gehabt, so wolle er es auf einmal mit zwölf von denen aufnehmen, die ihn angespien und ihm Ohrschläge gegeben hatten, »dann soll ihre Feigheit und mein Mut kundwerden«. Der Kaiser ließ es geschehen, und Gelimer besiegte zwölf Jünglinge, die es mit ihm aufnahmen.

## 378. Ursprung der Hunnen

Die Entstehung der Hunnen wird von alters her so erzählt: Filimer, Gandarichs Sohn, der fünfte König der Goten seit ihrer Auswanderung aus Skanzien, fand unter seinem Volk gewisse wahrsagende Weiber, die in gotischer Sprache *Alirunen* hießen. Diese wollte er nicht länger dulden, sondern verjagte sie aus der Mitte des Volks weit weg in die Wildnis. Als die Alirunen eine Zeitlang in der Wüste herumirrten, wurden sie von den Waldleuten, die man *Faune* und *Feigenblattmänner* nennt, gesehen, und sie vermischten sich zusammen.

Das Geschlecht, welches von den Waldleuten und Alirunen ausging, war klein, häßlich und wild; es hauste anfangs in den mäotischen Sümpfen. Bald aber rückten sie aus und kamen an die Grenze der Goten.

## 379. Die Einwanderung der Hunnen

Die Hunnen lebten von Raub und Jagd. Eines Tages kamen Jäger von ihnen an das Ufer des mäotischen Sees, und unvermutet zeigte sich ihren Augen eine Hindin. Diese Hindin trat in das Gewässer und ging bald vorwärts, bald stand sie still; so zeigte sie ihnen den Weg. Die Jäger folgten nach und kamen zu Fuß durch den See, den sie undurchwandelbar, wie das Meer, früher geglaubt hatten. Sobald sie nun das nie gesehene szythische Land erblickten, verschwand die Hindin. Erstaunt von dem Wunder, kehrten sie heim und verkündigten ihren Leuten das schöne Land und den Weg, den die Hirschkuh gewiesen hatte. Darauf sammelten sich die Hunnen und brachen mit unwiderstehlicher Macht in Szythien ein.

## 380. Sage von den Hunnen

Zu Jornandes' Zeit ging eine mündliche Sage um, die er zwar verwirft, wonach die Hunnen nicht aus Szythien gekommen wären, sondern anderswoher. In Britannien oder auf irgendeinem andern Eiland seien sie (auf ihrer Wanderung) vormals in Knechtschaft geraten, aber durch das Lösegeld eines einzigen Pferdes wieder in Freiheit gesetzt worden.

Im Mittelalter glaubte man dann, die Hunnen und Türken, die für ein Volk galten, wären Ungetüme, von einem Zauberer mit einer Wölfin zusammen erzeugt. Sie selbst scheinen diesen Aberglauben, um die Furcht vor ihnen zu mehren, geflissentlich ausgebreitet zu haben. Noch heutzutage hat er sich an der türkischen Grenze unter den österreichischen Christen erhalten (Sismondi, I, p. 54).

### 381. Das Kriegsschwert

Ein Hirt weidete seine Herde und sah, wie ein Vieh am Fuß hinkte. Als er nun die Ursache der scharfen Wunde nicht erklären konnte, folgte er den Blutspuren und fand endlich das Schwert, worauf die grasende Kuh unvorsichtig getreten war. Der Hirt grub das Schwert aus und brachte es dem König Attila. Attila aber freute sich und sah, daß er zum Herrn der Welt bestimmt war, weil ihm das Kriegsschwert, das die Szythen stets heilig hielten, in seine Hände geliefert worden sei.

### 382. Die Störche

Als Attila schon lange die Stadt Aquileja belagerte und die Römer hartnäckig widerstanden, fing sein Heer an zu murren und wollte von dannen ziehen. Da geschah es, daß der König, im Zweifel, ob er das Lager aufheben oder noch länger harren sollte, um die Mauern der Stadt wandelte und sah, wie die weißen Vögel, nämlich die Störche, welche in den Giebeln der Häuser nisteten, ihre Jungen aus der Stadt trugen und gegen ihre Gewohnheit auswärts ins Land schleppten. Attila, als ein weiser Mann, rief seinen Leuten und sprach: »Seht, diese Vögel, die der Zukunft kundig sind, verlassen die bald untergehende Stadt und die einstürzenden Häuser!« Da schöpfte das Heer neuen Mut, und sie bauten Werkzeuge und Mauerbrecher; Aquileja fiel im Sturm und ging in den Flammen auf; diese Stadt wurde so verheert, daß kaum die Spuren übrigblieben, wo sie gestanden hatte.

### 383. Der Fisch auf der Tafel

Theoderich, der Ostgoten König, nachdem er lange Jahre in Ruhm und Glanz geherrscht hatte, befleckte sich mit einer Grausamkeit am Ende seines Lebens. Er ließ seine treuen Diener Symmachus und den weisen Boethius auf die Verleumdung von Neidern hinrichten und ihre Güter einziehen.

Als nun Theoderich wenige Tage darauf zu Mittag aß, geschah es, daß seine Leute den Kopf eines großen Fisches zur Speise auftrugen. Kaum erblickte ihn der König auf der Schüssel liegen, so schien ihm der Kopf der des enthaupteten Symmachus zu sein, wie er die Zähne in die Unterlippe biß und mit verdrehten Augen drohend schaute. Erschrocken und von Fieberfrost ergriffen eilte der König ins Bett, beweinte seine Untat und verschied in kurzer Zeit. Dies war die erste und letzte Ungerechtigkeit, die er begangen hatte, daß er den Symmachus und Boethius verurteilte, ohne wider seine Gewohnheit die Sache vorher untersucht zu haben.

### 384. Theoderichs Seele

Zu den Zeiten Theoderichs, Königs der Ostgoten, kehrte ein Mann von einer nach Sizilien getanen Reise wieder nach Italien zurück; sein Schiff, vom Sturm zerschlagen, trieb zu der Insel Liparis. Daselbst wohnte ein frommer Einsiedler, und während seine Schiffsleute das zerbrochene Gerät wieder einrichteten, beschloß der Mann, hin zu dem Heiligen zu gehen und sich dessen Gebet zu empfehlen. Sobald der Einsiedler ihn und die andern Begleitenden kommen sah, sagte er im Gespräch: »Wißt ihr schon, daß König Theoderich gestorben ist?« Sie antworteten schnell: »Unmöglich, denn wir verließen ihn lebendig und haben nichts dergleichen von ihm gehört.« Der Diener Gottes versetzte: »Er ist aber gestorben, denn gestern am Tage um die neunte Stunde sah ich, daß er entgürtet und entschuht[44], mit gebundenen Händen, zwischen Johannes dem Papst und Symmachus dem Patrizier hergeführt und in den Schlund des benachbarten Vulkans gestürzt wurde.« Die Leute schrieben sich Tag und Stunde genau, wie sie gehört hatten, auf, reisten heim nach Italien und vernahmen, daß Theoderich gerade zu jener Zeit gestorben war. Und weil er den Papst Johannes im Gefängnis totgemartert und den Patrizier Symmachus mit dem Schwert enthauptet hatte, wurde er gerecht von denen ins Feuer geleitet, die er ungerecht in seinem Leben gerichtet hatte.

### 385. Urajas und Ildebad[45]

Urajas, der Gote, hatte eine Ehefrau, reich an Vermögen und schön an Gestalt. Diese ging einmal ins Bad, angetan in herrlichem Schmuck und begleitet von einer Menge Dienstfrauen. Da sah sie im Bade sitzen Ildebads, des Königs Gemahlin, in schlechten Kleidern, grüßte sie nicht demütig, wie es sich vor einer Königin ziemt, sondern sprach höhnende Reden aus stolzem Mut. Denn es war Ildebads Einkommen noch gering und seine Macht noch nicht königlich.

Allein diesen Schimpf ertrug die Königin nicht, entbrannte vor Schmerz und ging zu ihrem Gemahl; den bat sie mit Tränen, daß er das von Urajas Frau ihr zugefügte Unrecht räche. Bald darauf schuldigte Ildebad den Urajas bei den Goten an, daß er zum Feinde übergehen wollte, und nicht lange darauf brachte er ihn hinterlistig ums Leben. Darüber fingen die Goten an, sich in Haß und Zwietracht zu spalten, und Wilas, ein Gepide, be-

---

44 Discinctus et discalceatus, in der Weise eines vogelfreien Verbannten. Lex salica, Tit. 61.
45 Bei Marcellinus, p. 70, 71 (ed. Sirmond, 1618, 8) Orajus und Heldebadus genannt.

schloß, den König zu morden. Als Ildebad eben am Gastmahl saß und aß, hieb ihm Wilas unversehens mit dem Schwert in den Nacken, so daß seine Finger noch die Speise hielten, während sein abgeschnittenes Haupt auf den Tisch fiel und alle Gäste sich entsetzten.

### 386. Totila versucht den Heiligen

Als Totila, König der Goten, vernommen hatte, daß auf dem heiligen Benediktus ein Geist der Weissagung ruhe, brach er auf und ließ seinen Besuch in dem Kloster ankündigen. Er wollte aber versuchen, ob der Mann Gottes die Gabe der Weissagung wirklich hätte. Einem seiner Waffenträger, namens Riggo, gab er seine Schuhe und ließ ihm königliche Kleider antun; so sollte er sich in Gestalt des Königs dem Heiligen nähern. Drei andere Herren aus dem Gefolge, Wulderich, Ruderich und Blindin[46], mußten ihn begleiten, seine Waffen tragen und sich nicht anders anstellen, als ob er der wahre König wäre. Riggo begab sich nun in seinem prächtigen Gewand unter dem Zulaufen vieler Leute in das Münster, wo der Mann Gottes in der Ferne saß. Sobald Benediktus den Kommenden in der Nähe, daß er von ihm gehört werden konnte, sah, rief er aus: »Lege ab, mein Sohn, lege ab; was du trägst, ist nicht dein!« Riggo sank zu Boden vor Schrecken, daß er sogleich entdeckt worden war, und alle seine Begleitung beugte sich mit ihm. Darauf erhuben sie sich wieder, wagten aber nicht, dem Heiligen näher zu kommen, sondern kehrten zitternd zu ihrem König zurück mit der Nachricht, wie ihnen geschehen wäre. Nunmehr machte sich Totila selbst auf und beugte sich vor dem in der Weite sitzenden Benediktus nieder. Dieser trat hinzu, hob den König auf, tadelte ihn über seinen grausamen Heereszug und verkündete ihm in wenigen Worten die Zukunft: »Du tust viel Böses und hast viel Böses getan; jetzt laß ab vom Unrecht! Du wirst in Rom einziehen, über

---

[46] Bei Marcellinus, p. 72, heißen die drei Herzöge des Totila Ruderit, Viliarid, Bleda.

das Meer gehen, neun Jahre herrschen und im zehnten sterben.« Totila erschrak heftig, beurlaubte sich von dem Heiligen und war seitdem nicht mehr so grausam.

### 387. Der blinde Sabinus

Der Bischof Sabinus hatte vor hohem Alter das Licht der Augen verloren und war ganz blind. Da nun Totila von diesem Mann hörte, daß er weissagen könne, wollte er's nicht glauben, sondern selbst prüfen. Bei seiner Ankunft in jener Gegend lud der Mann Gottes den König zum Gastmahl ein. Totila wollte nicht speisen, sondern setzte sich zur Rechten des Greises. Als darauf ein Diener dem Sabinus den Weinbecher reichen wollte, streckte der König seine Hand stillschweigend aus, nahm den Kelch und reichte ihn mit seiner eigenen Hand statt des Knaben dem Bischof hin. Dieser empfing ihn, sagte aber: »Heil dieser Hand!« Totila, errötend über seine Entdeckung, freute sich gefunden zu haben, was er suchte.

Dieser Sabinus brachte sein Leben weit hinauf, so daß endlich sein Archidiakonus, aus Begierde, ihm als Bischof zu folgen, den frommen Mann zu vergiften trachtete. Er gewann den Weinschenken, daß er ihm Gift in den Kelch mischte, und bestach den Knaben, der dem Sabinus bei dem Mittagsmahl den Trank zu reichen pflegte. Der Bischof sprach auf der Stelle zum Knaben: »Trinke du selbst, was du mir reichst.« Zitternd wollte der Knabe doch lieber trinken und sterben als die Qualen leiden, die auf einem solchen Menschenmord standen. Wie er aber den Becher eben an den Mund setzte, hielt ihn Sabinus zurück und sprach: »Trinke nicht, sondern reiche mir, ich will trinken; geh aber hin und sage dem, der dir's gab, daß ich tränke und er doch nicht Bischof werden würde.« Hierauf machte der Bischof das Zeichen des Kreuzes und trank ohne Gefahr. Zur selben Stunde sank der Archidiakonus an einem andern Orte, wo er sich eben aufhielt, tot zu Boden, als ob das Gift in seine Eingeweide durch des Bischofs Mund gelaufen wäre.

### 388. Der Ausgang der Langobarden

Die Winiler, damals Langobarden genannt, als sie sich in dem Eiland Skandinavien so vermehrt hatten, daß sie nicht länger zusammen wohnen konnten, teilten sich in drei Haufen ab und losten. Wer nun das Los zog, der Haufen sollte das Vaterland verlassen und sich eine fremde Heimat suchen. Als nun das Los auf einen Teil gefallen war, zog dieser unter zwei Heerführern, den Brüdern Ibor und Ayo (oder Agio) samt ihrer weisen Mutter Gambara aus. Sie langten zuerst in Skoringen an, schlugen die Vandalen und deren Könige Ambri und Aßy; zogen sodann nach Moringen und dann nach Goland. Nachdem sie da eine Zeitlang verweilt, besetzten sie die Striche Anthaib, Banthaib und Wurgenthaib, wo sie auch noch nicht blieben, sondern durch Rugiland zogen, eine Zeit über im offenen Felde wohnten, mit den Herulern, Gepiden und Goten Händel hatten und zuletzt in Italien festen Sitz nahmen.

### 389. Der Langobarden Ausgang

In Dänemark herrschte König Snio (Schnee), da brach im Land Hunger und Not aus; der König gab ein Gesetz, welches Gastereien und Trinkgelage verbot; aber das wollte nicht helfen, sondern die Teurung nahm immer mehr zu. Der König ließ seinen Rat versammeln und beschloß, den dritten Teil des Volkes töten zu lassen. Ebbe und Aage, zwei mannliche Helden, saßen zuoberst im Rat; ihre Mutter hieß Gambaruk, wohnte in Jütland und war eine weise Frau. Als sie dieser den Entschluß des Königs meldeten, mißfiel ihr es höchlich, daß soviel unschuldiges Volk umkommen sollte: »Ich weiß bessern Rat, der uns frommt; laßt Alte und Junge losen; auf welche unter diesen das Los fällt, die müssen aus Dänemark fahren und ihr Heil zur See versuchen.« Dieser Ratschlag wurde allgemein beliebt und das Los geworfen. Es fiel auf die Jungen, und alsbald wurden die Schiffe ausgerüstet. Ebbe und Aage waren nicht träge dazu und ließen ihre Wimpel wehen; Ebbe führte die Jüten und Aage die Gundinger aus.

## 390. Sage von Gambara[47] und den Langbärten

Als das Los geworfen war und der dritte Teil der Winiler aus der Heimat in die Fremde ziehen mußte, führten den Haufen zwei Brüder an, Ibor und Ayo[48] mit Namen, junge und frische Männer. Ihre Mutter aber hieß Gambara, eine schlaue und kluge Frau, auf deren weisen Rat in Nöten sie ihr Vertrauen setzten. Wie sie sich nun auf ihrem Zug ein anderes Land suchten, das ihnen zur Niederlassung gefiele, gelangten sie in die Gegend, die Schoringen hieß; da weilten sie einige Jahre. Nahe dabei wohnten die Vandalen, ein rauhes und siegstolzes Volk, die hörten ihre Ankunft und sandten Boten an sie: daß die Winiler entweder den Vandalen Zoll gäben oder sich zum Streit rüsteten. Da ratschlagten Ibor und Ayo mit Gambara, ihrer Mutter, und wurden eins, daß es besser sei, die Freiheit zu verfechten, als sie mit dem Zoll zu beflecken, und ließen das den Vandalen sagen. Es waren die Winiler zwar mutige und kräftige Helden, an Zahl aber gering. Nun traten die Vandalen vor Wodan und flehten um Sieg über die Winiler. Der Gott antwortete: »Denen will ich Sieg verleihen, die ich bei Sonnenaufgang zuerst sehe.« Gambara aber trat vor Frea, Wodans Gemahlin, und flehte um Sieg für die Winiler. Da gab Frea den Rat: Die Winilerfrauen sollten ihre Haare auflösen und um das Gesicht in Bartes Weise zurichten, dann aber frühmorgens mit ihren Männern sich dem Wodan zu Gesicht stellen, vor das Fenster gen Morgen hin, aus dem er zu schauen pflegte. Sie stellten sich also dahin, und als Wodan ausschaute bei Sonnenaufgang, rief er: »Was sind das für Langbärte?« Frea fügte hinzu: »Wem du Namen gabst, dem mußt du auch Sieg geben.« Auf diese Art verlieh Wodan den Winilern

---

47 Diese Gambara ist merkwürdig die Cambra des Hunibald.
48 Bei Gotfr. Viterb.: Hibor et Hangio.

den Sieg, und seit der Zeit nannten sich die Winiler Langbärte (Langobarden).

### 391. Die Langobarden und Aßipiter

Bald nach Besiegung der Winiler mußten die Langbarten aus Hungersnot das Land Schoringen verlassen und gedachten in Moringen zu ziehen. Die Aßipiter (Usipeter?) aber widerstanden und wollten ihnen keinen Durchzug durch ihre Grenzen gestatten. Da nun die Langbarten die große Zahl der Feinde und ihre geringe sahen, sprengten sie listig aus, daß sie Hundsköpfe im Lager bei sich führten, das heißt ungeheure Menschen mit Hundsköpfen; die dürsteten nach Menschenblut und tränken, wenn sie keinen Feind erreichen könnten, ihr eigenes. Und um dies glaubhafter zu machen, stellten sie ihre Zelte weit auseinander und zündeten viele Feuer im Lager an. Die Aßipiter gerieten dadurch in Furcht und wagten nun den Krieg, womit sie gedroht hatten, nicht mehr zu führen. Doch hatten sie unter sich einen starken Mann, auf dessen Kräfte sie vertrauten; mit diesem boten sie den Langbarten einen Einkampf an. Die Langbarten möchten nämlich auch einen aus ihren Leuten, welchen sie wollten, wählen und ihrem Fechter entgegenstellen. Siegte der Aßipiter, so sollten die Langbarten auf dem Weg, den sie gekommen wären, wieder zurückwandern; würde er aber besiegt, so müßte ihnen der freie Durchzug gestattet werden.

Als nun die Langbarten anstanden, wen sie von ihren Männern dazu auswählten, da bot sich einer aus der Knechtschaft von freien Stücken zum Kampf an und hielt sich aus, wo er den Feind besiegen würde, daß er und seine Nachkommen in den Stand der Freien aufgenommen werden sollte. Dies wurde ihm verheißen, er übernahm den Kampf und besiegte seinen Gegner. Seinem Wunsche gemäß wurde er darauf freigesprochen und erwarb den Langbarten freien Durchzug, worauf sie glücklich in das Land Moringen einrückten.

## 392. Die sieben schlafenden Männer in der Höhle

In ganz Deutschland weiß man folgende wunderbare Begebenheit: An der äußersten Meeresküste liegt unter einem ragenden Felsen eine Höhle, in der, man kann nicht mehr sagen seit welcher Zeit, lange Zeit sieben Männer schlafen; ihre Leiber bleiben unverwest, ihre Kleider verschleißen nicht, und das Volk verehrt sie hoch. Der Tracht nach scheinen sie Römer zu sein. Einen reizte die Begierde, daß er der Schläfer einem das Gewand ausziehen wollte; alsbald erdorrten ihm die Arme, und die Leute erschraken so, daß niemand näher zu treten wagte. Die Vorsehung bewahrt sie zu einem heiligen Zweck auf, und dereinst sollen sie vielleicht aufstehen und den heidnischen Völkern die heilige Lehre verkündigen.

## 393. Der Knabe im Fischteich

Zu den Zeiten Agelmunds, des langobardischen Königs, trug es sich zu, daß ein Weib dieses Volkes sieben Knäblein auf einmal gebar und, um der Schande zu entgehen, grausamer als wilde Tiere sie sämtlich in einen Fischteich warf. Bei diesem Teich ritt der König gerade vorüber, sah die elenden Kinder liegen, hielt sein Pferd an und wandte sie mit dem Spieß, den er in der Hand trug, von einer Seite auf die andere um. Da griff eins der Kindlein mit seinen Händchen den königlichen Spieß fest. Der König sah darin ein Zeichen, daß aus diesem Kind ein besonderer Mann werden würde, befahl, es aus dem Fischbehälter zu ziehen, und übergab es einer Amme zum Säugen. Und weil er ihn aus dem Fischteich, der in ihrer Sprache *Lama*[49] heißt, gezogen hatte, legte er dem Kind den Namen Lamissio bei. Es erwuchs, wurde ein streitbarer Held und nach Agelmunds Tode König der Langobarden.

---

49 Aus keiner germanischen Sprache jetzt zu erläutern, aber im lat. ist lama *Pfütze, Sumpf, Schlund,* griech. λαμος. Vgl. Schlamm. Lit. lama, locus depressus in agro. Lett. loma, palus, fossa.

## 394. Lamissio und die Amazonen

Als die Langobarden sich dem Reiche der Kriegsjungfrauen (deren es noch in dem Innern Deutschlands geben soll) näherten, wollten ihnen diese den Übergang eines Flusses an ihrer Grenze nicht gestatten. Es wurde daher ausgemacht, daß ein auserwählter Held von seiten der Langobarden mit einer der Frauen in dem Flusse schwimmend fechten sollte. Würde nun ihr Kämpfer von der Jungfrau besiegt, so sollte das langobardische Heer zurückweichen; unterläge sie hingegen dem Helden, so sollte ihnen der Übergang vergönnt sein. Diesen Kampf bestand der tapfere Lamissio und erwarb sich durch seinen Sieg großen Ruhm, seinen Landsleuten aber den freien Zug über den Strom.

## 395. Sage von Rodulf und Rumetrud

Als die Heruler und Langobarden ihren Krieg durch ein Friedensbündnis aufheben wollten, sandte König Rodulf seinen Bruder zu König Tato, daß er alles abschließen sollte. Nach beendigtem Geschäfte kehrte der Gesandte heim; da geschah es, daß er unterwegs vorbeiziehen mußte, wo Rumetrud wohnte, des langobardischen Königs Tochter. Diese sah die Menge seines Gefolges, fragte, wer das wohl sein möchte, und hörte, daß es der herulische Gesandte, Rodulfs leiblicher Bruder, wäre, der in sein Land heimzöge. Da schickte sie einen zu ihm und ließ ihn laden, ob er kommen wolle, einen Becher Wein zu trinken. Ohne Arg folgte er der Ladung; aber die Jungfrau spottete seiner aus Übermut, weil er kleinlicher Gestalt war, und sprach höhnende Reden. Er dagegen, übergossen von Scham und Zorn, stieß noch härtere Worte aus, so daß die Königstochter viel mehr beschämt wurde und innerlich von Wut entbrannte. Allein sie verstellte ihre Rache und versuchte mit freundlicher Miene ein angenehmes Gespräch zu führen und lud den Jüngling zu sitzen ein. Den Sitz aber wies sie ihm da an, wo in der Wand eine Luke war, darüber sie, gleichsam zu des Gastes Ehren, einen köstlichen Teppich hängen lassen; eigentlich aber wollte sie damit allen Argwohn entfernen. Nun hatte sie ihren Dienern befohlen, sobald sie zu dem Schenken das Wort sprechen würde: »Mische den Becher!«, daß sie durch die Luke des Gastes Schulterblatt durchstoßen sollten, und so geschah es auch. Denn bald gab das grausame Weib jenes Zeichen, und der unselige Gast sank mit Wunden durchbohrt zur Erde.

Da König Rodulf von seines Bruders Mord Kundschaft bekam, klagte er schmerzlich und sehnte sich nach Rache; alsbald brach er den neuen Bund und sagte den Langobarden Krieg an. Wie nun der Schlachttag erschien, war Rodulf seiner Sache so gewiß, daß ihm der Sieg unzweifelhaft deuchte, und während das Heer ausrückte, er ruhig im Lager blieb und Schach spielte. Denn die Heruler waren dazumal im Kampf wohlerfahren und durch viele Kriege berühmt. Um freier zu fechten, oder als verachteten sie alle Wunden, pflegten sie auch nackend zu streiten und nichts als die Scham zu bedecken an ihrem Leibe.

Als nun der König, wie gesagt, fest auf die Tapferkeit der Heruler baute und ruhig Schach spielte, hieß er einen seiner Leute auf einen nahestehenden Baum steigen, daß er ihm der Heruler Sieg desto schneller verkündige; doch mit der zugefügten Drohung: »Meldest du mir von ihrer Flucht, so ist dein Haupt verloren.« Wie nun der Knecht oben auf dem Baum stand, sah er, daß die Schlacht übel ging; aber er wagte nicht zu sprechen, und erst wie das ganze Heer dem Feinde den Rücken kehrte, brach er in die Worte aus: »Weh dir, Herulerland, der Zorn des Himmels hat dich betroffen!« Das hörte Rodulf und sprach: »Wie, fliehen meine Heruler?« – »Nicht ich«, rief jener, »sondern du, König, hast dies Wort gesprochen.« Da traf den König Schrecken und Verwirrung, daß er und seine umstehenden Leute keinen Rat wußten und bald die langobardischen Haufen einbrachen und alles erschlugen. Da fiel Rodulf ohne männliche Tat. Und über der Heruler Macht, wie sie hierhin und dorthin zerstreut wurde, waltete Gottes Zorn schrecklich. Denn als die

Fliehenden blühende Flachsfelder vor sich sahen, meinten sie vor einem schwimmbaren Wasser zu stehen, breiteten die Arme aus, in der Meinung zu schwimmen, und sanken grausam unter der Feinde Schwert[50]. Die Langobarden aber trugen unermeßliche Beute davon und teilten sie im Lager; Rodulfs Fahne und Helm, den er in den Schlachten immer getragen hatte, bekam Tato, der König. Von der Zeit an war alle Kraft der Heruler gebrochen, sie hatten keine Könige mehr; die Langobarden aber wurden durch diesen Sieg reicher und mächtiger als je zuvor.

### 396. Alboin wird dem Audoin tischfähig

Als Alboin, Audoins Sohn, siegreich vom Feldzug gegen die Gepiden heimkehrte, wollten die Langobarden, daß er auch seines Vaters Tischgenosse würde. Audoin aber verwarf dies, weil nach der Gewohnheit des Volks der Königssohn nicht eher mit dem Vater speisen dürfe, bis er von einem auswärtigen König gewaffnet worden sei. Sobald dies Alboin hörte, ritt er, nur von vierzig Jünglingen begleitet, zu Thurisend, dem Gepidenkönig, dessen Sohn Thurismod er eben erlegt hatte, und erzählte ihm, aus welcher Ursache er käme. Thurisend nahm ihn freundlich auf, lud ihn zu Gast und setzte ihn zu seiner Rechten an der Mahlzeit, wo sonst sein Sohn zu sitzen pflegte. Als nun Thurisend so saß und seines Sohnes Mörder neben sich erblickte, seufzte er vor Schmerz und sprach: »Der Platz ist mir lieb, aber der Mann leid, der jetzt darauf sitzt.« Durch diese Worte gereizt, hub der andere Sohn Thurisends an, der Langobarden zu spotten, weil sie unterhalb der Waden weiße Binden trügen, und verglich sie mit Pferden, deren Füße bis an die Schenkel weiß sind, »das sind ekelhafte Mähren, denen ihr gleicht«. Einer der Langobarden versetzte hierauf: »Komm mit ins Asfeld; da kannst du sehen, wie gut die, welche du Mähren nennst, mit den Hufen schlagen;

---

50 Diesen poetischen und ganz sagenhaften Zug hat auch Aimoin in seinen sonst kurzen Exzerpten aus Paulus (lib. II, cap. 13).

da liegen deines Bruders Gebeine wie die eines elenden Gauls mitten auf der Wiese.« Die Gepiden gerieten dadurch in Wut und wollten sich rächen, augenblicklich faßten alle Langobarden ihre Degengriffe. Der König aber stand vom Tisch auf, warf sich in ihre Mitte und bedrohte den, welcher zuerst den Streit anheben würde. Der Sieg mißfalle Gott, wenn man in seinem eigenen Haus den Feind erlege. So beschwichtigte er den Zank, nahm nach vollbrachtem Mahl die Waffen seines Sohnes Thurismod und übergab sie dem Alboin. Dieser kehrte in Frieden zu seinem Vater heim, und wurde nun dessen Tischgenosse. Er erzählte alles, was ihm bei den Gepiden begegnet war, und die Langobarden lobten mit Bewunderung sowohl Alboins Wagstück als Thurisends große Treue.

### 397. Ankunft der Langobarden in Italien

Narses, weil er seiner Mannheit beraubt worden war, wurde von der Kaiserin verhöhnt, indem sie ihm ein goldenes Spinnrad sandte: mit den Weibern solle er spinnen, aber nicht unter den Männern befehlen. Da antwortete Narses: »So will ich ihr ein solches Gewebe spinnen, aus dem sie zeitlebens ihren Hals nicht wieder wird loswickeln können.« Darauf lockte er die Langobarden und leitete sie mit ihrem König Alboin aus Pannonien nach Italien.

Die altdeutsche Weltchronik erzählt dieses nicht von Narses, sondern von Aetius, dem die Königin spottweise entbieten ließ, in ihrer Frauenstube Wolle zu zeisen.

### 398. Alboin gewinnt Ticinum[51]

Drei Jahre und etliche Monate hatte Alboin Ticinum belagert, ehe es sich ergab. Als nun der König durch die Johannespforte an der Ostseite der Stadt einritt, fiel sein Pferd mitten unter dem

---

51 Pavia.

Tor hin und konnte durch keine Streiche dahin gebracht werden, wieder aufzustehen. Da sagte ein Langobarde: »Gedenk, o König, deines Gelübdes und brich es, so wirst du in die Stadt eingehen, denn es wohnt auch Christenvolk darin.« Alboin hatte nämlich gelobt, das ganze Volk, weil es sich nicht ergeben wollte, über die Klinge springen zu lassen. Hierauf brach er nun das harte Gelübde und verhieß den Bürgern Gnade; alsbald hob sich sein Pferd auf, und er hielt ruhig den Einzug.

### 399. Alboin betrachtet sich Italien

Alboin war nun mit seinem Heer und einer großen Menge Volkes an die äußerste Grenze Italiens gekommen. Da stieg er auf einen in der Gegend emporragenden Berg und beschaute das Land, soweit er von da hineinsehen konnte. Seit der Zeit heißt derselbe Berg nach ihm der Königsberg. Auf diesem Gebirge sollen wilde Wisente hausen. Ein wahrhafter Greis erzählte, die Haut eines auf dem Berg erlegten Wisents gesehen zu haben, welche so groß gewesen sei, daß fünfzehn Männer nebeneinander daraufliegen können.

### 400. Alboin und Rosimund

Nach Thurisends Tod brach dessen Sohn und Nachfolger Kunimund aufs neue den Frieden mit den Langobarden. Alboin aber schlug die Feinde, erlegte den Kunimund selber und machte sich aus dessen Schädel eine Trinkflasche. Kunimunds Tochter Rosimund führte er mit vielen andern in die Gefangenschaft und nahm sie darauf zu seiner Gemahlin. Alboins Taten erschollen überall, und sein Ruhm wurde nicht bloß bei den Langobarden, sondern auch bei den Bayern, Sachsen und andern Völkern der deutschen Zunge in Liedern besungen. Auch erzählen viele, daß zu seiner Zeit ganz vorzügliche Waffen geschmiedet worden seien.

Eines Tages saß Alboin zu Verona fröhlich am Mahl und befahl der Königin, in jener Schale Wein zu schenken, die er aus ihres Vaters Haupt gemacht hatte, und sprach zu ihr: »Trinke fröhlich mit deinem Vater!« Rosimund empfand tiefen Schmerz, bezwang sich gleichwohl und sann auf Rache. Sie wandte sich aber an Helmichis, des Königs Waffenträger (Schilpor) und Milchbruder, und bat ihn, daß er den Alboin umbringe. Dieser riet ihr, den Peredeo, einen tapferen Helden, ins Verständnis zu ziehen. Peredeo wollte aber mit dieser Untat nichts gemein haben. Da barg sich Rosimund heimlich in ihrer Kammermagd Bett, mit welcher Peredeo vertrauten Umgang hatte; und so geschah's, daß er unwissend dahin kam und bei der Königin schlief. Nach vollbrachter Sünde frug sie ihn, für wen er sie wohl halte. Und als er den Namen seiner Freundin nannte, sagte sie: »Du irrst dich sehr, ich, Rosimund, bin's; und nun du einmal dieses begangen hast, geb ich dir die Wahl, entweder den Alboin zu ermorden oder zu erwarten, daß er dir das Schwert in den Leib stoße.« Da sah Peredeo das unausweichliche Übel ein und bewilligte gezwungen des Königs Mord.

Eines Mittags also, wie Alboin eingeschlafen war, gebot Rosimund Stille im ganzen Schloss, schaffte alle Waffen beiseite und band Alboins Schwert an die Bettstelle stark fest, daß es nicht weggenommen noch aus der Scheide gezogen werden mochte. Dann führte sie, nach Helmichis' Rat, Peredeo herein. Alboin, aus dem Schlaf erwachend, sah die Gefahr, worin er schwebte, und wollte sein Schwert ergreifen; da er's nicht losbringen konnte, griff er den Fußschemel und wehrte sich eine gute Weile tapfer damit. Endlich aber mußte dieser kühne und gewaltige Mann, der so viele Feinde besiegt hatte, durch die List seiner Frau wehrlos unterliegen. Seinen Leichnam bestatteten die Langobarden weinend und klagend unter dem Aufstieg einer Treppe, nahe beim königlichen Schloß. Später öffnete Herzog Gisilbert das Grab und nahm das Schwert samt anderm Schmuck heraus. Er berühmte sich auch, den Alboin gesehen zu haben.

## 401. Rosimund, Helmichis und Peredeo

Nach Alboins Tod dachte Helmichis das Reich zu bekommen, allein die Langobarden verhinderten das und stellten ihm, vor tiefem Schmerz über ihres Herrschers Ermordung, nach dem Leben. Also entflohen Helmichis und Rosimund, jetzt seine Gemahlin, auf einem Schiff, das ihnen Longinus, Vorsteher zu Ravenna, gesandt hatte, nachts aus Verona, entwandten Albsuind, Alboins Tochter erster Ehe, und den ganzen langobardischen Schatz. Wie sie zu Ravenna angelangt waren, nahm Rosimundens Schönheit auch den Longinus ein, und er beredete sie, den Helmichis zu töten und sich dann ihm zu vermählen. Zum Bösen aufgelegt und wünschend, Ravennas Herrin zu werden, reichte sie dem Helmichis, als er aus dem Bad kam, einen Becher Gift; er aber, sobald er merkte, daß er den Tod getrunken, zog das Schwert über sie und zwang sie, was im Becher geblieben war, auszuleeren. So starben diese beiden Mörder durch Gottes Gericht zu einer Stunde. Longinus schickte Albsuind und die lombardischen Schätze nach Konstantinopel zum Kaiser Tiberius. Einige erzählen, auch Peredeo sei mit Helmichis und Rosimund nach Ravenna gekommen und ebenfalls mit Albsuinden nachher zu Tiberius gesandt worden.

Er soll zu Konstantinopel Beweise seiner großen Stärke gegeben und einmal im Schauspiel vor dem Kaiser und allem Volk einen ungeheuren Löwen erlegt haben. Aus Furcht, daß er kein Unheil stifte, ließ ihm der Kaiser die Augen ausstechen. Peredeo schaffte sich zwei kleine Messer, barg sie in seinen Ärmeln und ging in den Palast unter dem Vorwand, er habe dem Kaiser etwas Wichtiges zu offenbaren. Dieser sandte zwei seiner vertrauten Diener, daß sie ihn anhörten; alsbald nahte er sich ihnen, als wolle er etwas Heimliches mitteilen, und schlug ihnen mit seinen beiden kleinen Schwertern solche Wunden, daß sie zur Stelle hinsanken und ihren Geist aufgaben. So rächte dieser tapfere Mann, dem Samson (Simson) nicht ungleich, seiner beiden Augen Verlust an dem Kaiser durch den Tod zweier wichtiger Hofmänner.

## 402. Sage vom König Authari

Authari, König der Lamparten, sandte nach Bayern zu König Garibald und ließ um dessen Tochter Theodelind (Dietlind) freien. Garibald nahm die Boten freundlich auf und sagte die Braut zu. Auf diese Botschaft hatte Authari Lust, seine Verlobte selbst zu sehen, nahm wenige, aber geprüfte Leute mit, und darunter seinen Getreuesten, der als Ältester den ganzen Zug anführen sollte. So langten sie ohne Verzug in Bayern an und wurden dem König Garibald in der Weise anderer Gesandten vorgestellt; der Älteste sprach den üblichen Gruß, dann trat Authari selbst, der von keinem Bayer erkannt wurde, vor und sprach: »Authari, mein Herr und König, hat mich deshalb hierhergesandt, daß ich seine bestimmte Braut, die unsere Herrin werden soll, schaue und ihm ihre Gestalt genau berichten könne.« Auf diese Worte hieß der König seine Tochter kommen, und als sie Authari stillschweigend betrachtet hatte, auch gesehen, daß sie schön war und seinen Augen gefiel, redete er weiter: »Weil ich, o König, deine Tochter so gestaltet sehe, daß sie wert ist, unsere Königin zu werden, möge es dir belieben, daß ich aus ihrer Hand den Weinbecher empfange.« Der König gab seinen Willen dazu, Dietlind stand auf, nahm den Becher und reichte zuerst dem zu trinken, der unter ihnen der Älteste zu sein schien; dann schenkte sie Authari ein, von dem sie nicht wußte, daß er ihr Bräutigam war. Authari trank, und beim Zurückgeben des Bechers rührte er leise mit dem Finger, ohne daß jemand es merkte, Dietlindens Hand an, darauf fuhr er sich selbst mit der Rechten von der Stirn an über die Nase das Antlitz herab. Die Jungfrau, vor Scham errötend, erzählte es ihrer Amme. Die Amme versetzte: »Der dich so anrührte, muß wohl der König und dein Bräutigam selber sein, sonst hätte er's nimmer gewagt; du aber schweige, daß es dein Vater nicht vernehme; auch ist er so beschaffen von Gestalt, daß er wohl wert scheint, König und dein Gemahl zu heißen.«

Authari war schön in blühender Jugend, von gelbem Haar und zierlich von Anblick. Bald darauf empfingen die Gesandten

Urlaub beim König und zogen, von den Bayern geleitet, heim. Da sie aber nahe an der Grenze und die Bayern noch in der Gesellschaft waren, richtete sich Authari, soviel er konnte, auf dem Pferde auf und stieß mit aller Kraft ein Beil, das er in der Hand hielt, in einen nahe stehenden Baum. Das Beil haftete fest, und er sprach: »Solche Würfe pflegt König Authari zu tun!« Aus diesen Worten verstanden die Bayern, die ihn geleiteten, daß er selber der König war. –

Als einige Zeit darauf Dietlinde nach Lamparten kam und die Hochzeit festlich gehalten wurde, trug sich folgendes zu: Unter den Gästen war auch Agilulf, ein vornehmer Langobard. Es erhob sich aber ein Unwetter, und der Blitzstrahl fuhr mit heftigem Donner in ein Holz, das innerhalb des Königs Zaungarten lag. Agilulf hatte unter seinem Gesinde einen Knecht, der sich auf die Auslegung der Donnerkeile verstand und, was daraus erfolgen würde, durch seine Teufelskunst wohl wußte. Nun begab sich's, daß Agilulf an einen geheimen Ort ging, sich des natürlichen Bedürfnisses zu erledigen, da trat der Knecht hinzu und sprach: »Das Weib, die heute unserm König vermählt worden ist, wird, nicht über lang, deine Gemahlin werden.« Als Agilulf das hörte, bedrohte er ihn hart und sagte: »Du mußt dein Haupt verlieren, wo du ein Wort von dieser Sache fallen lässt.« Der Knabe erwiderte: »Du kannst mich töten, allein das Schicksal ist unwandelbar; denn traun, diese Frau ist darum in dies Land gekommen, damit sie dir anvermählt würde.« Dies geschah auch nach der Zeit.

### 403. Autharis Säule

Von Authari, dem König der Lombarden, wird erzählt, er sei über Spoleto vorgedrungen bis gen Benevent, habe das Land genommen und sogar Reggio heimgesucht, welches die letzte Stadt des festen Landes an der Meerenge, Sizilien gegenüber, ist. Daselbst soll in den Meereswellen eine Säule gesetzt sein; bis zu der hin sprengte Authari auf seinem Roß und rührte sie mit der

Spitze seiner Lanze an, indem er ausrief: »Hier soll der Langobarden Grenze stehen!« Diese Säule heißt bis auf den heutigen Tag Autharis Säule.

### 404. Agilulf und Theudelind

Nach Autharis (Vetaris) Tod ließen die Langobarden Theudelind, die königliche Witwe, die ihnen allen wohlgefiel, in ihrer Würde bestehen und stellten ihr frei, welchen sie wollte, aus dem Volk zu wählen, den würden sie alle für ihren König erkennen. Sie aber berief Agilulf, Herzog von Taurin, einen tapfern kriegerischen Mann, und reiste ihm selbst bis nach Laumell entgegen. Gleich nach dem ersten Gruß ließ sie Wein schenken, trank selber und reichte das übrige dem Agilulf hin. Als er nun beim Empfang des Bechers ehrerbietig die Hand der Königin küßte, sprach sie lächelnd und errötend: »Der braucht mir nicht die Hand zu küssen, welcher mir seinen Kuß auf den Mund geben soll.« Hierauf ließ sie ihn zum Kuß und tat ihm den gefaßten Entschluß kund; unter allgemeinem Frohlocken wurde bald die Hochzeit begangen und Agilulf von allem versammelten Volk zum König angenommen.

Unter der weisen und kräftigen Herrschaft dieses Königs stand das Reich der Langobarden in Glück und Frieden; Theudelind, seine Gemahlin, war schön und tugendsam. Es begab sich aber, daß ein Jüngling aus dem königlichen Gesinde eine unüberwindliche Liebe zu der Königin faßte und doch, seiner niederen Abkunft halber, keine Hoffnung nähren durfte, jemals zur Befriedigung seiner Wünsche zu gelangen. Er beschloß endlich, das Äußerste zu wagen, und wenn er sterben müsse. Weil er nun gemerkt hatte, daß der König nicht jede Nacht zu der Königin ging, sooft er es aber tat, in einen langen Mantel gehüllt, in der einen Hand eine Kerze, in der andern ein Stäblein tragend, vor das Schlafgemach Theudelindens trat und mit dem Stäblein ein- oder zweimal vor die Türe schlug, worauf ihm alsbald geöffnet und ihm die Kerze abgenommen wurde – so verschaffte er sich einen solchen Mantel, wie er denn auch von Gestalt genau dem König gleichkam.

Eines Nachts hüllte er sich in den Mantel, nahm Kerze und Stäblein zur Hand und tat zwei Schläge an die Tür des Schlafzimmers; sogleich ward ihm von der Kämmerin aufgetan, die Kerze abgenommen, und der Diener gelangte wirklich in das Bett der Königin, die ihn für keinen andern als ihren Gemahl hielt. Indessen fürchtete er, auf solches Glück möge schnelles Unheil folgen, machte sich daher bald aus den Armen der Königin und gelangte auf dieselbe Weise, wie er gekommen war, unerkannt in seine Schlafstube zurück.

Kaum hatte er sich entfernt, als sich der König selbst vornahm, diese Nacht seine Gemahlin zu besuchen, die ihn froh empfing, aber verwundert fragte, warum er gegen seine Gewohnheit, da er sie eben erst verlassen, schon wieder zu ihr kehre. Agilulf stutzte, bildete sich aber augenblicklich ein, daß sie durch die Ähnlichkeit der Gestalt und Kleidung könne getäuscht worden sein; und da er ihre Unschuld deutlich sah, gab er als verständiger Mann sich nicht bloß, sondern antwortete: »Traut ihr mir nicht zu, daß, nachdem ich einmal bei Euch gewesen, ich nicht noch einmal zu Euch kommen möge?« Worauf sie versetzte: »Ja, mein Herr und Gemahl, nur ich bitte Euch, daß ihr auf Eure Gesundheit sehen möget.« – »Wenn Ihr mir so ratet«, sprach Agilulf, »so will ich Euch folgen und diesmal nicht weiter bemühen.« Nach diesen Worten nahm der König seinen Mantel wieder um und verließ voll innerem Zorn und Unwillen, wer ihm diesen Schimpf zugefügt habe, das Gemach der Königin. Weil er aber richtig schloß, daß einer aus dem Hofgesinde der Täter sein müßte und noch nicht aus dem Haus habe gehen können, so beschloß er, auf der Stelle nachzuspüren, und ging mit einer Leuchte in einen langen Saal über dem Marstall, wo die ganze Dienerschaft in verschiedenen Betten schlief. Und indem er weiter bedachte, dem, der es vollbracht, müßte noch das Herz viel stärker schlagen als den andern, so trat der König der Reihe nach zu den Schlafenden, legte ihnen die Hand auf die

Brust und fühlte, wie ihre Herzen schlugen. Alle aber lagen in tiefer Ruhe, und die Schläge ihres Bluts waren still und langsam, bis er sich zuletzt dem Lager dessen näherte, der es wirklich verübt hatte. Dieser war noch nicht entschlafen, aber als er den König in den Saal treten gesehen, in große Furcht geraten und glaubte gewiß, daß er umgebracht werden sollte; doch tröstete ihn, daß er den König ohne Waffen erblickte, schloß daher, wie jener näher trat, fest die Augen und stellte sich schlafend. Als ihm nun der König die Hand auch auf die Brust legte und sein Herz heftig pochen fühlte, merkte er wohl, daß dieser der Täter war, und nahm, weil er bis auf den Tag verschieben wollte, was er mit ihm zu tun willens hatte, eine Schere und schnitt ihm von der Seite über dem Ohr eine Locke von den langen Haaren ab. Darauf ging der König weg, jener aber, der listig und sinnreich war, stand unverzüglich auf, schnitt jedem seiner Schlafgesellen auf derselben Seite eine Locke mit der Schere und legte sich danach ganz ruhig nieder in sein Bett und schlief. Morgens in aller Frühe, bevor die Tore der Burg geöffnet wurden, befahl der König sämtlichem Gesinde, in seiner Gegenwart zu erscheinen, und begann sie anzusehen, um denjenigen, den er geschoren hatte, darunter auszufinden. Da er aber erstaunt sah, daß den meisten unter ihnen auf derselben Stelle die Locke fehlte, sagte er zu sich selbst: »Der, den ich suche, ist von niederer Herkunft, aber gewiß von klugem Sinn.« Und sogleich erkennend, daß er ihn ohne großes öffentliches Ärgernis nicht mehr finden werde, sprach er laut zu ihnen allen: »Wer es getan hat, schweige und tue es nimmermehr!« Bei diesen Worten des Königs sahen sich alle Diener einander verwundert an und wußten nicht, was sie bedeuteten; außer dem einen, der das Stück begangen hatte, welcher klug genug war, sein Leben lang nichts davon laut werden zu lassen und sich an dem Glück zu genügen, das ihm widerfahren war.

**405. Theodelind und das Meerwunder**

Eines Tages wandelte Theodelind, Agilulfs Gemahlin, in der grünen Aue, nahe am Meerufer, sich zu erfrischen und Blumen zu brechen. Da stieg plötzlich ein scheußliches Meerwunder ans Land, rauchbehaart, mit glühenden Augen, faßte die zarte Königin und bewältigte sie. Aber ein Edelmann, der in der Nähe Hirsch und Hind jagte, hörte ihr klägliches Wehgeschrei, ritt eilends hinzu, und sobald ihn das Meerwunder kommen sah, ließ es die Königin und sprang in das Meer zurück. Der Edelmann geleitete Theodelinden heim; seit der Zeit war ihr Herz traurig und betrübt, doch sagte sie niemand, was ihr geschehen war. Hierauf brachte sie ein Kind zur Welt, rauch und schwarz und rotäugig gleich seinem Vater; Agilulf erschrak innig, daß er einen solchen Sohn gezeugt hätte, doch ließ er ihn sorgfältig auferziehen. Das Kind wuchs auf und war böse und tückisch, andern Kindern griff es mit Fingern die Augen aus oder zerbrach ihnen Arme und Beine, daß sich jeder vor ihm hütete wie vor dem leidigen Teufel. Und als es älter wurde, schwächte es Frauen und Jungfrauen und tötete die Männer; da zürnte der edle König und dachte es mit Worten zu strafen, aber es wehrte sich und schlug auf seinen Vater selber los, daß es ihn beinahe umgebracht hätte; seit der Zeit strebte es ihm und des Königs rechtem ehelichem Sohn nach dem Leben. »Dieser Teufel kann nimmermehr mein Kind sein«, dachte der König, und ermahnte seinen Sohn, daß sie mit dem Ungeheuer streiten und es erlegen wollten, ehe es noch mehr Mord beginge. Viele Helden tötete es in dem Kampfe und schlug seinem Vater und Bruder manche tiefe Wunde; das Blut rann im Saal; da nahm seine Mutter selbst Pfeil und Bogen und half mitfechten, bis es zuletzt von vielen getroffen zu Boden niedersank. Als das Ungeheuer tot dalag, sprach der König zu Theodelinde: »Nimmermehr war das mein Sohn, bekenne mir frei, von wem du es empfangen hattest, so soll dir alles vergeben sein.« Die Königin bat um Gnade und sagte, wie sie vor Jahren am Gestade des Meeres gegangen, sei ein scheußliches Meerwunder hervorgesprungen und habe sie mit Gewalt bezwungen; das könne ihr der Edelmann bezeugen, der sie nach Hause geleitete. Dieser wurde herbeigerufen und bestätigte, daß er auf das Geschrei der Königin hinzugeeilt sei und das Meerwunder entspringen gesehen habe. Der König sprach: »Nun möchte ich wissen, ob es noch am Leben ist, damit ich mich an ihm rächen könnte; darum will ich, daß Ihr Euch an dieselbe Stelle wiederum hinlegt und seiner wartet.« – »Was Ihr gebietet, tue ich«, versetzte die Königin, »was mir immer darum geschehe.« Da ging die Frau, zierlich gekleidet, hin an des Meeres Flut; der König aber und sein Sohn bargen sich mit Waffen im Gesträuch. Nicht lange lag sie da, als das Meerwunder aus den Wellen sprang und auf sie zulief; in demselben Augenblick wurde es vom König und seinem Sohn überfallen, daß es nicht entrinnen konnte. Die Königin aber ergriff ein Schwert und stach es durch den Leib des Untiers, welches auf diese Weise mit dem Leben büßte; alle lobten Gott und zogen in Freuden heim.

## 406. Romhild und Grimoald der Knabe

Die Hunnen oder Awaren waren mit Heereskraft in die Lombardei eingebrochen; Gisulf, Herzog von Friaul, stellte sich mannhaft entgegen, unterlag aber mit seinem schwachen Häuflein der großen Menge. Nur wenige Lombarden kamen lebendig davon; sie flüchteten mit Romhild, Gisulfs Gemahlin, und seinen Söhnen in die Festung Friaul. Als nun Cacan, der Hunnenkönig, vor den Mauern der Burg, um sie zu besichtigen, herritt, ersah ihn Romhild und sah, daß er ein blühender Jüngling war. Da ward sie entzündet und sandte ihm heimliche Botschaft, wenn er sie ehelichen würde, wolle sie die Burg mit allen, die darin wären, in seine Hände geben. Cacan ging dieses ein, und Romhild ließ die Tore öffnen. Die Hunnen verheerten die ganze Stadt; was von Männern darin war, töteten sie durchs Schwert, um die Weiber und Kinder aber losten sie. Doch entrannen Taso und Romoald, Gisulfs älteste Söhne, glücklich; und weil sie Grimoald, ihren jüngsten Bruder, noch für zu klein hielten, ein Roß zu besteigen, so dachten sie, es wäre besser, daß er stürbe als in Gefangenschaft fiele, und wollten ihn töten. Und schon war der Speer gegen den Knaben erhoben, da rief Grimoald mit Tränen: »Erschlag mich nicht, denn ich kann mich schon auf dem Pferde halten.« Sein Bruder ergriff ihn beim Arm und setzte ihn auf den bloßen Rücken eines Pferdes; der Knabe faßte die Zügel und folgte seinen Brüdern nach. Die Hunnen rannten hinterher, und einer fing den kleinen Grimoald; doch wollte er ihn, seiner zarten Jugend wegen, nicht töten, sondern zu seiner Bedienung aufheben. Der Knabe war schön von Bildung, glänzend von Augen und gelb von Haaren; als ihn der Hunne ins Lager zurückführte, zog er unversehens sein Schwert und traf den Feind, daß er vom Pferde zu Boden stürzte. Dann griff er schnell in die Zügel und rannte den Brüdern nach, die er auch, fröhlich seiner Tat, einholte.

Der Hunnenkönig, um sein gegebenes Wort zu erfüllen, vermählte sich zwar mit Romhild, behielt sie aber nur eine Nacht und gab sie dann zwölf Hunnen preis; darauf ließ er sie zu Tod an einen Pfahl aufspießen. Gisulfs Töchter hingegen waren nicht dem Beispiel ihrer geilen Mutter gefolgt, sondern sie hatten sich, um ihre Keuschheit zu bewahren, rohes Hühnerfleisch unter die Brüste gebunden, damit der Gestank des Fleisches jeden Feind, der sich ihnen nähere, zurücktriebe. Die Hunnen glaubten darauf, daß sie von Natur so röchen, verabscheuten sie und sprachen: »Die Lombardinnen stinken!« Durch diese Tat erhielten die Jungfrauen ihre Reinheit und wurden später, wie es ihrer edlen Geburt ziemte, vermählt; die eine dem König der Alemannen, die andere dem Herzog der Bayern.

### 407. Leupichis entflieht

Zu dieser Zeit wurde auch Leupichis als ein Kind aus dem Friaul in die Gefangenschaft mitgeschleppt, einer von fünf Brüdern, wovon die andern alle umkamen; er aber strebte, den Hunnen zu entfliehen und in seine Heimat wiederzukommen. Eines Tages führte er die vorgehabte Flucht aus, nahm bloß Pfeil und Bogen mit und etwas Speise; er wußte aber nicht, wohinaus. Da gesellte sich ein Wolf zu ihm und wurde sein Wegweiser. Und als er das Tier sich oft nach ihm umblicken und, sooft er stillstand, auch stillstehen sah, dachte er, daß es ihm von Gott gesandt wäre. So wanderten sie, das Tier und der Knabe, einige Tage durch Berge und Täler der Wildnis; endlich ging dem Leupichis das wenige Brot aus, das er hatte. Bald verzehrte ihn der Hunger, und er spannte seinen Bogen auf den Wolf, damit ihm das Tier zur Speise dienen sollte. Der Wolf wich dem Pfeil aus und verschwand. Nun aber wußte er nicht mehr, welchen Weg einzuschlagen, und warf sich ermattet zu Boden; im Schlaf sah er einen Mann, der zu ihm redete: »Stehe auf, der du schläfst, und nimm den Weg nach der Gegend hin, wohin deine Füße gerichtet sind, denn dort liegt Italien.« Alsbald stand Leupichis auf und ging dahinwärts; er gelangte zu den Wohnungen der Slawen, eine alte Frau nahm ihn auf, verbarg ihn in ihrem Haus und gab ihm Lebensmittel. Darauf setzte er den Weg fort und kam nach wenigen Tagen in die Lombardei, an den Ort, wo er herstammte. Das Haus seiner Eltern fand er so verödet, daß es kein Dach mehr hatte und voll Dorn und Disteln stand. Er hieb sie nieder, und zwischen den Wänden war ein großer Ulmbaum gewachsen, an den hing er seinen Bogen auf. Danach bebaute er die Stätte von neuem, nahm sich ein Weib und wohnte daselbst. Dieser Leupichis wurde des Geschichtsschreibers Urahn. Leupichis zeugte Arichis, Arichis den Warnefried und Warnefried den Paulus.

### 408. Die Fliege vor dem Fenster

Als der Lombardenkönig Kunibert mit seinem Marpahis (Stallmeister) Rat pflog, wie er Aldo und Grauso umbringen möchte, siehe, da saß an dem Fenster, vor dem sie standen, eine große Schmeißfliege. Kunibert nahm sein Messer und hieb nach ihr; aber er traf nicht recht und schnitt ihr bloß einen Fuß ab. Die

Fliege flog fort. Aldo und Grauso, nichts ahnend von dem bösen Ratschlag, der gegen sie geschmiedet worden war, wollten eben in die königliche Burg gehen, und nahe bei der Romanuskirche kam ihnen entgegen ein Hinkender, dem ein Fuß abgehauen war, und sprach: »Geht nicht zu König Kunibert, sonst werdet ihr umgebracht.« Erschrocken flohen jene in die Kirche und verbargen sich hinter dem Altar. Es wurde aber bald dem König hinterbracht, daß sich Aldo und Grauso in die Kirche geflüchtet hätten. Da warf Kunibert Verdacht auf seinen Marpahis, er möchte den Anschlag verraten haben; der antwortete: »Mein Herr und König, wie vermag ich das, der ich nicht aus deinen Augen gewichen bin, seit wir das ratschlagten?« Der König sandte nach Aldo und Grauso und ließ fragen, aus welcher Ursache sie zu dem heiligen Ort geflüchtet wären. Sie versetzten: »Weil uns gesagt worden ist, der König wolle uns umbringen.« Und von neuem sandte der König und ließ sagen, wer ihnen das gesagt hätte. Und nimmermehr würden sie Gnade finden, wenn sie nicht den Verräter offenbaren wollten. Da erzählten jene, wie es sich zugetragen hatte, nämlich: es sei ihnen ein hinkender Mann begegnet, dem ein Bein bis ans Knie gefehlt und der an dessen Stelle ein hölzernes gehabt hätte. Der habe ihnen das bevorstehende Unheil vorausverkündigt. Da erkannte der König, daß die Fliege, der er das Bein abgehauen, ein böser Geist gewesen war und seinen geheimen Anschlag demnach verraten hatte. Er gab dem Aldo und Grauso darauf sein Wort, daß sie aus der Kirche gehen könnten und ihre Schuld verziehen sein sollte, und zählte sie von der Zeit an unter seine getreuen Diener.

## 409. König Liutprands Füße

Liutprand, König der Langobarden, soll der Sage nach so lange Füße gehabt haben, daß sie das Maß eines menschlichen Ellenbogens erreichten. Nach seinem Fuß, dessen vierzehn auf der Stange oder dem Seil eine Rute (*tabula*) ausmachen, pflegen seitdem die Langobarden ihre Äcker zu messen.

### 410. Der Vogel auf dem Speer

Als König Liutprand siech daniederlag und die Lombarden an seinem Aufkommen zweifelten, nahmen sie Hildeprand, seinen Neffen, führten ihn vor die Stadt zur Liebfrauenkirche und erhoben ihn zum König. Indem sie ihm nun, wie es bräuchlich war, den Speer in die Hand gaben, kam ein Kuckuck geflogen und setzte sich oben auf des Speeres Spitze. Da sprachen kluge Männer, dieses Wunder zeige an, daß Hildeprands Herrschaft unnütz sein werde.

### 411. Aistulfs Geburt

Von König Aistulf, der mitten im VIII. Jahrhundert die Langobarden beherrschte, geht folgende Sage: Seine Mutter brachte in einer Stunde und in einem Gebären fünf Kinder zur Welt. Als man diese wunderbare Nachricht dem König ankündigte, befahl er, alle fünf in einem großen Korb vor ihn zu tragen. Er sah die Kinder an, erschrak, wollte sie aber doch nicht geradezu aussetzen lassen. Da hieß er seinen königlichen Spieß holen und sprach zu seinen Leuten: »Dasjenige von den Kindern, welches meinen Spieß mit der Hand greifen wird, soll beim Leben erhalten werden!« Hierauf streckte er den Spieß in den Korb unter die Kinder, und eins von den Brüdern reichte mit dem Ärmelein nach der Stange. Darauf nannte der Vater dieses Kind mit Namen Aistulf.

### 412. Walter im Kloster

Nachdem er viele Kriegstaten in der Welt verrichtet hatte und hochbejahrt war, dachte Held Walter seiner Sünden und nahm sich vor, durch ein strenges, geistliches Leben die Verzeihung des Himmels zu erwerben. Sogleich suchte er sich einen Stab aus, ließ oben an die Spitze mehrere Ringe und in jeden Ring eine Schelle heften; darauf zog er ein Pilgrimkleid an und durchwanderte so fast die ganze Welt. Er wollte aber die Weise und Regel aller Mönche genau erforschen und ging in jedes Kloster ein; wenn er aber in die Kirche getreten war, pflegte er zwei- oder dreimal mit seinem Stab hart auf den Boden zu stoßen, daß alle Schellen klangen; hierbei prüfte er nämlich den Eifer des Gottesdienstes. Als er nun einmal in das Kloster Novalese gekommen war, stieß er auch hier seiner Gewohnheit nach den Pilgerstab hart auf den Boden. Einer der Kirchenknaben drehte sich um, rückwärts, um zu sehen, was so erklänge; alsbald sprang der Schulmeister hinzu und gab dem Zögling eine Maulschelle. Da seufzte Walter und sprach. »Nun bin ich schon lange und viele Tage durch die Welt gewandert und habe dergleichen nicht finden können.« Darauf meldete er sich bei dem Abt, bat um Aufnahme ins Kloster und legte das Kleid dieser Mönche an; auch wurde er nach seinem Willen zum Gärtner des Klosters bestellt. Er nahm zwei lange Seile und spannte sie durch den Garten, eins der Länge und eins der Quere nach; in der Sommerhitze hing er alles Unkraut darauf, die Wurzeln gegen die Sonne, damit sie verdörren und nicht wieder lebendig werden sollten[52].

Es war aber in dem Kloster ein hölzerner Wagen, überaus, schön gearbeitet, auf den man nichts anderes legte als eine große, oben mit einer hell lautenden Schelle versehene Stange. Diese Stange wurde zuweilen aufgesteckt, so daß sie jedermann sehen und den Klang hören konnte. Alle Höfe und Dörfer des Klosters hatten nun auch ihre Wagen, auf denen den Mönchen Dienstleute Korn und Wein zufuhren; jener Wagen mit der Stange fuhr dann voraus, und hundert oder fünfzig andere Wagen folgten nach, und jedermann erkannte daran, daß der Zug dem berühmten Kloster Novalese gehörte. Und da war kein Herzog, Graf, Herr oder Bauer, der gewagt hätte, ihn zu beschädigen; ja, die Kaufleute auf den Jahrmärkten sollen ihren Handel nicht eher eröffnet haben, als bis sie erst den Schellen-

---

52 Vergl. Meister Stolle (hinter Tristan, S. 147, No. IX).

wagen heranfahren sahen. Als diese Wagen einmal beladen zum Kloster zurückkehrten, stießen sie auf des Königs Leute, welche die königlichen Pferde auf einer Wiese weideten. Diese sahen kaum soviel Güter ins Kloster fahren, als sie übermütig darauf herfielen und alles wegnahmen. Die Dienstleute widersetzten sich vergeblich, ließen aber, was geschehen war, augenblicklich dem Abt und den ganzen Brüdern kundtun. Der Abt versammelte das ganze Kloster und berichtete die Begebenheit. Der Vorsteher der Brüderschaft war damals einer namens Asinarius, von Herkunft ein Franke, ein tugendhafter, verständiger Mann. Dieser, auf Walters Rat, man müsse zu den Räubern kluge Brüder absenden und ihnen die Sache gehörig darstellen lassen, sagte sogleich: »So sollst du, Walter, schnell dahin gehen, denn wir haben keinen klügeren, weiseren Bruder.« Walter aber, der sich wohl bewußt war, er werde den Trotz und Hochmut jener Leute nicht ertragen können, versetzte: »Sie werden mir mein Mönchskleid ausziehen.« – »Wenn sie dir dein Kleid ausziehen«, sprach Asinarius, »so gib ihnen noch die Kutte dazu und sag, so sei dir's von den Brüdern befohlen.« Walter sagte: »Wie soll ich mit dem Pelz und Unterkleid verfahren?« – »Sag«, versetzte der ehrwürdige Vater, »es sei von den Brüdern befohlen worden, sich auch diese Stücken nehmen zu lassen.« Darauf setzte Walter hinzu: »Zürne mir nicht, daß ich weiterfrage, wenn sie auch mit den Hosen tun wollen wie mit dem übrigen?« – »Dann«, antwortete der Abt, »hast du deine Demut schon hinlänglich bewiesen; denn in Ansehung der Hosen kann ich dir nicht befehlen, daß du sie ihnen lässt.«

Hiermit war Walter zufrieden, ging hinaus und fragte die Klosterleute, ob hier ein Pferd wäre, auf dem man im Notfall einen Kampf wagen dürfe. »Es sind hier gute, starke Karrengäule«, antworteten jene. Schnell ließ er sie herbeiführen, bestieg einen und spornte ihn und dann einen zweiten, verwarf sie aber beide und nannte ihre Fehler. Dann erinnerte er sich eines guten Pferdes, das er einst mit ins Kloster gebracht habe, und frug, ob es noch lebendig wäre. »Ja, Herr«, sagten sie, »es lebt noch, ist aber ganz alt und dient bei den Bäckern, denen es täglich Korn in die Mühle trägt und wieder holt.« Walter sprach: »Führt es mir vor, damit ich es selber sehe.« Als es herbeigebracht wurde und er daraufgestiegen war, rief er aus: »Oh, dieses Roß hat die Lehren noch nicht vergessen, die ich ihm in meinen jungen Jahren gab.« Hierauf beurlaubte sich Walter von dem Abt und den Brüdern, nahm nur zwei oder drei Knechte mit und eilte zu den Räubern hin, die er freundlich grüßte und ermahnte, von dem Unrecht abzusehen, das sie den Dienern Gottes zugefügt hätten. Sie aber wurden desto zorniger und aufgeblasener und zwangen Walter, das Kleid auszuziehen, welches er trug. Geduldig litt er alles und sagte, daß ihm so befohlen worden sei. Nachdem sie ihn ausgezogen hatten, fingen sie an, auch seine Schuhe und Schienen aufzulösen; bis sie an die Hosen kamen, sprach Walter, das sei ihm nicht befohlen. Sie aber antworteten, was die Mönche befohlen hätten, daran wäre ihnen gar nichts gelegen. Walter hingegen sagte, ihm stehe das auch nicht länger an; und wie sie Gewalt brauchen wollten, machte er unvermerkt seinen Steigbügel los und traf damit einen Kerl solchergestalt, daß er für tot niedersank, ergriff dessen Waffen und schlug damit rechts und links um sich. Danach schaute er und sah neben sich ein Kalb auf dem Gras weiden, sprang zu, riß ihm ein Schulterblatt aus und schlug damit auf die Feinde los, welche er durch das ganze Feld hintrieb. Einige erzählen, Walter habe demjenigen, der sich am frechsten gezeigt und gerade gebückt habe, um ihm die Schuhe abzubinden, mit der Faust einen solchen Streich über den Hals versetzt, daß ihm das zerbrochene Halsbein sogleich in den Schlund gefallen sei. Als er nun viele erschlagen hatte, machten sich die übrigen auf die Flucht und ließen alles im Stich. Walter aber bemächtigte sich nicht nur des eigenen, sondern auch des fremden Gutes und kehrte mit reicher Beute beladen ins Kloster zurück.

Der Abt empfing ihn seufzend und schalt ihn heftig aus; Walter aber ließ sich eine Buße auflegen, damit er sich nicht leiblich über eine solche Tat freuen möge, die seiner Seele verderblich war. Er soll indessen, wie einige versichern, dreimal so mit den einbrechenden Heiden gekämpft und sie schimpflich von den Gefilden des Klosters zurückgetrieben haben.

Ein andermal fand er die Pferde Königs Desiderius auf der Klosterwiese, namens Mollis (*Molard*), weiden und das Gras verwüsten, verjagte die Hüter und erschlug viele derselben. Auf dem Rückweg, vor Freude über diesen Sieg, schlug er mit geballter Faust zweimal auf eine neben dem Weg stehende steinerne Säule und hieb das größte Stück davon herunter, daß es zu Boden fiel. Daselbst heißt es bis auf den heutigen Tag noch *Walters Schlag* oder *Hieb (percussio vel ferita Waltharii)*.

Dieser berühmte Held Graf Walter starb uralt im Kloster, wo er sich selbst noch sein Grab auf einem Berggipfel sorgfältig gehauen hatte. Nach seinem Ableben wurde er und Rathald, sein Enkel, hineinbestattet. Dieser Rathald war der Sohn Rathers, des Sohnes Walters und Hildgundens. Des Rathalds Haupt hatte einst eine Frau, die Betens halber zu der Grabstätte gekommen war, heimlich mitgenommen und auf ihre Burg gebracht. Als eines Tages Feuer in dieser Burg ausbrach, erinnerte sie sich des Hauptes, zog es heraus und hielt es den Flamme entgegen. Alsbald erlosch die Feuersbrunst. Nach dem letzten Einbruch der Heiden, und bevor der heilige Ort wiedererbaut wurde, wußte niemand von den Einwohnern mehr, wo Walters Grab war. Dazumal lebte in der Stadt Segusium eine sehr alte Witwe namens Petronilla, gebückt am Stab einhergehend und wenig noch sehend aus ihren Augen. Dieser hatten die Heiden ihren Sohn Maurinus gefangen weggeführt, und über dreißig Jahre mußte er bei ihnen dienen. Endlich aber erlangte er die Freiheit und wanderte in seine Heimat zurück. Er fand seine Mutter vom Alter beinahe verzehrt. Sie pflegte sich täglich auf einem Felsen bei der Stadt an der Sonne zu wärmen, und die Leute gingen oft zu ihr und fragten nach den Altertümern; sie wußte ihnen mancherlei zu erzählen, zumal vom novalesischen Kloster, viele unerhörte Dinge, die sie teils noch gesehen, teils von ihren Eltern vernommen hatte. Eines Tages ließ sie sich wiederum von einigen Männern herumfahren, denen wies sie Walters Grab, das man nicht mehr kannte, so wie sie es von ihren Vorfahren gehört hatte; wiewohl ehemals keine Frau gewagt hätte, diese Stätte zu betreten. Auch erzählte sie, wieviele Brunnen ehemals hier gewesen. Die Nachbarsleute behaupteten, gedachte Frau sei beinahe zweihundert Jahre alt geworden.

### 413. Ursprung der Sachsen

Nach einer alten Volkssage sind die Sachsen mit Aschanes (Askanius), ihrem ersten König, aus den Harzfelsen mitten im grünen Wald bei einem süßen Springbrünnlein herausgewachsen. Unter den Handwerkern hat sich noch heutzutage der Reim erhalten:

> *Darauf so bin ich gegangen nach Sachsen,*
> *wo die schönen Mägdlein auf den Bäumen wachsen;*
> *hätt ich daran gedacht,*
> *so hätt ich mir eins davon mitgebracht.*

Und Aventin leitet schon merkwürdig den Namen der Germanen von germinare, *auswachsen,* ab, weil die Deutschen auf den Bäumen gewachsen sein sollen.

### 414. Abkunft der Sachsen

Man liest, daß die Sachsen weiland Männer des wunderlichen Alexanders waren, der die Welt in zwölf Jahren bis an ihr Ende erfuhr. Da er nun zu Babylonia umgekommen war, so teilten sich vier in sein Reich, die alle Könige sein wollten. Die übrigen fuhren in der Irre umher, bis ihrer ein Teil mit vielen Schiffen nieder zur Elbe kam, wo die Thüringer saßen. Da erhub sich Krieg zwischen den Thüringern und Sachsen. Die Sachsen trugen große Messer, damit schlugen sie die Thüringer aus Untreue bei einer Sammensprache, die sie zum Frieden gegenseitig gelobet hatten. Von den scharfen Messern wurden sie Sachsen geheißen. Ihr wankeler Mut tat den Römern Leids genug; sooft sie Cäsar glaubte überwunden zu haben, standen sie doch wieder gegen ihn auf.

### 415. Herkunft der Sachsen

Die alten Sachsen (welche die Thüringer vertrieben), ehe sie her zu Land kamen, waren sie in Alexanders Heer gewesen, der auch mit ihrer Hilfe die Welt bezwang. Da Alexander starb, mochten sie sich nicht untertun in dem Lande durch des Landes Haß willen und schifften auch von dannen mit dreihundert Kielen; die verdarben alle bis auf vierundfünfzig, und derselben kamen achtzehn gen Preußen und besaßen das Land, zwölfe besaßen Rugien und vierundzwanzig kamen hierher zu Lande. Und da ihr so viel nicht waren, daß sie den Acker möchten bauen, und da sie auch die thüringischen Herrn schlugen und vertrieben, ließen sie den Bauern sitzen ungeschlagen und bestätigten ihnen den Acker zu solchem Recht, als noch die Lassen haben. Und davon kommen die Lassen, und von den Lassen, die sich verwirkten an ihrem Recht, sind kommen die Tagwerker.

Die Glosse führt das noch mehr aus und sagt: »Da man sie aber berennen wollte, waren sie bereit und segelten hinweg. Daß die Kiel verdarben, kam davon, daß sie zu Wasser nicht schiffen konnten. Und der kamen achtzehn gen Preußen, da war noch eine Wildnis. Diese ist da verwandelt in Heide. Und zwölf kamen gen Rugien, und von denen sind gekommen die Stormere und Ditmarsen und Holsten und Hadeler. Und vierundzwanzig kamen her zu Lande, die heißen noch die *Steine*, denn im Griechischen so heißt Petra ein Stein und Saxum ein Kieslingstein, und daher heißen wir noch Sachsen, denn wir sind gleich den Kieslingsteinen in unsern Streitern.«

Unter den Thüringern sind aber gemeint, nicht die da gebürtig sind aus der Landgrafschaft von Thüringen, denn diese sind Sachsen, sondern die Notthüringer, das waren Wenden. Die heißen die Sachsen fortan Notdöringe, das ist soviel gesprochen als: Nottörichte oder Törichte. Denn sie waren streittoll und töricht.

### 416. Die Sachsen und die Thüringer

Die Sachsen zogen aus und kamen mit ihren Schiffen an den Ort, der Hadolava heißt, da waren ihnen die Landeseinwohner, die Thüringer, zuwider und stritten heftig. Allein die Sachsen behaupteten den Hafen, und es wurde ein Bund geschlossen, die Sachsen sollten kaufen und verkaufen können, was sie beliebten, aber abstehen von Menschenmord und Länderraub. Dieser Friede wurde nun auch viele Tage gehalten. Als aber den Sachsen Geld fehlte, dachten sie, das Bündnis wäre unnütz. Da geschah, daß einer ihrer Jünglinge aus den Schiffen ans Land trat, mit vielem Gold beladen, mit goldenen Ketten und goldenen Spangen. Ein Thüringer begegnete diesem und sprach: »Was trägst du soviel Gold an deinem ausgehungerten Halse?« – »Ich suche Käufer«, antwortete der Sachse, »und trage dies Gold bloß des Hungers wegen, den ich leide; wie sollte ich mich an Gold vergnügen?« Der Thüringer fragte, was es gelten solle. Hierauf sagte der andere: »Mir liegt nichts daran, du sollst mir geben, was du selber magst.« Lächelnd erwiderte jener: »So will ich dir dafür deinen Rock mit Erde füllen;« denn es lag an dem Ort gerade viel Erde angehäuft. Der Sachse hielt also seinen Rock auf, empfing die Erde und gab das Gold hin; sie gingen voneinander, ihres Handels beide froh. Die Thüringer lobten den Ihrigen, daß er um so schlechten Preis so vieles Gold erlangt; der Sachse aber kam mit der Erde zu den Schiffen und rief, da ihn etliche töricht schalten, die Sachsen ihm zu folgen auf; bald würden sie seine Torheit gutheißen. Wie sie ihm nun nachfolgten, nahm er Erde, streute sie fein dünne auf die Felder aus und bedeckte einen großen Raum. Die Thüringer aber, welche das sahen, schickten Gesandte und klagten über Friedensbruch. Die Sachsen ließen sagen: »Den Bund haben wir jederzeit und heilig gehalten; das Land, das wir mit unserm Gold erworben, wollen wir ruhig behalten oder es mit den Waffen verteidigen.« Hierauf verwünschten die Einwohner das Gold, und den sie kürzlich gepriesen hatten, hielten sie für ihres Unheils Ursächer. Die Thüringer rannten nun zornig auf die Sachsen ein, die Sachsen aber behaupteten durch das Recht des Krieges das umliegende Land. Nachdem von beiden Teilen lange und heftig gestritten war und die Thüringer unterlagen, kamen sie überein, an einem bestimmten Ort, jedoch ohne Waffen, des neuen Friedens wegen zusammenzugehen. Bei den Sachsen nun war es hergebrachte Sitte, große Messer zu tragen, wie die Angeln noch tun, und diese nahmen sie unter ihren Kleidern auch mit in die Versammlung. Als die Sachsen ihre Feinde so wehrlos und ihre Fürsten alle gegenwärtig sahen, achteten sie die Gelegenheit für gut, um sich des ganzen Landes zu bemächtigen, überfielen die Thüringer unversehens mit ihren Messern und erlegten sie alle, daß auch nicht einer übrigblieb. Dadurch erlangten die Sachsen großen Ruf, und die benachbarten Völker huben sie zu fürchten an. Und verschiedene leiten den Namen von der Tat ab, weil solche Messer in ihrer Sprache Sachse hießen.

### 417. Ankunft der Angeln und Sachsen

Als die Briten grausame Hungersnot und schwere Krankheit erfahren hatten und, aus der Art geschlagen, nicht mehr stark genug waren, um die Einbrüche fremder Völker und der wilden Tiere abzuwenden, ratschlagten sie, was zu tun wäre, und beschlossen mit Wyrtgeorn (Vortigern), ihrem König, daß sie der Sachsen Volk über die See sich zu Hilfe rufen wollten. Der Angeln und Sachsen Volk wurde geladen und kam nach Britenland in drei großen Schiffen. Es bekam im Ostteil des Eilandes Erde angewiesen, die es bauen und des Gebotes des Königs, der sie geladen hatte, gewärtig sein sollte, daß sie Hilfe leisteten und für ihr Land zu kämpfen und fechten hätten. Darauf besiegten die Sachsen die Feinde der Briten und sandten Boten in ihre Heimat, daß sie den großen Sieg geschlagen hätten und das Land schön und fruchtbar, das Volk der Briten träge und faul wäre. Da sandten sie aus Sachsenland einen noch strengeren und mächtigeren Haufen. Als die dazugekommen waren, wurde ein unüberwindliches Volk daraus. Die Briten liehen und gaben ihnen Erde neben ihnen, damit sie für das Heil und den Frieden ihres Grundes streiten und gegen ihre Widersacher kämpfen sollten; für das, was sie gewonnen, gaben sie ihnen Sold und Speise. Sie waren aus drei der stärksten deutschen Völker gekommen, den Sachsen, Angeln und Jüten. Von den Jüten stammen in Britannien die Cantwaren und Wichtsaten ab; von den Altsachsen: die Ostsachsen, Südsachsen und Westsachsen; von den Angeln: die Ostangeln, Mittelangeln, Mercier und alles Northumbergeschlecht. Das Land der Angeln in Deutschland lag zwischen den Jüten und Sachsen, und es soll, der Sage nach, von der Zeit an, daß sie darausgingen, wüst und unbewohnt geblieben sein. Ihre Führer und Herzoge waren zwei Gebrüder, Hengst und Horsa; sie waren Wichtgisels Söhne, dessen Vater hieß Wicht und Wichts Vater Woden, von dessen Stamm vieler Länder Könige ihren Ursprung herleiten. Das Volk aber begann sich auf der britischen Insel bald zu mehren und wurde der Schrecken der Einwohner.

## 418. Ankunft der Pikten

Da geschah es, daß der Peohten Volk aus Szythienland in Schiffen kam, und langten in Schottland an und fanden da der Schotten Volk. Und sie verlangten Sitz und Erde in ihrem Land zwischen ihnen. Die Schotten antworteten, ihr Land wäre nicht groß genug, daß sie beide Raum darin hätten. »Wir wollen euch aber guten Rat geben, was ihr zu tun habt. Wir wissen nicht fern von hinnen ein ander Eiland, gen Osten hin, das können wir an klaren Tagen von hier aus der Weite sehen. Wollt ihr das besuchen, so werdet ihr da Erde zu wohnen finden; und widersetzt sich jemand, so wollen wir euch Hilfe leisten.« Da fuhren die Peohten nach Britannien und ließen sich in den Nordteilen dieses Eilands nieder. In den Südteilen wohnten die Briten. Da nun die Peohten keine Weiber hatten, baten sie solche von den Schotten. Diese willigten ein und gaben ihnen Weiber unter dem Vertrag, daß sie in streitigen Fällen ihren König mehr aus dem Weibergeschlecht als aus den Männern kiesen möchten. Dies wird noch heute unter den Peohten so gehalten.

### 419. Die Sachsen erbauen Ochsenburg

Als die Sachsen in England angekommen waren, baten sie den König, daß er ihnen ein solches Bleck Landes gäbe, das sie mit einer Ochsenhaut beziehen könnten. Da er dies bewilligte, schnitten sie die Haut in schmale Riemen, bezogen damit eine raume Stelle, bauten dahin eine Burg namens Ossenburg.

### 420. Haß zwischen den Sachsen und Schwaben

Dieweil Hengst (Hest, *Hesternus*) ausgezogen war mit seinen Männern nach England, und ihre Weiber daheim belassen hatten, kamen die Schwaben, bezwungen Sachsenland und nahmen der Sachsen Weiber. Da aber die Sachsen wiederkamen und die Schwaben vertrieben, zogen einige Weiber mit den Schwaben fort. Der Weiber Kinder, die dazumal mit den Schwaben zu Land zogen, die hieß man Schwaben. Darum sind die Weiber auch erblos aus diesem Geschlecht, und es heißt im Gesetz, daß »die Sachsen behielten das schwäbisch Recht durch der Weiber Haß«.

### 421. Herkunft der Schwaben

Die Vordern der Schwaben waren weiland über Meer gekommen mit großer Heereskraft und schlugen ihre Zelte auf an dem Berg *Suevo*, davon hießen sie Sweben oder Schwaben. Sie waren ein gutes und kluges Volk und nahmen sich oft vor, daß sie gute

Recken wären, streitfertig und sieghaft. Brenno, ihr Herzog, schlug mit Julius Cäsar eine blutige Schlacht.

### 422. Abkunft der Bayern

Das Geschlecht der Bayern soll aus Armenien eingewandert sein, in welchem Noah aus dem Schiffe landete, als ihm die Taube den grünen Zweig gebracht hatte. In ihrem Wappen führen sie noch die Arche auf dem Berg Ararat. Gegen Indien hin sollen noch deutsch redende Völker wohnen.

Die Bayern waren je streitbar und tapfer und schmiedeten solche Schwerter, daß keine anderen besser bissen. »Reginsburg die märe« heißt ihre Hauptstadt. Den Sieg, den Cäsar über Boemund, ihren Herzog, und Ingram, dessen Bruder, gewann, mußt er mit Römerblut gelten.

### 423. Herkunft der Franken

Das Geschlecht der Franken ist dem der Römer nahe verwandt, ihrer beider Vorfahren stammten aus der alten Troja ab. Da nun die Griechen diese Burg nach Gottes Urteil zerstört hatten, entronnen nur wenige Trojaner, fuhren lange in der Welt herum. Franko mit den Seinen kam nieder zu dem Rhein und saß daselbst; da baute er zum Andenken seiner Abstammung ein kleines Troja mit Freuden auf und nannte den vorbeifließenden Bach Santen, nach dem Fluß in ihrem alten Lande. Den Rhein nahmen sie für das Meer. So wuchs das fränkische Volk auf.

### 424. Die Merowinger

Die Merowinger hießen *Die Borstigen*[53], weil der Sage nach allen Königen aus diesem Geschlecht Borsten, wie den Schweinen, mitten auf dem Rücken wachsen. – Chlodio, Faramunds Sohn,

---

53 Κριστάται (cristati) und τριχοραχάται.

saß eines Tages mit der Königin am Meergestade, sich von der Sommerhitze zu kühlen, da stieg ein Ungeheuer (Meermann), einem Stiere gleich, aus den Wogen, ergriff die badende Königin und überwältigte sie. Sie gebar darauf einen Sohn von seltsamem, wunderbarem Ansehen, weshalb er Merowig, das heißt *Merefech* geheißen wurde, und von ihm entspringen die Frankenkönige, Merowinger (*Merofingi, Mereiangelingi*) genannt.

## 425. Childerich und Basina

Childerich, Merowigs Sohn, hub an übel zu regieren und die Töchter der Edlen zu mißbrauchen; da warfen ihn die Franken vom Thron herab. Landflüchtig wandte er sich an Bissinus, König der Thüringer, und fand bei ihm Schutz und ehrenvollen Aufenthalt lange Zeit hindurch. Er hatte aber unter den edelsten Franken einen vertrauten Freund gehabt, Winomadus mit Namen, der ihm, als er noch regierte, in allen Dingen riet und beistand. Dieser war auch zur Zeit, da der König aus dem Reiche vertrieben wurde, der Meinung gewesen, Childerich müsse sich notwendig entfernen und erwarten, daß sich allmählich sein übler Ruf in der Abwesenheit mindere; wogegen er sorgsam die Gemüter der Franken stets erforschen und wieder zu ihm hinlenken wolle. Zugleich nahm Winomad seinen Ring und teilte ihn in zwei Hälften, die eine gab er dem König und sprach: »Wenn ich dir die andere sende und beide Teile ineinanderpassen, so soll es dir ein Zeichen sein, daß dir die Franken wieder versöhnt sind, und dann säume nicht, in dein Vaterland zurückzukehren.«

Unterdessen wählten sich die Franken Ägidius, den Römer, zu ihrem König. Winomadus verstellte sein Herz und wurde bald dessen Vertrauter. Darauf beredete er ihn, nicht nur das Volk mit schweren Abgaben zu belasten, sondern selbst einige der Mächtigsten im Lande hinzurichten; dazu wählte aber Winomad klüglich gerade Childerichs Feinde aus. Die Franken wurden durch solche Grausamkeiten bald von Ägidius abgewandt, und es kam dahin, daß sie bereuten, ihren eingeborenen Herrn verwiesen zu haben.

Da sandte Winomad einen Boten mit dem halben Goldring nach Thüringen ab, von woher Childerich schnell wiederkehrte, sich allerwärts Volk sammelte und den Ägidius überwand.

Wie nun der König in Ruhe sein Reich beherrschte, machte sich Basina, des thüringischen Königs Bissinus Weib, auf, verließ ihren Gemahl und zog zu Childerich, mit dem sie, als er sich dort aufhielt, in vertrauter Liebe gelebt hatte. Dem Childerich sagte sie, kein Hindernis und keine Beschwerde habe sie abhalten können, ihn aufzusuchen; denn sie vermöge keinen Würdigern in der ganzen Welt zu finden als ihn. Childerich aber, der Wohltat, die ihm Bissinus erwiesen, vergessen, weil er ein Heide war, nahm Basina bei Lebzeiten ihres ersten Gemahls zur Ehe. In der Hochzeitnacht nun geschah es, daß Basina den König von der ehelichen Umarmung zurückwies, ihn hinaus vor die Türe der Königsburg treten und, was er da sehen werde, ihr hinterbringen hieß. Childerich folgte ihren Worten und sah vor dem Tore große wilde Tiere, Parder, Einhörner und Löwen, wandeln. Erschrocken eilte er zu seiner Gemahlin zurück und verkündigte ihr alles. Sie ermahnte ihn, ohne Sorge zu sein und zum zweitenmal hinauszugehen. Da sah der König Bären und Wölfe wandeln und hinterbrachte es der Königin, die ihn auch zum drittenmal hinaussandte. Dieses drittemal erblickte er Hunde und kleinere Tiere, die sich untereinander zerrissen. Staunend stieg er ins Ehebett zurück, erzählte alles und verlangte von seiner weisen Frau Auslegung, was diese Wunder bedeuteten. Basina hieß den König die Nacht keusch und enthaltsam zubringen, bei anbrechendem Tag solle er alles erfahren. Nach Sonnenaufgang sagte sie ihm: »Dies bezeichnet zukünftige Dinge und unsere Nachkommen. Unser erster Sohn wird mächtig und stark gleich einem Löwen oder Einhorn werden, seine Kinder raubgierig und frech wie Wölfe und Bären; deren Nachkommen und die Letzten aus unserm Geschlecht feig wie die Hunde. Aber das kleine Getier, das du gesehen hast sich untereinander zerreißen, bedeutet das Volk, welches sich nicht mehr vor dem König scheut, sondern untereinander in Haß und Torheit verfolgt. Dies ist nun die Auslegung der Gesichter, die du gehabt hast.« Childerich aber freute sich über die ausgebreitete Nachkommenschaft, die aus ihm erwachsen sollte.

### 426. Der Kirchenkrug

Als Chlodowich mit seinen Franken noch im Heidentum lebte und den Gütern der Christen nachstellte, geschah es, daß sie auch aus der Kirche zu Reims einen großen, schweren und zierlichen Krug raubten. Der heilige Remig sandte aber einen Boten an den König und flehte, daß, wenngleich das übrige Unrecht nicht wiedergutgemacht werden sollte, wenigstens dieser Krug zurückgegeben würde. Der König befahl dem Boten, ihm nach Suession[54] zu folgen, wo die ganze Beute durch Los geteilt werden sollte: »Weist mir dann das Los dieses Gefäß zu, warum du bittest, so magst du es gern zurücknehmen.« Der Bote gehorchte, ging mit an den bestimmten Ort, wo sie kaum angelangt waren, als auf Befehl des Königs alles gewonnene Gerät herbeigetragen wurde, um es zu verlosen. Weil aber Chlodowich fürchtete, der Krug könnte einem andern als ihm zufallen, berief er seine Dienstmänner und Genossen und bat sich von ihnen zur Gefälligkeit aus, daß sie ihm jenen Krug außer seinem Losteil an der Beute besonders zuweisen möchten. Die Franken versetzten, wem sie ihr Leben widmeten, wollten sie auch nichts anderes absagen. Und alle waren's zufrieden bis auf einen, der sich erhob, mit seinem Schwert den Krug in Scherben schlug und sagte: »Du sollst weiter nichts haben, König, als was dir das gerechte Los zuteilt.« Alle staunten ob des Mannes Kühnheit; der König aber verstellte seinen Zorn und übergab das zerbrochene Gefäß dem Boten des Bischofs. – Ein Jahr darauf befahl der König, das Heer auf dem Märzfeld zu versammeln, und jeder sollte so

---

54 Soissons. Im Parzival, 7785: Sessun.

bewaffnet erscheinen, daß er gegen den Feind streiten könne. Als sich nun jedermann in glänzenden Waffen darstellte und Chlodowich alle musterte, kam er zu dem, der mit dem Schwert den Krug zerschlagen hatte, sah ihn an und sprach: »Im ganzen Heer ist kein Feiger wie du; dein Spieß und Helm, Schild und Schwert sind unnütz und schlecht.« Mit diesen Worten streckte er die Hand nach des Kriegers Schwert und warf es auf den Boden hin. Als sich nun jener bückte, das Schwert aufzuheben, zog der König seines, stieß es ihm heftig in den Nacken und sprach: »So hast du mir zu Suession mit dem Kruge getan!« Auf diese Weise blieb der Krieger tot, der König hieß die übrigen heimziehen und stand seitdem in viel größerer Furcht bei allen Franken, daß ihm keiner zu widerstreben wagte.

## 427. Remig umgeht sein Land

Chlodowich, der Frankenkönig, schenkte dem heiligen Remigius, Bischof zu Reims, soviel Land, wie er umgehen würde, solange der König den Mittagsschlaf hielt. Also machte sich der heilige Mann auf und steckte die Grenzen ab durch Zeichen, die man noch heute sieht. Da er nun vor einer Mühle vorüberkam und sie in seinen Bezirk schließen wollte, trat der Müller hervor, wies ihn ab und sprach ein dagegen, daß er ihn in seine Grenzen mitbegriffe. Sanft redete der Mann Gottes ihm zu: »Freund, laß dich's nicht verdrießen, wir wollen die Mühle zusammen haben.« Der Müller beharrte bei seiner Weigerung; alsbald fing das Mühlrad an sich verkehrt umzudrehen. Da rief er dem Heiligen nach: »Komm, Gottesdiener, und laß uns die Mühle zusammen haben!« Remig antwortete: »Weder ich noch du sollen sie haben.« Von der Zeit an wich daselbst der Erdboden, und es entstand eine solche Untiefe, daß an dem Ort niemand mehr eine Mühle haben konnte. Remig schritt weiter fort und gelangte an einen kleinen Wald; da waren wieder die Leute und wollten nicht, daß er ihn einschlösse in seine Begrenzung. Der Heilige sprach: »So soll nimmermehr ein Blatt von eurem

Wald über meine Grenze fliegen (die ganz hart daran herlief) und kein Ast auf meine Grenze fallen!« Alles das traf dann ein und blieb, solange der Wald dauerte. Endlich kam Remig an einem Dorf vorüber, Caviniac (*Chavignon*) mit Namen, und wollte es in seinen Strich eingrenzen. Die Einwohner wiesen ihn gleichfalls zurück, wie er bald näher kam, bald wieder ferner ging und die noch jetzt sichtbaren Zeichen einsteckte; zuletzt rief er ihnen zu: »Ihr werdet harte Arbeit zu tun haben und in Dürftigkeit leben!«, welches alles in der Folge der Zeit so erfüllt wurde. – Wie aber der König aus dem Mittagsschlaf erstand, gewährte er durch königliche Schenkung dem heiligen Bischof für seine Kirche alles Land, das er in den Kreis seines Umgangs eingeschlossen hatte.

### 428. Remig verjagt die Feuersbrunst

Als in der Stadt Reims ein wütendes Feuer ausgebrochen und schon der dritte Teil der Wohnungen verzehrt worden war, erfuhr der Heilige die Botschaft in der Nikasienkirche, warf sich nieder und flehte Gott um Hilfe. Darauf eilte er mit schnellen Schritten in die Stadt; auf den Stufen der Kirchentreppe drückten sich seine Fußtapfen in den harten Stein, als wäre es weicher Ton, ein und werden noch heute zum Beweis des göttlichen Wunders da gesehen. Darauf wandte er sich der Flamme entgegen, und kaum hatte er mit seiner Rechten das Kreuz gemacht, als sie wich und vor des Heiligen Gegenwart gleichsam zu fliehen anfing. Er verfolgte sie, trieb sie von allen noch unverletzten Örtern ab und zuletzt dem offenen Tor hinaus. Darauf schloß er die Tür und gebot, unter ausgesprochener Drohung gegen jeden Frevler, daß sie nimmermehr geöffnet werden sollte. Als nach einigen Jahren ein daneben wohnender Bürger, namens Fercinctus, das Mauerwerk, womit dieses Tor verschlossen war, durchbrach, kam die Seuche in sein Haus, daß darin weder Mensch noch Vieh lebendig blieb.

### 429. Des Remigs Teil vom Wasichenwald

Es hatte der heilige Remig für seine Kirche ein großes Stück des Wasichenwaldes erkauft, woselbst er einige Weiler, namens Kosla und Gleni, gebaut haben soll. In diese setzte er Einwohner aus der nahegelegenen Stadt Berna, die der Kirche jährlich ein Gewisses an Pech liefern mußten. Die Grenzen dieses Besitztums hatte er ringsherum so genau abgesteckt, daß sie jedermann bekannt sind, unter andern mit seiner eigenen Hand einen Stein auf ein hohles Baumloch hingeworfen. Mit diesem Stein hat es die wunderbare Bewandtnis, daß man ihn zwar aufheben und mit der Hand in die Höhle reichen, niemals aber den Stein ganz von der Stelle wegbringen kann. Als dies ein Abgünstiger einmal vergeblich versucht hatte, wollte er mit einem Beil das Loch größer hauen; kaum aber schwang er's gegen den Baum, so dorrte seine rechte Hand, und seine Augen erblindeten.

Zu Kaiser Ludwigs Zeiten waren zwei Brüder zu Förstern des königlichen Waldes gesetzt. Diese behaupteten, daß jenes Stück dem König gehöre, und stritten darüber mit den Leuten der Kirche. Es geschah, daß einer dieser Brüder seine Schweine, die er in den Wald geschickt hatte, sehen wollte und einen Wolf unter ihnen traf. Indem er das Raubtier verfolgte, scheute sein Roß, und er zerschellte sich sein Haupt an einem Baum, daß er augenblicklich verschied. Als dann der andere Bruder einmal zu einem Felsen im Wald kam und ausrief: »Jedermann sei kund und zu wissen, alles, was bis zu diesem Felsstein geht, ist Kaiserswald!« auch bei diesen Worten mit seiner Axt an den Stein schlug, sprangen Stücke daraus in seine Augen, daß er blind wurde.

### 430. Krothilds Verlobung

Dem König Chlodowich hatten seine Botschafter von der Schönheit Krothilds, die am burgundischen Königshof lebte, vieles erzählt. Er sandte also Aurelian, seinen Busenfreund, mit Gaben und Geschenken ab an die Jungfrau, daß er ihre Gestalt genauer erkundigte, ihr des Königs Willen offenbare und ihre Neigung erforsche. Aurelian gehorchte, machte sich auf nach Burgund, und wie er bald an die königliche Burg gelangt war, hieß er seine Gesellen, sich in einem nahen Wald verbergen. Er selbst aber nahm das Kleid eines Bettlers an, begab sich nach dem Hof und forschte, wie er mit seiner künftigen Herrin ein Gespräch halten könnte. Dazumal war Burgund schon christlich, Franken aber noch nicht. Krothild ging nun, weil es eben Sonntag war, in die Messe, ihr Gebet zu verrichten; und Aurelian stellte sich zu den übrigen Bettlern vor die Tür hin und wartete, bis sie herauskäme. Wie also die Messe vorüber war, trat die Jungfrau aus der Kirche und gab, der Sitte nach, den Armen Almosen. Aurelian näherte sich und bettelte. Als ihm nun Krothild einen Goldgulden reichte, erfaßte er ihre bloße Hand unter dem Mantel hervor und drückte sie an seinen Mund zum Kuß. Mit jungfräulicher Schamröte übergossen, ging sie in ihre Wohnung, sandte aber bald eine ihrer Frauen, daß sie ihr den vermeintlichen Bettler zuführte. Bei seiner Ankunft frug sie: »Was fiel dir ein, Mann, daß du beim Empfangen des Almosens meine Hand vom Mantel entblößtest und küßtest?« Aurelian, mit Übergehung der Frage, sagte folgendes: »Mein Herr, der Frankenkönig, hat von deiner Herrlichkeit gehört und begehrt dich zur Gemahlin; hier ist sein Ring samt anderm Schmuck der Verlöbnis.« Wie er sich aber wandte, den Sack zu langen, den er neben die Tür gelegt hatte und aus dem er die Brautgaben nehmen wollte, war der Sack heimlich gestohlen. Auf angestellte Untersuchung wurde er dennoch wiederentdeckt und dem Gast zugestellt, der nun, der geschehenen Verlobung sicher und gewiß, die Gaben der Jungfrau zustellte. Sie aber sprach dieses: »Nicht ziemt's einer Christenfrau, einen Heidenmann zu nehmen; fügt es jedoch der Schöpfer, daß er durch mich bekehrt werde, so weigere ich mich nicht seinem Gesuch, sondern des Herrn Wille ergehe.« Die Jungfrau bat aber, alles, was sie gesagt, geheimzuhalten, und hinterlegte den Ring, den ihr Chlodowich gesandt hatte, in ihres Oheims Schatzkammer.

## 431. Die Schere und das Schwert

Als Krothild, die alte Königin, sich der verwaisten Kinder Chlodomers, ihres Sohnes, annahm und sie zärtlich liebte, sah das, mit Neid und Furcht, König Childebert, ihr andrer Sohn; und er wollte nicht, daß sie mit der Gunst seiner Mutter einmal nach dem Reich streben möchten. Also sandte er insgeheim an König Chlotar, seinen dritten Bruder: »Unsre Mutter hält die Kinder unsers Bruders bei sich und denkt ihnen das Reich zu; komm schnell nach Paris, auf daß wir überlegen, was ratsamer zu tun sei: entweder ihnen das Haupthaar zu scheren, daß sie für gemeines Volk angesehn werden, oder sie zu töten und unsers Bruders hinterlassenes Reich unter uns zu teilen.« Chlotar freute sich der Botschaft, ging in die Stadt Paris und ratschlagte. Darauf beschickten sie vereint ihre Mutter und ließen ihr sagen: »Sende uns die beiden Kleinen, damit sie eingesetzt werden in ihre Würde.« Denn es hatte auch Childebert öffentlich geprahlt, als wenn er mit Chlotar darum zusammenkomme, um die Knaben im Reich zu bestätigen. Krothild, erfreut und nichts Arges ahnend, gab den Kindern zu essen und zu trinken und sprach: »Den Tod meines Sohnes will ich verschmerzen, wenn ich euch an seine Stelle erhoben sehen werde.« Die Knaben gingen also hin, wurden sogleich ergriffen, von ihren Spieldienern und Erziehern abgesondert und gefangengehalten.

Darauf sandten Childebert und Chlotar einen Boten zur alten Königin mit einer Schere und mit einem entblößten Schwert. Der Bote kam und zeigte ihr beiderlei mit den Worten: »Durchlauchtigste Königin! Deine Söhne, meine Herren, verlangen deine Meinung zu wissen, was mit den beiden Kindern zu tun sei, ob sie mit abgeschnittenen Haaren leben, oder vom Leben zum Tod zu bringen seien.« Da erschrak die unglückliche Großmutter und zürnte, und das bloße Schwert und die Schere ansehend: »Lieber will ich«, sprach sie, »wenn ihnen ihr Reich doch nicht werden soll, sie tot sehen als geschoren.« – Bald darauf wurden die Knaben tötet.

## 432. Sage von Attalus, dem Pferdeknecht, und Leo, dem Küchenjungen

Zur Zeit, als Theoderich und Childebert, die Frankenkönige, in Hader und Zwietracht lebten, und viele edle Söhne zu Geiseln gegeben oder in Knechtschaft gebracht wurden, trug sich auch folgende Begebenheit zu:

Attalus, von guter Abkunft und ein naher Verwandter des heiligen Gregor, geriet in die Dienstschaft eines Franken im trierischen Gebiet und wurde zum Pferdewärter bestellt. Der Bischof Gregor, um sein Schicksal besorgt, sandte Boten aus, die ihn aufsuchen sollten, endlich auch fanden und seinem Herrn Gaben anboten, um Attalus freizukaufen. Der Mann verwarf sie aber und sprach: »Einer von solcher Geburt muß losgekauft werden mit zehn Pfund Gold.« Also kamen die Abgesandten unverrichteter Dinge wieder heim zu Gregor; aber Leo, einer seiner Küchendiener, sprach: »Sofern Ihr mir erlauben wollt, ihn aufzusuchen, könnte ich ihn vielleicht aus der Gefangenschaft befreien.« Der Bischof war froh und gestattete es ihm; da kam auch Leo an jenen Ort und suchte den Knaben heimlich fortzuschaffen, allein er konnte nicht. Darauf verabredete er sich mit einem andern Mann und sprach: »Komm mit mir dahin und verkaufe mich in dem Haus des Franken; der Preis, den du empfängst, soll dein Gewinn sein.« Der Mann tat's und schlug ihn um zwölf Goldgulden los; der Käufer aber fragte den Knecht, welchen Dienst er verstünde. »In Zubereitung aller Dinge, die auf der Herren Tische gegessen werden, bin ich gar geschickt und befürchte nicht, daß einer mich darin übertreffe; denn selbst königliche Gerichte kann ich bereiten, wenn du dem König ein Gastmahl geben wolltest!« Jener antwortete: »Nächsten Sonntag werden meine Nachbarn und Freunde zu mir eingeladen werden; da sollst du ein Mahl zurichten, daß alle sagen, in des Königs Haus hätten sie Besseres nicht gefunden.« Leo sagte: »Mein Herr, lasse mir nur eine Menge junger Hähne bringen, so will ich dein Gebot schon erfüllen.« Als nun das geschehen war, stellte er auf den Sonntag ein solches und dermaßen köstliches Essen zu, daß alle Gäste nicht genug loben konnten. Die Freunde des Herrn kehrten nach Hause zurück, der Herr aber schenkte dem Küchenknecht seine Gunst und gab ihm Gewalt und Aufsicht über alle seine Vorräte. So verlief ein Jahr, und der Herr liebte ihn immer mehr und setzte alles Vertrauen auf ihn. Einmal ging nun Leo auf die Wiese nahe beim Haus, wo Attalus der Pferde wartete, und fing an mit ihm zu reden; und sie legten sich weit voneinander auf die Erde, mit sich zugedrehten Rücken, damit niemand mutmaßen möchte, daß sie zusammen sprächen. »Zeit ist es«, sagte Leo, »daß wir an unser Vaterland denken; ich mahne dich, wenn du heute nacht die Pferde in den Stall gebracht hast, so laß dich nicht vom Schlaf überwältigen, sondern sei munter, wenn ich dich rufe, daß wir uns alsbald fortmachen können.« Der Franke hatte aber wieder viele Verwandte und Freunde zu Gast geladen, unter andern den Schwiegersohn, der mit seiner Tochter verheiratet war. Als sie nun um Mitternacht aufstiegen und schlafen gehen wollten, reichte Leo seines Herrn Schwiegersohn einen Becher zu trinken. Der scherzte und sprach: »Wie, Leo? Möchtest du wohl mit deines Herrn Pferden durchgehen und wieder in deine Heimat?« Er antwortete gleichsam scherzweise die Wahrheit und sagte: »Ja, heute nacht, wenn's Gottes Wille ist.« – »Wenn mich nur«, erwiderte der Schwiegersohn, »meine Leute gut bewachen, daß du mir nichts von meinen Sachen mit entführst.« So im Lachen schieden sie voneinander. Wie aber alle eingeschlafen waren, rief Leo den Attalus aus dem Bett. »Hast du ein Schwert?« – »Nein, bloß einen kurzen Spieß.« – Da ging Leo in seines Herrn Gemach und nahm Schild und Lanze. Der Herr aber fragte halbwach: »Wer bist du und was willst du?« – »Leo bin ich, dein Diener; und ich wecke den Attalus, daß er früh aufstehe und die Pferde zur Weide führe. Denn er verschläft sich und ist noch trunken.« Der Herr sprach: »Tu, wie du meinst.« Und nach diesen Worten schlief er von neuem ein. Leo aber ging zur Tür hinaus, wappnete den Jüngling; und die

Stalltür, die er noch abends zur Sicherung der Pferde mit Hammerschlägen vernagelt hatte, stand jetzt offen, gleichsam durch göttliche Vorsehung. Da dankte er Gott seines Beistandes, und sie nahmen die Pferde mit aus dem Stall und entwichen; auch einen Falken nahmen sie nebst den Decken. Beim Übergang der Mosel wurden sie aufgehalten und mußten Pferde und Decken im Stich lassen; und auf ihre Schilde gelegt, schwammen sie den Strom hinüber. Als die Nacht kam und es dunkel wurde, gingen sie in einen Wald und verbargen sich. Und schon war die dritte Nacht gekommen, und noch keinen Bissen Speise hatten sie in ihren Mund gebracht und wanderten in einem fort. Da fanden sie auf Gottes Wink einen Baum voll Obst, dem, das man *Zwetschen* zu nennen pflegt, und erlabten sich daran. Darauf langten sie in Campanien (*Champagne*) an; bald hörten sie hinter sich Roßtritte und sprachen: »Es kommen Männer geritten, werfen wir uns zur Erde, daß sie uns nicht erspähen!« Und siehe, ein großer Dornstrauch stand daneben; dahinter traten sie, warfen sich nieder zu Boden mit aus der Scheide gezogenen Schwertern, damit, wenn sie entdeckt würden, sie sich alsbald wehren könnten. Die Reiter aber, als sie zu der Stelle gelangt waren, hielten gerade vor dem Dornstrauch still; ihre Pferde ließen den Harn, und einer unter ihnen sprach: »Übel geht es mir mit diesen beiden Flüchtlingen, daß wir sie nimmer finden können; das weiß ich aber, so wahr ich lebe, würden sie ertappt, so ließ ich den einen an den Galgen hängen, den andern in tausend Stükke zerhauen mit Schwertschlägen.« Der die Worte sprach, war ihr Herr, der Franke, welcher aus Reims herkam, sie zu suchen, und sie unfehlbar gefunden hätte, wenn nicht die Nacht dazwischengekommen wäre. Nach diesem ritten die Männer wieder weiter, jene aber erreichten noch selbe Nacht glücklich die Stadt, gingen hinein und suchten einen Bürger auf, den sie fragten, wo Paullulus, des Priesters, Haus wäre. Der Bürger zeigte ihnen das Haus. Als sie aber durch die Gasse gingen, läutete das Zeichen zur Frühmesse; denn es war Sonntag. Sie aber klopften an des Priesters Türe, und sie ward aufgetan. Der Knabe fing an zu erzählen von seinem Herrn. Da sprach der Priester: »So wird wahr mein Traum! Denn es träumte mir heute von zwei Tauben, die flogen her und setzten sich auf meine Hand. Und eine von ihnen war weiß, die andere schwarz.« Die Knaben sagten dem Priester: »Weil ein heiliger Tag heute ist, bitten wir, daß du uns etwas Speise gibst; denn heute leuchtet der vierte Tag, daß wir kein Brot noch Mus genossen haben.« Er barg aber die Knaben bei sich, gab ihnen Brot mit Wein begossen und ging in seine Messe. Der Franke war auch an diesen Ort gegangen und hatte die Knaben gesucht; als ihm aber der Priester eine Täuschung vorgesagt, kehrte er zurück. Denn der Priester stand in alter Freundschaft mit dem heiligen Gregor. Als sich nun die Knaben mit Speisen zu neuen Kräften gestärkt hatten und zwei Tage in diesem Haus geblieben waren, schieden sie und kamen glücklich bei Bischof Gregorius an, der sich über ihren Anblick freute und an dem Hals seines Neffen (Enkels) Attalus weinte. Den Leo aber mit all seinem Geschlechte machte er frei von der Knechtschaft und gab ihm ein eigenes Land, wo er mit Frau und Kindern als ein Freier das Leben beschloß.

### 433. Der schlafende König

Der fränkische König Guntram war eines gar guten, friedliebenden Herzens. Einmal war er auf die Jagd gegangen, und seine Diener hatten sich hierhin und dahin zerstreut; bloß ein einziger, sein liebster und getreuster, blieb noch bei ihm. Da befiel den König große Müdigkeit; er setzte sich unter einen Baum, neigte das Haupt in des Freundes Schoß und schloß die Augenlider zum Schlummer. Als er nun eingeschlafen war, schlich aus Guntrams Mund ein Tierlein hervor in schlangenweise, lief fort bis zu einem nahe fließenden Bach, an dessen Rand stand es still und wollte gern hinüber. Das hatte alles des Königs Geselle, in dessen Schoß er ruhte, mit angesehen, zog sein Schwert aus der Scheide und legte es über den Bach hin. Auf dem Schwert schritt nun das Tierlein hinüber und ging hin zum Loch eines

Berges, da hinein schloff es. Nach einigen Stunden kehrte es zurück und lief über die nämliche Schwertbrücke wieder in den Mund des Königs. Der König erwachte und sagte zu seinem Gesellen: »Ich muß dir meinen Traum erzählen und das wunderbare Gesicht, das ich gehabt. Ich erblickte einen großen, großen Fluß, darüber war eine eiserne Brücke gebaut; auf der Brücke gelangte ich hinüber und ging in die Höhle eines hohen Berges; in der Höhle lag ein unsäglicher Schatz und Hort der alten Vorfahren.« Da erzählte ihm der Geselle alles, was er unter der Zeit des Schlafes gesehen hatte und wie der Traum mit der wirklichen Erscheinung übereinstimmte. Darauf ward an jenem Ort nachgegraben und in dem Berg eine große Menge Gold und Silber gefunden, das vorzeiten dahin verborgen war.

### 434. Der kommende Wald und die klingenden Schellen

Als Childebert mit großer Heeresmacht in Guntrams und Fredegundens Reich einbrach, ermahnte die Königin ihre Franken zu tapferem Streit und ließ Guntrams hinterlassenes Söhnlein in der Wiege voraustragen; dem Säugling an der Mutterbrust folgten die bewaffneten Scharen. Fredegund ersann eine List. In finsterer Mitternacht, angeführt von Landerich, des jungen Chlotars Vormund, erhob sich das Heer und zog in einen Wald. Landerich griff ein Beil und hieb sich einen Baumast; darauf nahm er Schellen und hing sie an des Pferdes Hals, auf dem er ritt. Dasselbe zu tun, ermahnte er alle seine Krieger; jeder mit Baumzweigen in der Hand und klingenden Schellen auf ihren Pferden, rückten sie in früher Morgenstunde dem feindlichen Lager näher. Die Königin, den jungen Chlotar in den Armen haltend, ging voraus, damit Erbarmen über das Kind die Krieger entzünden möchte, welches gefangengenommen werden mußte, wenn sie unterlägen. Als nun einer der feindlichen Wächter in der Dämmerung ausschaute, rief er seinem Gesellen: »Was ist das für ein Wald, den ich dort stehen sehe, wo gestern abend nicht einmal kleines Gebüsch war?« – »Du bist noch weintrunken und hast alles vergessen«, sprach der andere Wächter; »unsere Leute haben im nahen Wald Futter und Weide für ihre Pferde gefunden. Hörst du nicht, wie die Schellen klingen am Halse der weidenden Rosse?« (Denn es war von alten Zeiten her Sitte der Franken, und zumal der östlichen, daß sie ihren grasenden Pferden Schellen anhingen, damit, wenn sie sich verirrten, das Läuten sie wiederfinden ließe.) Währenddessen die Wächter solche Reden untereinander führten, ließen die Franken die Laubzweige fallen, und der Wald stand da leer an Blättern, aber dicht von den Stämmen schimmernder Spieße. Da überfiel Verwirrung die Feinde und jäher Schrecken; aus dem Schlaf erweckt wurden sie zur blutigen Schlacht, und die nicht entrinnen konnten, fielen erschlagen; kaum mochten sich die Heerführer auf schnellen Rossen vor dem Tode zu retten.

### 435. Chlotars Sieg über die Sachsen

Chlotar hatte seinen Sohn Dagobert über die austrasischen Franken zum König gesetzt. Dieser brach mit Heereskraft über den Rhein auf, um die sich empörenden Sachsen zu züchtigen. Der sächsische Herzog Bertoald lieferte ihm aber eine schwere Schlacht; Dagobert empfing einen Schwertstreich in sein Haupt und sandte die mit dem Stück vom Helm zugleich abgeschnittenen Haare alsbald seinem Vater, zum Zeichen, daß er ihm schleunigst zu Hilfe eile, ehe ihm das übrige Heer zerrinne. Chlotar bekam die Botschaft, wie er gerade auf der Jagd war; bestürzt machte er sich sogleich mit dem geringen Gefolge, das ihn begleitete, auf den weiten Weg, reiste Tag und Nacht und langte endlich an der Weser an, wo der Franken Lager stand. Frühmorgens erhuben die Franken ein Freudengeschrei über ihres Königs Ankunft; Bertoald am andern Ufer hörte den Jubel und fragte, was er bedeute. »Die Franken feiern Chlotars Ankunft«, antwortete man ihm. »Das ist ein falscher Wahn«, versetzte Bertoald, »denn ich habe gewisse Kundschaft, daß er nicht mehr am Leben sei.« Da stand Chlotar am Ufer, sprach keinen Laut, sondern hob schnell seinen Helm vom Haupt, daß das schöne, mit weißen Locken gemischte Haupthaar herunterwallte. An diesem königlichen Schmuck erkannten ihn gleich die Feinde; Bertoald rief. »Bist du also da, du stummes Tier!« Glühend vor Zorn setzte der König den Helm aufs Haupt und spornte sein Roß durch den Fluß, daß er sich an den Feinden räche; alle Franken sprengten ihm nach; Chlotars Waffen waren schwer, und beim Durchschwimmen hatte ihm Wasser den Brustharnisch und die Schuhe gefüllt; dennoch folgte er dem fliehenden Sachsenherzog unermüdlich nach. Bertoald rief zurück: ein so berühmter König und Herr solle doch seinen Knecht nicht ungerecht verfolgen. Chlotar aber wußte wohl, daß er aus Hinterlist so redete, kümmerte sich nicht um die Worte, sondern holte ihn mit seinem schnellen Rosse ein und brachte ihn um. Dann schlug er ihm das Haupt ab und trug es den nachkommenden Franken entgegen. Da verwandelte sich ihre Trauer in Freude; sie überzogen ganz Sachsenland, und der König Chlotar hieß alle Einwohner männlichen Geschlechts, die länger waren als das Schlachtschwert, das er damals gerade trug, hinrichten, auf daß die jüngeren und kleineren durch das lebendige Andenken hieran abgeschreckt würden. Und so verfuhr Chlotar.

### 436. Das Grab der Heiligen

Dagobert, als er noch Jüngling war, ritt eines Tages auf die Jagd und verfolgte einen Hirsch, der ihm durch Berg und Tal entrann.

Endlich floh das Tier in ein Häuslein, worin die Gebeine des heiligen Dionysius und seiner Gefährten begraben lagen; die Hunde fanden die Spur, aber sie vermochten, ungeachtet die Türen des Hauses offenstanden, nicht hineinzudringen, sondern standen außen und bollen. Dagobert kam dazu und betrachtete staunend das Wunder. Von der Zeit an wandte sich Dagobert zu den Heiligen. Es geschah aber, daß Dagobert, durch den Stolz eines Herzogs Sadregisel beleidigt, ihn mit Schlägen und Bartscherung beschimpfen ließ. Dieser verwegenen Tat halber flüchtete Dagobert in den Wald und barg sich in demselben Schlupfwinkel, wohin damals der Hirsch geflohen war vor dem Zorn seines Vaters. Der König Chlotar, sobald er die Beschimpfung des Dieners hörte, befahl, seinen Sohn augenblicklich aufzusuchen und zu bestrafen. Während dies geschah, hatte sich Dagobert vor den heiligen Leichnamen demütigen Herzens niedergeworfen und versank in Schlaf. Da erschien ihm ein ehrwürdiger Greis mit freundlichem Antlitz und hieß ihn ohne Furcht sein: wenn er verheiße, die Heiligen in steter Ehre zu halten, solle er nicht allein aus dieser, sondern auch der ewigen Not gezogen und mit dem Königsthron begabt werden. Die Boten, die ihn aus dem heiligen Haus abführen sollten, konnten sich ihm nicht auf eine Stunde weit nähern. Betroffen kehrten sie heim und hinterbrachten das. Der König schalt sie und sandte andere aus, aber diese erfuhren das nämliche. Da machte sich Chlotar selbst auf, und siehe, auch ihn verließ seine Stärke, als er sich dem heiligen Ort nähern wollte; nunmehr erkannte er Gottes Macht, verzieh seinem Sohn und söhnte sich mit ihm aus. Dieser Ort war dem Dagobert lieb und angenehm vor allen andern.

### 437. Sankt Arbogast

St. Arbogast, Bischof zu Straßburg, kam in große Huld und Heimlichkeit mit Dagobert, König zu Frankreich; und nichts gehrte der König lieber, als oft mit ihm zu sprechen und seinen weisen Rat zu haben. Einmal geschah, daß des Königs Jäger und Siegebert, sein Sohn, in den Büschen und Wäldern jagten an der Ill, wo nachher Ebersheim, das Münster, aufkam, und fanden einen großen Eber; dem rannten sie nach mit den Hunden, einer hin, der andre her. Und da kam's, daß Siegebert der Knabe ganz allein ritt und ungewarnt auf den Eber stieß. Das Roß scheute vor dem Wild, daß der Knabe abfiel und im Stegreif hängenblieb; da trat ihn das Pferd, daß er für tot dalag. Als ihn nun des

Königs Diener ertreten fanden, hoben sie ihn auf mit großem Leide, führten ihn heim, und er starb am andern Tag. Da wurde Dagobert geraten, zu St. Arbogast zu schicken; der kam alsbald, und nach viel Rede und Klage kniete er vor die Leiche und rief Unsre Frau an: seit sie das Leben aller Welt geboren hätte, daß sie dem Knaben sein Leben wieder erwürbe. Da ward der Knabe wieder lebend und stand auf in den Totenkleidern, die zog man ihm aus und tät ihm an königliche Kleider. Da fielen König und Königin und alles ihr Gefolge dem Heiligen zu Füßen und dankten seiner Gnaden; weder Gold noch Silber wollte er nehmen, aber nach seinem Rat gab der König an Unser Frau Münster zu Straßburg Rufach mit Äckern, Wäldern, Wonn und Weide.

Als nun nach vielen Jahren Arbogast in das Alter kam und krank wurde, sprach er zu seinen Untertanen, gleichwie unser Herr Jesus begraben worden wäre auswendig Jerusalem an der Statt, da man böse Leute verderbt, so wolle er dem Heiland nachfolgen; und wenn er verführe, sollte man ihn außerhalb Straßburg begraben bei dem Galgen an die Stätte, wo man über böse Leute richtet. Das mußten sie ihm geloben zu tun. Also ward er nach seinem Tode begraben auf St. Michelsbühel, das war der Henkebühel, und stand damals der Galgen da. Da baute man über sein Grab eine Kapelle in St. Michaels Ehren, in dieser lag er viele Jahre leibhaftig.

### 438. Dagobert und Sankt Florentius

St. Florentius fing jung an, Gott zu dienen. Und er ging aus Schottland, wo er geboren war, in pilgrimsweise mit vier Gesellen: Arbogast, Fidelis, Theodatus und Hildolf, und sie kamen zujüngst im Elsaß an die Brüsche (das Flüßchen Breusch), da, wo jetzt Haselo liegt. Sprach Florentius, er wollte dableiben. Also gingen seine Gesellen fürbaß gen Straßburg; er aber baute ein Häuselein bei der Brüsche, dalp (grub) die Bäume und Hürste aus und machte ein neues Feld; dahin säte er Korn und das

Kraut nach seiner Notdurft. Da aßen ihm die wilden Tiere das Korn und das Kraut ab. Da steckte St. Florentius vier Gerten um das Feld und gebot allen wilden Tieren, daß sie auf seinen neuen Acker nicht mehr kämen, sofern, als die Gerten gesteckt wären; und dies Ziel überschritten sie seitdem nimmer. In diesen Zeiten hatte König Dagobert eine Tochter, die war blind geboren, dazu stumm; und als er sagen hörte von Florentius' Heiligkeit, sandte er ehrbare Boten und ein Roß mit vergoldetem Gedecke, daß er zu ihm ritte. Der Heilige war aber demütig, wollte das Roß nicht und saß auf einem Esel und ritt zu dem König. Noch war er nicht ganz an der Burg, so ward des Königs Tochter sehend und redend und rief mit lauter Stimme, und das erste Wort, das sie sprach, sprach sie also: »Seht! Dort reitet Florentius her, durch dessen Gnade mich Gott sehend und redend gemacht hat.« Da erschraken der König und die Königin von Wunder und von Freuden, und alles Volk lief aus entgegen dem heiligen Mann und empfingen ihn gar ehrwürdig und fielen zu seinen Füßen um des Zeichens willen, das Gott durch ihn gewirkt hatte. Der König aber gab die Gebreite (Ebene) und Stätte, wo Florentius wohnte und nun Haselo liegt, ihm zu eigen und auch sein selbes Besitztum zu Kirchheim. Da bat der Heilige noch König Dagobert, daß er ihm sein Ländlein unterschiede (abgrenzte), daß er desto besser möchte wissen, wie weit und breit er hätte. Da sprach der König: »Was du mit deinem Eselein magst umfahren, bis ich aus dem Bade gehe und meine Kleider antue, das soll alles zu dir und deiner Wohnung gehören.« Da wußte Florentius wohl, wie lange der König hätte Gewohnheit, im Bade zu sitzen, eilte weg mit seinem Eselein und fuhr über Berg und Tal, viel mehr und weiter, denn einer möchte getan haben auf schnellem Pferde in zweimal so langer Zeit. Und fuhr wieder zum König und kam zeitig genug, wie es beredet worden war. Und nach Arbogasts Tode ward Florentius einhellig von allem Volke, Laien und Pfaffen, zum Bischof von Straßburg gewählt.

### 439. Dagoberts Seele im Schiff

Als der gute König Dagobert aus dieser Welt geschieden war, ließ es Gott der Herr geschehen, weil er sich nicht von allen Sünden gereinigt hatte, daß die Teufel seine Seele faßten, auf ein Schiff setzten und mit sich fortzuführen dachten. Aber der heilige Dionysius vergaß seines guten Freundes nicht, sondern bat unsern Herrn um die Erlaubnis, der Seele zu Hilfe zu kommen, welches ihm auch gestattet wurde. St. Dionysius nahm aber mit sich St. Mauritius und andere Freunde, die König Dagobert in seinen Lebzeiten vorzüglich geehrt und gefeiert hatte; auch folgten ihnen Engel nach und geleiteten sie bis ins Meer. Da sie nun an die Teufel kamen, huben sie an mit ihnen zu fechten, die Teufel hatten wenig Gewalt gegen den Heiligen, wurden besiegt und hier und da aus dem Schiffer ins Meer gestoßen. Die Engel nahmen darauf Dagoberts Seele in Empfang, und der Heilige nebst seinem Gefolge kehrte ins Paradies zurück.

### 440. Dagobert und seine Hunde

Noch heutzutage kennt das Volk in Frankreich zwei Sprichwörter vom König Dagobert, deren Ursprung man vergessen hat: »Wenn König Dagobert gegessen hatte, so ließ er auch seine Hunde essen«, und: »König Dagobert auf seinem Sterbebett redete seine Hunde an und sprach: ›Keine Gesellschaft ist so gut, aus der man nicht scheiden muß.‹«

### 441. Die zwei gleichen Söhne

König Pippin von Frankreich vermählte sich mit einer schönen Jungfrau, die ihm einen Sohn zur Welt brachte, aber über dessen Geburt starb. Bald darauf nahm er eine neue Gemahlin, die gebar ihm ebenfalls einen Sohn. Diese beiden Söhne sandte er in weite Länder und ließ sie auswärts erziehen; sie wurden sich aber in allen Stücken ähnlich, daß man sie kaum unterscheiden konnte. Nach einiger Zeit lag die Königin ihrem Gemahl an, daß er sie doch ihr Kind sehen ließe; er aber befahl, die beiden Söhne an den Hof zu bringen. Da war der jüngste dem ältesten, ungeachtet des einen Jahres Unterschied, in Gestalt und Größe vollkommen gleich, und einer wie der andere glich dem Vater, daß die Mutter nicht wissen konnte, welches ihr Kind darunter wäre. Da hub sie an zu weinen, weil es Pippin nicht offenbaren wollte; endlich sprach er: »Laß ab zu weinen, dieser ist dein Sohn«, und wies ihr den von der ersten Gemahlin. Die Königin freute sich und pflegte und besorgte dieses Kind auf alle Weise; während sie das andere, welches ihr rechter Sohn war, nicht im geringsten achtete.

### 442. Hildegard

Kaiser Karl war im Heereszug und hatte die schöne Hildegard, seine Gemahlin, zu Hause gelassen. Während der Zeit mutete ihr Taland, Karls Stiefbruder, an, daß sie zu seinem Willen sein möchte. Aber die tugendhafte Frau wollte lieber den Tod leiden als ihrem Herrn Treue brechen; doch verstellte sie sich und gelobte dem Bösewicht, in sein Begehren zu willigen, sobald er ihr dazu eine schöne Brautkammer würde haben bauen lassen. Alsbald baute Taland ein kostbares Frauengemach, ließ es mit drei Türen verwahren und bat die Königin, hineinzukommen und ihn zu besuchen. Hildegard tat, als ob sie ihm nachfolgte, und bat ihn vorauszugehen; als er fröhlich durch die dritte Türe gesprungen war, warf sie schnell zu und legte einen schweren Riegel vor. In diesem Gefängnis blieb Taland eine Zeitlang eingeschlossen, bis Karl siegreich aus Sachsen heimkehrte; da ließ sie ihn aus Mitleid und auf vielfältiges erheucheltes Flehen und Bitten los und dachte, er wäre genug gestraft. Karl aber, als er ihn zuerst erblickte, fragte, warum er so bleich und mager aussähe. »Daran ist Eure gottlose, unzüchtige Hausfrau schuld«, antwortete Taland; die habe bald gemerkt, wie er sie sorgsam gehütet, daß sie keine Sünde begehen dürfen, und darum einen neuen Turm gebaut und ihn darin gefangengehalten. Der König betrübte sich heftig über diese Nachricht und befahl im Zorn seinen Dienern, Hildegard zu ertränken. Sie floh und barg sich heimlich bei einer ihrer Freundinnen; aber sobald der König ihren Aufenthalt erfuhr, verordnete er aufs neue, sie in einen Wald zu führen, da zu blenden und so, beider Augen beraubt, Landes zu verweisen. Was geschah? Als sie die Diener ausführten, begegnete ihnen ein Edelmann des Geschlechts von Freudenberg, den hatte gerade Gräfin Adelgund, ihre Schwester, mit einer Botschaft zu Hildegard abgesandt. Als dieser die Gefahr und Not der Königin sah, entriß er sie den Henkersknechten und gab ihnen seinen mitlaufenden Hund. Dem Hunde stachen sie die Augen aus und hinterbrachten sie dem König zum Zeichen, daß sein Befehl geschehen wäre. Hildegard aber, als sie mit Gottes Hilfe gerettet war, zog in Begleitung einer Edelfrau, namens Rosina von Bodmer, nach Rom und übte die Heilkunst, die sie ihr Lebtag gelernt und getrieben hatte, so glücklich aus, daß sie bald in großen Ruhm kam. Mittlerweile strafte Gott den gottlosen Taland mit Blindheit und Aussatz. Niemand vermochte ihn zu heilen, und endlich hörte er, zu Rom lebe eine berühmte Heilfrau, die diesem Siechtum abhelfen könne. Als Karl nun nach Rom zog, war Taland auch im Gefolge, erkundigte der Frauen Wohnung, nannte ihr seinen Namen und begehrte Arznei und Hilfe für seine Krankheit; er wußte aber nicht, daß sie die Königin war. Hildegard gab ihm auf, daß er seine Sünden dem Priester beichten und Buße und Besserung geloben müsse; dann wollte sie ihre Kunst erweisen. Taland tat es und beichtete; darauf kam er wieder zur Frau hin, die ihn frisch und gesund machte. Über diese Heilung wunderten sich Papst und König aus der Maßen und wünschten die Ärztin zu sehen und besandten sie. Allein sie erbot sich, daß sie tags darauf in das Münster St. Petri gehen wollte. Da kam sie hin und berichtete dem König, ihrem Herrn, alsbald die ganze Geschichte, wie man sie verraten hatte. Karl erkannte sie mit Freuden und nahm sie wieder zu seiner Gemahlin; aber seinen Stiefbruder verurteilte er zum

Tode. Doch bat die Königin sich sein Leben aus, und er wurde bloß in das Elend verwiesen.

### 443. Der Hahnenkampf

Zu einer Zeit kam Karl der Große auf sein Schloß bei Kempten zu seiner Gemahlin Hildegard. Als sie nun eines Tages über Tische saßen und mancherlei von der Vorfahren Regierung redeten, während ihre Söhne Pippin, Karl und Ludwig daneben standen, hub Pippin an und sprach: »Mutter, wenn einmal der Vater im Himmel ist, werde ich dann König?« Karl aber wandte sich zum Vater und sagte: »Nicht Pippin, sondern ich folge dir nach im Reich.« Ludwig aber, der jüngste, bat beide Eltern, daß sie ihn doch möchten lassen König werden. Als die Kinder so stritten, sprach die Königin: »Euren Zwist wollen wir bald ausmachen; geht hinab ins Dorf und laßt euch jeder sich einen Hahn von den Bauern geben.« Die Knaben stiegen die Burg hinab mit ihrem Lehrmeister und den übrigen Schülern und holten die Hähne. Hierauf sagte Hildegard: »Nun laßt die Hähne aufeinander los! Wessen Hahn im Kampfe siegt, der soll König werden.« Die Vögel stritten, und Ludwigs Hahn überwand die beiden andern. Dieser Ludwig erlangte auch wirklich nach seines Vaters Tod die Herrschaft.

### 444. Karls Heimkehr aus Ungerland

König Karl, als er nach Ungarn und in die Walachei fahren wollte, die Heiden zu bekehren, gelobte er seiner Frauen, in zehn Jahren heimzukehren; wäre er nach Verlauf derselben ausgeblieben, so solle sie seinen Tod für gewiß halten. Würde er ihr aber durch einen Boten sein goldenes Fingerlein zusenden, dann möge sie auf alles vertrauen, was er ihr durch denselben entbieten lasse. Nun geschah es, daß der König schon über neun Jahre ausgewesen war, da hob sich zu Aachen an dem Rhein Raub und Brand über alle Länder. Da gingen die Herren zu der Königin und baten, daß sie sich einen andern Gemahl auswählte, der das Reich behüten könnte. Die Frau antwortete: »Wie möchte ich so wider König Karl sündigen und meine Treue brechen! So hat er mir auch das Wahrzeichen nicht gesandt, das er mir kundtät, als er von hinnen schied.« Die Herren aber redeten ihr so lange zu, weil das Land in dem Krieg zugrunde gehen müsse, daß sie ihrem Willen endlich zu folgen versprach. Darauf wurde eine große Hochzeit angestellt, und sie sollte über den dritten Tag mit einem reichen König vermählt werden.

Gott der Herr aber, welcher dies hindern wollte, sandte einen Engel als Boten nach Ungerland, wo der König lag und schon manchen Tag gelegen hatte. Als König Karl die Kundschaft vernommen, sprach er: »Wie soll ich in drei Tagen heimkehren, einen Weg, der hundert Raste lang ist und fünfzehn Raste dazu, bis ich in mein Land komme?« Der Engel versetzte: »Weißt du nicht, Gott kann tun, was er will, denn er hat viel Gewalt. Geh zu deinem Schreiber, der hat ein gutes, starkes Pferd, das du ihm abgewinnen mußt; das soll dich in einem Tag tragen über Moos und Heide bis in die Stadt zu Raab, das sei deine erste Tagweide. Den andern Morgen sollst du früh ausreiten, die Donau hinauf bis gen Passau; das sei deine andere Tagweide. Zu Passau sollst du dein Pferd lassen; der Wirt, bei dem du einkehrst, hat ein schönes Fohlen; das kauf ihm ab, es wird dich den dritten Tag bis in dein Land tragen.«

Der Kaiser tat, wie ihm geboten war, handelte dem Schreiber das Pferd ab und ritt an einem Tag aus der Bulgarei bis nach Raab, ruhte über Nacht und kam den zweiten Tag bei Sonnenschein nach Passau, wo ihm der Wirt gutes Gemach schuf. Abends, als die Viehherde einging, sah er das Fohlen, griff's bei der Mähne und sprach: »Herr Wirt, gebt mir das Roß, ich will es morgen über Feld reiten.« – »Nein«, sagte dieser; »das Fohlen ist noch zu jung, Ihr seid ihm zu schwer, als daß es Euch tragen könnte.« Der König bat ihn von neuem; der Wirt sagte: »Ja, wenn es gezäumt oder geritten wäre«. Der König bat ihn zum drittenmal, und da der Wirt sah, daß es Karl so lieb wäre, so wollte er das Roß ablassen; und der König verkaufte ihm dagegen sein Pferd, das er die zwei Tage geritten hatte und von dem es ein Wunder war, daß es ihm nicht erlag.

Also machte sich der König des dritten Tages auf und ritt schnell und unaufhaltsam bis gen Aachen vor das Burgtor, da kehrte er bei einem Wirt ein. Überall in der ganzen Stadt hörte er großen Schall von Singen und Tanzen. Da fragte er, was das wäre. Der Wirt sprach: »Eine große Hochzeit soll heute ergehen, denn meine Herrin wird einem reichen König vermählt; da wird große Kost gemacht und Jungen und Alten, Armen und Reichen Brot und Wein gereicht und ungemessen Futter vor die Rosse getragen.« Der König sprach: »Hier will ich mein Gemach haben und mich wenig um die Speise bekümmern, die sie in der Stadt austeilen; kauft mir für meine Guldenpfennige, was ich bedarf, schafft mir viel und genug.« Als der Wirt das Gold sah, sagte er bei sich selbst: Das ist ein rechter Edelmann, desgleichen meine Augen nie erblickten! Nachdem die Speise köstlich und reichlich zugerichtet und Karl zu Tisch gesessen war, forderte er einen Wächter vom Wirt, der sein des Nachts über pflege, und legte sich zu Bette. In dem Bette aber liegend, rief er den Wächter und mahnte ihn teuer: »Wenn man den Singos im Dom läuten wird, sollst du mich wecken, daß ich das Läuten höre; dies gülden Fingerlein will ich dir zu Miete geben.« Als nun der Wächter die Glocke vernahm, trat er ans Bett vor den schlafenden König: »Wohlan, Herr, gebt mir meine Miete, eben läuten sie den Singos im Dom.« Schnell stand er auf, legte ein reiches Gewand an und bat den Wirt, ihn zu geleiten. Dann nahm er ihn bei der Hand und ging mit ihm vor das Burgtor, aber es lagen starke Riegel davor. »Herr«, sprach der Wirt, »Ihr müßt unten durchschliefen, aber dann wird Euer Gewand kotig werden.« – »Daraus mach ich mir wenig, und würde es ganz zerrissen.« Nun schloffen sie dem Tor hinein; der König, voll weisen Sinnes, hieß den Wirt um den Dom gehen, während er selber in den Dom ging. Nun war das Recht in Franken: Wer auf dem Stuhl im Dom saß, der mußte König sein. Das deuchte ihm gut; er setzte sich auf den Stuhl,

zog sein Schwert und legte es bar über seine Knie. Da trat der Mesner in den Dom und wollte die Bücher vortragen; als er aber den König sitzen sah mit barem Schwert und stillschweigend, begann er zu zagen und verkündete eilends dem Priester: »Da ich zum Altar ging, sah ich einen greisen Mann mit bloßem Schwert über die Knie auf dem gesegneten Stuhl sitzen.« Die Domherren wollten dem Mesner nicht glauben; einer von ihnen griff ein Licht und ging unverzagt zu dem Stuhl. Als er die Wahrheit sah, wie der greise Mann auf dem Stuhl saß, warf er das Licht aus der Hand und floh erschrocken zum Bischof. Der Bischof ließ sich zwei Kerzen von Knechten tragen, die mußten ihm zu dem Dom leuchten; da sah er den Mann auf dem Stuhl sitzen und sprach furchtsam: »Ihr sollt mir sagen, was Mannes Ihr seid, geheuer oder ungeheuer, und wer Euch ein Leids getan, daß Ihr an dieser Stätte sitzt?« Da hob der König an: »Ich war Euch wohlbekannt, als ich König Karl hieß, an Gewalt war keiner über mich!« Mit diesen Worten trat er dem Bischof näher, daß er ihn recht ansehen konnte. Da rief der Bischof: »Willkommen, liebster Herr! Eurer Kunft will ich froh sein«, umfing ihn mit seinen Armen und leitete ihn in sein reiches Haus. Da wurden alle Glocken geläutet, und die Hochzeitsgäste frugen, was der Schall bedeute. Als sie aber hörten, daß König Karl zurückgekehrt wäre, stoben sie auseinander, und jeder suchte sein Heil in der Flucht. Doch der Bischof bat, daß ihnen der König Friede gäbe und der Königin wieder hold würde, es sei ohne ihre Schuld geschehen. Den gewährte Karl der Bitte und gab der Königin seine Huld.

### 445. Der Hirsch zu Magdeburg

In Magdeburg, gegen dem Roland, stand vor diesem auf einer steinernen Säule ein Hirsch mit goldenem Halsband, den Kaiser Karl gefangen haben soll. Andere sagen, er habe ihn wieder laufen lassen und ihm ein goldenes Halsband umgehängt, worauf ein Kreuz mit den Worten:

> *»Lieber Jäger, laß mich leben,*
> *ich will dir mein Halsband geben.«*

Und dieser Hirsch ist dann zu Zeiten Friedrich Rotbarts allererst wiedergefangen worden.

## 446. Der lombardische Spielmann

Als Karl vorhatte, den König Desiderius mit Krieg zu überziehen, kam ein lombardischer Spielmann zu den Franken und sang ein Lied folgenden Inhalts: »Welchen Lohn wird der empfangen, der Karl in das Land Italien führt? Auf Wegen, wo kein Spieß gegen ihn aufgehoben, kein Schild zurückgestoßen und keiner seiner Leute verletzt werden soll?« Als das Karl zu Ohren kam, berief er den Mann zu sich und versprach ihm, alles, was er fordern würde, nach erlangtem Sieg zu gewähren.

Das Heer wurde zusammenberufen, und der Spielmann mußte vorausgehen. Er wich aber aus allen Straßen und Wegen und leitete den König über den Rand eines Berges, wo es bis auf den heutigen Tag noch heißt: der Frankenweg. Wie sie von diesem Berg niederstiegen in die gavenische Ebene, sammelten sie sich schnell und fielen den Langobarden unerwarteterweise in den Rücken; Desiderius floh nach Pavia, und die Franken überströmten das ganze Land. Der Spielmann aber kam vor den König Karl und ermahnte ihn seines Versprechens. Der König sprach: »Fordere, was du willst!« Darauf antwortete er: »Ich will auf einen dieser Berge steigen und stark in mein Horn blasen; soweit der Schall gehört werden mag, das Land verleihe mir zum Lohn meiner Verdienste mit Männern und Weibern, die darin sind.« Karl sprach: »Es geschehe, wie du gesagt hast.« Der Spielmann neigte sich, stieg sogleich auf den Berg und blies; stieg sodann herab, ging durch Dörfer und Felder, und wen er fand, fragte er: »Hast du Horn blasen hören?« Und wer nun antwortete: »Ja, ich hab's gehört«, dem versetzte er eine Maulschelle mit den Worten: »Du bist mein Eigen.«

So verlieh ihm Karl das Land, soweit man sein Blasen hatte hören können; der Spielmann, solange er lebte, und seine Nachkommen besaßen es ruhig, und bis auf den heutigen Tag heißen die Einwohner dieses Landes die Zusammengeblasenen (*transcornati*).

## 447. Der eiserne Karl

Zur Zeit, als König Karl den Lombardenkönig Desiderius befeindete, lebte an des letzteren Hof Ogger (Odger, Autchar), ein edler Franke, der vor Karls Ungnade das Land hatte räumen müssen. Wie nun die Nachricht erscholl, Karl rücke mit Heeresmacht heran, standen Desiderius und Ogger auf einem hohen Turm, von dessen Gipfel man weit und breit in das Reich schauen konnte. Das Gepäck rückte in Haufen an. »Ist Karl unter diesem großen Heer?« frug König Desiderius. »Noch nicht!« versetzte Ogger. Nun kam der Landsturm des ganzen fränkischen Reichs. »Hierunter befindet sich Karl aber gewiß«, sagte Desiderius bestimmt. Ogger antwortete: »Noch nicht, noch nicht.« Da tobte der König und sagte: »Was sollen wir anfangen, wenn noch mehrere mit ihm kommen?« – »Wie er kommen wird«, antwortete jener, »sollst du gewahr werden; was mit uns geschehe, weiß ich nicht.« Unter diesen Reden zeigte sich ein neuer Troß. Erstaunt sagte Desiderius: »Darunter ist doch Karl?« – »Immer noch nicht«, sprach Ogger. Nächstdem erblickte man Bischöfe, Äbte, Kapellane mit ihrer Geistlichkeit. Außer sich stöhnte Desiderius: »O laß uns niedersteigen und uns verbergen in der Erde vor dem Angesichte dieses grausamen Feindes.« Da erinnerte sich Ogger der herrlichen, unvergleichlichen Macht des Königs Karl aus besseren Zeiten her und brach in die Worte aus: »Wenn du die Saat auf den Feldern wirst starren sehen, den eisernen Po und Tissino mit dunklen, eisenschwarzen Meereswellen die Stadtmauern überschwemmen, dann gewarte, daß Karl kommt.« Kaum war dies ausgeredet, als sich im Westen wie eine finstere Wolke zeigte, die den hellen Tag beschattete. Dann sah man den eisernen Karl in einem Eisenhelm, in eisernen Schienen, eisernem Panzer um die breite Brust, eine Eisenstange in der Linken hoch aufreckend. In der Rechten hielt er den Stahl, der Schild war ganz aus Eisen, und auch sein Roß schien eisern an Mut und Farbe. Alle, die ihm vorausgingen, zur Seite waren und ihm nachfolgten, ja, das ganze Heer schien auf gleiche Weise ausgerüstet. Einen schnellen Blick darauf werfend, rief Ogger: »Hier hast du den, nach dem du soviel frugst«, und stürzte halb entseelt zu Boden.

### 448. Karl belagerte Pavia

Desiderius floh mit Adelgis, seinem Sohn, und einer Tochter in die Mauern von Pavia, worin ihn Karl lange belagerte. Desiderius war gut und demütig; stets soll er, der Sage nach, um Mitternacht aufgestanden und in die Kirchen zum Gebet gegangen sein; die Tore der Kirchen öffneten sich ihm von selbst vor seinem bloßen Anblick. Während jener Belagerung schrieb nun die Königstochter einen Brief an König Karl und schoß ihn auf einer Armbrust über den Fluß Tessino; in dem Brief stand, wenn sie der König zum Ehegemahl nehmen wolle, werde sie ihm die Stadt und den Schatz ihres Vaters überliefern. Karl antwortete ihr so, daß die Liebe der Jungfrau nur noch stärker entzündet wurde. Sie stahl unter dem Haupt ihres schlafenden Vaters die Schlüssel der Stadt und meldete dem Frankenkönig, daß er sich diese Nacht bereite, in die Stadt zu rücken. Als sich das Heer den Toren nahte und einzog, sprang ihm die Jungfrau fröhlich entgegen, geriet aber im Gedränge unter die Hufe der Rosse und wurde, weil es finstre Nacht war, von diesen zertreten. Über dem Gewieher der Rosse erwachte Adelgis, zog sein Schwert und tötete viele Franken. Aber sein Vater verbot ihm, sich zu wehren, weil es Gottes Wille sei, die Stadt dem Feinde zu geben. Adelgis entfloh hierauf, und Karl nahm die Stadt und die königliche Burg in seinen Besitz.

### 449. Adelgis

Adelgis (Algis, Adelger), Desiderius' Sohn, war von Jugend auf stark und heldenmütig. In Kriegszeiten pflegte er mit einer Eisenstange zu reiten und viele Feinde zu erschlagen; so tötete er auch viele der Franken, die in Lombarden gezogen kamen. Dennoch mußte er der Übermacht weichen, und Karl hatte selbst Ticinum unterworfen. In dieser Stadt aber beschloß ihn der kühne Jüngling auszukundschaften. Er fuhr auf einem Schiff dahin, nicht wie ein Königssohn, sondern umgeben von wenigen Leuten wie einer aus geringem Stande. Keiner der Krieger erkannte ihn, außer einem der ehemaligen treusten Diener seines Vaters; diesen bat er flehentlich, daß er ihn nicht verraten möchte. »Bei meiner Treue«, antwortete jener, »ich will dich niemandem offenbaren, solange ich dich verhehlen kann.« – »Ich bitte dich«, sagte Adelgis, »heute, wenn du beim König zu Mittag speist, so setze mich ans Ende eines der Tische und schaffe, daß alle Knochen, die man von der Tafel aufhebt, vor mich gelegt werden.« Der andere versprach es, denn er war's, der die königlichen Speisen auftragen mußte. Als nun das Mahl gehalten wurde, so tat er allerdings so und legte die Knochen vor Adelgis, der sie zerbrach und gleich einem hungrigen Löwen das Mark daraus aß. Die Splitter warf er unter den Tisch und machte einen tüchtigen Haufen zusammen. Dann stand er früher als die andern auf und ging fort. Der König, wie er die Tafel aufgehoben hatte und die Menge Knochen unter dem Tisch erblickte, fragte: »Welcher Gast hat so viele Knochen zerbrochen?« Alle antworteten, sie wüßten es nicht; einer aber fügte hinzu: »Es saß hier ein starker Degen, der brach alle Hirsch-, Bären- und Ochsenknochen auf, als wären es Hanfstengel.« Der König ließ den Speisaufträger rufen und sprach: »Wer oder woher war der Mann, der hier die vielen Knochen zerbrach?« Er antwortete: »Ich weiß es nicht, Herr.« Karl erwiderte: »Bei meines Hauptes Krone, du weißt es.« Da er sich betreten sah, fürchtete er und schwieg. Der König aber merkte leicht, daß es Adelgis gewesen, und es tat ihm leid, daß man ihn ungestraft von dannen gehen lassen; er sagte: »Wohinaus ist er gegangen?« Einer versetzte: »Er kam zu Schiff und wird vermutlich so weggehen.« – »Willst du«, sprach ein andrer, »daß ich ihm nachsetze und ihn töte?« – »Auf welche Weise?« antwortete Karl. »Gib mir deine goldenen Armspangen, und ich will ihn berücken.« Der König gab sie ihm alsbald, und jener eilte ihm schnell zu Lande nach, bis er ihn einholte. Und aus der Ferne rief er zu Adelgis, der im Schiff fuhr: »Halt an! Der König sendet dir seine Goldspangen zur Gabe; warum bist du so heimlich fortgegangen?« Adelgis wandte sein Schiff ans Ufer, und als er näher kam und die Gabe auf der Speerspitze ihm dargereicht erblickte, ahnte er Verrat, warf seinen Panzer über die Schulter und rief. »Was du mir mit dem Speere reichst, will ich mit dem Speere empfangen[55]; sendet dein Herr betrüglich diese Gabe, damit du mich töten sollst, so werde ich nicht nachstehen und ihm meine Gabe senden.« Darauf nahm er seine Armspangen und reichte sie jenem auf dem Speer, der in seiner Erwartung getäuscht heimkehrte und dem König Karl Adelgis' Spangen brachte. Karl legte sie sogleich an, da fielen sie ihm bis auf die Schultern nieder. Karl aber rief aus: »Es ist nicht zu wundern, daß dieser Mann Riesenstärke hat.«

König Karl fürchtete diesen Adelgis allzeit, weil er ihn und seinen Vater des Reiches beraubt hatte. Adelgis floh zu seiner Mutter, der Königin Ansa, nach Brixen, wo sie ein reiches Münster gestiftet hatte.

### 450. Von König Karl und den Friesen

Als König Karl aus Franken und König Radbot aus Dänemark in Friesenland widereinander stießen, besetzte jeder seinen Ort und sein Ende im Franekergau mit einem Heerschild und jedweder sagte: das Land wäre sein. Das wollten weise Leute sühnen, aber die Herren wollten es ausfechten. Da suchte man die Sühne so lange, bis man sie endlich in die Hand der beiden Könige selber legte: wer von ihnen den andern an Stillstehen überträfe, der sollte gewonnen haben. Da brachte man die Herren zusammen. Da standen sie ein Etmal (Zeit von Tag und Nacht) in der Runde. Da ließ König Karl seinen Handschuh fallen. Da hub ihn König Radbot auf und reichte ihn König Karl. Da

---

55 Vergl. Hildebrandslied, Z. 36.

sprach Karl: »Haha, das Land ist mein«, und lachte; darum hieß sein Ort Hachense. »Warum?« sprach Radbot. Da sprach Karl: »Ihr seid mein Mann worden.« Da sprach Radbot: »O wach (o weh)«. Darum hieß sein Ort Wachense. Da fuhr König Radbot aus dem Land, und der König wollte ein Ding (Gericht) halten; das vermocht er nicht, denn soviel lediges Landes war nicht da, darauf er dingen konnte. Da sandte er in die sieben Seelande und hieß ihnen, daß sie ihm eine freie Stelle gewönnen, darauf er möchte dingen. Da kauften sie mit Schatz und mit Schilling Deldemanes. Dahin dingte er und lud die Friesen, dahin zu ihm zu fahren und sich ihr Recht erkören, das sie halten wollten. Da baten sie Frist zu ihrer Vorsprechung. Da gab er ihnen Urlaub. Des andern Tages hieß er sie, daß sie vor das Recht führen. Da kamen sie und erwählten Vorsprecher, zwölf von den sieben Seelanden. Da hieß er sie, daß sie das Recht erkörten. Da begehrten sie Frist. Des dritten Tages hieß er sie wiederkommen. Da zogen sie Notschein (beriefen sich auf das gesetzliche Hindernis), des vierten Tages ebenso, des fünften auch so. Dies sind die zwei Fristen und die drei Notscheine, die die freien Friesen mit Recht haben sollen. Des sechsten Tages hieß er sie Recht kören. Da sprachen sie, sie könnten nicht. Da sprach der König: »Nun leg ich euch vor drei Kören, was euch lieber ist: daß man euch töte oder daß ihr alle eigen (leibeigen) werdet oder daß man euch ein Schiff gäbe, so fest und so stark, daß es eine Ebbe und eine Flut mag ausstehen, und das sonder Riem und Ruder und sonder Tau?« Da erkoren sie das Schiff und fuhren aus mit der Ebbe so fern weg, daß sie kein Land mehr sehen mochten. Da war ihnen leid zumute. Da sprach einer, der aus Wittekinds Geschlecht war, des ersten Asegen (Richters): »Ich habe gehört, daß unser Herr Gott, da er auf Erden war, zwölf Jünger hatte und er selbst der dreizehnte war, und kam zu jedem bei verschlossenen Türen, tröstete und lehrte sie; warum bitten wir nicht, daß er uns einen dreizehnten sende, der uns Recht lehre und zu Lande weise?« Da fielen sie alle auf ihre Knie und beteten inniglich. Da sie die Betung getan hatten, sahen sie einen dreizehnten am Steuer sitzen und eine Achse auf seiner Achsel, da er mit ans Land steuerte, gegen Strom und Wind. Da sie zu Land kamen, da warf er mit der Achse auf das Land und warf einen Erdwasen auf. Da entsprang da eine Quelle, davon heißt die Stelle: zu Achsenhof. Und zu Eschweg kamen sie zu Land und saßen um die Quelle herum; und was ihnen der dreizehnte lehrte, das nahmen sie zu Recht an. Doch wußte niemand, wer der dreizehnte war; so gleich war er jedem unter ihnen. Da er ihnen das Recht gewiesen hatte, waren ihrer nur zwölf. Darum sollen in dem Land allzeit dreizehn Asegen sein, und ihr Urteil sollen sie fällen zu Achsenhof und zu Eschwege, und wenn sie entzwei sprechen (verschiedener Meinung sind), so haben die sieben die sechs einzuhalten. So ist das Landrecht aller Friesen.

### 451. Radbot läßt sich nicht taufen

Als der heilige Wolfram den Friesen das Christentum predigte, brachte er endlich Radbot, ihren Herzog, dazu, daß er sich taufen lassen wollte. Radbot hatte schon einen Fuß in das Taufbekken gestellt, da fiel ihm ein, vorher zu fragen, wohin denn seine Vorfahren gekommen wären. Ob sie bei den Scharen der Seligen oder in der Hölle seien? St. Wolfram antwortete: »Sie waren Heiden, und ihre Seelen sind verloren.« Da zog Radbot schnell den Fuß zurück und sprach: »Ihrer Gesellschaft mag ich mich nicht begeben; lieber will ich elend bei ihnen in der Hölle wohnen als herrlich ohne sie im Himmelreich.« So verhinderte der Teufel, daß Radbot nicht getauft wurde; denn er starb den dritten Tag darauf und fuhr dahin, wo seine Verwandten waren.

Andere erzählen so: Radbot habe auf Wolframs Antwort, daß seine Vorfahren zur Hölle wären, weitergefragt, ob da der meiste Haufen sei. Wolfram sprach: »Ja, es steht zu befürchten, daß in der Hölle der meiste Haufen ist.« Da zog der Heide den Fuß aus der Taufe und sagte: »Wo meiste Haufen ist, da will ich auch bleiben.«

**452. Des Teufels goldenes Haus**

St. Wolfram hatte im Schlaf ein Gesicht, das ihm gebot, den Friesen das Evangelium zu predigen. Er kam mit einigen Gefährten nach Friesland. Es war aber Sitte bei den Friesen, daß, wen das Los traf, den Göttern geopfert wurde. Diesmal fiel das Los auf einen Knaben, Occo genannt. Als St. Wolfram ihn sich vom Fürsten Radbot ausbat, antwortete dieser: »Er sei dein, wenn dein Christus ihn vom Tode errettet.« Als sie ihn aber zum Galgen schleppten, betete Wolfram; und sogleich riß der Strick, der Knabe fiel zur Erde, stand unverletzt und wurde getauft. Die Weise aber, wie Radbot vom Teufel betrogen wurde, erzählt der genannte Occo: Der Teufel erschien ihm in Engelsgestalt, um das Haupt eine Goldbinde mit Gestein besetzt und in einem Kleide aus Gold gewirkt. Als Radbot auf ihn hinsah, sprach der Teufel zu ihm: »Tapferster unter den Männern, was hat dich so verführt, daß du abweichen willst von dem Fürsten der Götter? Wolle das nicht tun, sondern beharre bei dem, was du gelernt, und du sollst in goldene Häuser kommen, die ich dir in alle Ewigkeit zum Eigentum geben will. Gehe morgen zu Wolfram, dem Lehrer der Christen, und befrage ihn, welches jene Wohnung der ewigen Klarheit sei, die er dir verspricht. Kann er sie dir nicht augenscheinlich dartun, dann mögen beide Teile Abgeordnete wählen, und ich will ihr Führer sein auf der Reise und will ihnen das goldene Haus zeigen und die schöne Wohnung, die ich dir bereite.« Wie Radbot erwachte, erzählte er alles dem heiligen Wolfram. Dieser sagte, der Betrüger Satanas wolle ihm ein Gaukelspiel vormachen. Der Fürst antwortete, er wolle Christ werden, wenn sein Gott ihm jene Wohnung nicht zeige. Sogleich ward ein Friese von seiner Seite und ein Diakonus von seiten Wolframs ausgesandt, die, als sie etwas von der Stadt sich entfernt, einen Reisegefährten fanden, der ihnen sagte: »Eilt schnell, denn ich zeige euch die schöne, dem Herzog Radbot bereitete Wohnung.« Sie gingen auf breitem Weg durch unbewohnte Orte und sahen einen Weg, mit verschiedenen Arten glatten Marmors aufs schönste geziert. Von ferne sahen sie ein Haus glänzen wie Gold und kamen zu einer Straße, die zum Haus führte, mit Gold und edlem Gestein gepflastert. Als sie das Haus betraten, sahen sie es von wunderbarer Schönheit und unglaublichem Glanz und in ihm einen Thron von wunderbarer Größe. Da sprach der Führer: »Das ist die dem Herzog Radbot bereitete Wohnung!« Darauf sprach der Diakonus staunend: »Wenn das von Gott gemacht ward, wird es ewig bestehen; wenn vom Teufel, muß es schnell verschwinden.« Somit bezeichnete er sich mit denn Zeichen des Kreuzes, da verwandelte sich der Führer in den Teufel, das goldene Haus in Kot, und der Diakon befand sich mit dem Friesen inmitten von Sümpfen, die voll Wasser waren, mit langen Binsen und Geröhren. Sie mußten in drei Tagen einen unermeßlichen Weg zurücklegen, bis sie zur Stadt kamen, und fanden dort den Herzog tot und erzählten, was sie gesehen, St. Wolfram. Der Friese wurde getauft und hieß Sugomar.

### 453. Wittekinds Taufe

König Karl hatte eine Gewohnheit: Alle großen Feste folgten ihm viele Bettler nach, denen er ließ geben einem jeglichen einen Silberpfennig. So war es in der Stillen Woche, daß Wittekind von Engern Bettlerskleider anlegte und ging in Karls Lager unter die Bettler sitzen und wollte die Franken auskundschaften. Auf Ostern aber ließ der König in seinem Zelt Messe lesen; da geschah ein göttliches Wunder, daß Wittekind, als der Priester das Heiligtum emporhob, darin ein lebendiges Kind erblickte; das deuchte ihm ein so schönes Kind, als er sein Lebtag je gesehen, und kein Auge sah es außer ihm. Nach der Messe wurden die Silberpfennige den armen Leuten ausgeteilt; da erkannte man Wittekind unter dem Bettelrock, griff und führte ihn vor den König. Da sagte er, was er gesehen hatte, und ward unterrichtet aller Dinge, daß sein Herz bewegt wurde, und empfing die Taufe und sandte nach den andern Fürsten in seinem Lager, daß sie den Krieg einstellten und sich taufen ließen. Karl aber machte ihn zum Herzog und wandelte das schwarze Pferd in seinem Schilde in ein weißes.

### 454. Wittekinds Flucht

Wittekind wurde, wie noch jetzt ein jeder in der dortigen Gegend weiß, zu Engter von den Franken geschlagen (783), und viele blieben dort auf dem Wittenfeld tot liegen. Flüchtend zog er gegen Ellerbruch; als nun alles mit Weib und Kind an den Furt kam und sich drängte, mochte eine alte Frau nicht weitergehen. Weil sie aber dem Feinde nicht in die Hände fallen sollte, wurde sie von den Sachsen lebendig in einem Sandhügel bei Bellmanns Kamp begraben; dabei sprachen sie: »Krup under, krup under, de Welt is di gramm[56], du kannst den Rappel[57] nicht mehr folgen.« Spuk hat mancher hier gesehen, mancher auch nicht; aber über das weiße Feld geht doch niemand gern bei Nacht. Die meisten wissen aus alter Zeit her, daß in lärmendem Zuge die Heere mit blanken Spießen dort ziehen. Als daher vor einigen Jahren Völker wirklich darüberzogen, geriet die ganze Gegend in Schrecken und glaubte fliehen zu müssen.

### 455. Erbauung Frankfurts

Als König Karl, von den Sachsen geschlagen, floh und zum Main kam, wußten die Franken das Furt nicht zu finden, wo sie über den Fluß gehen und sich vor ihren Feinden retten könnten. Da soll plötzlich eine Hirschkuh erschienen, ihnen vorangegangen

---

56 Im Holsteinischen geht die Sage, daß die Zigeuner die sehr alten, welche sie nicht mehr mit fortschleppen können, lebendig ins Wasser tauchen und ersäufen; dabei sprechen sie: »Duuk ünner, duuk ünner! De Weld is di gramm!« S. Schütze: Holstein. Idiot., I, 267. Daselbst II, 357 wird der oben bemerkte Spruch als ein Sprichwort angeführt; daß es auch am Harz üblich ist, sieht man aus Otmars Volkssagen, S. 44; es heißt: »Niemand bekümmert sich mehr um dich, du bist der Welt abgestorben.«
57 Lärm.

und eine Wegweiserin geworden sein. Daher gelangten die Franken über den Main, und seitdem heißt der Ort Frankenfurt.

### 456. Warum die Schwaben dem Reich vorfechten

Die Schwaben haben von alten Zeiten her unter allen Völkern des Deutschen Reiches das Recht, dem Heer vorzustreiten. Und dies verlieh Karl der Große ihrem Herzog Gerold (Hildegards Bruder), der in der blutigen Schlacht von Runzefal vor dem Kaiser auf das Knie fiel und diesen Vorzug als der älteste im Heer verlangte. Seitdem darf ihnen niemand vorfechten. Andere erzählen es von der Einnahme von Rom, wozu die Schwaben Karl dem Großen tapfer halfen. Noch andere von der Einnahme Mailands, wo der schwäbische Herzog das kaiserliche Banner getragen und dadurch das Vorrecht erworben.

### 457. Eginhart und Emma[58]

Eginhart, Karls des Großen Erzkapellan und Schreiber, der in dem königlichen Hofe löblich diente[59], wurde von allen Leuten wert gehalten, aber von Imma, des Kaisers Tochter, heftig geliebt. Sie war dem griechischen König als Braut verlobt, und je mehr Zeit verstrich, desto mehr wuchs die heimliche Liebe zwischen Eginhart und Imma. Beide hielt die Furcht zurück, daß der König ihre Leidenschaft entdecken und darüber erzürnen möchte. Endlich aber mochte der Jüngling sich nicht länger zu verbergen, faßte sich, weil er den Ohren der Jungfrau nichts durch einen fremden Boten offenbaren wollte, ein Herz und ging bei stiller Nacht zu ihrer Wohnung. Er klopfte leise an der Kammer Tür, als wäre er auf des Königs Geheiß hergesandt, und wurde eingelassen. Da gestanden sie sich ihre Liebe und genossen der

---

[58] Vincent. bellov. Versetzt die Sage unter Kaiser Heinrich III., dessen Schwester einem Klerikus denselben Dienst erwiesen.
[59] Nach einigen zu Aachen, nach andern zu Ingelheim.

ersehnten Umarmung. Als inzwischen der Jüngling bei Tagesanbruch zurückgehen wollte, woher er gekommen war, sah er, daß ein dicker Schnee über Nacht gefallen war, und scheute sich, über die Schwelle zu treten, weil ihn die Spuren von Mannsfüßen bald verraten würden. In dieser Angst und Not überlegten die Liebenden, was zu tun wäre, und die Jungfrau erdachte sich eine kühne Tat: Sie wollte den Eginhart auf sich nehmen und ihn, ehe es licht wurde, bis nah zu seiner Herberg tragen, daselbst absetzen und dann vorsichtig in ihren eigenen Fußspuren wieder zurückkehren. Diese Nacht hatte gerade durch Gottes Vorsehung der Kaiser keinen Schlaf, erhub sich bei der frühen Morgendämmerung und schaute von weitem in den Hof seiner Burg. Da erblickte er seine Tochter unter ihrer schweren Last vorüberwanken und nach abgelegter Bürde schnell zurückspringen. Genau sah der Kaiser zu und fühlte Bewunderung und Schmerz zu gleicher Zeit; doch hielt er Stillschweigen. Eginhart aber, welcher sich wohl bewußt war, diese Tat würde in die Länge nicht verborgen bleiben, ratschlagte mit sich, trat vor seinen Herrn, kniete nieder und bat um Abschied, weil ihm doch sein treuer Dienst nicht vergolten werde. Der König schwieg lange und verhehlte sein Gemüt; endlich versprach er dem Jüngling, baldigen Bescheid zu sagen. Unterdessen setzte er ein Gericht an, berief seine ersten und vertrautesten Räte und offenbarte ihnen, daß das königliche Ansehen durch den Liebeshandel seiner Tochter Imma mit seinem Schreiber verletzt worden sei. Und während alle erstaunten über die Nachricht des neuen und großen Vergehens, sagte er ihnen weiter, wie sich alles zugetragen und er es mit seinen eigenen Augen angesehen hätte und er jetzt ihren Rat und ihr Urteil heische. Die meisten aber, weise und darum mild von Gesinnung, waren der Meinung, daß der König selbst in dieser Sache entscheiden solle. Karl, nachdem er alle Seiten geprüft hatte und den Finger der Vorsehung in dieser Begebenheit wohl erkannte, beschloß, Gnade für Recht ergehen zu lassen und die Liebenden miteinander zu verehelichen. Alle lobten mit Freuden des Königs Sanftmut, der den Schreiber vor sich forderte und also anredete: »Schon lange hätte ich deine Dienste besser vergolten, wo du mir dein Mißvergnügen früher entdeckt hättest; jetzt will ich dir zum Lohn meine Tochter Imma, die dich hochgegürtet willig getragen, zur ehelichen Frau geben.« Sogleich befahl er, nach der Tochter zu senden, welche mit errötendem Gesicht in des Hofes Gegenwart ihrem Geliebten angetraut wurde. Auch gab er ihr reiche Mitgift an Grundstücken, Gold und Silber; und nach des Kaisers Absterben schenkte ihnen Ludwig der Fromme durch eine besondere Urkunde in dem Maingau Michlinstadt und Mühlenheim, welches jetzt Seligenstadt heißt. In der Kirche zu Seligenstadt liegen beide Liebende nach ihrem Tode begraben. Die mündliche Sage erhält dort ihr Andenken, und selbst dem nahe liegenden Walde soll, ihr zufolge, Imma, als sie ihn einmal »O du Wald!« angeredet, den Namen *Odenwald* verliehen haben.

Auch Seligenstadt soll einer Sage nach daher den Namen haben: Karl habe Emma verstoßen und, auf der Jagd verirrt, wieder an diesem Orte gefunden; nämlich als sie ihm in einer Fischerhütte sein Lieblingsgericht vorgesetzt, erkannte er die Tochter daran und rief:

*»Selig sei die Stadt genannt,*
*Wo ich Emma wiederfand!«*

### 458. Der Ring im See bei Aachen

Petrarcha, auf seiner Reise durch Deutschland, hörte von den Priestern zu Aachen eine Geschichte erzählen, die sie für wahrhaft ausgaben und die sich von Mund zu Mund fortgepflanzt haben soll. Vorzeiten verliebte sich Karl der Große in eine gemeine Frau so heftig, daß er alle seine Taten vergaß, seine Geschäfte liegenließ und selbst seinen eigenen Leib darüber vernachlässigte. Sein ganzer Hof war verlegen und mißmutig über diese Leidenschaft, die gar nicht nachließ; endlich verfiel die geliebte Frau in eine Krankheit und starb. Vergeblich hoffte man aber, daß der Kaiser nunmehr seine Liebe aufgeben würde; sondern er saß bei dem Leichnam, küßte und umarmte ihn und redete zu ihm, als ob er noch lebendig wäre. Die Tote hub an zu riechen und in Fäulnis überzugehen; nichtsdestoweniger ließ der Kaiser nicht von ihr ab. Da ahnte Turpin, der Erzbischof, es müsse darunter eine Zauberei walten; daher, als Karl eines Tages das Zimmer verlassen hatte, befühlte er den Leib der toten Frau allerseits, ob er nichts entdecken könnte; endlich fand er im Munde unter der Zunge einen Ring, den nahm er weg. Als nun der Kaiser in das Zimmer wiederkehrte, tat er erstaunt wie ein Aufwachender aus tiefem Schlaf und fragte: »Wer hat diesen stinkenden Leichnam hereingetragen?« und befahl zur Stunde, daß man ihn bestatten solle. Dies geschah, allein nunmehr wandte sich die Zuneigung des Kaisers auf den Erzbischof, dem er allenthalben folgte, wohin er ging. Als der weise, fromme Mann dieses merkte und die Kraft des Ringes erkannte, fürchtete er, daß er einmal in unrechte Hände fiele, nahm und warf ihn in einen See nah bei der Stadt. Seit der Zeit, sagt man, gewann der Kaiser den Ort so lieb, daß er nicht mehr aus der Stadt Aachen weichen wollte, ein kaiserliches Schloß und ein Münster da bauen ließ und in jenem seine übrige Lebenszeit zubrachte, in diesem aber nach seinem Tode begraben sein wollte. Auch verordnete er, daß alle seine Nachfolger in dieser Stadt sich zuerst sollten salben und weihen lassen.

### 459. Der Kaiser und die Schlange

Als Kaiser Karl zu Zürich in dem Haus, genannt *Zum Loch*, wohnte, ließ er eine Säule mit einer Glocke oben und einem Seil daran errichten: damit es jeder ziehen konnte, der Handhabung des Rechts fordere, sooft der Kaiser am Mittagsmahl sitze. Eines Tages nun geschah es, daß die Glocke erklang, die hinzugehenden Diener aber niemanden beim Seil fanden. Es schellte aber von neuem in einem weg. Der Kaiser befahl ihnen, nochmals hinzugehen und auf die Ursache achtzuhaben. Da sahen sie nun, daß eine große Schlange sich dem Seil näherte und die Glocke zog. Bestürzt hinterbrachten sie das dem Kaiser, der alsbald aufstand und dem Tier, nicht weniger als den Menschen, Recht sprechen wollte. Nachdem sich der Wurm ehrerbietig vor dem Fürsten geneigt, führte er ihn an das Ufer eines Wassers, wo auf seinem Nest und auf seinen Eiern eine übergroße Kröte saß. Karl untersuchte und entschied der beiden Tiere Streit dergestalt, daß er die Kröte zum Feuer verdammte und der Schlange recht gab. Dieses Urteil wurde gesprochen und vollstreckt. Einige Tage darauf kam die Schlange wieder an den Hof, neigte sich, wand sich auf den Tisch und hob den Deckel von einem darauf stehenden Becher ab. In den Becher legte sie aus ihrem Munde einen kostbaren Edelstein, verneigte sich wiederum und ging weg. An dem Ort, wo der Schlangen Nest gestanden, ließ Karl eine Kirche bauen, die nannte man Wasserkilch; den Stein aber schenkte er, aus besonderer Liebe, seiner Gemahlin. Dieser Stein hatte die geheime Kraft in sich, daß er den Kaiser beständig zu seiner Gemahlin hinzog und daß er abwesend Trauern und Sehnen nach ihr empfand. Daher barg sie ihn in ihrer Todesstunde unter der Zunge, wohl wissend, daß, wenn er in andere Hände komme, der Kaiser ihrer bald vergessen würde. Also wurde die Kaiserin samt dem Stein begraben; da vermochte Karl sich gar nicht zu trennen von ihrem Leichnam, so daß er ihn wieder aus der Erde graben ließ und achtzehn Jahr mit sich herumführte, wohin er sich auch begab. Inzwischen durchsuchte ein Höfling, dem von der verborgenen Tugend des Steines zu Ohren gekommen war, den Leichnam und fand endlich den Stein unter der Zunge liegen, nahm ihn weg und steckte ihn zu sich. Alsbald kehrte sich des Kaisers Liebe ab von seiner toten Gemahlin und auf den Höfling, den er nun gar nicht von sich lassen wollte. Aus Unwillen warf einmal der Höfling auf einer Reise nach Köln den Stein in eine heiße Quelle; seitdem konnte ihn niemand wiedererlangen. Die Neigung des Kaisers zu dem Ritter hörte zwar auf, allein er fühlte sich nun wunderbar hingezogen zu dem Ort, wo der Stein verborgen lag, und an dieser Stelle gründete er Aachen, seinen nachherigen Lieblingsaufenthalt.

### 460. König Karl

Das Reich stand leer, da nahmen die Römer die Krone, setzten sie auf St. Peters Altar nieder und schwuren vor all dem Volk, daß sie aus ihrem Geschlechte nimmermehr Könige erwählen wollten, sondern aus fremden Landen.

Damals war Sitte, daß die Römer Jünglinge aus andern Reichen an ihrem Hofe fleißig und löblich auferzogen. Kamen sie zu den Jahren, daß sie das Schwert führen mochten, so sandten die Römer sie wieder fröhlich heim in ihr Land, und darum dienten ihnen alle Reiche in großer Furcht.

Da geschah, daß Pippin, ein reicher König zu Kerlingen, zwei Söhne hatte; der eine hieß Leo, der wurde zu Rom erzogen und saß auf St. Peters Stuhl. Der zweite hieß Karl und war noch daheim.

Eines Nachts, da Karl einschlief, sprach eine Stimme dreimal zu ihm: »Wohlauf, Karl, Lieber! Fahr gen Rom, dich fordert Leo, dein Bruder.«

Schier bereitete er sich zu der Fahrt, offenbarte aber niemand, was er vorhatte, bis er den König, seinen Vater, um Urlaub bat; er sprach: »Ich will gerne den Papst sehen und zu Rom in der Hauptstadt beten.«

Mit reicher Gabe ausgerüstet, begab sich Karl auf den Weg und betete mit nassen Augen zu Gott, still, daß es niemand innenwurde. Zu Rom ward er von Alten und Jungen wohl empfangen; der Papst sang eine heilige Messe; alle Römer sprachen, daß Karl ihr rechter Vogt und Richter sein sollte.

Karl achtete ihrer Rede nicht, denn er war, um zu beten, dahin gekommen und ließ sich durch nichts beirren. Mit bloßen Füßen besuchte er die Kirchen, flehte inniglich zu Gott und dingte um seine Seele. So diente er Gott vier Wochen lang; da warfen sich der Papst, sein Bruder, und all das Volk vor ihm nieder, er empfing die teure Krone, und alle riefen Amen.

König Karl saß zu Gericht; der Papst klagte ihm, daß die Zehenden, Wittümer und Pfründen von den Fürsten genommen wären. »Das ist ja der Welt Brauch«, sagte Karl, »was einer um Gottes willen gibt, nimmt der andere hin. Wer diesen offenen Raub begeht, ist kein guter Christ. Ich kann jetzt diese Klage noch nicht richten; erlebe ich aber den Tag, daß ich es tun darf, so fordere es mir St. Peter ab.«

Da schieden sich die Herren mit großem Neid; Karl wollte nicht länger in diesem Land bleiben, sondern fuhr nach Riflanden[60]. Die Römer hatten wohl erkannt, daß er ihr rechter Richter wäre; aber die Bösen unter ihnen bereuten die Unterwerfung. Sie drangen in St. Peters Münster, fingen den Papst und stachen ihm beide Augen aus. Darauf sandten sie ihn blind nach Riflanden dem König zum Hohn. Der Papst saß auf einem Esel, nahm zwei Kapellane und zwei Knechte, die ihm den Weg weisen sollten; auf der Reise stand er Kummer und Not aus. Als er zu Ingelnheim in des Königs Hof ritt, wußte noch niemand, was ihm geschehen war; still hielt er auf dem Esel und hieß einen seiner Kapellane heimlich zu dem König gehen: »Schone deiner Worte und eile nicht zu sehr; sage dem König nur, ein armer Pilgrim wollte ihn gerne sprechen.«

Der Priester ging und weinte, daß ihm das Blut über den Bart rann. Als ihn der König kommen sah, sagte er: »Diesem Mann ist großes Leid getan; wir sollen ihm richten, wo wir können.«

Nieder kniete der Priester, kaum vermochte er zu sprechen. »Wohlan, reicher König! Komm und rede mit einem deiner Kapellane, dem große Not geschehen ist.« Karl folgte dem Priester eilends über den Hof und hieß die Leute vor sich weichen. »Ihr guten Pilgrime«, sprach er, »Wollt ihr hier bei mir bleiben, ich beherberge euch gerne; klagt mir euer Leid, so will ich's büßen, wo ich kann.«

Da wollte der arme Papst zu dem König sich kehren, sein Haupt stand zwerch, sein Gesicht scheel; er sprach: »Daß mir Gott deine Hilfe gönne! Es ist erst kurze Zeit, daß ich dir zu

---

60 Ripuaria.

Rom die Messe sang; damals sah ich noch mit meinen Augen.« An diesen Worten erkannte König Karl seinen Bruder, erschrak so heftig, daß er zu Boden fallen wollte, und raufte die Haare aus. Die Leute sprangen hinzu und hielten ihren Herrn. »Zu deinen Gnaden«, klagte Leo, »bin ich hierhergekommen, um deinetwillen hab ich die Augen verloren; weine nicht mehr, lieber Bruder, sondern loben wir Gott seiner großen Barmherzigkeit!« Da war großer Jammer unter dem Volk, und niemand mochte das Weinen verhalten.

Als nun der König alles von dem Papst erfahren hatte, sagte er: »Deine Augen will ich rächen oder nimmermehr das Schwert länger führen.« Er sandte Boten zu Pippin, seinem Vater, und den Fürsten in Kerlingen. Alle waren ihm willig, die Boten eilten von Lande zu Lande, von Herren zu Mannen; Bauleute und Kaufmänner, die niemand entbieten konnte, ließen freiwillig Hab und Gut und folgten dem Heer. Sie zogen sich zusammen wie die Wolken. Der Zug ging über die Alpen durch Triental, eine unzählige Schar und die größte Heerfahrt, die je nach Rom geschah.

Als das Heer so weit gekommen war, daß sie Rom von ferne erblickten, auf dem Mendelberg[61], da betete der werte König drei Tage und drei Nächte, daß es den Fürsten leid tat, und sie sprachen, wie er so lange ihre Not ansehen möchte, nun sie so weit gekommen wären. Der König antwortete: »Erst müssen wir zu Gott flehen und seinen Urlaub haben, dann können wir sanft streiten; auch bedarf ich eines Dienstmannes in dieser Not, den sende mir Gott gnädiglich.«

Früh am vierten Morgen scholl die Stimme vom Himmel, nicht länger zu warten, sondern auf Rom loszuziehen; »die Rache soll ergehen, und Gottes Urteil sei erfolgt.«

Da bereitete man des Königs Fahne. Als das Volk den Berg herabzog, ritt Gerold dem König entgegen. Herrlich redete ihn der König an: »Lange warte ich dein, liebster unter mei-

---

61 Mons gaudii, mont joie, wovon der Heerruf Karls des Großen.

nen Mannen!« Karl rückte den Helm auf und küßte ihn. Alle verwunderte es, wer der Einschilde[62] wäre, den der König so vertraut grüßte. Es war der kühne Gerold, dem das schwäbische Volk folgte in drei wonnesamen Scharen. Da verlieh ihnen Karl, daß die Schwaben dem Reich immer vorfechten sollten.

Sieben Tage und sieben Nächte belagerte das Heer Rom und den Lateran, an denen niemand wagte, mit ihnen zu streiten. Den achten Tag schlossen die Römer das Tor auf und ließen den König ein. Karl saß zu Gericht, die Briefe wurden gelesen, die Schuldigen genannt. Als man sie vorforderte, so leugneten sie. Da verlangte der Kaiser Kampf, daß die Wahrheit davon erscheine. Die Römer sprachen, das wäre ihr Recht nicht, und kein König hätte sie noch dazu gezwungen; ihre Finger wollten sie recken und schwören. Da sagte er. »Von eurem Rechte will ich keinen treiben, aber schwören sollt ihr mir auf Pankratius, dem heiligen Kind.«

Sie zogen in Pankratius' Stift und sollten die Finger auf das Heiligtum legen. Der erste, welcher schwören wollte, sank zu Boden. Da verzweifelten die andern, wichen zurück und begannen zu fliehen. Zornig ritt ihnen der König nach, drei Tage ließ er sie erschlagen, die Toten aus St. Peters Dom tragen, den Estrich reinigen und den Papst wieder einführen. Darauf fiel Karl vor dem Altar nieder und bat um ein Wunder, damit das böse Volk der Römer zum Glauben gebracht würde. Auch forderte er St. Peter, den Türhüter des Himmels, daß er seinen Papst schauen sollte: »Gesund ließ ich ihn in deinem Haus; blind hab ich ihn gefunden; und machst du ihn nicht wieder sehend heut am Tage, so zerstöre ich deinen Dom, zerbreche deine Stiftung und fahre heim nach Riflanden.«

Da bereitete sich Papst Leo, und als er die Beichte ausgesprochen, sah er ein himmlisches Licht, kehrte sich um zu dem Volk und hatte seine beiden Augen wieder. Der König samt allem dem Heer fielen in Kreuzesstellung und sie lobten Gott.

---

[62] Der nur ein Schild führt. Vgl. Titurel, 68, 74.

Der Papst weihte ihn zum Kaiser und sprach allen seinen Gefährten Ablaß. Da war große Freude zu Rom.

Karl setzte sein Recht und Gesetz mit Hilfe des himmlischen Boten, und alle Herren schwuren, es zu halten. Zuerst richtete er Kirchen und Bischöfe und stiftete ihnen Zehenden und Wittümer. Alsdann verordnete er über die Bauleute (Bauern): Schwarz oder Grau sollten sie tragen und nicht anders, einen Spieß daneben, rinderne Schuhe, sieben Ellen zu Hemd und Bruch rauhes Tuches; sechs Tage bei dem Pfluge und der Arbeit, an dem Sonntag zur Kirche gehen mit der Gerte in der Hand. Wird ein Schwert bei dem Bauern gefunden, so soll er an den Kirchzaun gebunden und ihm Haut und Haar abgeschlagen werden; trägt er Feindschaft, so wehre er sich mit der Gabel. Dieses Recht setzte König Karl.

Da wuchs die Ehre und der Name des Königs, seine Feinde besiegte er; Adelhart, Fürsten von Apulia, ließ er das Haupt abschlagen, und Desiderius, Fürst von Sosinnia, mußte auf seine Gnade dingen; dessen Tochter Aba nahm sich Karl zur Frau und führte sie an den Rhein. Die Westfalen übergaben ihm ihr Land, die Friesen bezwang er, aber die Sachsen wollten ihn nicht empfangen. Sie pflogen ihre alte Sitte und fochten mit dem Kaiser, daß er sieglos wurde. Doch Wittekind genoß es nicht, denn Gerold schlug ihn mit Listen; es geschah noch mancher Streit, ehe die Sachsen unterworfen wurden.

Darauf kehrte Karl nach Spanien und Navarra, focht zwei lange Tage und behauptete die Walstatt. Er mußte nun eine Burg, geheißen Arl, belagern, länger als sieben Jahre, weil ihnen Wein und Wasser unter der Erde zufuhr: bis endlich der König ihre List gewahrte und die Gänge abschnitt. Da vermochten sie nicht länger zu streiten, kamen vor das Burgtor und fochten mit festem Mut. Keiner bot dem andern Friede, und Christen und Heiden wurden so viel untereinander erschlagen, daß es niemand sagen kann. Doch überwand Karl mit Gott und ließ die Christen in wohlgezierten Särgen bestatten.

Hierauf[63] nahm er die Burg Gerundo[64] ein, zwang sie mit Hunger und taufte alle Leute darin. Aber in Gallacia tat ihm der Heidenkönig großes Leid, die Christen wurden erschlagen, Karl allein entrann kaum. Noch heute ist der Stein *naß*[65], worauf heißweinend der König saß und Gott seine Sünden klagte: »Gnade, o Herr, meiner Seele, und scheide meinen Leib von dieser Welt! Nimmer kann ich wieder froh werden.« Da kam ein Engel, der tröstete ihn: »Karl, du bist Gott lieb, und deine Freude kehrt schier wieder; sende deine Boten eilends heim und mahne Frauen und Jungfrauen, daß sie dir deine Ehre wiedergewinnen helfen.«

Die Boten eilten in alle seine Länder und sammelten die Mägde und Jungfrauen, fünfzigtausend und drei und sechsundsechzig in allem. An einem Ort, geheißen *Karles Tal*, bereiteten die Mägde männlich sich zur Schlacht. Der Heiden Wartleute nahm es wunder, woher diese Menge Volkes gekommen war. »Herr«, sprachen sie zu ihrem König, »die Alten haben wir erschlagen, die Jungen sind hergekommen, sie zu rächen; sie sind stark um die Brüste, ihr Haar ist ihnen lang, schön ist ihr Gang; es ist ein vermessenes Volk, gegen das unser Fechten nicht taugen wird; und was auf diesem Erdboden zusammenkommen könnte, würde sie nicht bestehen, so vreisam sind ihre Gebärden.«

Da erschrak der Heide, seine Weisen rieten, daß er dem Kaiser Geisel gab, sich und sein Volk taufen ließ. So machte Gott die Christen sieghaft ohne Stich und Schlag, und die Mägde erkannten, daß der Himmel mit ihnen war.

Karl und die Seinen zogen heim. Die heermüden Heldinnen kamen zu einer grünen Wiese, steckten ihre Schäfte auf und fielen in Kreuzstellung, um Gott zu loben. Da blieben sie über Nacht; am andern Morgen grünten, laubten und blühten ihre

---

63 Den hier folgenden Teil der Sage von dem nassen Stein und dem Schäftenwald kennt auch Pomarius in seiner Chronik, S. 54.
64 Girona.
65 Karl, 116 b. Er muß von dem Stein mit Gewalt weggetragen werden.

Schäfte. Davon heißet die Stelle der *Schäftenwald*[66], wie man noch heute sehen mag. Der König aber ließ, Christus und der heiligen Marien zu Ehren, daselbst eine reiche Kirche bauen.

Karl hatte eine Sünde getan, keinem Menschen auf Erden wollte er sie beichten und darin ersterben. In die Länge aber wurde ihm die Bürde zu schwer, und da er von Egidius, dem heiligen Mann, gehört hatte, legte er ihm Beichte ab aller Dinge, die er bis dahin getan. »Außerdem«, sprach er, »habe ich noch eine Sünde auf mir, die mag ich dir nicht eröffnen und bin doch in großen Ängsten.« Egidius riet ihm, dazubleiben bis den andern Morgen; beide waren über Nacht zusammen, und keiner pflog Schlafes. Am andern Tag früh bat der König den heiligen Mann, daß er ihn dannen fertigte. Da bat Egidius Gott von Herzen und eröffnete ihm des Königs heimliche Not; als er die Messe endete und den Segen sprach, sah er einen Brief geschrieben ohne Menschenhand, vom Himmel gesandt. Den wies er dem König, und Karl las daran: »Wer seine Schuld inniglich bereut und Gott vertraut, die fordert er nimmermehr.«

Sollte man alle Wunder des Königs erzählen, so wäre lange Zeit nötig. Karl war kühn, schön, gnädig, selig, demütig, stet, löblich und furchtlich. Zu Aachen liegt er begraben.

### 461. Der schlafende Landsknecht

Als Heinrich, Erzbischof zu Reims, des König Ludwigs Bruder, auf eine Zeit im Sommer über Land reiste und um Mittag von der Hitze wegen ein Schläflein tat, ruhten auch einige seiner Landsknechte und schliefen. Die übrigen aber, welche Wacht hielten, sahen aus dem offenen Mund eines der schlafenden Landsknechte ein kleines weißes Tierlein, gleich einem Wiesel, herauskriechen und gegen dem nächsten Bächlein zulaufen. Am Gestad des Bächleins lief es aber hin und wider und konnte nicht überkommen. Da fuhr einer von denen, die dabeistanden, zu

---

66 Auch Schächtewald und Gluvinkwald, von Glevin, Schaft.

und legte sein entblößtes Schwert wie eine Brücke hin; darüber lief das Tierlein und verschwand. Über eine kleine Weil kam es jenseits wieder und suchte emsig die vorige Brücke, die mittlerweile der Kriegsknecht weggetan hatte. Also brückte er nun wieder über das Bächlein, das Tierlein ging darauf, näherte sich dem noch aufgetanen Mund des schlafenden Landsknechtes und kehrte in seine alte Herberge ein. Von Stunde an erwachte der Landsknecht. Seine Spießgesellen fragten, was ihm im Schlaf begegnet sei. Er antwortete: »Mir träumte, ich wäre gar müd und hellig von wegen eines gar fernen, weiten Wegs, den ich zog, und auf dem Wege mußt ich zweimal über eine eiserne Brücke gehen.« Die Landsknechte konnten daraus entnehmen, daß, was sie mit Augen gesehen, ihm wirklich im Traum vorgeschwebt hatte.

### 462. Kaiser Ludwig baut Hildesheim

Kaiser Ludwig führte allzeit ein Marienbild an seinem Hals; nun begab sich's, daß er ritt durch einen Wald, stieg ab, seine Füße zu decken, und setzte dieweil das Bild auf einen Stein (oder auf einen Stamm). Als er's darauf wieder zu sich nehmen wollte, vermochte er es nicht von der Stätte zu bringen. Da fiel der König auf die Knie und betete zu Gott, daß er ihm kundtäte, ob er einer Missetat schuldig wäre, derentwegen das Bild nicht von dem Stein weichen wollte. Da hörte er eine Stimme rufen, die sprach: »So fern und weit ein Schnee fallen wird, so groß und weit sollst du einen Tumb bauen zu Marien Ehre!« Und alsbald hub es an vom Himmel zu schneien auf die Stätte; da sprach Ludwig: »Dies ist Hilde Schnee (dit is tomalen hilde Snee), und es soll auch *Hildeschnee* heißen.« So weit nun der Schnee gefallen war, stiftete er einen Kirchenbau, unserer Lieben Frau zu Ehren, und Günther war der erste Bischof, den er darin bestätigte. Also kriegte der Tumb und die Stadt den Namen nach dem Schnee, der »do hilde« fiel; das ward genannt *Hildeschnee* und folgends *Hildesheim*.

## 463. Der Rosenstrauch zu Hildesheim

Als Ludwig der Fromme im Winter in der Gegend von Hildesheim jagte, verlor er sein mit Heiligtum gefülltes Kreuz, das ihm vor allem lieb war. Er sandte seine Diener aus, um es zu suchen, und gelobte, an dem Ort, wo sie es finden würden, eine Kapelle zu bauen. Die Diener verfolgten die Spur der gestrigen Jagd auf dem Schnee und sahen bald aus der Ferne mitten im Wald einen grünen Rasen und darauf einen grünenden wilden Rosenstrauch. Als sie ihm näher kamen, hing das verlorene Kreuz daran; sie nahmen es und berichteten dem Kaiser, wo sie es gefunden. Alsbald befahl Ludwig, auf der Stätte eine Kapelle zu erbauen und den Altar da hinzusetzen, wo der Rosenstock

stand. Dies geschah, und bis auf diese Zeiten grünt und blüht der Strauch und wird von einem eigens dazu bestellten Mann gepflegt. Er hat mit seinen Ästen und Zweigen die Rundung des Doms bis zum Dach umzogen[67].

### 464. König Ludwigs Rippe klappt

Von König Ludwigs in Deutschland Härte und Stärke wird erzählt wie folgt: Es geschah auf einem Heerzug, daß eine Laube oder Kammer unter ihm einging, er hinunterstürzte und eine Rippe ausfiel. Allein er verbarg den Schaden vor jedermann, vollbrachte seine Reise, und es heißt, die, welche dieselbige Zeit ihn begleiteten, haben seine Rippe im Zug klappern hören. Wie alles ausgerichtet war, zog er gen Ach und lag zwei Monat im Bett nieder, ließ sich erst da recht verbinden.

### 465. Die Königin im Wachshemd

Ludwig der Deutsche hinterließ drei Söhne: Karl, Ludwig und Karlmann. Unter diesen nahm sich König Karl eine schöne und tugendsame Gemahlin, deren reines Leben ihr bald Neider am Hofe erweckte. Als der König eines Morgens früh in die Messe ging, folgte ihm Siegerat, sein Dienstmann, der sprach: »Herr, was meine Herrin begeht, ziemt nicht Euren Ehren, mehr darf ich nicht sagen.« Der König blickte ihn an und sagte traurig: »Sage mir schnell die Wahrheit, wo du irgend etwas gesehen hast, was wider des Reiches Ehren stößt.« Der listige Alte versetzte: »Leider, ich werde nimmermehr froh, seit ich gesehen habe, daß meine Herrin andere Männer minnet; lüge ich, so heißt mich an einen Baum hängen.«

---

[67] In dem mir vorliegenden Handexemplar ist hier ein weißes Blatt eingeklebt und ein getrockneter Rosenzweig daraufgenäht. Am Rande die Bemerkung (von der Hand Jacobs): »Beiliegendes Rosenzweiglein ist davon.« (Herman Grimm)

Der König eilte schnell in seine Schlafkammer zurück und legte sich stillschweigend an der Königin Seite. Da sprach die Frau: »Des bin ich ungewohnt, warum seid Ihr schon wiedergekommen?« Er schlug ihr einen Faustschlag und sagte: »Weh mir, daß dich meine Augen je gesehen und ich meine Ehre durch dich verloren habe; das soll dir ans Leben gehen.« Die Königin erschrak und weinte: »Schont Eure Worte und haltet auf Eure Ehre! Ich sehe, daß ich verlogen worden bin, ist es aber durch meine Schuld, so will ich den Leib verloren haben.« Karl zwang seinen Zorn und antwortete: »Du pflegst unrechter Minne, wie möchtest du länger dem Reich zur Königin taugen!« Sie sprach: »Ich will auf Gottes Urteil dingen, daß ich es nimmermehr getan habe, und vertraue, seine Gnade wird mir beistehen.«

Die Frau sandte nach vier Bischöfen, die mußten ihre Beichte hören und immer bei ihr sein; sie betete und fastete, bis der Gerichtstag kam. Bischöfe, Herzöge und eine große Volksmenge hatten sich versammelt, die Königin bereitete sich zu der schweren Arbeit. Als die edlen Herren sich dazwischenlegen wollten, sprach sie: »Das wolle Gott nicht, daß man solche Reden von mir höre und ich länger die Krone trage.« Da jammerte es allen Fürsten.

Die Frau, mit auferhobenen Augen und unter manchem guten Segen, schloff in ein Hemd, das dazu gemacht war. Gebete wurden gesungen und gelesen, und an vier Ecken zu Füßen und Händen zündete man ihr Hemd an. In kurzer Stunde brannte es von ihr ab, das Wachs floß auf das Steinpflaster nieder; unversehrt, ohne Arg stand die Königin. Alle sprachen. »Gott Lob!« Der König ließ die Lügner an einen Galgen hängen. Die Königin aber schied fröhlich von dannen, tat sich des Reiches ab und diente Gott ihr übriges Leben.

### 466. Königin Adelheid

Als die Königin Adelheid, Lothars Gemahlin, von König Berengar hart in der Burg Canusium belagert wurde und schon auf Mittel und Wege dachte zu entfliehen, fragte Arduin: »Wieviel Scheffel Weizen habt Ihr noch auf der Burg?« – »Nicht mehr«, sagte Atto, »als fünf Scheffel Roggen und drei Sechter Weizen.« – »So folgt meinem Rat, nehmt ein Wildschwein, füttert es mit dem Weizen und laßt es zum Tor hinauslaufen.« Dies geschah. Als nun das Schwein unten im Heer gefangen und getötet wurde, fand man in dessen Magen die viele Frucht. Man schloß daraus, daß es vergebens sein würde, diese Festung auszuhungern, und hob die Belagerung auf.

### 467. König Karl sieht seine Vorfahren in der Hölle und im Paradies

König Karl (der Dicke), als er zu Weihnachten nach der Messe frühmorgens ruhen wollte und fast schlummerte, vernahm eine schreckliche Stimme, die zu ihm sprach: »Karl, jetzt soll dein Geist aus deinem Leib gehen, das Gericht des Herrn zu schauen, und dann wieder zurückkehren!« Und alsbald wurde sein Geist entzückt, und der ihn wegzuckte, war ein ganz weißes Wesen, welches einen leuchtenden Faden, ähnlich dem fallender Sterne, hielt und sagte: »Fasse das Ende dieses Fadens, binde ihn fest an den Daumen deiner rechten Hand, ich will dich daran führen zu dem Ort der höllischen Pein.« Nach diesen Worten schritt es vor ihm her, indem es den Faden von dem leuchtenden Knäuel abwickelte, und leitete ihn durch tiefe Täler voll feuriger Brunnen; in diesen Brunnen war Schwefel, Pech, Blei und Wachs. Er erblickte darin die Bischöfe und Geistlichen aus der Zeit seines Vaters und seiner Ahnen; Karl fragte furchtsam, warum sie so leiden müßten. »Weil wir«, sprachen sie, »Krieg und Zwietracht unter die Fürsten streuten, statt sie zum Frieden zu mahnen.« Während sie noch redeten, flogen schwarze

Teufel auf glühenden Haken heran, die sich sehr mühten, den Faden, woran sich der König hielt, zu ihnen zu ziehen; allein sie vermochten nicht, seiner großen Klarheit wegen, und fuhren davor zurück. Darauf kamen sie von hinten und wollten Karl mit langen Haken ziehen und fallen machen; allein der, welcher ihn führte, warf ihm den Faden doppelt um die Schulter und hielt ihn stark zurück.

Hierauf bestiegen sie hohe Berge, zu deren Füßen glühende Flüsse und Seen lagen. In diese fand er die Seelen der Leute seines Vaters, seiner Vorfahren und Brüder bis zu den Haupthaaren, einige bis zum Kinn, andere bis zum Nabel getaucht. Sie huben an, ihm entgegenzuschreien, und heulten: »Karl, Karl, weil wir Mordtaten begingen, Krieg und Raub, müssen wir in diesen Qualen bleiben!« Und hinter ihm jammerten andre; da wandte er sich um und sah an den Ufern des Flusses Eisenöfen voll Drachen und Schlangen, in denen er andere bekannte Fürsten leiden sah. Einer der Drachen flog hinzu und wollte ihn schlingen: aber sein Führer wand ihm den dritten Schleif des Fadens um die Schulter.

Nächstdem gelangten sie in ein ungeheuer großes Tal, welches auf der einen Seite licht, auf der andern dunkel war. In der dunklen lagen einige Könige, seine Vorfahren, in schreckliche Pein; und am Licht, das der Faden warf, erkannte Karl in einem Faß mit siedendem Wasser seinen eigenen Vater, König Ludwig, der ihn kläglich ermahnte und ihm links zwei gleiche Kufen zeigte, die ihm selber zubereitet wären, wenn er nicht Buße für seine Sünden tun würde. Da erschrak er heftig, der Führer aber brachte ihn auf die lichte Seite des Tals; da sah Karl seinen Oheim Lothar sitzen auf einem großen Edelstein, andere Könige um ihn her, gekrönt und in Wonnen; die ermahnten ihn und verkündigten, daß sein Reich nicht mehr lange dauern werde; aber es solle fallen an Ludwig, Lothars Tochtersohn. Und plötzlich sah Karl dieses Kind, Ludwig, da stehen. Lothar, sein Ahnherr, sprach: »Hier ist Ludwig, das unschuldige Kind, dem übergib jetzt deines Reiches Gewalt durch den Faden, den du in deiner Hand hältst.« Da wand Karl den Faden vom Daumen und übergab dem Kind das Reich; augenblicklich knäuelte sich der Faden, glänzend wie ein Strahl der Sonne, in des Kindes Hand.

Hierauf kehrte Karls Geist in den Leib zurück, ganz müde und abgearbeitet.

### 468. Adalbert von Babenberg

Im Jahre 905, zu König Ludwig des Kindes Zeiten, trug sich eine Begebenheit zu, die man lange auf Kreuzwegen und Malstätten vor dem Volk singen hörte und deren die geschriebenen Bücher von den Taten der Könige nicht geschweigen. Adalbert, ein edler fränkischer Graf, hatte Konrad, König Ludwigs Bruder, erlegt und wurde in seiner Burg Babenberg darum belagert. Da man aber diese Helden mit Gewalt nicht bezwingen konnte, sann des jungen Königs Ratgeber, Erzbischof Hatto von Mainz, auf eine List. Mit frommer Gleisnerei ging er hinauf zu einem Gespräch in das Schloß und redete dem Adalbert zu, die Gnade des Königs zu suchen. Adalbert, fromm und demütig, fügte sich gerne, bedang sich aber aus, daß ihn Hatto sicher und ohne Gefahr seines Lebens wieder in die Burg zurückbringe. Hatto gab ihm sein Wort darauf, und beide machten sich auf den Weg. Als sie sich dem nächsten Dorf, namens Teurstadt[68], näherten, sprach der Bischof: »Es wird uns das Fasten schwer halten, bis wir zum König kommen, sollten wir nicht vorher frühstücken, wenn es dir gefiele?« Adalbert, einfältig und gläubig nach Art der Alten, ohne Böses zu ahnen, lud den Bischof alsbald nach diesen Worten bei sich zum Essen ein, und sie kehrten wieder in die Burg zurück, die sie soeben verlassen hatten. Nach eingenommenem Mahl begaben sie sich sodann ins Lager, wo die Sache des Fürsten vorgenommen und er der Klage des Hochverrats schuldig

---

68 Bei Ditm. Tereti, bei Regino Terassa, heute Detes, Benediktinerkloster im Würzburgischen.

gesprochen und zur Enthauptung verdammt wurde. Als man dieses Urteil zu vollziehen Anstalt machte, mahnte Adalbert den Bischof an die ihm gegebene Treue. Hatto antwortete verräterisch: »Die hab ich dir wohl gehalten, als ich dich ungefährdet wieder in deine Burg zum Frühstücken zurückführte.« Adalbert von Babenberg wurde hierauf enthauptet und sein Land eingezogen.

Andere erzählen mit der Abweichung: Adalbert habe gleich anfangs dem Hatto eine Mahlzeit angeboten, dieser aber sie ausgeschlagen und nachher unterwegs gesagt: »Fürwahr, oft begehrt man, was man erst abgelehnt, ich bin wegmüd und nüchtern.« Da neigte sich der Babenberger auf die Knie und lud ihn ein, mit zurückzugehn und etwas zu essen. Der Erzbischof aber meinte sich seines Schwurs ledig, sobald er ihn zur Burg zurückgebracht hatte. Die Verurteilung Adalberts geschah zu Tribur.

### 469. Herzog Heinrich und die goldene Halskette

Heinrich, Ottos Sohn, folgte in sein väterliches Erbe sowie in die meisten Güter, die auch Otto vom Reich getragen hatte; doch nicht in alle, weil König Konrad fürchtete, Heinrich möchte übermächtig werden. Dieses schmerzte auch Heinrich, und die Feindschaft, wie Unkraut unter dem Weizen, wuchs zwischen beiden. Die Sachsen murrten; aber der König stellte sich freundlich in Worten gegen Heinrich und suchte ihn durch List zu berücken. Des Verrates Anstifter wurde aber Bischof Hatto von Mainz, der auch Graf Adalbert, Heinrichs Vetter, trüglich ums Leben gebracht hatte. Dieser Hatto ging zu einem Schmied und bestellte eine goldene Halskette, in welcher Heinrich erwürgt werden sollte. Eines Tages kam nun einer von des Königs Leuten in die Werkstätte, die Arbeit zu besehen, und als er sie betrachtete, seufzte er. Der Goldschmied fragte: »Warum seufzt Ihr so?« – »Ach«, antwortete jener, »weil sie bald rot werden soll vom Blut des besten Mannes, Herzogs Heinrich.« Der Schmied aber schwieg still als um eine Kleinigkeit. Sobald er dann das

Werk mit großer Kunst vollendet hatte, entfernte er sich insgeheim und ging dem Herzog Heinrich, der schon unterwegs war, entgegen. Er traf ihn bei dem Ort Cassala[69] und fragte, wo er hin gedächte. Heinrich antwortete: »Zu einem Gastmahl und großen Ehren, wozu ich geladen worden bin.« Da entdeckte ihm der Schmied die ganze Beschaffenheit der Sache; Heinrich rief den Gesandten, der ihn eingeladen hatte, hieß ihn allein ziehen und den Herren danken und absagen. Für Hatto soll er ihm folgenden Bescheid mitgegeben haben: »Geh hin und sage Hatto, daß Heinrich keinen härteren Hals trägt als Adalbert; und lieber will er zu Hause bleiben, als ihn mit seinem vielen Gefolg belästigen.« Hierauf überzog Heinrich des Bischofs Besitzungen in Sachsen und Thüringen und befeindete des Königs Freunde. Hatto starb bald danach aus Verdruß, einige sagen, daß er drei Tage später vom Blitzstrahl getötet worden sei[70]. Das Glück verließ den König und wandte sich überall zu Herzog Heinrich (später Heinrich der Vogler genannt).

### 470. Kaiser Heinrich der Vogler

Als die Fürsten den Heinrich suchten, daß sie ihn zum deutschen Kaiser erklären wollten, da fanden sie ihn mit einem Garnnetz und Kloben bei seinen lieben Kindern, wie er mit ihnen vogelte. Darum nannte man ihn scherzweise Heinrich den Vogler oder Finkler (*auceps*).

### 471. Der kühne Kurzbold[71]

König Heinrich der Finkler hatte einen getreuen Helden namens Kuno, aus königlichem Geschlecht, klein von Gestalt, aber groß

---

69 Kassel in Hessen.
70 Andere, daß seine Seele von Teufeln in den Ätna geführt wurde.
71 Churziboldt, pugillus, Däumling (Gloss. Zwetl.). Kurzbolt, eine Art Kleid (Rother, 4576), altfranz. Cortibaut, courtibaut, lat. Cortibaldus.

an Herz und Mut. Seines winzigen Aussehens wegen gab man ihm den Beinamen Kurzbold. Gisilbert von Lothringen und Eberhard von Franken hatten sich gegen den König empört und waren gerade im Begriff, bei Breisach das Heer überzuschiffen; aber während sie am Rheinufer Schach spielten, überfiel sie der Kurzbold bloß mit vierundzwanzig Männern[72]. Gisilbert sprang in den Nachen, Kuno stieß seine Lanze mit solcher Gewalt hinein, daß er den Herzog mit allen, die im Schiff waren, versenkte. Den Eberhard durchbohrte er am Ufer mit dem Schwert. – Zu einer andern Zeit stand Kurzbold allein bei dem König, als ein Löwe aus dem Käfig losbrach. Der König wollte dem Kuno das Schwert, welches er nach damaliger Sitte trug, entreißen; aber jener sprang ihm zuvor auf den Löwen los und tötete ihn. Diese Tat erscholl weit und breit. Kuno hatte einen natürlichen Abscheu vor Weibern und Äpfeln, und wo er auf eins von beiden stieß, war seines Bleibens nicht. Es gibt von ihm viele Sagen und Lieder[73]. Einmal hatte er auch einen Heiden (Slawen) von riesenhafter Gestalt, auf dessen Ausforderung er aus des Königs Lager erschien, überwunden.

### 472. Otto mit dem Bart[74]

Kaiser Otto der Große wurde in allen Landen gefürchtet, er war streng und ohne Milde, trug einen schönen roten Bart; was er bei diesem Bart schwur, machte er wahr und unabwendlich. Nun geschah es, daß er zu Babenberg (Bamberg) eine prächtige Hofhaltung hielt, zu welcher geistliche und weltliche Fürsten des Reiches kommen mußten. Ostermorgens zog der Kaiser mit allen diesen Fürsten in das Münster, um die feierliche Messe zu

---

72 Vgl. Schlosser, II, 2, 186
73 Zu Ekkehards Zeit (zweite Hälfte des XI. Jahrh.), der, weil die Lieder zu allgemein bekannt, die Erzählung der Begebenheiten ausläßt.
74 Otto Rotbart ist vermutlich Otto II., nicht Otto I. Vergl. Lohengrin, Str. 741, und Leibniz: Access., I. p. 184. Indessen schwankt die Sage überhaupt bei gleichen aufeinanderfolgenden Namen.

hören, unterdessen in der Burg zu dem Gastmahl die Tische bereitet wurden; man legte Brot und setzte schöne Trinkgefäße darauf. An des Kaisers Hof diente aber dazumal auch ein edler und wonnesamer Knabe, sein Vater war Herzog in Schwaben und hatte nur diesen einzigen Erben. Dieser schöne Jüngling kam von ungefähr vor die Tische gegangen, griff nach einem linden Brot mit seinen zarten, weißen Händen, nahm es auf und wollte essen, wie alle Kinder sind, die gerne in hübsche Sachen beißen, wonach ihnen der Wille steht. Wie er nun ein Teil des weißen Brotes abbrach, ging da mit seinem Stabe des Kaisers Truchseß, welcher die Aufsicht über die Tafel haben sollte; der schlug zornig den Knaben aufs Haupt, so hart und ungefüge, daß ihm Haar und Haupt blutig ward. Das Kind fiel nieder und weinte heiße Tränen, daß es der Truchseß gewagt hätte, es zu schlagen. Das ersah ein auserwählter Held, genannt Heinrich von Kempten, der war mit dem Kind aus Schwaben gekommen und dessen Zuchtmeister; heftig verdroß es ihn, daß man das zarte Kind so unbarmherzig geschlagen hatte, und fuhr den Truchsessen seiner Unzucht wegen mit harten Worten an. Der Truchseß sagte, daß er kraft seines Amtes allen ungefügen Schälken am Hof mit seinem Stab wehren dürfe. Da nahm Herr Heinrich einen großen Knüppel und spaltete des Truchsessen Schädel, daß er wie ein Ei zerbrach und der Mann tot zu Boden sank.

Unterdessen hatten die Herren Gott gedient und gesungen und kehrten zurück; da sah der Kaiser den blutigen Estrich, fragte und vernahm, was sich zugetragen hatte. Heinrich von Kempten wurde auf der Stelle vorgefordert, und Otto, von tobendem Zorn entbrannt, rief: »Daß mein Truchseß hier erschlagen liegt, schwöre ich an Euch zu rächen! Sam mir mein Bart!« Als Heinrich von Kempten diesen teuren Eid ausgesprochen hörte und sah, daß es sein Leben galt, faßte er sich, sprang schnell auf den Kaiser los und begriff ihn bei dem langen roten Barte. Damit schwang er ihn plötzlich auf die Tafel, daß die kaiserliche Krone von Ottos Haupt in den Saal fiel, und zuckte

– als die Fürsten, den Kaiser von diesem wütenden Menschen zu befreien, hinzusprangen – sein Messer, indem er laut ausrief: »Keiner rühre mich an, oder der Kaiser liegt tot hier!« Alle traten hinter sich, Otto, mit großer Not, winkte es ihnen zu; der unverzagte Heinrich aber sprach: »Kaiser, wollt Ihr das Leben haben, so tut mir Sicherheit, daß ich genese.« Der Kaiser, der das Messer an seiner Kehle stehen sah, bot alsbald die Finger in die Höhe und gelobte dem edlen Ritter bei kaiserlichen Ehren, daß ihm das Leben geschenkt sein solle.

Heinrich, sobald er diese Gewißheit hatte, ließ er den roten Bart aus seiner Hand und den Kaiser aufstehen. Dieser setzte sich aber ungezögert auf den königlichen Stuhl, strich sich den Bart und redete in diesen Worten: »Ritter, Leib und Leben hab ich Euch zugesagt; damit fahrt Eurer Wege, hütet Euch aber vor meinen Augen, daß sie Euch nimmer wiedersehen, und räumt mir Hof und Land! Ihr seid mir zu schwer zum Hofgesind, und mein Bart müsse immerdar Euer Schermesser meiden!« Da nahm Heinrich von allen Rittern und Bekannten Urlaub und zog gen Schwaben auf sein Land und Feld, das er vom Stifte zu Lehen trug; lebte einsam und in Ehren.

Danach über zehn Jahre begab es sich, daß Kaiser Otto einen schweren Krieg führte, jenseits des Gebirges, und vor einer festen Stadt lag. Da wurde er nothaft an Leuten und Mannen und sandte heraus nach deutschen Landen: wer ein Lehn von dem Reiche trage, solle ihm schnell zu Hilfe eilen, bei Verlust des Lehens und seines Dienstes. Nun kam auch ein Bote zu dem Abt nach Kempten, ihn auf die Fahrt zu mahnen. Der Abt besandte wiederum seine Dienstleute und forderte Herrn Heinrich, als dessen er vor allen bedürftig war. »Ach, edler Herr, was wollt Ihr tun«, antwortete der Ritter, »Ihr wißt doch, daß ich des Kaisers Huld verwirkt habe; lieber geb ich Euch meine zwei Söhne hin und lasse sie mit Euch ziehen.« – »Ihr aber seid mir nötiger als sie beide zusammen«, sprach der Abt, »ich darf Euch nicht von diesem Zug entbinden oder ich leihe Euer Land andern, die es besser zu verdienen wissen.« – »Traun«, antwortete der edle Ritter, »ist dem so, daß Land und Ehre auf dem Spiel stehen, so will ich Euer Gebot leisten, es komme, was da wolle, und des Kaisers Drohung möge über mich ergehen.«

Hiermit rüstete sich Heinrich zu dem Heerzug und kam bald nach Welschland zu der Stadt, wo die Deutschen lagen; jedoch barg er sich vor des Kaisers Antlitz und floh ihn. Sein Zelt ließ er ein wenig seitwärts vom Heer schlagen. Eines Tages lag er da und badete in einem Zuber und konnte aus dem Bad in die Gegend schauen. Da sah er einen Haufen Bürger aus der belagerten Stadt kommen und den Kaiser dagegenreiten zu einem Gespräch, das zwischen beiden Teilen verabredet worden war. Die treulosen Bürger hatten aber diese List ersonnen; denn als der Kaiser ohne Waffen und arglos zu ihnen ritt, hielten sie gerüstete Mannschaft im Hinterhalte und überfielen den Herrn mit frechen Händen, daß sie ihn fingen und schlügen. Als Herr Heinrich diesen Treubruch und Mord geschehen sah, ließ er Baden und Waschen, sprang aus dem Zuber, nahm den Schild mit der einen und sein Schwert mit der andern Hand und lief bloß und nackend nach dem Gemenge zu. Kühn schlug er unter die Feinde, tötete und verwundete eine große Menge und machte sie alle flüchtig. Darauf löste er den Kaiser seiner Bande und lief schnell zurück, legte sich in den Zuber und badete nach wie vor. Otto, als er zu seinem Heer wieder gelangte, wollte erkundigen, wer sein unbekannter Retter gewesen wäre; zornig saß er im Zelt auf seinem Stuhl und sprach: »Ich war verraten, wo mir nicht zwei ritterliche Hände geholfen hätten; wer aber den nackten Mann erkennt, führe ihn vor mich her, daß er reichen Lohn und meine Huld empfange; kein kühnerer Held lebt hier noch anderswo.«

Nun wußten wohl einige, daß es Heinrich von Kempten gewesen war; doch fürchteten sie den Namen dessen auszusprechen, dem der Kaiser den Tod geschworen hatte. »Mit dem Ritter«, antworteten sie, »steht es so, daß schwere Ungnade auf ihm lastet; möchte er deine Huld wiedergewinnen, so ließen wir ihn vor dir sehen.« Da nun der Kaiser sprach, und wenn er ihm gleich seinen Vater erschlagen hätte, solle ihm vergeben sein, nannten sie ihm Heinrich von Kempten. Otto befahl, daß er alsbald hergebracht würde; er wollte ihn aber erschrecken und übel empfahen.

Als Heinrich von Kempten hereingeführt war, gebärdete der Kaiser sich zornig und sprach: »Wie getrauet Ihr, mir unter die Augen zu treten? Ihr wißt doch wohl, warum ich Euer Feind bin, der Ihr meinen Bart rauft und ohne Schermesser geschoren habt, daß er noch ohne Locke steht. Welch hochfärtiger Übermut hat Euch jetzt dahergeführt?« – »Gnade, Herr«, sprach der kühne Degen, »ich kam gezwungen hierher, und mein Fürst, der hier steht, gebot es bei seinen Hulden. Gott sei mein Zeuge, wie ungern ich diese Fahrt getan; aber meinen Diensteid mußte ich lösen; wer mir das übelnimmt, dem lohne ich so, daß er sein letztes Wort gesprochen hat.« Da begann Otto zu lachen: »Seid mir tausendmal willkommen, ihr auserwählter Held! Mein Leben habt Ihr gerettet, das müßte ich ohne Eure Hilfe verloren haben, seliger Mann.« So sprang er auf, küßte ihm Augen und Wangen. Ihr zweier Feindschaft war dahin und eine lautere Sühne gemacht; der hochgeborne Kaiser lieh und gab ihm großen Reichtum und brachte ihn zu Ehren, deren man noch gedenkt.

### 473. Der Schuster zu Lauingen

Auf dem Hofturm der Stadt Lauingen findet sich folgende Sage abgemalt[75]: Zur Zeit, als die Heiden oder Hunnen bis nach Schwaben vorgedrungen waren, rückte ihnen der Kaiser mit seinem Heer entgegen und lagerte sich unweit der Donau zwischen Lauingen und dem Schloß Faimingen. Nach mehreren vergeblichen Anfällen von beiden Seiten kamen endlich Christen und Heiden überein, den Streit durch einen Zweikampf entscheiden

---

[75] Auf diesem Turm steht auch ein anderes Gemälde von einem Pferd, das fünfzehn Schuh lang gewesen, zwei Herzen gehabt haben und um 1260 zu Lauingen geboren worden sein soll.

zu lassen. Der Kaiser wählte den Marschall von Calatin (Pappenheim) zu seinem Kämpfer, der den Auftrag freudig übernahm und nachsann, wie er den Sieg gewiß erringen möchte. Indem trat ein unbekannter Mann zu ihm und sprach: »Was sinnst du? Ich sage dir, daß du nicht für den Kaiser fechten sollst, sondern ein Schuster aus Henfwil (später Lauingen) ist dazu ausersehen.« Der Calatin versetzte: »Wer bist du? Wie dürfte ich die Ehre dieses Kampfes von mir ablehnen?« – »Ich bin Georg, Christi Held«, sprach der Unbekannte, »und zum Wahrzeichen nimm meinen Däumling.« Mit diesen Worten zog er den Däumling von der Hand und gab ihn dem Marschall, welcher ungesäumt damit zum Kaiser ging und den ganzen Vorfall erzählte. Hierauf wurde beschlossen, daß der Schuster gegen den Heiden streiten sollte. Der Schuster übernahm es und besiegte glücklich den Feind. Da gab ihm der Kaiser die Wahl von drei Gnaden sich auszubitten. Der Schuster bat erstens um eine Wiese in der Nähe von Lauingen, daß diese der Stadt als Gemeingut gegeben würde. Zweitens, daß die Stadt mit rotem Wachs siegeln dürfte (welches sonst keinem mittelbaren Ort gestattet war). Drittens, daß die Herrn von Calatin eine Mohrin als Helmkleinod führen dürften. Alles wurde ihm bewilligt und der Daumen St. Georgs sorgfältig von den Pappenheimern aufbewahrt, die eine Hälfte in Gold gefaßt zu Kaisheim, die andre zu Pappenheim.

### 474. Das Rad im Mainzer Wappen

Im Jahre 1009 wurde Willegis, ein frommer und gelehrter Mann, zum Bischof von Mainz gewählt; er war aber von geringer, armer Herkunft und sein Vater ein Wagnersmann gewesen. Deswegen haßten ihn die adligen Tumherren und Stiftsgenossen, nahmen Kreide und malten ihm verdrießweise Räder an die Wände und Türen seines Schlosses; gedachten ihm damit eine Schmach zu tun. Als der fromme Bischof ihren Spott vernahm, da hieß er einen Maler rufen; dem befahl er, mit guter Farbe in alle seine Gemächer weiße Räder in rote Felder zu malen, und ließ dazu-

setzen einen Reim, der sagte: »Willegis, Willegis, denk, woher du kommen sis.« Daher rührt, daß seit der Zeit alle Bischöfe zu Mainz weiße Räder im roten Schild führen. Andere fügen hinzu, Willegis habe, von Demütigkeit wegen, ein hölzernes Pflugrad stets an seiner Bettstätte hängen gehabt.

### 475. Der Rammelsberg

Zur Zeit, als Kaiser Otto I. auf der Harzburg hauste, hielt er auch an dem Harzgebirge große Jagden. Da geschah es, daß Ramm (nach andern Remme), seiner besten Jäger einer, an den Vorbergen jagte, der Burg gegen Niedergang, und ein Wild verfolgte. Bald aber wurde der Berg zu steil, darum stand der Jäger ab von seinem Roß, band es an einen Baum und eilte dem Wild zu Fuße nach. Sein zurückbleibendes Pferd stampfte ungeduldig und kratzte mit den Vorderhufen auf dem Grund. Als sein

Herr, der Jäger Ramm, von der Verfolgung des Wildes zurückkehrte, sah er verwundert, wie sein Pferd gearbeitet und mit den Füßen einen schönen Erzgang aufgescharrt hatte. Da hub er einige Stufen auf und trug sie dem Kaiser hin, der alsbald das entblößte Bergwerk angreifen und mit Schürfen versuchen ließ. Man fand eine reichliche Menge Erz, und der Berg wurde dem Jäger zu Ehren *Rammelsberg*[76] geheißen. Des Jägers Frau nannte sich Gosa, und von ihr empfing die Stadt *Goslar*, die nahe bei dem Berg gebaut wurde, ihren Namen. Das Flüßchen, das durch die Stadt rinnt, heißt ebenfalls *Gose*, desgleichen das daraus gebraute Weißbier. Der Jäger wurde in der Augustinskapelle begraben und auf dem Leichenstein mit seiner Frau in Lebensgröße ausgehauen; Rammel trägt in der Rechten ein Schwert über sich und Gosa eine Krone auf dem Haupt.

Nach andern hat nicht der Jäger, sondern eines Jungherrn Pferd Rammel geheißen, das man einmal an dem Berge anband, wo es so rammelte und stampfte, daß seine wohlgeschärften Hufeisennägel eine Goldader bloßmachten.

Noch sieht man auf dem Rammelsberg einen Brunnen, der Kinderbrunnen genannt, worauf zwei steingehauene Kinder stehen; daher, weil unter Heinrich II. eine schwangere Frau bei diesem Brunnen zweier Söhnlein entbunden wurde. Kaiser Otto soll auf dem Berg oben an dem Platz namens Werl ein Schloß oder einen Saal gehabt haben, vor dem er einst einem gefangenen König das Haupt abschlagen ließ. Späterhin schlug das Bergwerk einmal ein und verdarb so viele Arbeiter, daß vierthalbhundert Witwen vor dem Berge standen und ihre Männer klagten; darauf lagen die Gruben hundert Jahr still, und Goslar wurde so einsam, daß in allen Straßen hohes Gras wuchs.

---

76 In den Rammelsberg soll mehr Holz verbaut sein als in die Städte Braunschweig und Goslar. Man hatte ein altes Lied, das so anfängt: »De Ramelsburgk hefft enen gulden Foet, drumb tragen wi en stolten Moet«.

### 476. Die Grafen von Eberstein

Als Kaiser Otto seine Feinde geschlagen und die Stadt Straßburg bezwungen hatte, lagerte er vor der Burg der Grafen Eberstein, die es mit seinen Feinden hielten. Das Schloß stand auf einem hohen Fels am Wald (unweit Baden in Schwaben), und dritthalb Jahr lang konnte es das kaiserliche Heer immer nicht bezwingen, sowohl der natürlichen Festigkeit als der tapferen Verteidigung der Grafen wegen. Endlich riet ein kluger Mann dem Kaiser folgende List: er solle einen Hoftag nach Speyer ausschreiben, zu welchem jedermann ins Turnier sicher kommen dürfte; die Grafen von Eberstein würden nicht säumen, sich dazu einzufinden, um ihre Tapferkeit zu beweisen; mittlerweile möge der Kaiser durch geschickte und kühne Leute ihre Burg bewältigen lassen. Der Festtag zu Speyer wurde hierauf verkündigt; der König, viele Fürsten und Herren, unter diesen auch die drei Ebersteiner, waren zugegen; manche Lanze wurde gebrochen. Des Abends begannen die Reihen, wobei der jüngste Graf von Eberstein, ein schöner, anmutiger Mann mit krausem Haar, vortanzen mußte. Als der Tanz zu Ende ging, nahte sich heimlich eine schöne Jungfrau den dreien Grafen und raunte: »Hütet euch, denn der Kaiser will eure Burg ersteigen lassen, während ihr hier seid, eilt noch heute nacht zurück!« Die drei Brüder berieten sich und beschlossen, der Warnung zu gehorchen. Darauf kehrten sie zum Tanz, forderten die Edeln und Ritter zum Kampf auf morgen und hinterlegten hundert Goldgülden zum Pfand in die Hände der Frauen. Um Mitternacht aber schifften sie über den Rhein und gelangten glücklich in ihre Burg heim. Kaiser und Ritterschaft warteten am andern Tage vergebens auf ihre Erscheinung beim Lanzenspiel; endlich befand man, daß die Ebersteiner gewarnt worden wären. Otto befahl, aufs schleunigste die Burg zu stürmen; aber die Grafen waren zurückgekehrt und schlugen den Angriff mutig ab. Als mit Gewalt gar nichts auszurichten war, sandte der Kaiser drei Ritter auf die Burg, mit den Grafen zu unterhandeln.

Sie wurden eingelassen und in Weinkeller und Speicher geführt; man holte weißen und roten Wein, Korn und Mehl lagen in großen Haufen. Die Abgesandten verwunderten sich über solche Vorräte. Allein die Fässer hatten doppelte Böden oder waren voll Wasser; unter dem Getreide lag Spreu, Kehricht und alte Lumpen. Die Gesandten hinterbrachten dem Kaiser, es sei vergeblich, die Burg länger zu belagern; denn Wein und Korn reiche denen inwendig noch auf dritthalb Jahr aus. Da wurde Otto geraten, seine Tochter mit dem jüngsten Grafen Eberhard von Eberstein zu vermählen und dadurch dieses tapfere Geschlecht auf seine Seite zu bringen. Die Hochzeit ward in Sachsen gefeiert, und der Sage nach soll es die Braut selber gewesen sein, welche an jenem Abend die Grafen gewarnt hatte. Otto sandte seinen Schwiegersohn später zum Papst in Geschäften; der Papst schenkte ihm eine Rose in weißem Korb, weil es gerade der Rosensonntag war. Diese nahm Eberhard mit nach Braunschweig, und der Kaiser verordnete, daß die Rose in weißem Felde künftig das ebersteinische Wappen bilden sollte.

## 477. Otto läßt sich nicht schlagen

Otto III.[77] war noch klein, als man ihn zu Aachen weihte, und stand unter seines Oheims, Bischof Brunos, Vormundschaft. Eines Tages geschah, daß das Kind im Bad unziemlich geschlagen wurde; da ließ es ein totes Kind in sein Bett tragen und verbarg sich heimlich. Bruno, als er vor das Bett trat, erschrak heftig und glaubte den König tot; doch bald darauf wurde er wiedergefunden. Da fragte der Bischof Otto, warum er das getan hätte. Das Kind sprach: »Du hießest mich im Bad hart mit einer scharfen Gerte schlagen, und half mir all mein Weinen nicht; da zürnte ich auf dich und wollte dich darum erschrecken.« Da gelobte ihm Bruno, daß ihm fürbaß kein Leid mehr geschehen sollte, berief die Fürsten nach Mainz auf einen Tag und übergab ihnen

---

77 Otto II.? Schlosser, II, 2, 208.

das Kind mit dem Reich. Die Fürsten aber empfahlen das Kind nunmehr Willegis, Bischof zu Mainz.

### 478. König Otto in Lamparten

Der König Otto fuhr da mit großem Heer zu Lamparten und gewann Mailand und satzte da Pfenning, die hießen Ottelin. Da der König dannen kam, verwarfen sie ihm seine Münze zu Laster, und er fuhr wieder dar und bezwang sie dazu, daß sie von altem Leder Pfenning nehmen und geben müßten. Da kam eine Frau vor ihn und klagte über einen Mann, der ihr Gewalt angetan hätte. Der König sprach: »Wenn ich herwieder komme, will ich dir richten.« – »Herr«, sagte die Frau, »du vergisst es.« Der König wies sie mit seiner Hand an eine Kirche und sprach: »Diese Kirche sei des mein Urkund.« Er fuhr dann wieder in deutsche Land und bezwang Ludolf, seinen Sohn, der sich empört hatte. Und als er nach der Zeit wieder in Lamparten zog, führte ihn der Weg an der Kirche vorüber, die er dem Weib gewiesen hatte, daß er ihr richten wollte um ihre Not. Der König ließ sie rufen und ließ sie klagen. Sie sprach: »Herr, er ist nun mein ehelicher Mann, und ich habe liebe Kinder mit ihm.« Der sprach da: »Sammer Otten Bart!« Also schwur er ihr: »Er soll meiner Barten (Beile) schmekken!« und befahl, den Missetäter an seinem Leibe nach dem Recht zu strafen. Also richtete er dem Weib wider ihren Willen.

### 479. Der unschuldige Ritter

Kaiser Otto III., genannt *Das Kind*, hatte am Hof einen edlen Ritter, den langte die Kaiserin Maria, gebürtig von Aragonien, bittend an, daß er mit ihr buhlte. Der Ritter erschrak und sprach: »Das sei fern von mir, das wäre meiner und meines Herrn Ehre viel zu nah«, und ging weg von der Kaiserin. Da sie sah, daß er also im Zorne von ihr ging, kam sie zum Kaiser, schmeichelte und sprach: »Was habt Ihr für Ritter an Eurem Hofe? Einer von ihnen wollte mich schänden.« Da dies der Kaiser hörte, ließ er von Stunde an den Ritter fangen und ihm das Haupt abschlagen. Aber es soll aus seinem Halse kein Blut geflossen sein, sondern Milch. Der Kaiser, als er das Wunder sah, rief: »Hierum steht's nicht recht«, ließ die Kaiserin vorfordern und fragte sie hart um die Wahrheit. Sie fiel bestürzt zu Fuß und bat um Gnade; er aber als ein gestrenger Richter, nachdem er die Lügen erfahren, ließ sein Weib dieser Untat wegen fangen und brennen, blieb auch ohne Weib und Erben sein Lebtag.

### 480. Kaiser Otto hält Witwen- und Waisengericht

Otto III. hatte ein unstetes Weib, die warb an einen Grafen, daß er mit ihr buhlen sollte; das wollte der Graf nicht tun und seinen Herren nicht entehren, noch sich selber. Da gab die Königin diesen Grafen an beim König und sprach: »Der Graf hat mich meiner Ehren angemutet.« Der König hieß in jähem Zorn den Grafen töten. Indem er aber zum Tod geführt wurde, begegnete ihm seine Ehegemahlin; der offenbarte er, wie ihn die Königin böslich um Frömmigkeit, Biederkeit und Leben bringe, und ermahnte sie, nach seinem Tode das glühende Eisen zu tragen auf seine Unschuld. Nun ward dem Grafen sein Haupt abgeschlagen, und eine Zeit darauf geschah's, daß der Kaiser ein Gericht berief und dazu Witwen und Waisen, daß nach dem Recht gerichtet würde. Als nun das Gericht besetzt war, trat des Grafen Gemahlin vor, trug das Haupt ihres Mannes heimlich unterm Gewand, kniete nieder und forderte Hilfe und Recht. Hierauf fragte sie, welchen Tod zu leiden der schuldig sei, der einen andern unschuldig enthaupten lasse. Der Kaiser sprach: »Man soll ihm wieder sein eigen Haupt abschlagen.« Da zog sie des Grafen Haupt hervor und sprach: »Herr, du selbst bist es, der diesen meinen Mann unschuldig hat töten lassen«, und offenbarte der Königin Falschheit. Der Kaiser erschrak und forderte Beweis. Die Witwe wählte das Gottesurteil und trug das glühende Eisen, daß ihr nie Leid davon geschah. Da gab sich der Kaiser in der Frauen Gewalt, daß sie ihn töten lassen könne nach dem Recht.

Die Herren aber legten sich hinein und erwarben dem Kaiser von der Frauen einen Aufschlag des Gerichts zehen Tage, danach acht Tage, danach sieben Tage, darnach sechs Tage. Und der Kaiser gab der Gräfin um jeden Aufschlag eine gute Feste, die haben davon den Namen; eine heißt die Zehent, die andere die Acht, die dritte die Siebent, die vierte die Sechst und liegen im Lümer Bistum. Und ehe die Tage vollgingen – da die Witwe auf des Kaisers Haupt bestand, es wäre denn, daß die Hure sterbe, und damit allein könne sich der König lösen –, so ließ er die Königin fangen und lebendig vergraben; mit den vier Schlössern hatte er sich selber gelöst.

### 481. Otto III. in Karls Grabe

Als nach langen Jahren Kaiser Otto III. an das Grab kam, wo Karls Gebeine bestattet ruhten, trat er mit zwei Bischöfen und dem Grafen Otto von Laumel (der dieses alles berichtet hat) in die Höhle ein. Die Leiche lag nicht wie andere Tote, sondern saß aufrecht wie ein Lebender auf einem Stuhl. Auf dem Haupt war eine Goldkrone, den Zepter hielt er in den Händen, die mit Handschuhen bekleidet waren, die Nägel der Finger hatten aber das Leder durchbohrt und waren herausgewachsen. Das Gewölbe war aus Marmor und Kalk sehr dauerhaft gemauert. Um hineinzugelangen, mußte eine Öffnung gebrochen werden; sobald man hineingelangt war, spürte man einen heftigen Geruch. Alle beugten sogleich die Knie und erwiesen dem Toten Ehrerbietung. Kaiser Otto legte ihm ein weißes Gewand an, beschnitt ihm die Nägel und ließ alles Mangelhafte ausbessern. Von den Gliedern war nichts verfault, außer von der Nasenspitze fehlte etwas; Otto ließ sie von Gold wiederherstellen. Zuletzt nahm er aus Karls Mund einen Zahn, ließ das Gewölbe wieder zumauern und ging von dannen.

Nachts darauf soll ihm im Traum Karl erschienen sein und verkündigt haben, daß Otto nicht alt werden und keinen Erben hinter sich lassen werde.

## 482. Die heilige Kunigund

Kaiser Heinrich II. und Kunigund, die blieben beide unbefleckt bis an ihren Tod. Der Teufel wollte sie da unehren, daß sie der Kaiser zieh von eines Herzogs wegen, mit dem sollte sie in Ungebühr stehen. Die Frau bot dafür ihr Recht, dazu kamen mannig Bischöfe und Fürsten. Da wurden sieben glühende Eisenscharen gelegt, die sollte die Frau treten. Sie hub auf ihre Hände zu Gott und sprach: »Gott, du weißt wohl allein meine Unschuld; ledige mich von dieser Not, als du tätest der guten Susannen von der ungerechten Bezeugnis!« Sie trat die Schar kecklich und sprach: »Sieh, Kaiser, so schuldig ich deiner bin, bin ich aller Männer.« Da ward die Frau gereinigt mit allen Ehren. Der König fiel ihr zu Füßen und die Herren alle.

## 483. Der Dom zu Bamberg

Baba, Heinrich des Voglers Schwester und Graf Albrechts Gemahlin, nach andern aber Kunigund, Kaiser Heinrichs II. Gemahlin, stiftete mit eigenem Gut den Dom zu Babenberg. Solange sie baute, setzte sie täglich eine große Schüssel voll Geldes auf für die Taglöhner und ließ einen jeden so viel herausnehmen, als er verdient hätte; denn es konnte keiner mehr nehmen, als er verdient hatte. Sie zwang auch den Teufel, daß er ihr große marmelsteinerne Säulen mußte auf den Berg tragen, auf den sie die Kirche setzte, die man noch heute wohl sieht.

## 484. Taube sagt den Feind an

Man erzählt, unter Kaiser Heinrich II. habe es sich begeben, daß eine Taube in eine Stadt, die bald darauf vom Feind überfallen und belagert wurde, geflogen kam. Um ihren Hals fand man einen Zettel gebunden, auf dem diese Nachricht geschrieben stand.

**485. Der Kelch mit der Scharte**

In den Zeiten, als Kaiser Heinrich II. starb, war ein frommer Einsiedler, der hörte einen großen Rausch von Teufeln in der Luft und beschwor sie bei Gott, wo sie hinfahren wollten? Die bösen Geister sagten: »Zu Kaiser Heinrich.« Da beschwor sie der gute Mann, daß sie ihm hinterbrächten, was sie geworben hätten. Die Teufel fuhren ihren Weg, aber der gute Mann betete zu Gott für des Kaisers Seele. Bald darauf kamen die Teufel wieder gefahren zu dem Einsiedler und sprachen: »Als die Missetat des Kaisers seine Gutheit überwiegen sollte und wir die Seele in unsre Gewalt nehmen wollten, da kam der gesegnete Laurentius und warf einen Kelch schnell in die Waage, daß dem Kelch eine Scherbe ausbrach, also verloren wir die Seele; denn derselbe Kelch machte die gute Schale schwerer.« – Auf diese Botschaft dankte der Einsiedler Gott seiner Gnaden und tat sie kund den Domherren von Merseburg. Und sie fanden den Kelch mit der Scharte, als man ihn noch heute kann schauen. Der Kaiser aber hatte ihn einst bei seinen Lebzeiten dem heiligen Laurenz zu Merseburg aus Guttat geweiht.

**486. Sage von Kaiser Heinrich III**

Kaiser Konrad der Franke ließ ein Gebot ausgehen: Wer den Frieden breche, dem sollte man das Haupt abschlagen. Dies Gebot brach Graf Leopold von Calw, und da der König zu Land kam, entwich Graf Leopold in den Schwarzwald in eine öde Mühle, meinte sich da zu enthalten mit seiner Hausfrau, bis ihm des Königs Huld wieder würde. Einmal ritt der König ungefähr in den Wald und vor dieselbe Mühle hin. Und da ihn Leopold hörte, fürchtete er, der König wolle ihn suchen, und floh in das Dickicht. Seine Hausfrau ließ er in der Mühle, die konnte nirgends hin; denn es war um die Zeit, daß sie ein Kind gebären sollte. Als nun der König nahe bei der Mühle war und die Frau in ihren Nöten hörte schreien, hieß er nachsehen, was der Frau gebräche. In den Dingen hörte der König eine Stimme, die sprach: »Auf diese Stunde ist ein Kind hier geboren, das wird dein Tochtermann!« Konrad erschrak, denn er wußte anders nicht, denn daß die Frau eine Bäuerin wäre, und dachte, wie er dem zuvorkommen möchte, daß seine Tochter keinem Bauern zuteil würde. Und schickte zwei seiner Diener in die Mühle, daß sie das neugeborne Kind töteten und zu dessen Sicherheit ihm des Kindes Herz brächten; denn er müsse es haben zu einer Buße. Die Diener mußten dem Kaiser genugtun, fürchteten doch Gott und wollten das Kind nicht töten, denn es war gar ein hübsches Knäbelein, und legten's auf einen Baum, darum, daß jemand des Kindes innewürde.

Dem Kaiser brachten sie eines Hasen Herz, das warf er den Hunden vor und meinte, damit zuvorgekommen zu sein der Stimme der Weissagung.

In den Weilen jagte Herzog Heinrich von Schwaben auf dem Wald und fand das Kind mutterallein daliegen. Und sah, daß es neugeboren war, und brachte es heimlich seiner Frau, die war unfruchtbar, und bat sie, daß sie sich des Kindes annähme, sich in ein Kindbett legte und das Kind wie ihr natürliches hätte; denn es sei ihnen von Gott geschickt worden. Die Herzogin tat es gern, und so ward das Kind getauft und ward Heinrich geheißen; niemand aber hielt es anders als für einen Herzogen zu Schwaben. Und da das Kind also erwuchs, ward es König Konrad gesandt zu Hof. Der hieß den Knaben öfter vor sich stehen denn die andern Junkern an seinem Hofe, von seiner klugen Weisheit und Höflichkeit wegen. Nun geschah es, daß dem Kaiser eine Verleumdung zu Ohren kam: der junge Herr wäre nicht ein rechter Herzog von Schwaben, sondern ein geraubt Kind. Da der Kaiser das vernahm, rechnete er seinem Alter nach und kam ihm Furcht, es wäre dasjenige, wovon die Stimme bei der Waldmühle geredet hatte. Und wollte wiederum zuvorkommen, daß es nicht seiner Tochter zu einem Mann würde. Da schrieb er einen Brief der Kaiserin, in dem befahl er, als lieb ihr Leib und Leben wäre, daß sie den Zeiger dieses Briefes töten hieße. Den

Brief befahl er beschlossen dem jungen Herrn an, daß er ihn der Kaiserin aushändigte und niemand anderm. Der junge Heinrich verstand sich darunter nichts als Gutes, wollte die Botschaft vollenden und kam unterwegs in eines gelehrten Wirtes Haus; dem vertraute er seine Tasche von Sicherheit wegen, worin der Brief und anderes Ding lagen. Der Wirt kam über den Brief aus Fürwitz, und da, wo er geschrieben fand, daß die Kaiserin ihn töten sollte, schrieb er, daß die Kaiserin dem jungen Herrn, Zeiger des Briefs, ihre Tochter gäbe und zulegte unverzogenlich; den Brief beschloß er wieder mit dem Insiegel gar säuberlich ohne Fehl. Da nun der junge Herr der Kaiserin den Brief zeigte, gab sie ihm die Tochter und legte sie ihm zu. Die Mären kamen aber bald vor den Kaiser. Da befand der Kaiser mit dem Herzogen von Schwaben und andern Rittern und Knechten, daß der Jüngling war von Leopolds Weib in der Mühle geboren, von dem die Stimme geweissagt hatte, und sprach: »Nun merke ich wohl, daß Gottes Ordnung niemand hintertreiben mag«, und förderte seinen Tochtermann zu dem Reich. Dieser König Heinrich baute und stiftete später Hirschau, das erste Kloster, an die Statt der Mühle, darin er geboren worden war.

### 487. Der Teufelsturm am Donaustrudel

Es ist eine Stadt in Österreich mit Namen Grein, ob der Stadt hat es einen gefährlichen Ort in der Donau, nennt man den Strudel bei Stockerau, da hört man das Wasser weit und breit rauschen, so hoch fällt es über den Felsen, macht einen großen Schaum, ist gar gefährlich da durchzufahren; kommen die Schiffe in einen Wirbel, gehen gescheibweise herum, schlägt das Wasser in die Schiffe und werden alle, die auf dem Schiff sind, ganz und gar naß. Wenn ein Schiff nur ein wenig an den Felsen rührt, zerstößt es sich zu kleinen Trümmern. Da muß jedermann arbeiten, an den Rudern mit Gewalt ziehen, bis man hindurchkommt. Daselbst herum wohnen viele Schiffsleute, die des Wassers Art im Strudel wissen; die werden alsdann von den

Schiffsleuten bestellt, daß sie also desto leichter, ohne sondern Schaden, durch den Strudel kommen mögen.

Kaiser Heinrich, der dritte dieses Namens, fuhr hinab durch den Strudel; auf einem andern Schiff war Bischof Bruno von Würzburg, des Kaisers Vetter; und als dieser auch durch den Strudel fahren wollte, saß auf einem Felsen, der über das Wasser herausging, ein schwarzer Mann, wie ein Mohr, ein greulicher Anblick und erschrecklich. Der schreit und sagt zu dem Bischof Bruno: »Höre, höre, Bischof! Ich bin dein böser Geist, du bist mein eigen; fahr hin, wo du willst, so wirst du mein werden; jetzt will ich dir nichts tun, aber bald wirst du mich wiedersehen.« Alle Menschen, die das hörten, erschraken und fürchteten sich. Der Bischof machte ein Kreuz und segnete sich, sprach etliche Gebete, und der Geist verschwand vor ihnen allen. Dieser Stein wird noch auf diesen Tag gezeigt; ist darauf ein kleines Türmlein gebaut, allein von Steinen und kein Holz dabei, hat kein Dach, wird der *Teufelsturm* genannt. Nicht weit davon, etwa zwei Meilen Wegs, fuhr der Kaiser mit den Seinen zu Land, wollte da über Nacht bleiben in einem Flecken, heißt *Pösenbeiß*. Daselbst empfing Frau Richilta, des Grafen Adelbar von Ebersberg Hausfrau (er war aber schon gestorben), den Kaiser gar herrlich; hielt ihn zu Gast und bat ihn daneben, daß er den Flecken Pösenbeiß und andere Höfe herum, so ihr Gemahl vogtsweise besessen und verwaltet hätte, ihres Bruders Sohn, Welf III., verleihen wollte. Der Kaiser ging in die Stube, und während er da stand bei dem Bischof Bruno, Grafen Aleman von Ebersberg und bei Frau Richilta und er ihr die rechte Hand gab und die Bitte gewährte, fiel jähling der Boden in der Stube ein; der Kaiser fiel hindurch auf den Boden der Badstube ohne allen Schaden, dergleichen auch Graf Aleman und die Frau Richilta; der Bischof aber fiel auf eine Badwanne auf die Taufel, fiel die Rippe und das Herz ein, starb wenige Tage danach.

### 488. Quedl, das Hündlein

Mathild, die schöne Kaiserstochter Heinrich III., war so anmutig, daß sich ihr Vater in sie verliebte. Da flehte sie zu Gott und betete inbrünstig, daß er sie häßlich werden ließe, damit ihres Vaters Herz sich abwende. Aber Gott erhörte sie nicht. Da erschien ihr der böse Feind und bot sich an, mit der Bedingung, daß sie ihm angehöre, so solle des Kaisers Liebe gewandelt werden in Haß und Zorn. Und sie ging es ein; doch hielt sie aus, erst dann solle sie sein eigen sein, wenn er sie in drei Nächten schlafend fände; bliebe sie aber wach, so dürfe er ihr nichts anhaben. Also webte sie ein köstliches Tuch und stickte daran die lange Nacht, das hielt ihren Geist munter; auch hatte sie ein treues Hündlein bei sich namens Quedl oder Wedl, das bellte laut und wedelte mit dem Schwanz, wenn ihr die Augen vor Schlaf wollten zunicken. Wie nun der Teufel die drei Nächte hintereinander kam und sie immer wach und munter fand, da zürnte er und griff ihr mit der Kralle ins Angesicht, daß er ihr die Nase platt drückte, den Mund schlitzte und ein Auge ausstieß. Da war sie scheel, großmäulig und platschnasig geworden, daß sie ihr Vater nicht weiter leiden konnte und seine sündliche Liebe verlor. Sie aber führte ein geistliches Leben und erbaute eine Abtei zu Ehren ihres Hündleins, genannt *Quedlinburg*.

### 489. Sage vom Schüler Hildebrand

Während Kaiser Heinrich III. zu Rom war, wo er drei Päpste entsetzt und ins Elend geschickt hatte, wohnte ein Zimmermann in der Stadt, der ein kleines Kind hatte. Das Kind spielte an dem Werk mit den Spänen und legte die Späne in Buchstabenweise zusammen. Da kam ein Priester hinzu und las das. Das Kind hatte mit den Spänen gelegt: *dominabor a mari usque ad mare,* das spricht: ich werde Herr vom Meer bis zum Meer. Der Priester wußte wohl, daß dies Kind Papst werden sollte, und sagte es seinem Vater. Der Vater ließ das Kind lehren. Als es Schüler war, kam es an des Kaisers Hof und ward den Schreibern viel lieb; aber des Kaisers Sohn Heinrich, der nachher auch Kaiser ward, tat dem Schüler Leides viel und spielte ihm ungefüglich mit; denn es ahnt' ihm sein Herz wohl, was ihm von dem Schüler aufstehen sollte. Der Kaiser spottete seines Sohns und des Schülers Spieles. Der Kaiserin war es leid, und sie schalt ihren Sohn darum. Dem Kaiser träumte eines Nachts, wie sein Sohn zum Tisch wäre gesessen und wie dem Schüler Hildebrand wüchsen zwei Hörner bis in den Himmel und wie er mit diesen Hörnern seinen Sohn aufhübe und ihn in das Horb (in den Kot) würfe. Diesen Traum sagte der Kaiser der Kaiserin, die beschied ihn also, daß der Schüler Papst werden und ihren Sohn von dem Reich werfen würde. Da hieß der Kaiser den Hildebrand fangen und ihn zu Hammerstein in einen Turm werfen und wähnte, daß er Gottes Willen wenden möchte. Die Kaiserin verwies ihm oft, daß er eines bloßen Traumes willen an dem armen Schüler so schändlich täte; und über ein Jahr ließ er ihn wieder ledig. Der ward ein Mönch, fuhr mit seinem Abt hin zu Rom, ward zu Hof lieb und zujüngst Papst.

### 490. Der Knoblauchskönig

Kaiser Heinrich IV. entbot den Sachsen, wenn sie seinen Sohn zum König wählten, wolle er nimmermehr ziehen in Sachsenland. Aber die Leute hatten keine Lust, und sprach Otto von der Weser: »Ich habe je in der Welt sagen hören, von einer bösen Kuh kommt kein gut Kalb.« Und sie koren zum Gegenkönig Herzog Herrmann von Lothringen (Luxemburg), der ward vom Mainzer Bischof geweiht, und setzten ihn auf die Burg Eisleben, wo der Knoblauch wächst. Die Kaiserlichen nannten ihn zum Spott Knoblauchskönig oder König Knoblauch, und er kam nie zur Macht, sondern wurde nachher auf einer Burg erschlagen, wohin er geflohen war. Da sagte man abermals: »König Knoblauch ist tot!«

**491. Kaiser Heinrich versucht die Kaiserin**

Der König nahm da Rat von den Herren, was er mit seines Vaters (Kaiser Heinrich IV.) Leichnam schaffen oder tun sollte; der war begraben in St. Lamprechts Münster zu Ludeke (Lüttich). Sie rieten, daß er ihn ausgrübe und legen ließe in ein ungeweihtes Münster, bis daß er seinen Boten nach Rom gesandt hätte. Also getan Ende nahm der Kaiser. Dies war Kaiser Heinrich der Üble. Er ließ das beste Roß, das er im Lande fand, binden und in den Rhein werfen, bis es ertrank. Er ließ einen seiner Mannen die Kaiserin um ihre Minne bitten. Das war ihr leid. Der Ritter bat sie sehr, da sprach die Frau, sie wolle tun, als ihr Herr raten würde. Da dies der Kaiser vernahm, gebärdete er, als er ausreiten wollte; legte des Mannes, der nach seinem Rat das geworben hatte, Kleider an und kam des Nachts zu der Kaiserin. Die Kaiserin hatte bereit starke Männer in Weibsgewand, die trugen große Knüppel, sie nahmen den Kaiser unter sich und schlugen ihn sehr. Der Kaiser rief, daß er es wäre. Die Kaiserin erschrak und sprach: »Herr, Ihr habt übel an mir getan.«

**492. Graf Hoyer von Mansfeld**

In dem sogenannten Welpshölzchen, wo im Jahre 1112 die Schlacht zwischen Kaiser Heinrich V. und den Sachsen vorfiel, liegt ein Stein, der die Eigenschaft hat, bei Gewitter ganz zu erweichen und erst nach einiger Zeit wieder hart zu werden. Er ist voller Nägel geschlagen, und man sieht auf ihm ganz deutlich den Eindruck einer Hand und eines Daumens. Graf Hoyer von Mansfeld, der Oberfeldherr, soll ihn vor der Schlacht ergriffen und gerufen haben: »So wahr ich in diesen Stein greife, so wahr will ich den Sieg gewinnen!« Auch wurden die Kaiserlichen geschlagen; aber der Hoyer blieb tot und wurde von Wiprecht von Groitsch erschlagen. Zu seinen Ehren ließen die Sachsen die Bildsäule eines gehelmten Mannes mit dem eisernen Streitkolben in der Rechten aufrichten und dem sächsischen Wappen in der Linken. Diese Denksäule nannte man *Jodute*, da gingen die Landleute fleißig zu beten hin, und auch die Priesterschaft ehrte sie als ein heiliges Bild. Kaiser Rudolf aber, als er 1289 zu Erfurt Reichstag hielt, ließ sie wegnehmen, weil man fast Abgötterei damit trieb, und eine Kapelle an der Stelle bauen. Allein das Volk verehrte noch einen Weidenstock in dieser Kapelle, von dem die Priester sagten, er habe in jener Schlacht Jodute gerufen und dadurch den Sieg zuwege gebracht.

### 493. Die Weiber zu Weinsperg

Als König Konrad III. den Herzog Welf geschlagen hatte (im Jahr 1140) und Weinsperg belagerte, so bedingten die Weiber der Belagerten die Übergabe damit, daß eine jede auf ihren Schultern mitnehmen dürfte, was sie tragen könne. Der König gönnte das den Weibern. Da ließen sie alle Dinge fahren, und nahm eine jegliche ihren Mann auf die Schulter und trugen den aus. Und da des Königs Leute das sahen, sprachen ihrer viele, das wäre die Meinung nicht gewesen, und wollten das nicht gestatten. Der König aber schmutzlachte und tät Gnade dem listigen Anschlag der Frauen. »Ein königlich Wort«, rief er, »das einmal gesprochen und zugesagt ist, soll unverwandelt bleiben.«

### 494. Der verlorene Kaiser Friedrich[78]

Kaiser Friedrich war vom Papst in den Bann getan, man verschloß ihm Kirchen und Kapellen, und kein Priester wollte ihm die Messe mehr lesen; da ritt der edle Herr kurz vor Ostern, als die Christenheit das heilige Fest begehen wollte, darum, daß er sie nicht daran irren möchte, aus auf die Jagd. Keiner von des Kaisers Leuten wußte seinen Mut und Sinn; er legte ein edles Gewand an, das man ihm gesendet hatte von Indien, nahm ein Fläschlein mit wohlriechendem Wasser zu sich und bestieg ein

---

78 Die Sage mischt den zweiten zu dem ersten Friedrich.

edles Roß. Nur wenige Herren waren ihm in den tiefen Wald nachgefolgt; da nahm er plötzlich ein wunderbares Fingerlein in seine Hand, und wie er das tat, war er aus ihrem Gesicht verschwunden. Seit dieser Zeit sah man ihn nimmermehr, und so war der hochgeborene Kaiser verloren. Wo er hinkam, ob er in dem Wald das Leben verlor oder ihn die wilden Tiere zerrissen oder ob er noch lebendig sei, das kann niemand wissen. Doch erzählen alte Bauern, Friedrich lebe noch und lasse sich als ein Waller bei ihnen sehen; und dabei habe er öffentlich ausgesagt, daß er noch auf römischer Erde gewaltig werden und die Pfaffen stören wolle und nicht eher ablasse, er habe denn das Heilige Land wieder in die Gewalt der Christen gebracht; dann werde er »seines Schildes Last hängen an den dürren Ast«.

## 495. Albertus Magnus und Kaiser Wilhelm

Albertus Magnus, ein sehr berühmter und gelehrter Mönch, hat den Kaiser Wilhelm von Holland, als er im Jahr 1248 zu Köln auf den Tag der Drei Könige angelangt, in einen Garten, beim Predigerkloster gelegen, mit seinem ganzen Hof zu Gast gebeten, dem der Kaiser gern willfahrt. Es ist aber auf berührten Tag nicht allein große, unleidliche Kälte, sondern auch ein tiefer Schnee gefallen; deshalb die kaiserlichen Räte und Diener beschwerliches Mißfallen an des Mönchs unordentlicher Ladung getragen und dem Kaiser, außer dem Kloster zu so strenger winterlicher Zeit Mahl zu halten, widerraten; haben aber doch denselben von seiner Zusage nicht wenden können, sondern hat sich samt den Seinen zu rechter Zeit eingestellt. Albert, der Mönch, hat etliche Tafeln samt aller Bereitschaft in den Klostergarten, darin Bäume, Laub und Gras alles mit Schnee bedeckt gewesen, mit großem Befremden eines jeden über die seltsame und widersinnige Anstalt lassen stellen und zum Aufwarten eine gute Anzahl von Gestalt des Leibes überaus schöne, ansehnliche Gesellen zur Hand bracht. Indem nun der Kaiser samt Fürsten und Herren zur Tafel gesessen und die Speisen vorgetragen und aufgestellt sind, ist der Tag obenrab unversehens heiter und schön geworden, aller Schnee zusehends abgegangen und gleich in einem Augenblick ein lustiger, lieblicher Sommertag erschienen. Laub und Gras sind augenscheinlich, desgleichen allerhand schöne Blumen aus dem Boden hervorgebrochen, die Bäume haben angefangen, zu blühen und gleich nach der Blüte ein jeder feine Frucht zu tragen; darauf allerhand Vögel niedergefallen und den ganzen Ort mit lieblichem Gesang erfüllt; und hat die Hitze dermaßen überhandgenommen, daß fast männiglich der winterlichen Kleider zum Teil sich entblößen müssen. Es hat aber niemand gesehen, wo die Speisen gekocht und zubereitet worden; auch niemand die zierlichen und willfährigen Diener gekannt oder Wissenschaft gehabt, wer und wannen sie seien, und jedermann voll großer Verwunderung über all die Anstellung und Bereitschaft gewesen. Demnach aber die Zeit des Mahls herum, sind erstlich die wunderbar köstlichen Diener des Mönchs, bald die lieblichen Vögel samt Laub und Gras auf Bäumen und Boden verschwunden, und ist alles wieder mit Schnee und Kälte dem anfänglichen Winter ähnlich geworden – so daß man die abgelegten Kleider wieder angelegt und die strenge Kälte dermaßen empfunden, daß männiglich davon und zum Feuer und warmen Stube geeilt.

Um solcher abenteuerlichen Kurzweil halber hat Kaiser Wilhelm den Albertus Magnus und sein Konvent, Predigerordens, mit etlichen Gütern reichlich begabt und denselben wegen seiner großen Geschicklichkeit in großem Ansehen und Wert gehalten.

### 496. Kaiser Maximilian und Maria von Burgund

Der hochlöbliche Kaiser Maximilian I. hatte zur Gemahlin Maria von Burgund, die ihm herzlich lieb war und deren Tod ihn heftig bekümmerte. Dies wußte der Abt zu Spanheim, Johannes Trithem, wohl und erbot sich dem Kaiser, so es ihm gefalle, die Verstorbene wieder vor Augen zu bringen, damit er sich an ihrem Angesicht ergötze. Der Kaiser ließ sich überreden und willigte in den gefährlichen Vorwitz. Sie gingen miteinander in ein besonderes Gemach und nahmen noch einen zu sich, damit ihrer drei waren. Der Zauberer verbot ihnen, daß ihrer keiner beileibe ein Wort rede, solange das Gespenst gegenwärtig sei. Maria kam hereingetreten, ging säuberlich vor ihnen vorüber, der lebendigen, wahren Maria so ähnlich, daß gar kein Unterschied war und nicht das geringste mangelte. Ja, in Bemerkung und Verwunderung der Gleichheit ward der Kaiser eingedenk, daß sie am Hals hinten ein kleines schwarzes Flecklein gehabt, hatte acht darauf und befand es also, daß sie zum andernmal vorüberging. Da ist dem Kaiser ein Grauen ankommen, hat dem Abt gewinkt, er solle das Gespenst wegtun, und danach mit Zittern und Zorn zu ihm gesprochen: »Mönch, mache mir der Possen keine mehr«, und hat bekannt, wie schwerlich und kaum er sich habe enthalten, daß er nicht zu ihr geredet.

### 497. Sage von Adelger zu Bayern

Zur Zeit Kaisers Severus war in Bayern ein Herzog namens Adelger, der stand in großem Lobe und wollte sich nicht vor den Römern demütigen. Da es nun dem König zu Ohren kam, daß niemand im ganzen Reich ihm die gebührliche Ehre weigerte außer Herzog Adelger, sandte er Boten nach Bayern und ließ ihn nach Rom entbieten. Adelger hatte nun einen getreuen Mann, den er in allen Dingen um Rat fragte; den rief er zu sich in sein Gemach und sprach: »Ich bin ungemut, denn die Römer haben nach mir gesendet und mein Herz steht nicht dahin; sie sind ein böses Geschlecht und werden mir Böses antun; gern möchte ich dieser Fahrt entübrigt sein, rate mir dazu, du hast kluge Gedanken.« Der alte Ratgeber antwortete: »Gerne rate ich dir alles, was zu deinen Ehren steht; willst du mir folgen, so besende deine Mannen und heiß sie sich kleiden in das beste Gewand, das im Lande gefunden wird; fahr mit ihnen furchtlos nach Rom und sei ihm alles Rechtes bereit. Denn du bist nicht stark genug, um wider das römische Reich zu fechten; verlangt der König aber über sein Recht hinaus, so kann's ihm übel ausschlagen.«

Herzog Adelger berief seine Mannen und zog an des Königs Hof nach Rom, wo er übel empfangen wurde. Zornig sprach der König ihm entgegen: »Du hast mir viel Leides getan, das sollst du heute mit deinem Leben gelten.« – »Dein Bote«, antwortete Adelger, »hat mich zu Recht und Urteil hierhergeleitet; was alle Römer sprechen, dem will ich mich unterwerfen und hoffen auf deine Gnade.« – »Von Gnade weiß ich nichts mehr«, sagte der König, »das Haupt soll man dir abschlagen und dein Reich einen andern Herrn haben.«

Als die Römer den Zorn des Königs sahen, legten sie sich dazwischen und erlangten, daß dem Herzog Leib und Leben geschenkt wurde. Darauf pflogen sie Rat und schnitten ihm sein Gewand ab, daß es ihm nur zu den Knien reichte, und schnitten ihm das Haar vorn aus; damit gedachten sie den edlen Helden zu entehren.

Adelger aber ging hart ergrimmt in seine Herberge. Alle seine Mannen trauerten, doch der alte Ratgeber sprach: »Herr, Gott erhalte dich! Laß nur dein Trauern sein und tu nach meinem Rat, so soll alles zu deinen Ehren ausgehen.« – »Dein Rat«, sagte Adelger, »hat mich hierhergebracht; magst du nun mit guten Sinnen meine Sache herstellen, so will ich dich desto werter halten; kann ich aber meine Ehre nicht wiedergewinnen, so komme ich nimmermehr heim nach Bayerland.« Der Alte sprach: »Herr, nun heiß mir tun, wie dir geschehen ist, und besende alle deine Mann und leih und gib ihnen, daß sie sich allesamt bescheren lassen; damit rette ich dir alle deine Ehre.« Da forderte der Herzog jeden Mann einzeln vor sich und sagte: »Wer mir in dieser Not beisteht, dem will ich leihen und geben; wer mich liebhat, der lasse sich scheren, wie mir geschehen ist.« Ja, sprachen alle seine Leute, sie wären ihm treu bis in den Tod und wollten alles erfüllen. Zur Stunde beschoren sich alle, die mit ihm ausgekommen waren, Haar und Gewand, daß es nur noch bis an die Knie reichte; die Helden waren lang gewachsen und herrlich geschaffen, tugendreich und lobesam, daß es jeden wundernahm, der sie ansah, so vermessentlich war ihre Gebärde.

Früh den andern Morgen ging Adelger mit allen seinen Mannen zu des Königs Hof. Als sie der König ansah, sagte er in halbem Zorn: »Rede, lieber Mann, wer hat dir diesen Rat gegeben?« – »Ich führte mit mir einen treuen Dienstmann«, sprach Herzog Adelger, »der mir schon viel Treue erwiesen, der ist es gewesen; auch ist unsrer Bayern Gewohnheit daheim: ›Was einem zuleide geschieht, das müssen wir allesamt dulden.‹ So tragen wir uns nun einer wie der andre, arm oder reich, und das ist unsre Sitte so.« Der König von Rom sprach: »Gib mir jenen alten Dienstmann, ich will ihn an meinem Hofe halten, wenn du hinnen scheidest; damit sollst du alle meine Gnade gewinnen.« So ungern es auch der Herzog täte, konnte er doch dieser Bitte nicht ausweichen, sondern nahm den treuen Ratgeber bei der Hand und befahl ihn in die Gewalt des Königs. Darauf nahm er Urlaub und schied heim in sein Vaterland; voraus aber sandte er Boten und befahl allen seinen Untertanen, die Lehnrecht oder Rittersnamen haben wollten, daß sie sich das Haar vorn aus- und das Gewand abschnitten, und wer es nicht täte, daß er die rechte Hand verloren hätte. Als es nun auskam, daß sich die Bayern so beschoren, da beliebte der Gebrauch dann allen in deutschen Landen.

Es dauerte aber nicht lange an, so war die Freundschaft zwischen dem römischen König und dem Herzog wieder zergangen, und Adelgern ward von neuem entboten, nach Rom zu ziehen bei Leib und Leben, der König wolle mit ihm Rede haben. Adelger, ungemut über dieses Ansinnen, sandte heimlich einen Boten nach Welschland zu seinem alten Dienstmann, den sollte er bei seinen Treuen mahnen, ihm des Königs Willen, weshalb er ihn nach Hof rief, zu offenbaren und zu raten, ob er kommen oder bleiben sollte. Der alte Mann sprach aber zu Adelgers Boten: »Es ist nicht recht, daß du zu mir fährst; hiebevor, da ich des Herzog war, riet ich ihm je das Beste; er gab mich dem König hin, daran warb er übel; denn verriete ich nun das Reich, so gälte ich als ein Treuloser. Doch will ich dem König am Hofe ein Beispiel erzählen, das magst du wohl in acht behalten und deinem Herrn hinterbringen; frommt es ihm, so steht es gut um seine Ehre.«

Früh des andern Morgens, als der ganze Hof versammelt war, trat der Alte vor den König und bat sich aus, daß er ein Beispiel erzählen dürfte. Der König sagte, daß er ihn gerne hören würde, und der alte Ratgeber begann: »Vorzeiten, wie mir mein Vater erzählte, lebte hier ein Mann, der mit großem Fleiß seines Gartens wartete und viele gute Kräuter und Würze darin zog. Dessen wurde ein Hirsch gewahr, der schlich sich nachts in den Garten und zerfraß und verwüstete die Kräuter des Mannes, daß alles niederlag. Das trieb er manchen Tag lang, bis ihn der Gärtner erwischte und seinen Schaden rächen wollte. Doch war ihm der Hirsch zu schnell, der Mann schlug ihm bloß das eine Ohr ab. Als der Hirsch dennoch nicht von dem Garten ließ, betrat ihn der Mann von neuem und schlug ihm halb den Schwanz ab. »Das trag dir«, sagte er, »zum Wahrzeichen! Schmerzt's dich, so kommst du nicht wieder.« Bald aber heilten dem Hirsch die Wunden, er strich seine alten Schliche und äste dem Mann Kraut und Wurzeln ab, bis daß dieser den Garten listig mit Netzen umstellen ließ. Wie nun der Hirsch entfliehen wollte, ward er gefangen; der Gärtner stieß ihm seinen Spieß in den Leib und sagte: »Nun wird dir das Süße sauer, und du bezahlst mir teuer meine Kräuter.« Darauf nahm er den Hirsch und zerwirkte ihn, wie es sich gehörte. Ein schlauer Fuchs lag still neben in einer Furche; als der Mann wegging, schlich der Fuchs hinzu und raubte das Herz vom Hirsch. Wie nun der Gärtner, vergnügt über seine Jagd, zurückkam und das Wild holen wollte, fand er kein Herz dabei, schlug die Hände zusammen und erzählte zu Hause seiner Frau das große Wunder von dem Hirsch, den er erlegt habe, der groß und stark gewesen, aber kein Herz im Leibe gehabt. »Das hätte ich zuvorsagen wollen«, antwortete des Gärtners Weib, »denn als der Hirsch Ohr und Schwanz verlor, hätte er ein Herz gehabt, so wäre er nimmer in den Garten wiedergekommen.« –

All dieses kluge Reden war Adelgers Boten zu nichts nütze, denn er vernahm sie einfältig und kehrte mit Zorn gen Bayernland. Als er den Herzogen fand, sprach er: »Ich habe viel Arbeit erlitten und nichts damit erworben; was sollte ich da zu Rom tun? Der alte Ratgeber entbietet dir nichts zurück als ein Beispiel, das er dem König erzählte. Das hieß er mich dir hinterbringen. Daß er ein übles Jahr möge haben!«

Als Adelger das Beispiel vernahm, berief er schnell seine Mannen. »Dies Beispiel«, sagte er, »will ich euch, ihr Helden, wohl bescheiden. Die Römer wollen mit Netzen meinen Leib umgarnen; wißt aber, daß sie mich zu Rom in ihrem Garten nimmer berücken sollen. Wäre aber, daß sie mich selbst in Bayern heimsuchen, so wird ihnen der Leib durchbohrt, wo ich anders ein Herz habe und meine lieben Leute mir helfen wollen.«

Da man nun am römischen Hofe erfuhr, daß Adelger nicht nach Rom gehen wollte, sagte der König, so wolle er sehen, in welchem Lande der Herzog wohne. Das Heer wurde versammelt und brach, dreißigtausend wohlbewaffneter Knechte stark, schnell nach Bayern auf; erst zogen sie vor Bern, dann ritten sie durch Triental. Adelger, mit tugendlichem Mute, sammelte all seine Leute, Freunde und Verwandten; bei dem Wasser, heißt Inn, stießen sie zusammen, der Herzog trat auf eine Anhöhe und redete zu ihnen: »Wohlan, ihr Helden, unverzagt! Jetzt sollt ihr nicht vergessen, sondern leisten, was ihr mir gelobt habt. Man tut mir großes Unrecht. Zu Rom wurde ich gerichtet und hielt meine Strafe aus, als mich der König schändete an Haar und Gewand; damit gewann ich Verzeihung. Nun sucht er mich ohne Schuld heim; läge der Mann im Streit tot, so wäre die Not gering. Aber sie werfen uns in den Kerker und quälen unsern Leib, höhnen unsre Weiber, töten unsre Kinder, stiften Raub und Brand; nimmermehr hinführo gewinnt Bayern die Tugend und Ehre, deren es unter mir gewohnt war; um so mehr, ihr Helden, wehrt beides, Leib und Land.« Alle reckten ihre Hände auf und schwuren: Wer heute entrinne, solle nimmerdar auf bayerischer Erde weder Eigen noch Leben haben.

Gerold, den Markgrafen, sandte Adelger ab, daß er den Schwaben die Mark wehrte. Er focht mit ihnen einen starken Sturm, doch Gott machte ihn sieghaft; er fing Brenno, den Schwabenherzog, und hing ihn an einem Galgen auf.

Rudolf, den Grafen, mit seinen beiden Brüdern sandte Adelger gegen Böheim, dessen König zu Salre mit großer Macht lag und Bayern heerte. Rudolf nahm selbst die Fahne und griff ihn vermessen an. Er erschlug den König Osmig und gewann allen Raub wieder. Zu Kambach wandt' er seine Fahne.

Wirent, den Burggrafen, sandte Adelger gegen die Hunnen. Niemand kann sagen, wieviel der Hunnen in der Schlacht tot lagen; einen sommerlangen Tag wurden sie getrieben bis an ein Wasser, heißt Traun, da genasen sie kaum.

Herzog Adelger selbst leitete sein Heer gen Brixen an das Feld, da schlugen sie ihr Lager auf; das ersahen die Wartmänner der Römer, die richteten ihre Fahne auf und zogen den Bayern entgegen. Da fielen viele Degen und brach mancher Eschenschaft! Volkwin stach den Fähnrich des Königs, daß ihm der Spieß durch den Leib drang. »Diesen Zins«, rief der vermessene Held, »bringe deinem Herrn und sage ihm, als er meinen Herrn schändete an Haar und Gewand, das ist jetzt dahin gekommen, daß er's ihm wohl vergelten mag.« Volkwin zuckte die Fahne wieder auf, nahm das Roß mit den Sporen und durchbrach den Römern die Schar. Von keiner Seite wollten sie weichen, und viel frommer Helden sank zu Boden; der Streit währte den sommerlangen Tag. Die grünen Fahnen der Römer wurden blutfärbig, ihre leichte Schar troff von Blut. Da mochte man kühne Jünglinge schwer verhauen sehen, Mann fiel auf Mann, das Blut rann über eine Meile. Da mochte man hören schreien nichts als ach und weh! Die kühnen Helden schlugen einander, sie wollten nicht von der Walstätte kehren, weder wegen des Tods, noch wegen irgendeiner Not; sie wollten ihre Herren nicht verlassen, sondern sie mit Ehren dannen bringen; das war ihr aller Ende.

Der Tag begann sich zu neigen, da wankten die Römer. Volkwin, der Fähnrich, dies gewahrend, kehrte seine Fahne wider den König der Römer; auf ihn drangen die mutigen Bayern mit ihren scharfen Schwertern und sangen das Kriegslied. Da vermochten die Welschen weder zu fliehen noch zu fechten. Severus sah, daß die Seinen erschlagen oder verwundet lagen und die Walstätte nicht behaupten konnten. Das Schwert warf er aus der Hand und rief: »Rom, dich hat Bayern in Schmach gebracht, nun acht ich mein Leben nicht länger!« Da erschlug Volkwin den König; als der König erschlagen war, steckte Herzog Adelger seinen Schaft in die Erde neben den Haselbrunnen: »Dies Land hab ich gewonnen den Bayern zu Ehren; diese Mark diene ihnen immerdar.«

### 498. Die treulose Störchin

Kranz, ein Kanzler Herzog Tassilos III., schreibt gar ein seltsames Wunder von Störchen zur Zeit Herzog Haunbrechts. Der Ehebruch sei derselbigen Zeit gemein gewesen, und Gott habe dessen harte Strafe an unvernünftigen Tieren zeigen wollen.

Oberhalb Abach in Unterbayern, nicht weit von der Donau, stand ein Dorf, das man jetzt Teygen nennt. In dem Dorf nisteten ein Paar Störche und hatten Eier zusammen. Während die Störchin brütete und um Futter ausflog, kam ein fremder Storch, buhlte um die Störchin und überkam sie zuletzt. Nach vollbrachtem Ehebruch flog die Störchin über Feld zu einem Brunnen, taufte und wusch sich und kehrte wieder ins Nest zurück, dermaßen, daß der alte Storch bei seiner Rückkunft nichts von der Untreue empfand. Das trieb nun die Störchin mit dem Ehebrecher fort, einen Tag wie den andern, bis sie die Jungen ausgebrütet hatte. Ein Bauer aber auf dem Felde nahm es wahr und verwunderte sich, was doch die Störchin alle Tage zum Brunnen flöge und badete, vermachte also den Brunnen mit Reisig und Steinen und sah von ferne zu, was geschehen würde. Als nun die Störchin wiederkam und nicht zum Brunnen konnte, tat sie kläglich, mußte doch zuletzt ins

Nest zurückfliegen. Da aber der Storch, ihr Mann, heimkam, merkte er die Treulosigkeit, fiel die Störchin an, die sich heftig wehrte; endlich flog der Storch davon und kam nimmer wieder, die Störchin mußte die Jungen allein nähren. Nachher um St. Laurenztag, da die Störche fortzuziehen pflegen, kam der alte Storch zurück, brachte unsäglich viel andre Störche mit, die fielen zusammen über die Störchin, erstachen und zerfleckten sie in kleine Flecken. Davon ist das gemeine Sprichwort aufkommen: »Du kannst es nicht schmecken.«

### 499. Herzog Heinrich in Bayern hält reine Straße

Herzog Heinrich zu Bayern, dessen Tochter Elsbeth nach Brandenburg heiratete und die Märker nur »dat schon Elsken ut Bayern« nannten, soll das Rotwild zu sehr liebgehabt und den Bauern die Rüden durch die Zäun gejagt haben. Doch hielt er guten Frieden und litt Reuterei, oder wie die Kaufleute sagten: Räuberei, gar nicht im Lande. Die Kaufleute hießen sein Reich: im Rosengarten. Die Reuter aber klagten und sagten: »Kein Wolf mag sich in seinem Land erhalten und dem Strang entrinnen.« Man sagt auch sonst von ihm, daß er seine Vormünder, die ihn in großen Verlust gebracht, ehe er zu seinen Jahren kam, gewaltig gehaßt, und einmal, als er über Land geritten, begegnete ihm ein Karren, geladen mit Häfen. Nun kaufte er denselben ganzen Karren, stellte die Häfen nebeneinander her und hob an zu fragen jeglichen Hafen: »Wes bist du?« Antwortete darauf selber: »Des Herzogs«, und sprach dann: »Nun du mußt es bezahlen«, und erschlug ihn. Welcher Hafen aber sagte: »Er wäre der Regenten«, dem tat er nichts, sondern zog das Hütel vor ihm ab. Sagte nachmals: »So haben meine Regenten mit mir regiert.« Man nannte ihn nur den reichen Herzog; den Turm zu Burghausen füllte er mit Geld aus.

**500. Diez Schwinburg**

Kaiser Ludwig der Bayer ließ im Jahre 1337 den Landfriedensbrecher Diez Schwinburg mit seinen vier Knechten gefangen in München einbringen und zum Schwert verurteilen. Da bat Diez die Richter, sie möchten ihn und seine Knechte an eine Zeil, jeden acht Schuhe voneinander, stellen und mit ihm die Enthauptung anfangen; dann wolle er aufstehen und vor den Knechten vorbeilaufen, und vor so vielen er vorbeigelaufen, denen möchte das Leben begnadigt sein. Als ihm dieses die Richter spottweise gewährt, stellte er seine Knechte, je den liebsten am nächsten, zu sich, kniete getrost nieder, und wie sein Haupt abgefallen, stand er alsbald auf, lief vor allen vier Knechten hinaus, fiel alsdann hin und blieb liegen. Die Richter getrauten sich doch den Knechten nichts zu tun, berichteten alles dem Kaiser und erlangten, daß den Knechten das Leben geschenkt wurde.

**501. Der geschundene Wolf**

Herzog Otto von Bayern vertrieb des Papstes Legaten Albrecht, daß er flüchten mußte und kam nach Passau. Da zog Otto vor die Stadt, nahm sie ein und ließ ihn da jämmerlich erwürgen. Etliche sagen: Man habe ihn schinden lassen, darum führen noch die von Passau einen geschundenen Wolf. Auch zeigt man einen Stein, der Blutstein geheißen, darauf soll Albrecht geschunden und zu Stücken gehauen sein. Es sei ihm, wie es wolle: Er hat den Lohn dafür empfangen, daß er soviel Unglück in der Christenheit angestiftet.

**502. Die Gretlmühl**

Herzog Ott, Ludwigs von Bayern jüngster Sohn, verkaufte die Mark Brandenburg an Kaiser Karl IV. für 200 000 Gülden, räumte das Land und zog nach Bayern. Da verzehrte er sein Gut mit einer schönen Müllerin, namens Margaret, und wohnte im Schloß Wolfstein, unterhalb Landshut. Dieselbige Mühle wird noch die Gretlmühle genannt und der Fürst *Otto der Finner*, darum, weil er also ein solches Land verkauft. Man sagt: Karl habe ihn im Kauf überlistet und die Stricke an den Glocken im Land nicht bezahlt.

### 503. Herzog Friedrich und Leopold von Österreich

Da König Friedrich in der Gewalt Ludwig des Bayern gefangen lag auf einer Feste, genannt *Trausnitz*[79], kam ein wohlgelehrter Mann ein zu Herzog Leopold von Österreich (des Gefangenen Bruders) und sprach: »Ich will Gut nehmen und den Teufel beschwören und zwingen, daß er muß Euern Bruder, König Friedrich, aus dem Gefängnis her zu Euch bringen.« Also gingen die zwei, Herzog Leopold und der Meister, in die Kammer; da trieb der Meister seine Kunst, und kam der Teufel zu ihnen in eines Pilgrims Weise und ward geheißen, daß er König Friedrich brächte ohne allen Schaden. Der Teufel antwortete, er wolle das wohl tun, wo ihm der König folgen würde. Also fuhr der Teufel weg, kam zu Friedrich nach Trausnitz und sprach: »Sitze her auf mich, so will ich dich bringen ohne Schaden zu deinem Bruder.« Der König sagte: »Wer bist du?« Der Teufel versetzte und sprach: »Frage nicht danach; willst du aus dem Gefängnis kommen, so tue, das ich dich heiße.« Da ward dem Könige und denen, die sein hüteten, grauen und machten Kreuze vor sich. Da verschwand der Teufel.

Danach tät Herzog Leopold dem König Ludwig so weh mit Kriege, daß er mußte König Friedrich aus dem Gefängnis lassen. Doch mußte er schwören und verbürgen, König Ludwig fürder nicht zu irren an dem Reiche.

---

79 Als der Gefangene hineingeführt wurde und diesen Namen aussprechen hörte, rief er aus: »Jawohl, Trausnicht (Druwesnit), ich habe sein je nicht getraut, daß ich so sollte dareingebracht worden sein.«

## 504. Der Markgräfin Schleier

Agnes, Kaiser Heinrichs IV. Tochter, stand mit Leopold dem Heiligen, Markgrafen von Österreich, den achten Tag ihrer Hochzeit an einem Fenster der Burg und redete von der Stiftung eines Klosters, um die ihm Agnes anlag. Indessen kam ein starker Wind und führte den Schleier der Markgräfin mit sich fort. Leopold aber schlug ihr die Bitte mit den Worten ab: »Wenn sich dein Schleier findet, will ich dir auch ein Kloster bauen.« Acht Jahre später geschah es, daß Leopold im Walde jagte und auf einem Holunderstrauch Agnesens Schleier hängen sah. Dieses Wunders wegen ließ der Markgraf auf der Stelle, wo er ihn gefunden hatte, das Kloster Neuburg bauen; und noch heutigentages weist man daselbst den Schleier sowohl als den Stamm des Holunderbusches.

## 505. Der Brennberger (erste Sage)

Der Brennberger, ein edler Ritter, war zu Wien an des Herzogs von Österreichs Hof und sah die auserwählte Herzogin an, ihre Wangen und ihren roten Mund, die blühten gleich den Rosen. Da sang er Lieder zu ihrem Preis: Wie selig wäre, der sie küssen dürfe, und wie kein schöner Frauenbild auf Erden lebe, als die sein Herr besitze und der König von Frankreich; diesen beiden Weibern tue es keine gleich. Als die Herzogin von diesem Lobe vernahm, ließ sie den Ritter vor sich kommen und sprach: »Ach, Brennberger, du allerliebster Diener mein, ist es dein Ernst oder Scherz, daß du mich so besingst? Und wärst du nicht mein Diener, nähm ich dir's übel.« – »Ich rede ohne Scherz«, sagte Brennberger, »und in meinem Herzen seid Ihr die Schönste auf Erden. Zwar spricht man von der Königin zu Frankreich Schönheit, doch kann ich's nicht glauben.« Da sprach die zarte Frau: »Brennberger, allerliebster Diener mein, ich bin dir hold und bitte dich sehr, nimm mein Gold und Silber und schaue die Königin und sieh, welche die schönste sei unter uns zweien; bringst

du mir davon die Wahrheit, so erfreust du meinen Mut.« – »Ach, edle Frau«, sagte der Brennberger, »ich fürchte die Mühe und die lange Reise; und brächte ich das zurück, das Ihr nicht gerne hörtet, so wär mein Herz schwer; bring ich Euch aber gute Mär, daß Ihr Euch freutet, so geschäh's auch mir zuliebe, darum will ich die Reise wagen.« Die Frau sprach: »Zeuch hin und laß dir's an nichts gebrechen, an Geschmeide noch an Gewändern.«

Brennberger aber ließ sich ein Krämlein machen; darein tat er, was Frauen gehört, Gürtel und Spinnzeug, und wollte das als Krämerin feiltragen; und zog über Berg und Tal im Dienste seiner Frauen, bis er gen Paris kam. Zu Paris nahm er Herberge bei einem auserwählten Wirt, der unten am Berg wohnte, der gab ihm Futter und Streu, Speise und Trank aufs freundlichste. Brennberger hatte doch weder Ruhe noch Rast, winkte den Wirt und frug ihn um Rat, wie er's anfange, der Königin unter Augen zu kommen; denn um ihretwillen habe ihn die Herzogin aus Österreich hergesandt. Der Wirt sprach: »Stellt Euch dahin, wo sie pflegt zur Kirche zu gehen, so seht Ihr sie sicherlich.«

Da kleidete sich Brennberger fraulich an, nahm seinen Kram und setzte sich vors Burgtor, hielt Spindel und Seide feil. Endlich kam auch die Königin gegangen, ihr Mund brannte wie ein Feuer, und elf Jungfrauen traten ihr nach. »Gott grüß dich, Krämerin«, sprach sie im Vorübergang; »was Schönes hast du feil?« Die Krämerin dankte tugendlich und sagte: »Hochgelobte Königin, gnadet's anzuschauen und kauft von mir samt Euern Jungfrauen!«

Abends spät sprach die edle Königin: »Nun hat sich die Krämerin vor dem Tore verspätet; laßt sie ein, fürwahr, sie mag heute bei uns bleiben.« Und die Krämerin saß mit den Frauen züchtiglich zu Tisch. Als das Mahl vollbracht war, sagte die Königin: »Bei wem wollt Ihr schlafen?« Die Krämerin wär gern daheim gewesen, antwortete: »Gott dank Euch, edle Königin! Geliebt's Euch, so laßt mich allein liegen.« Das wäre schlechte Ehre, versetzte sie; »wohlan, ich habe zwölf Jungfrauen hier, bei der jüngsten ziemt Euch zu liegen, da ist Euer Ehre gar wohl bewahrt.« Also lag die Krämerin die lange Nacht bei der zarten Jungfrau und hatte dreizehn Tage feil in der Burg, und jede Nacht schlief sie bei einer andern Jungfrau. Wie nun die letzte Nacht kam, sagte die Königin: »Hat sie euch allen beigelegen, was sollt ich's denn entgelten?« Da wurde dem Brennberger angst, daß es um sein Leben geschehen wäre, wenn er bei der Königin liegen müßte; und schlich sich des Abends von dannen zu seinem Wirt, setzte sich alsbald zu Pferd und ritt ohn Aufenthalt, bis er in die Stadt zu Wien kam.

»Ach, Brennberger, allerliebster Diener mein, wie ist es dir ergangen, was bringst du gute Mär?« – »Edle Frau«, antwortete der Ritter, »ich hab Lieb und Leid gehabt, wie man noch nie erhört. Dreizehn Tage hatte ich feil meinen Kram vor dem Burgtor; nun mögt Ihr Wunder hören, welches Heil mir widerfuhr; jeden Abend wurde ich eingelassen und mußte bei jeder Jungfrau besonders liegen; ich fürchtete mich, es könnte nicht so lang verschwiegen bleiben, und die letzte Nacht wollte mich die Königin selber haben.« – »Weh mir, Brennberger, daß ich je geboren ward«, sprach die Herzogin, »daß ich dir je den Rat gab, die edle Frau zu kränken; nun sag mir aber, welche die schönste sei unter uns zweien?« – »Frau, in Wahrheit, sie ist schön ohnegleichen, nie sah ich ein schöner Weib auf Erden; ein lichter Schein brach von ihrem Angesicht, als sie das erstemal vor meinen Kram ging, sonderliche Kraft empfing ich von ihrer Schöne.« – »Ach, Brennberger, gefällt sie dir besser als ich, so sollst du auch ihr Diener sein!« – »Nein, edle Frau, das sag ich nicht; Ihr seid die Schönste in meinem Herzen.« – »Nun sprachst du eben erst, kein schöner Weib hast du nie gesehen.« – »Wißt, Frau, sie hatte einen hohen Mund, darum seid Ihr schöner auch an Hals und Kinn; aber nach Euch ist die Königin das schönste Weib, das ich je auf der Welt gesehen; das ist meine allergrößte Klage, ob ich einen unrechten Tod an ihr verdient hätte!«

## 506. Der Brennberger (zweite Sage)

Als nun der edle Brennberger mannigfalt gesungen hatte von seiner schönen Frau, da gewahrte es ihr Gemahl, ließ den Ritter fangen und sagte: »Du hast meine Frau lieb, das geht dir an dein Leben!« Und zur Stunde ward ihm das Haupt abgehauen; sein Herz aber gebot der Herr auszuschneiden und zu kochen. Darauf wurde das Gericht der edlen Frau vorgestellt, und ihr roter Mund aß das Herz, das ihr treuer Dienstmann im Leibe getragen hatte. Da sprach der Herr: »Frau, könnt Ihr mich bescheiden, was Ihr jetzt gegessen habt?« Die Frau antwortete: »Nein, ich weiß es nicht; aber ich möchte es wissen, denn es schmeckt mir schön.« Er sprach: »Fürwahr, es ist Brennbergers Herz, deines Dieners, der dir viel Lust und Scherz brachte, und konnte dir wohl dein Leid vertreiben.« Die Frau sagte: »Hab ich gegessen, das mir Leid vertrieben hat, so tu ich einen Trunk darauf zu dieser Stunde, und sollte meiner armen Seele nimmer Rat werden; von Essen und Trinken kommt nimmermehr in meinen Mund.« Und eilends stand sie auf, schloß sich in ihre Kammer und flehte die himmlische Königin um Hilfe an: »Es muß mich immer reuen um den treuen Brennberger, der unschuldig den Tod erlitt um meinetwillen; fürwahr, er ward nie meines Leibes teilhaftig und kam mir nie so nah, daß ihn meine Arme umfangen hätten.« Von der Zeit an kam weder Speise noch Trank über der Frauen Mund; elf Tage lebte sie, und am zwölften schied sie davon. Ihr Herr aber, aus Jammer, daß er sie so unehrlich verraten, stach sich mit einem Messer tot.

### 507. Schreckenwalds Rosengarten

Unterhalb Mölk in Österreich, auf dem hohen Agstein, wohnte vorzeiten ein furchtbarer Räuber, namens Schreckenwald. Er lauerte den Leuten auf, und nachdem er sie beraubt hatte, sperrte er sie oben auf dem steilen Felsen in einen engen, nicht mehr als drei Schritte langen und breiten Raum, wo die Unglücklichen vor Hunger verschmachteten, wenn sie sich nicht in die schreckliche Tiefe des Abgrundes stürzen und ihrem Elend ein Ende machen wollten. Einmal aber geschah es, daß jemand kühn und glücklich springend auf weiche Baumäste fiel und herabgelangte. Dieser offenbarte nun nach vollbrachter Rettung das Raubnest und brachte den Räuber gefangen, der mit dem Schwert hingerichtet wurde. Sprichwörtlich soll man von einem Menschen, der sich aus höchster Not nur mit Leib- und Lebensgefahr retten mag, sagen. »Er sitzt in Schreckenwalds Rosengärtlein.«

### 508. Margareta Maultasch

In Tirol und Kärnten erzählen die Einwohner viel von der umgehenden Margareta Maultasch, welche vor alten Zeiten Fürstin des Landes gewesen und ein so großes Maul gehabt, davon sie benannt wird. Die Klagenfurter gehen nach der Betglocke nicht gern ins Zeughaus, wo ihr Panzer verwahrt wird, oder der Vorwitz wird mit derben Maulschellen bestraft. Am großen Brunnen, da, wo der aus Erz gegossene Drache steht, sieht man sie zu gewissen Zeiten auf einem dunkelroten Pferd reiten. Unfern des Schlosses Osterwitz steht ein altes Gemäuer; manche Hirten, die da auf dem Feld ihre Herden weideten, näherten sich unvorsichtig und wurden mit Peitschenhieben empfangen. Man hat deshalb gewisse Zeichen aufgesteckt, über welche hinaus keiner dort sein Vieh treibt; und selbst das Vieh mag das schöne, fette Gras, das an dem Ort wächst, nicht fressen, wenn unwissende Hirten es mit Mühe dahin getrieben haben. Zumal aber erscheint der Geist auf dem alten Schloss bei Meran, neckt die Gäste und soll einmal mit dem bloßen Schwert auf ein neuvermähltes Brautpaar in der Hochzeitsnacht eingehauen haben, doch ohne jemand zu töten. In ihrem Leben war diese Margareta kriegerisch, stürmte und verheerte Burgen und Städte und vergoß unschuldiges Blut.

## 509. Dietrichstein in Kärnten

Als bei fortwährender Belagerung des Schlosses Dietrichstein (im Jahr 1334) die Obersten gesehen, daß sie den Platz in die Länge wider die Frau Margarete Maultasch nicht erhalten möchten, da sie ihnen zu mächtig gewesen, dazu dann auch kommen, daß sie von Erzherzog Otten keine Hilfe auf diesmal zu verhoffen gehabt: sind sie hierauf mit einhelligem Gemüt auf einen Abend, da ein gewaltiger Nebel eingefallen, in aller Stille mit dem ganzen kärntischen Kriegsvolk von Dietrichstein abgezogen und ganz glücklich in die Stadt St. Veit gekommen, dessen sich eine ganze Bürgerschaft höchlich erfreut hat. Wie nun aber die Maultaschischen folgenden Tages mit Stürmung angehalten und keinen einigen Widerstand befunden, konnten sie leichtlich aus dem stillen Wesen abnehmen, daß die Unsern sie betrogen und das Schloß ihnen leer verlassen hätten; darum Frau Maultasch, im Zorn entbrannt, mit großem Geschrei die Ihren nötigte und zwang, die Mauern zu ersteigen und das Haus einzunehmen, welches sie leichtlich, weil niemand darauf gewesen, tun können; und eroberten es also, und wurden die Mauern ungestümiglich zerbrochen, die Türm und Tore alle der Erde gleich eingerissen, die Zimmer verbrannt, und ließen sie allda wenig Gebäu aufrecht stehen. Damit ist Dietrichstein von der

Maultasch zerstört und greulich verwüst worden, das doch die Herren von Dietrichstein folgender Zeit wiederaufgebaut und in etwas bewohnt gemacht haben. Es ist die gemeine Sage im Land, wie daß in diesem verödeten Schloß ein großes unsägliches Gut soll verborgen liegen; wie dann heutezutage oft geschehen soll, wenn man recht in das verfallene Gebäu kommt, daß sich ein solches Werfen, Poltern und Sausen erhebt, gleich als wenn es alles über einen Haufen werfen wollte; darum sich denn auch niemand unterstehen darf, lang an diesem Ort zu bleiben.

### 510. Die Maultasch-Schutt

Wie das Schloß Dietrichstein von der Frau Margaret Maultasch (im Jahre 1334) belagert und verwüstet worden, sind inzwischen viele Herren und Landleute aus Kärnten mit Weib und Kind in eilender Flucht gen Osterwitz kommen, dem edlen und gestrengen Herrn Reinher Schenk zugehörig, von dem sie dann mit großen Ehren sind empfangen worden. An diesem Orte, als von Natur überaus stark und ungewinnlich, hatten sie alle gute Hoffnung, mit den Ihren vor der Tyrannin sicher zu bleiben. Es liegt aber Osterwitz eine Meile Wegs von St. Veit gegen Völkermarkt wärts zur rechten Hand auf einem starken und sehr hohen Felsen, der an keinem Ort mag weder gestürmt noch angelaufen werden. Nun zog aber Frau Maultasch mit ihrem Kriegsvolk stracks auf Osterwitz zu, sonderlich nachdem sie verstanden, daß ein großer Adel allda beisammen wäre, des endlichen Vorhabens, so lange davorzuliegen, bis sie solches in ihre Gewalt bringen und der vorberührten Herren und Frauen würde habhaft sein. Wie solches dem Herrn Reinher Schenk von seinen Kundschaftern angekündet worden, hat er hierauf unverzüglich seine Kriegsleute, derselben nicht viel über dreihundert gewesen, mit großem Fleiß auf die Wehren der Mauern und allenthalben auf dem hohen Berge geordnet und gar nichts unterlassen, was auf diesmal dazu gedient. Inzwischen kam die

Frau Maultasch so weit hinaus, daß sie mit den Ihren das Feld weit und breit eingenommen, auch das Schloß in dem Gezirk so umringt, daß schier niemand zu den Belagerten kommen oder aus der Festung weichen konnte. Und weil die Tyrannin gesehen, daß es unmöglich, Osterwitz zu bewältigen, hat sie demnach, in der Zeit der Belagerung, den armen Bauersleuten in den Dörfern mit Brennen, Rauben, Morden und andern Gewalttätigkeiten nicht geringen Schaden zugefügt; wie dessen die zerbrochenen Schlösser und Burgen noch heute genügsame Zeugnis geben. Doch als sie zuletzt gesehen, daß sie Zeit umsonst und vergeblich vertrieben, auch mit aller Gewalt wenig ausrichten würde, hat sie so viel im Rat befunden, ihre Gesandten an Reinher Schenk zu verordnen mit dem Befehl: daß sie ihn mit vielen und reichen Verheißungen dahin bewegen sollten, das Schloß Osterwitz ihr zu übergeben und mit den Seinen frei abzuziehen. Als auf solche Werbung Herr Reinher Schenk abschläglich antwortete und sagen ließ, er müsse ein Kind sein, wenn er darauf horchen und nach ihren Drohungen fragen wollte, so daß die Gesandten mit betrübten Herzen ins Lager zurückkamen, rieten ihr alle, den Ort, da mit Gewalt nichts auszurichten wäre, auszuhungern und mit solchem Mittel den kärntischen Adel zum Brett zu treiben. Welchem getreuen Rat auch Frau Maultasch nachkommen wollte, weil doch keine andere Gelegenheit vorhanden war, ihres Willens habhaft zu werden.

Weil dann nun diese Belagerung ziemlich lange gewährt, entstand inzwischen in dem Schloß zu Osterwitz nicht allein unter den gemeinen Knechten, sondern auch denen von Adel, sonderlich aber bei dem Frauenzimmer ein großer Mangel in allen Sachen, vornehmlich aber an Wasser, daß auch täglich viel umkamen. Denn es waren von den dreihundert Knechten kaum hundert übriggeblieben, die sich gedrungenerweise mit abscheulicher Speise, wie Katzen-, Hund- und Roßfleisch, sättigen mußten. Indem sich nun etliche vornehme Herren und vom Adel deswegen miteinander beratschlagten, wie den Sachen zu tun wäre, erfanden sie endlich einen trefflich guten und erwünschten Weg. Denn als sie täglich den großen Jammer merkten und ihnen gar schmerzlich war, daß sie samt Weib und Kindern in großem Unglück standen und noch zukünftiger Zeit mehreren Unfall möchten unterworfen sein, gingen sie sämtlich zu Herrn Reinher Schenk und sagten ihm, wie sie diesmal nur durch einen listigen Fund, weil sie keine Hilfe von Erzherzog Otto zu erwarten hätten, zu erretten wären. Nun hätten sie eine gute und geschwinde Kriegslist erdacht, damit den grimmen Feind ab ihrem Hals zu bringen. Nämlich weil sie gesehen, daß alle Essensspeisen und des Leibes Notdurft nun bereits verzehrt und nichts mehr in ihrer Gewalt wäre als ein dürrer Stier und zwei Vierling Roggen, wäre ihr getreuer Rat, Gutdünken und Meinung, man sollte hierauf den Stier abschlachten, in dessen abgezogene Haut den Roggen einschütten und sie also, wohl vermacht, den Berg herabwerfen. Wenn die Feinde dann solches sähen, würde es ihnen Ursache geben zu denken, wir wären mit allerlei Notdurft und Lebensmittel noch reichlich versehen und könnten die Belagerung noch eine gute Zeit ausharren. Deswegen sie unzweifelig würden aufbrechen und mit dem ganzen Kriegsheer abziehen. Diesem Rat kam Herr Reinher Schenk alsbald nach, ließ den Stier abnehmen, den Roggen darein tun und solche damit über den Berg abstürzen, dem jedermann mit großer Verwunderung zugesehen. Als aber solches Frau Maultasch erfahren, tät sie hierauf einen lauten, hellen Schrei und sagte. »Ha! Das sind die Klausrappen, so eine gute Zeit ihre Nahrung in die Kluft zusammengetragen und auf den hohen Felsen sich versteckt haben, die wir nicht so leichtlich in unsern Klauen werden fassen können; darum wir sie in ihrem tiefen Nest sitzen und andre gemästete Vögel suchen wollen.« Hat von Stunde an darauf ihren Kriegsleuten geboten, daß ein jeder insonderheit seine Sturmhaube voll Erde fassen und solches auf einem ebenen Felde, gleich gegen Osterwitz über, ausschütten sollte. Welches, als es geschehen, ist aus der Erde ein ziemlich groß Berglein worden, das man lange Zeit im Land zu Kärnten die *Maultasch-Schutt* genannt hat. Noch vor kurzem, im Jahre 1580, hat Herr Georg Kevenhüller, Freiherr zu Aichelberg, als Landeshauptmann von Kärnten der Frau Maultasch Bildnis in schönem, weißem Stein aushauen lassen, welche Säule das Kreuz bei der Maultasch-Schutt genannt worden.

## 511. Radbod von Habsburg

Im X. Jahrhundert gründete Radbod auf seinem eigenen Gut im Aargau eine Burg, genannt *Habsburg* (Habichtsburg, Felsennest), klein, aber fest. Als sie vollendet war, kam Bischof Werner, sein Bruder, der ihm Geld dazu hergegeben, den Bau zu sehen, und war unzufrieden mit dem kleinen Umfang. Nachts aber ließ Graf Radbod seine Dienstmannen aufbieten und die Burg umringen. Als nun der Bischof morgens ausschaute und sich verwunderte, sprach sein Bruder: »Ich hab eine lebendige Mauer erbaut, und die Treue tapferer Männer ist die festeste Burg.«

## 512. Rudolf von Strättlingen

König Rudolf von Burgund herrschte mächtig zu Strättlingen auf der hohen Burg; er war gerecht und mild, baute Kirchen weit und breit im Land; aber zuletzt übernahm ihn der Stolz, daß er meinte, niemand, selbst der Kaiser nicht, sei ihm an Macht und Reichtum zu vergleichen. Da ließ ihn Gott der Herr sterben; alsbald nahte sich der Teufel und wollte seine Seele empfangen; dreimal hatte er schon die Seele ergriffen, aber St. Michael wehrte ihm. Und der Teufel verlangte von Gott, daß des Königs Taten gewogen würden; und wessen Schale dann schwerer sei, dem solle der Zuspruch geschehen. Michael nahm die Waage und warf in die eine Schale, was Rudolf Gutes, in die andere, was er Böses getan hatte; und wie die Schalen schwankten und sachte die gute niederzog, wurde dem Teufel angst, daß seine auffahre; und schnell klammerte er sich von unten dran fest, daß sie schwer hinuntersank. Da rief Michael: »Wehe, der erste Zug geht zum Gericht!« Darauf hebt er zum zweitenmal die

Waage, und abermal hängt sich Satan unten dran und machte seine Schale lastend. »Wehe«, sprach der Engel, »der zweite Zug geht zum Gericht!« Und zum drittenmal hob er und zögerte; da erblickte er die Krallen des Drachen am schmalen Rand der Waagschale, die sie niederdrückten. Da zürnte Michael und verfluchte den Teufel, daß er zur Hölle fuhr; langsam, nach langem Streit hob sich die Schale des Guten um eines Haares Breite, und des Königs Seele war gerettet.

### 513. Idda von Toggenburg

Ein Rabe entführte der Gräfin Idda von Toggenburg, des Geschlechtes von Kirchberg, ihren Brautring durch ein offenes Fenster. Ein Dienstmann des Grafen Heinrich, ihres Gemahls, fand ihn und nahm ihn auf; der Graf erkannte ihn an dessen Finger. Wütend eilte er zu der unglücklichen Idda und stürzte sie in den Graben der hohen Toggenburg; den Dienstmann ließ er am Schweif eines wilden Pferdes die Felsen herunterschleifen. Indes erhielt sich die Gräfin im Herabfall an einem Gesträuch, wovon sie sich nachts losmachte. Sie ging in einen Wald, lebte von Wasser und Wurzeln; als ihre Unschuld klar geworden, fand ein Jäger die Gräfin Idda. Der Graf bat viel; sie wollte nicht mehr bei ihm leben, sondern blieb still und heilig im Kloster zu Fischingen.

### 514. Auswanderung der Schweizer

Es war ein altes Königreich im Land gegen Mitternacht, im Land der Schweden und Friesen[80]; über dasselbe kam Hunger und teure Zeit. In dieser Not sammelte sich die Gemeinde; durch die meisten Stimmen wurde beschlossen, daß jeden Monat das Volk zusammenkommen und losen sollte; wen das Los träfe, der

---

80 Das Lied nennt den damaligen König Risbert und den Grafen Christoph von Ostfriesland.

müsse bei Lebensstrafe aus dem Land ziehen, Hohe und Niedere, Männer, Weiber und Kinder. Dies geschah eine Zeitlang; aber es half bald nicht aus, und man wußte den Menschen keine Nahrung mehr zu finden. Da versammelte sich nochmals der Rat und verordnete, es solle nun alle acht Tage der zehnte Mann losen, auswandern und nimmermehr wiederkehren. So geschah der Ausgang aus dem Land um Mitternacht, über hohe Berge und tiefe Täler, mit großem Wehklagen aller Verwandten und Freunde; die Mütter führten ihre unmündigen Kinder. In drei Haufen zogen die Schweden, zusammen sechstausend Männer, groß wie die Riesen, mit Weib und Kindern, Hab und Gut. Sie schwuren, sich einander nie zu verlassen, und erwählten drei Hauptleute über sich durchs Los, deren Namen waren Switer (Schweizer), Swey und Hasius. Zwölfhundert Friesen schlossen sich ihnen an. Sie wurden reich an fahrendem Gut durch ihren sieghaften Arm. Als sie durch Franken zogen und über den Rheinstrom wollten, ward es Graf Peter von Franken kund und andern; die machten sich auf, wollten ihrem Zug wehren und ihnen die Straße verlegen. Die Feinde dachten, mit ihrem starken Heer das arme Volk leicht zu bezwingen, wie man Hunde und Wölfe jagt, und ihnen Gut und Waffen zu nehmen. Aber die Schweizer schlugen sich glücklich durch, machten große Beute und baten zu Gott um ein Land wie das Land ihrer Vorfahren, wo sie möchten ihr Vieh weiden in Frieden; da führte sie Gott in die eine Gegend, die hieß das *Brochenburg*. Da wuchs gut Fleisch und auch Milch und viel schönes Korn, daselbst saßen sie nieder und bauten *Schwytz*, genannt nach *Schwyzer*, ihrem ersten Hauptmann. Das Volk mehrte sich, in dem Tal war nicht Raum genug, sie hatten manchen schweren Tag, ehe ihnen das Land Nutzen gab; den Wald ausrotten war ihr Geigenbogen. Ein Teil der Mengen zog ins Land an den schwarzen Berg, der jetzt *Brauneck* heißt. Sie zogen über das Gebirge ins Tal, wo die Aar rinnt, da werkten sie emsig zu Tag und Nacht und bauten Hütten. Die aber aus der Stadt Häßle in Schweden stammten, besetzten Hasli im Weißland (Oberhasli) und wohnten daselbst unter Hasius, dem dritten Hauptmann. Der Graf von Habsburg gab ihnen seine Erlaubnis dazu. Gott hatte ihnen das Land gegeben, daß sie drinnen sein sollten; aus Schweden waren sie geboren, trugen Kleider aus grobem Zwillich, nährten sich von Milch, Käse und Fleisch und erzogen ihre Kinder damit.

Hirten wußten noch zwischen 1777–80 zu erzählen, wie in alten Jahrhunderten das Volk von Berg zu Berg, aus Tal in Tal, nach Frutigen, Obersibental, Sanen, Afflentsch und Jaun gezogen; jenseits Jaun wohnen andere Stämme. Die Berge waren aber vor den Tälern bewohnt.

### 515. Die Ochsen auf dem Acker zu Melchtal

Es saß zu Sarnen einer von Landenberg, der war daselbst Vogt; der vernahm, daß ein Landmann in Melchtal einen hübschen Zug Ochsen hätte; da fuhr er zu, schickte einen Knecht und hieß ihm die Ochsen bringen: Bauern sollten den Pflug ziehen, er wolle die Ochsen haben. Der Knecht tat, was ihm befohlen war. Nun hatte der arme fromme Landmann einen Sohn; als der Knecht die Joche der Ochsen aufbinden wollte, schlug der Sohn mit dem Garb (Stecken) dem Knecht die Finger entzwei. Der gehub sich übel, lief heim und klagte. Der gute, arme Knabe versah sich wohl: wo er nicht wiche, daß er darum leiden müßte, floh und entrann. Der Herr ward zornig und schickte noch mehr Leute aus, da war der Junge entronnen; da fingen sie den alten Vater, dem ließ der Herr die Augen ausstechen und nahm ihm, was er hatte.

### 516. Der Landvogt im Bad

Zu den Zeiten war auch ein Biedermann auf Allzellen im Wald gesessen, der hatte eine schöne Frau, die gefiel dem Landvogt und er hätte sie gern zu seinem Willen gehabt. Weil er aber sah, daß das wider den Willen der Frau war, und sie ihn bat, abzustehen und sie unbekümmert zu lassen, denn sie wolle fromm bleiben: da dachte er die Frau zu zwingen. Eines Tages ritt er zu der Frauen Haus; da war der Mann ungefähr zu Holz gefahren; da zwang er die Frau, daß sie ihm ein Bad machen mußte, das tat sie unwillig. Da das Bad gemacht war, saß der Herr hinein und wollte, daß die Frau sich zu ihm ins Bad setzte; das war die gute Frau nicht willens und verzog die Sache, solange sie mochte, bat Gott, daß er ihre Ehre beschirmen und beschützen möge. Und Gott der Herr verließ sie in ihren Nöten nicht; denn da sie am größten waren, kam der Mann eben beizeiten aus dem Wald; und wäre er nicht gekommen, so hätte die Frau des Herrn Willen tun müssen. Da der Mann gekommen war und seine Frau traurig stehen sah, fragte er, was ihr wäre, warum sie ihn nicht fröhlich empfänge. »Ach, lieber Mann«, sagte sie, »unser Herr ist da drinnen und zwang mich, ihm ein Bad zu richten; und wollte gehabt haben, daß ich zu ihm säße, seinen Mutwillen mit mir zu verbringen, das hab ich nicht wollen tun.« Der Mann sprach: »Ist dem also, so schweig still, und sei Gott gelobt, daß du deine Ehre behalten hast; ich will ihm schon das Bad segnen, daß er's keiner mehr tut.« Und ging hin zum Herrn, der noch im Bad saß und der Frauen wartete, und schlug ihn mit der Axt zu Tode. Das alles wollte Gott.

### 517. Der Bund in Rütli

Einer von Schwyz, genannt Stöffacher, saß zu Steinen, dieshalb der Burg, der hatte gar ein hübsches Haus erbaut. Da ritt auf eine Zeit Grißler, Vogt zu des Reichs Handen in Uri und Schwyz, vorüber, rief dem Stöffacher und fragte, wes die schöne Herberg wäre. Sprach der Mann: »Euer Gnaden und mein Lehen«, wagte aus Furcht nicht, zu sprechen: »Sie ist mein«. Grißler schwieg still und zog heim. Nun war der Stöffacher ein kluger, verständiger Mann, hatte auch eine fromme, weise Frau: der setzte sich die Sache zu Herzen und dachte, der Vogt nähme ihm noch Leib und Gut. Die Frau aber, als sie ihn bekümmert sah, fragte ihn aus; er sagte ihr alles. Da sagte sie: »Des wird noch Rat, geh und klag es deinen vertrauten Freunden.« So geschah es bald, daß drei Männer zusammenkamen, einer von Uri, der von Schwyz und der Unterwaldner, dem man den Vater geblendet hatte. Diese drei schwuren heimlich den ersten Eid, des ewigen Bundes Anfang, daß sie wollten Recht mehren, Unrecht niederdrücken und Böses strafen; darum gab ihnen Gott Glück. Wenn sie aber ihre Anschläge tun wollten, fuhren sie an den Mittenstein, an ein Ende, heißt im *Bettlin*, da tagten sie zusammen im Rütli.

### 518. Wilhelm Tell

Es fügte sich, daß des Kaisers Landvogt, genannt der *Grißler*[81], gen Uri fuhr; als er da eine Zeit wohnte, ließ er einen Stecken unter der Linde, da jedermann vorbeigehen mußte, richten, legte einen Hut drauf und hatte einen Knecht zur Wacht dabeisitzen. Darauf gebot er durch öffentlichen Ausruf: Wer der wäre, der da vorüberginge, sollte sich dem Hut neigen, als ob der Herr selber zugegen sei; und übersähe es einer und täte es nicht, den wollte er mit schweren Bußen strafen. Nun war ein frommer Mann im Lande, hieß Wilhelm Tell, der ging vor dem Hut über und neigte ihm keinmal; da verklagte ihn der Knecht, der des Hutes wartete, bei dem Landvogt. Der Landvogt ließ den Tell vor sich bringen und fragte, warum er dem Stecken und Hut nicht neige, als doch geboten sei. Wilhelm Tell antwortete: »Lieber Herr, es ist von ungefähr geschehen; dachte nicht, daß es Euer Gnaden so hoch achten und fassen würde; wär ich witzig, so hieß ich anders dann der Tell.« Nun war der Tell gar ein guter Schütze, wie man sonst keinen im Lande fand, hatte auch hübsche Kinder, die ihm lieb waren. Da sandte der Landvogt, ließ die Kinder holen, und als sie gekommen waren, fragte er Tell, welches Kind ihm das allerliebste wäre. »Sie sind mir alle gleich lieb.« Da sprach der Herr: »Wilhelm, du bist ein guter

---

81 Sonst Geßler. Spiel und Lied nennen ihn gar nicht mit Namen.

Schütze, und findet man nicht deinsgleichen; das wirst du mir jetzt bewähren; denn du sollst deiner Kinder einem den Apfel vom Haupt schießen. Tust du das, so will ich dich für einen guten Schützen achten.« Der gute Tell erschrak, flehte um Gnade und daß man ihm solches erließe, denn es wäre unnatürlich; was er ihm sonst hieße, wolle er gerne tun. Der Vogt aber zwang ihn mit seinen Knechten und legte dem Kind den Apfel selbst aufs Haupt. Nun sah Tell, daß er nicht ausweichen konnte, nahm den Pfeil und steckte ihn hinten in seinen Göller, den andern Pfeil nahm er in die Hand, spannte die Armbrust und bat Gott, daß er sein Kind behüten wolle; zielte und schoß glücklich ohne Schaden den Apfel von des Kindes Haupt. Da sprach der Herr, das wäre ein Meisterschuß. »Aber eins wirst du mir sagen: Was bedeutet, daß du den ersten Pfeil hinten ins Göller stießst?« Tell sprach: »Das ist so Schützengewohnheit.« Der Landvogt ließ aber nicht ab und wollte es eigentlich hören; zuletzt sagte Tell, der sich fürchtete, wenn er die Wahrheit offenbarte: wenn er ihm das Leben sicherte, wolle er's sagen. Als das der Landvogt getan, sprach Tell: »Nun wohl! Sintemal Ihr mich des Lebens gesichert, will ich das Wahre sagen.« Und fing an und sagte: »Ich hab es darum getan: Hätte ich des Apfels gefehlt und mein Kindlein erschossen, so wollte ich Euer mit dem andern Pfeil nicht gefehlt haben.« Da das der Landvogt vernahm, sprach er: »Dein Leben ist dir zwar zugesagt; aber an ein Ende will ich dich legen, da dich Sonne und Mond nimmer bescheinen;« ließ ihn fangen und binden und in denselben Nachen legen, auf dem er wieder nach Schwyz schiffen wollte. Wie sie nun auf dem See fuhren und kamen bis gen Axen hinaus, stieß sie ein grausamer starker Wind an, daß das Schiff schwankte und sie elend zu verderben meinten; denn keiner wußte mehr dem Fahrzeug vor den Wellen zu steuern. Indem sprach einer der Knechte zum Landvogt: »Herr, hießet Ihr den Tell aufbinden, der ist ein starker, mächtiger Mann und versteht sich wohl auf das Wetter: so möchten wir wohl aus der Not entrinnen.« Sprach der Herr und rief dem Tell: »Willt du uns helfen und dein Bestes tun, daß wir von hinnen kommen, so will ich dich heißen aufbinden.« Da sprach der Tell: »Ja, gnädiger Herr, ich will's gerne tun und getraue mir's.« Da ward Tell aufgebunden und stand an dem Steuer und fuhr redlich dahin; doch so lugte er allenthalben auf seinen Vorteil und auf seine Armbrust, die nahe bei ihm am Boden lag. Da er nun kam gegen einer großen Platte – die man seither stets genannt hat *des Tells Platte* und noch heutzutage so nennt –, deucht es ihm Zeit zu sein, daß er entrinnen konnte; rief allen munter zu, fest anzuziehen, bis sie auf die Platte kämen, denn wann sie davonkämen, hätten sie das Böseste überwunden. Also zogen sie der Platte nahe, da schwang er mit Gewalt, als er denn ein mächtig starker Mann war, den Nachen, griff seine Armbrust und tat einen Sprung auf die Platte, stieß das Schiff von ihm und ließ es schweben und schwanken auf dem See. Lief durch Schwyz schattenhalb (im dunkeln Gebirge), bis daß er kam gen Küßnacht in die hohle Gassen; da war er vor dem Herrn hingekommen und wartete sein daselbst. Und als der Landvogt mit seinen Dienern geritten kam, stand Tell hinter einem Staudenbusch und hörte allerlei Anschläge, die über ihn gingen, spannte die Armbrust auf und schoß einen Pfeil in den Herrn, daß er tot umfiel. Da lief Tell hinter sich über die Gebirge gen Uri, fand seine Gesellen und sagte ihnen, wie es ihm ergangen war.

### 519. Der Knabe erzählt's dem Ofen

Als auch Luzern dem ewigen Bunde beigetreten war, da wohnten doch noch österreichisch Gesinnte in der Stadt, die erkannten sich an den roten Ärmeln, die sie trugen. Diese Rotärmel versammelten sich in einer Nacht unter dem Schwibbogen, willens, die Eidgenossen zu überfallen. Und wiewohl sonst niemand um so späte Zeit an den Ort zu gehen pflegte, geschah es damals durch Gottes Vorsehung, daß ein junger Knabe unter dem Bogen gehen wollte, der hörte die Waffen klirren und den Lärm, erschrak und wollte fliehen. Sie aber holten ihn ein und drohten hart, wenn er einen Laut von sich gebe, müsse er sterben. Darauf nahmen sie ihm einen Eid ab, daß er's keinem Menschen sagen wolle; er aber hörte alle ihre Anschläge und entlief ihnen unter dem Getümmel, ohne daß man sein achtete. Da schlich er und lugte, wo er Licht sähe; und sah ein großes Licht auf der Metzgerstube, war froh und legte sich dahinten auf den Ofen. Es waren noch Leute da, die tranken und spielten. Und der gute Knabe fing laut zu reden an: »O Ofen, Ofen!« und redete nichts weiter. Die andern hatten aber kein acht darauf. Nach einer Weile fing er wieder an: »O Ofen, Ofen, dürft ich reden.« Das hörten die Gesellen, schnarzten ihn an: »Was Gefährts treibst du hinterm Ofen? Hat er dir ein Leid getan, bist du ein Narr, oder was sonst, daß du mit ihm schwatzt?« Da sprach der Knabe: »Nichts, nichts, ich sage nichts«, aber eine Weile darauf hub er an zum drittenmal und sagte laut:

*»O Ofen, Ofen, ich muß dir klagen,*
*ich darf es keinem Menschen sagen.«*

setzte hinzu, daß Leute unterm Schwibbogen stünden, die wollten heute einen großen Mord tun. Da die Gesellen das hörten, fragten sie nicht lange nach dem Knaben, liefen und taten's jedermann kund, daß bald die ganze Stadt gewarnt wurde.

### 520. Der Luzerner Harschhörner

Die Schweizer gebrauchen Trompeten, Trommeln und Pfeifen, doch ist ein großer Unterschied zwischen dem landsknechtischen und eidgenössischem Schlag; denn der ist etwas gemächer. Die von Uri haben einen Mann dazu verordnet, den man den Stier von Uri nennt, der im Krieg ein Horn von einem wilden Urochsen bläst, schön mit Silber beschlagen. Die von Luzern gebrauchen aber ehrine Harschhörner, die gab ihnen König Karl zu Ehren, als sie tapfer stritten in der Runzifaller Schlacht. Da gönnte er ihnen, daß sie immerdar Hörner führen möchten und sollten, wie sie Roland, sein eigener Vetter, auch geführt.

## 521. Ursprung der Welfen

Warin war ein Graf zu Altorf und Ravensburg in Schwaben, sein Sohn hieß Isenbart und Irmentrut dessen Gemahlin. Es geschah, daß ein armes Weib unweit Altorf drei Kindlein auf einmal zur Welt brachte; als das Irmentrut, die Gräfin, hörte, rief sie aus. »Es ist unmöglich, daß dies Weib drei Kinder von einem Mann haben könne ohne Ehebruch.« Dieses redete sie öffentlich vor Graf Isenbart, ihrem Herrn, und allem Hofgesinde, und diese Ehebrecherin verdiene nichts anders, als in einen Sack gesteckt und ertränkt zu werden.

Das nächste Jahr wurde die Gräfin selbst schwanger und gebar, als der Graf eben ausgezogen war, zwölf Kindlein, lauter Knaben. Zitternd und zagend, daß man sie nun gewiß, ihren eigenen Reden nach, Ehebruchs zeihen würde, befahl sie der Kellnerin, die andern elf (denn das zwölfte behielt sie) in den nächsten Bach zu tragen und zu ersäufen. Als nun die Alte diese elf unschuldigen Knäblein, in ein großes Becken gefaßt, in den vorfließenden Bach, die *Scherz* genannt, tragen wollte, schickte es Gott, daß der Isenbart selber heimkam und die Alte frug, was sie da trüge. Welche antwortete, es wären Welfe oder junge Hündlein. »Laß schauen«, sprach der Graf, »ob mir einige zur Zucht gefallen, die ich zu meiner Notdurft dann gebrauchen will.« – »Ei, Ihr habt Hunde genug«, sagte die Alte und weigerte sich, »Ihr möchtet ein Grauen nehmen, sähet Ihr einen solchen Wust und Unlust von Hunden.« Allein der Graf ließ nicht ab und zwang sie hart, die Kinder zu blößen und zu zeigen. Da er nun die elf Kindlein erblickte, wiewohl klein, doch von adliger, schöner Gestalt und Art, fragte er heftig und geschwind, wessen die Kinder wären. Und als die alte Frau bekannte und ihn des ganzen Handels verständigte, wie daß nämlich die Kindlein seinem Gemahl zustünden, auch aus welcher Ursache sie hätten umgebracht werden sollen, befahl der Graf diese Welfen einem reichen Müller der Gegend, welcher sie aufziehen sollte; und verbot der Alten ernstlich, daß sie wiederum zu ihrer Frau ohne

Furcht und Scheu gehen und nichts anders sagen sollte als: ihr Befehl sei ausgerichtet und vollzogen worden.

Sechs Jahre danach ließ der Graf die elf Knaben, adlig geputzt und geziert, in sein Schloß, wo jetzt das Kloster Weingarten steht, bringen, lud seine Freundschaft zu Gast und machte sich fröhlich. Wie das Mahl schier vollendet war, hieß er aber die elf Kinder, alle rot gekleidet, einführen; und alle waren dem zwölften, den die Gräfin behalten hatte, an Farbe, Gliedern, Gestalt und Größe so gleich, daß man eigentlich sehen konnte, wie sie von einem Vater gezeugt und unter einer Mutter Herzen gelegen wären.

Unterdessen stand der Graf auf und frug feierlich seine gesamte Freundschaft, was doch ein Weib, die so herrlicher Knaben elfe umbringen wollen, für einen Tod verschulde. Machtlos und ohnmächtig sank die Gräfin bei diesen Worten hin; denn das Herz sagte ihr, daß ihr Fleisch und Blut zugegen waren; als sie wieder zu sich gebracht worden, fiel sie dem Grafen mit Weinen zu Füßen und flehte jämmerlich um Gnade. Da nun alle Freunde Bitten für sie einlegten, so verzieh der Graf ihrer Einfalt und kindlichen Unschuld, aus der sie das Verbrechen begangen hatte. Gottlob, daß die Kinder am Leben sind.

Zum ewigen Gedächtnis der wunderbaren Geschichte begehrte und verordnete in seiner Freunde Gegenwart der Graf, daß seine Nachkommen sich seitdem nicht mehr Grafen zu Altorf, sondern Welfen und sein Stamm der Welfen Stamm heißen sollten.

Andere berichten des Namens Entstehung auf folgende verschiedene Art:

Der Vorfahre dieses Geschlechtes habe sich an des Kaisers Hof aufgehalten, als er von seiner eines Sohnes entbundenen Gemahlin zurückgerufen wurde. Der Kaiser sagte scherzweise: »Was eilst du um eines Welfen willen, der dir geboren ist?« Der Ritter antwortete: Weil nun der Kaiser dem Kind den Namen gegeben, solle das gelten; und bat ihn, es zur Taufe zu halten, welches geschah.

## 522. Welfen und Giblinger

Herzog Friedrich von Schwaben, Konrads Sohn, überwand die Bayern unter ihrem Herzog Heinrich und dessen Bruder Welf in dem Ries (Holz) bei Neresheim. Welf entfloh aus der Schlacht, wurde aber im nächsten Streit vor Winsperg erstochen. Und war die Krei (Schlachtgeschrei) des bayrischen Heeres. »Hie Welf!« aber der Schwaben: »Hier Gibling!« und ward die Krei genommen von einem Wiler, darin die Säugamme Friedrichs war; und wollte damit bezeugen, daß er durch seine Stärke, die er durch die Bauernmilch empfangen hätte, die Welfen überwinden könne.

## 523. Herzog Bundus, genannt der Wolf

Herzog Balthasar von Schwaben hatte Herzog Albans von München Tochter zur Ehe, die gebar ihm in vierzehn Jahren kein Kind. Da hatte der Herzog einen Jäger, dem er in allen Dingen traute; mit dem legte er's an, wenn des Jägers Frau schwanger würde, daß er es heimlich hielte, so sollte seine Gemahlin tun, als ob sie schwanger wäre. Wenn dann sein Weib genese, solle er das Kind bringen und es die Herzogin für ihres ausgeben. Das geschah. Da war große Freude und sie nannten das Kind Bundus. Nun hatten des Jägers Nachbarn zu derselben Nacht etwas Ungeheures gehört, die fragten, was es gewesen wäre. Er sagte ihnen, seine Jagdhunde hätten gewelft. Da der Knabe vierzehn Jahre alt war, da wollt er nun bei den Jägern sein; und da er in dem zweiundzwanzigsten Jahr war, starb der alte Herzog; da wollten sie dem Jungen eine Frau geben, die Herzogin von Geldern. Inzwischen schlug der Jäger einen am Hof und wurde in den Turm gelegt; da kam des Jägers Weib, begehrte heimlich mit dem Herrn zu reden. Das trieb sie so ernstlich, daß sie der Herr ein hieß gehen und jedermann hinaus. Da fiel sie ihm um den Hals und sprach: »Herzlieber Sohn!« und sagte ihm, daß der Jäger sein Vater wäre und wie es eine Gestalt hätte ganz überall. Da erschrak er von Herzen sehr und besandte seinen Beichtvater; der wollte ihm nicht raten, ein Weib zu nehmen, er möge dann seine Seele verlieren. Da nahm er Hugo, des Herrn vom Heiligenberg Sohn, zu sich und hieß ihm die Herzogin von Geldern geben, mit aller Landsherren Willen; und kam mit ihnen überein, daß dieser sein Lebtag das Herzogtum inhaben und beherrschen sollte. Herzog Bundus aber nahm viel Geld und einige liegende Güter, damit kam er ins Gotteshaus Altorf, diente Gott ernstlich neunundzwanzig Jahre. Und als er sterben wollte, besandte er Herzog Hugo und die mächtigsten Landesherren und offenbarte ihnen, wessen Sohn er wäre, und den ganzen Verlauf. Da ward er geheißen Herzog Wolf (Welf) und also in das Gedächtnis und die Jahrzahl geschrieben.

### 524. Heinrich mit dem goldenen Wagen

Zu Zeiten König Ludwigs von Frankreich lebte in Schwaben Eticho der Welf, ein reicher Herr, gesessen zu Ravensburg und Altorf; seine Gemahlin hieß Judith, Königstochter aus Engelland, und ihr Sohn Heinrich. Eticho war so reich und stolz, daß er einen goldenen Wagen im Schilde führte, und wollte sein Land weder von Kaiser noch König in Lehen nehmen lassen; verbot es auch Heinrich, seinem Sohn. Dieser aber, dessen Schwester Kaiser Ludwig vermählt war, ließ sich einmal von derselben bereden, daß er dem Kaiser ein Land abforderte und bat, ihm so viel zu verleihen, als er mit einem goldenen Wagen an einem Vormittag umfahren könnte in Bayern. Das geschah, Ludwig aber traute ihm nicht solchen Reichtum zu, daß er einen goldenen Wagen vermochte. Da hatte Heinrich immer frische Pferde und umfuhr einen großen Fleck Lands und hatte einen goldenen Wagen im Schoß. Ward also des Kaisers Mann. Darum nahm sein Vater, im Zorn und aus Scham, sein edles Geschlecht so erniedrigt zu sehen, zwölf Edelleute zu sich, ging in einen Berg und blieb darinnen, vermachte das Loch, daß ihn niemand finden konnte. Das geschah bei dem Scherenzer[82] Wald, darin verhärmte er sich mit den zwölf Edelleuten.

## 525. Heinrich mit dem goldenen Pflug

Eticho der Welf liebte die Freiheit dergestalt, daß er Heinrich, seinem Sohne, heftig abriet, er möchte kein Land vom Kaiser zu Lehen tragen. Heinrich aber, durch Zutun seiner Schwester Judith, die Ludwig dem Frommen die Hand gegeben hatte, tat sich in des Kaisers Schutz und Dienst und erwarb von ihm die Zusage, daß ihm so viel Landes geschenkt sein solle, als er mit seinem Pflug zur Mittagszeit umgehen könne. Heinrich ließ darauf einen goldenen Pflug schmieden, den er unter seinem Kleid verbarg; und zur Mittagszeit, da der Kaiser Schlaf hielt, fing er an, das Land zu umziehen. Er hatte auch an verschiedenen Orten Pferde bereitstehen, wenn sie ermüdeten, gleich umzuwechseln. Endlich, wie er eben einen Berg überreiten wollte, kam er an ein böses Mutterpferd, das gar nicht zu bezwingen war, so daß er es nicht besteigen konnte. Daher der Berg davon *Mährenberg* heißt bis auf den heutigen Tag; und die Ravensburger Herren das Recht behaupten, daß sie nicht genötigt werden können, Stuten zu besteigen. Mittlerweile war der Kaiser aufgewacht, und Heinrich mußte einhalten. Er ging mit seinem Pflug an den Hof und erinnerte Ludwig an das gegebene Wort. Dieser hielt es auch; wiewohl es ihm leid tat, daß er so belistet und um ein großes Land gebracht worden. Seitdem führte Heinrich den Namen eines Herrn von Ravensburg; denn Ravensburg lag mit im umgepflügten Gebiet, da seine Vorfahren bloß Herren von Altorf geheißen hatten.

Als aber Eticho hörte, daß sich sein Sohn hatte belehnen lassen, machte er sich traurig auf aus Bayern, zog mit zwölf seiner treusten Diener auf das Gebirge, ließ alle Zugänge sperren und blieb da bis an sein Lebensende. Später hieß einer seiner Nach-

---

82 Scerenzerewald ist die älteste und beste Lesart; andere haben Scherendewald.

fahren, um Gewißheit dieser Sage zu erlangen, die Gräber auf dem Gebirge suchen und die Totenbeine ausgraben. Da er nun die Wahrheit völlig daran erkannt hatte, ließ er an dem Ort eine Kapelle bauen und sie da zusammen bestatten.

### 526. Heinrich der Löwe

In Braunschweig steht aus Erz gegossen das Denkmal eines Helden, zu dessen Füßen ein Löwe liegt; auch hängt im Dom daselbst eines Greifen Klaue. Davon lautet folgende Sage: Vorzeiten zog Herzog Heinrich, der edle Welf, nach Abenteuern aus. Als er in einem Schiff das wilde Meer befuhr, erhub sich ein heftiger Sturm und verschlug den Herzogen; lange Tage und Nächte irrte er, ohne Land zu finden. Bald fing den Reisenden die Speise an auszugehen, und der Hunger quälte sie schrecklich. In dieser Not wurde beschlossen, Lose in einen Hut zu werfen; und wessen Los gezogen ward, der verlor das Leben und mußte der andern Mannschaft mit seinem Fleische zur Nahrung dienen; willig unterwarfen sich diese Unglücklichen und ließen sich für den geliebten Herrn und ihre Gefährten schlachten. So wurden die übrigen eine Zeitlang gefristet; doch schickte es die Vorsehung, daß niemals des Herzogs Los herauskam. Aber das Elend wollte kein Ende nehmen; zuletzt war bloß der Herzog mit einem einzigen Knecht noch auf dem ganzen Schiff lebendig, und der schreckliche Hunger hielt nicht still. Da sprach der Fürst: »Laß uns beide losen, und auf wen es fällt, von dem speise sich der andere.« Über diese Zumutung erschrak der treue Knecht, doch, so dachte er, es würde ihn selbst betreffen, und ließ es zu; siehe, da fiel das Los auf seinen edlen, liebwerten Herrn, den jetzt der Diener töten sollte. Da sprach der Knecht: »Das tu ich nimmermehr, und wenn alles verloren ist, so habe ich noch ein andres ausgesonnen; ich will Euch in einen ledernen Sack einnähen, wartet dann, was geschehen wird.« Der Herzog gab seinen Willen dazu; der Knecht nahm die Haut eines Ochsen, den sie vorher auf dem Schiffe gespeist hatten, wickelte den Herzogs darein und nähte sie zusammen; doch hatte er sein Schwert neben ihn mit hineingesteckt. Nicht lange, so kam der Vogel Greif geflogen, faßte den ledernen Sack in die Klauen und trug ihn durch die Lüfte über das weite Meer bis in sein Nest. Als der Vogel dies bewerkstelligt hatte, sann er auf einen neuen Fang, ließ die Haut liegen und flog wieder aus. Mittlerweile faßte Herzog Heinrich das Schwert und zerschnitt die Nähte des Sackes; als die jungen Greifen den lebendigen Menschen erblickten, fielen sie gierig und mit Geschrei über ihn her. Der teure Held wehrte sich tapfer und schlug sie sämtlich zu Tode. Als er sich aus dieser Not befreit sah, schnitt er eine Greifenklaue ab, die er zum Andenken mit sich nahm, stieg aus dem Nest den hohen Baum hernieder und befand sich in einem weiten, wilden Wald. In diesem Wald ging der Herzog eine gute Weile fort; da sah er einen fürchterlichen Lindwurm wider einen Löwen streiten, und der Löwe schwebte in großer Not, zu unterliegen. Weil aber der Löwe insgemein für ein edles und treues Tier gehalten wird und der Wurm für ein böses, giftiges, säumte Herzog Heinrich nicht, sondern sprang dem Löwen mit seiner Hilfe bei. Der Lindwurm schrie, daß es durch den Wald erscholl, und wehrte sich lange Zeit; endlich gelang es dem Helden, ihn mit seinem guten Schwerte zu töten. Hierauf nahte sich der Löwe, legte sich zu des Herzogs Füßen neben den Schild auf den Boden und verließ ihn nimmermehr von dieser Stunde an. Denn als der Herzog nach Verlauf einiger Zeit, während welcher das treue Tier ihn mit gefangenem Hirsch und Wild ernährt hatte, überlegte, wie er aus dieser Einöde und der Gesellschaft des Löwen wieder unter die Menschen gelangen könnte, baute er sich eine Horde aus zusammengelegtem Holz, mit Reis durchflochten, und setzte sie aufs Meer. Als nun einmal der Löwe in den Wald zu jagen gegangen war, bestieg Heinrich sein Fahrzeug und stieß vom Ufer ab. Der Löwe aber, welcher zurückkehrte und seinen Herrn nicht mehr fand, kam zum Gestade und erblickte ihn aus weiter Ferne; alsbald sprang er in die Wogen und schwamm so lange, bis er auf dem Floß bei dem Herzog war, zu dessen Füßen er sich ruhig niederlegte. Hierauf fuhren sie eine Zeitlang auf den Meereswellen, bald überkam sie Hunger und Elend. Der Held betete und wachte, hatte Tag und Nacht keine Ruhe; da erschien ihm der böse Teufel und sprach: »Herzog, ich bringe dir Botschaft; du schwebst hier in Pein und Not auf dem offenen Meer, und daheim zu Braunschweig ist lauter Freude und Hochzeit; heute an diesem Abend hält ein Fürst aus fremden Land Beilager mit deinem Weibe; denn die gesetzten sieben Jahre seit deiner Ausfahrt sind verstrichen.« Traurig versetzte Heinrich, das möge wahr sein, doch wolle er sich zu Gott lenken, der alles wohl mache. »Du redest noch viel von Gott«, sprach der Versucher, »der hilft dir nicht aus diesen Wasserwogen; ich aber will dich noch heute zu deiner Gemahlin führen, sofern du mein sein willst.« Sie hatten ein langes Gespräch, der Herr wollte sein Gelübde gegen Gott, dem ewigen Licht, nicht brechen; da schlug ihm der Teufel vor, er wolle ihn ohne Schaden samt dem Löwen noch heut abend auf den Giersberg vor Braunschweig tragen und hinlegen, da solle er seiner warten; finde er ihn nach der Zurückkunft schlafend, so sei er ihm und seinem Reiche verfallen. Der Herzog, welcher von heißer Sehnsucht nach seiner geliebten Gemahlin gequält wurde, ging dieses ein und hoffte auf des Himmels Beistand wider alle Künste des Bösen. Alsbald ergriff ihn der Teufel, führte ihn schnell durch die Lüfte bis vor Braunschweig, legte ihn auf dem Giersberg nieder und rief: »Nun wache, Herr! Ich kehre bald wieder.« Heinrich aber war aufs höchste ermüdet, und der Schlaf setzte ihm mächtig zu. Nun fuhr der Teufel zurück und wollte den Löwen, wie er verheißen hatte, auch abholen; es währte nicht lange, so kam er mit dem treuen Tier dahergeflogen. Als nun der Teufel, noch aus der Luft herunter, den Herzog in Müdigkeit versenkt auf dem Giersberge ruhen sah, freute er sich schon im voraus; allein der Löwe, der seinen Herrn für tot hielt, hub laut zu schreien an, daß Heinrich in demselben Augenblicke erwachte. Der böse Feind sah nun sein Spiel verloren und bereute es zu spät, das wilde Tier herbeigeholt zu haben; er warf den

Löwen aus der Luft zu Boden, daß es krachte. Der Löwe kam glücklich auf den Berg zu seinem Herrn, welcher Gott dankte und sich aufrichtete, um, weil es Abend werden wollte, hinab in die Stadt Braunschweig zu gehen. Nach der Burg war sein Gang, und der Löwe folgte ihm immer nach, großes Getön scholl ihm entgegen. Er wollte in das Fürstenhaus treten, da wiesen ihn die Diener zurück. »Was heißt das Getön und Pfeifen?« rief Heinrich aus, »sollte doch wahr sein, was mir der Teufel gesagt? Und ist ein fremder Herr in diesem Haus?« – »Kein fremder«, antwortete man ihm, »denn er ist unsrer gnädigen Frau verlobt und bekommt heute das Braunschweiger Land.« – »So bitte ich«, sagte der Herzog, »die Braut um einen Trunk Weins, mein Herz ist mir ganz matt.« Da lief einer von den Leuten hinauf zur Fürstin und hinterbrachte, daß ein fremder Gast, dem ein Löwe mitfolge, um einen Trunk Wein bitten lasse. Die Herzogin verwunderte sich, füllte ihm ein Geschirr mit Wein und sandte es dem Pilgrim. »Wer magst du wohl sein«, sprach der Diener, »daß du von diesem edlen Wein zu trinken begehrst, den man allein der Herzogin einschenkt?« Der Pilgrim trank, nahm seinen goldenen Ring und warf ihn in den Becher und hieß diesen der Braut zurücktragen. Als sie den Ring erblickte, worauf des Herzogs Schild und Name geschnitten war, erbleichte sie, stand eilends auf und trat an die Zinne, um nach dem Fremdling zu schauen. Sie ward des Herrn inne, der da mit dem Löwen saß; darauf ließ sie ihn in den Saal entbieten und fragen, wie er zu dem Ringe gekommen wäre und warum er ihn in den Becher gelegt hätte. »Von keinem hab ich ihn bekommen, sondern ihn selbst genommen, es sind nun länger als sieben Jahre; und den Ring hab ich hingelegt, wo er billig hingehört.« Als man der Herzogin diese Antwort hinterbrachte, schaute sie den Fremden an und fiel vor Freuden zur Erde, weil sie ihren geliebten Gemahl erkannte; sie bot ihm ihre weiße Hand und hieß ihn willkommen. Da entstand große Freude im ganzen Saal, Herzog Heinrich setzte sich zu seiner Gemahlin an den Tisch; dem jungen Bräutigam aber wurde ein schönes Fräulein aus Franken angetraut. Hierauf regierte Herzog Heinrich lange und glücklich in seinem Reich; als er in hohem Alter verstarb, legte sich der Löwe auf des Herrn Grab und wich nicht davon, bis er auch verschied. Das Tier liegt auf der Burg begraben, und seiner Treue zu Ehren wurde ihm eine Säule errichtet.

## 527. Ursprung der Zähringer

Die Sage ist, daß die Herzöge von Zähringen vorzeiten Köhler sind gewesen und haben ihre Wohnung gehabt in dem Gebirge und den Wäldern hinter Zähring dem Schloß, wo es bis heute steht, und haben allda Kohlen gebrannt. Nun hat es sich begeben, daß der Köhler an einem Ort im Gebirge Kohlen brannte, Grund und Boden nahm und damit den Kohlhaufen, um ihn auszubrennen, bedeckte. Als er nun die Kohlen hinwegtat, fand er am Boden eine schwere geschmelzte Materie; und da er sie besichtigte, da ist es gut Silber gewesen. Also brennte er seitdem immerdar an dem Ort seine Kohlen, deckte sie mit demselben Grund und Erdboden und fand aber Silber wie zuvor. Dabei konnte er merken, daß es des Berges Schuld wäre, behielt es geheim, brannte von Tag zu Tag Kohlen da und brachte großen Schatz Silbers zusammen.

Nun hat es sich damals ereignet, daß ein König vertrieben ward vom Reich und floh auf den Berg im Breisgau, genannt der Kaiserstuhl, mit Weib und Kindern und allem Gesinde, litt da viel Armut mit den Seinen. Ließ darauf ausrufen, wer da wäre, der ihm wollte Hilfe tun, sein Reich wiederzuerlangen, der sollte zum Herzog gemacht und eine Tochter des Kaisers ihm gegeben werden. Da der Köhler das vernahm, fügte sich's, daß er mit einer Bürde Silbers vor den König trat und begehrte, er wolle sein Sohn werden und des Königs Tochter ehelichen, auch dazu Land und Gegend – wo jetzt Zähringen, das Schloß, und die Stadt Freiburg steht – zu eigen haben; alsdann wolle er ihm einen solchen Schatz von Silber geben und überliefern, damit er sein ganzes Reich wiedergewinnen könne. Als der König solches vernahm, willigte er ein, empfing die Last Silbers und gab dem Köhler, den er zum Sohn annahm, die Tochter zur Ehe und die Gegend des Landes dazu, wie er begehrt hatte. Da hub der Sohn an und ließ sein Erz schmelzen, überkam groß Gut damit und baute Zähringen samt dem Schloß; da macht ihn der römische König, sein Schwager, zu einem Herzogen von Zähringen. Der Herzog baute Freiburg und andere umliegende Städte und Schlösser mehr; und wie er nun mächtig ward, zunahm an Gut, Gewalt und Ehre, hub er an und ward stolz und frevelhaft. Eines Tages, so rief er seinen eigenen Koch und gebot, daß er ihm einen jungen Knaben briete und zurichte; denn ihn gelüste zu schmecken, wie gut Menschenfleisch wäre. Der Koch vollbrachte alles nach seines Herrn Befehl und Willen, und da der Knabe gebraten war und man ihn zu Tische trug dem Herrn und er ihn sah vor sich stehen, da fiel Schrecken und Furcht in ihn und empfand Reu und Leid um diese Sünde. Da ließ er zur Sühne zwei Klöster bauen, mit Namen das eine zu St. Ruprecht und das andere zu St. Peter im Schwarzwald, damit ihm Gott der Herr barmherzig verzeihen möge und vergeben.

### 528. Herr Peter Dimringer von Staufenberg

In der Ortenau unweit Offenburg liegt Staufenberg, das Stammschloß Ritter Peters Dimringer, von dem die Sage lautet: Er hieß einen Pfingsttag früh den Knecht das Pferd satteln und wollte von seiner Feste gen Nußbach reiten, daselbst Messe zu hören. Der Knabe ritt voran, unterwegs am Eingang des Waldes sah er auf einem Stein eine wunderschöne, reichgeschmückte Jungfrau mutterallein sitzen; sie grüßte ihn, der Knecht ritt vorüber. Bald darauf kam Herr Peter selbst daher, sah sie mit Freuden, grüßte und sprach die Jungfrau freundlich an. Sie neigte ihm und sagte: »Gott danke dir deines Grußes.« Da stieg Peter vom Pferd, sie bot ihm ihre Hände, und er hob sie vom Stein auf, mit Armen umfing er sie; sie setzten sich beide ins Gras und redeten, was ihr Wille war. »Gnade, schöne Frau, darf ich fragen, was mir zu

Herzen liegt, so sagt mir, warum Ihr hier so einsam sitzt und niemand bei Euch ist.« – »Das sag ich dir, Freund, auf meine Treue: weil ich hier dein warten wollte; ich liebe dich, seit du je Pferd überschrittest; und überall in Kampf und in Streit, in Weg und auf Straßen hab ich dich heimlich gepflegt und gehütet mit meiner freien Hand, daß dir nie Leid geschah.« Da antwortete der Ritter tugendlich: »Daß ich Euch erblickt habe, nichts Liebers konnte mir geschehen, und mein Wille wäre, bei Euch zu sein bis an den Tod.« – »Dies mag wohl geschehen«, sprach die Jungfrau, »wenn du meiner Lehre folgst: Willst du mich liebhaben, darfst du fortan kein ehelich Weib nehmen, und tätest du's doch, würde dein Leib den dritten Tag sterben. Wenn du aber allein bist und mich begehrst, da hast du mich gleich bei dir und lebst glücklich und in Wonne.« Herr Peter sagte: »Frau, ist das alles wahr?« Und sie gab ihm Gott zum Bürgen der Wahrheit und Treue. Darauf versprach er sich ihr zu eigen, und beide verpflichteten sich zueinander. Die Hochzeit sollte auf der Frauen Bitte zu Staufenberg gehalten werden; sie gab ihm einen schönen Ring, und nachdem sie sich tugendlich angelacht und einander umfangen hatten, ritt Herr Peter weiter fort seine Straße. In dem Dorfe hörte er eine Messe lesen und tat sein Gebet, kehrte alsdann heim auf seine Feste, und sobald er allein in der Kemenate war, dachte er bei sich im Herzen: »Wenn ich doch nun meine liebe Braut hier bei mir hätte, die ich draußen auf dem Stein fand!« Und wie er das Wort ausgesprochen hatte, stand sie schon vor seinen Augen, sie küßten sich und waren in Freuden beisammen.

Also lebten sie eine Weile, sie gab ihm auch Geld und Gut, daß er fröhlich auf der Welt leben konnte. Nachher fuhr er aus in die Lande, und wohin er kam, war seine Frau bei ihm, sooft er sie wünschte.

Endlich kehrte er wieder heim in seine Heimat. Da lagen ihm seine Brüder und Freunde an, daß er ein ehelich Weib nehmen sollte; er erschrak und suchte es auszureden. Sie ließen ihm aber härter zusetzen durch einen weisen Mann, auch aus seiner Sippe. Herr Peter antwortete: »Eher will ich meinen Leib in Riemen schneiden lassen, als daß ich mich verehelich.« Abends nun, wie er allein war, wußte es seine Frau schon, was sie mit ihm vorhatten, und er sagte ihr von neuem sein Wort zu. Es sollte aber zu damal der deutsche König in Frankfurt gewählt werden; dahin zog auch der Staufenberger unter vielen andern Dienstmännern und Edelleuten. Da tat er sich so heraus im Ritterspiel, daß er die Augen des Königs auf sich zog und der König ihm endlich seine Muhme aus Kärnten zur Ehe antrug. Herr Peter geriet in heftigen Kummer und schlug das Erbieten aus; und weil alle Fürsten darein redeten und die Ursache wissen wollten, sprach er zuletzt, daß er schon eine schöne Frau und von ihr alles Gute hätte, aber um ihretwillen keine andere nehmen dürfte, sonst müßte er tot liegen innerhalb drei Tagen. Da sagte der Bischof: »Herr, laßt mich die Frau sehen.« Da sprach er: »Sie läßt sich vor niemand denn vor mir sehen.« – »So ist sie kein rechtes Weib«, redeten sie alle, »sondern vom Teufel; und daß Ihr die Teufelin minnet mehr denn reine Frauen, das verdirbt Euren Namen und Eure Ehre vor aller Welt.« Verwirrt durch diese Reden sagte der Staufenberger, er wolle alles tun, was dem König gefalle, und alsbald war ihm die Jungfrau verlobt unter kostbaren, königlichen Geschenken. Die Hochzeit sollte nach Peters Willen in der Ortenau gehalten werden. Als er seine Frau wieder das erstemal bei sich hatte, tat sie ihm klägliche Vorwürfe, daß er ihr Verbot und seine Zusage dennoch übertreten hätte, so sei nun sein junges Leben verloren. »Und zum Zeichen will ich dir folgendes geben: Wenn du meinen Fuß erblicken wirst und ihn alle andere sehen, Frauen und Männer, auf deiner Hochzeit, dann sollst du nicht säumen, sondern beichten und dich zum Tod bereiten.« Da dachte aber Peter an der Pfaffen Worte, daß sie ihn vielleicht nur mit solchen Drohungen berücken wolle und es nichts als Lüge wäre. Als nun bald die junge Braut nach Staufenberg gebracht wurde, ein großes Fest gehalten wurde und der Ritter ihr über Tafel gegenübersaß, da sah man plötzlich etwas durch die Bühne stoßen, einen wunderschönen Menschenfuß bis an die

Knie, weiß wie Elfenbein. Der Ritter erblaßte und rief: »Weh, meine Freunde, ihr habt mich verderbt, und in drei Tagen bin ich des Todes.« Der Fuß war wieder verschwunden, ohne ein Loch in der Bühne zurückzulassen. Pfeifen, Tanzen und Singen lagen darnieder, ein Pfaffe wurde gerufen, und nachdem er von seiner Braut Abschied genommen und seine Sünden gebeichtet hatte, brach sein Herz. Seine junge Ehefrau begab sich ins Kloster und betete zu Gott für seine Seele, und in allen deutschen Landen wurde der mannhafte Ritter beklagt.

Im XVI. Jahrhundert, nach Fischarts Zeugnis, wußte das Volk der ganzen Gegend noch die Geschichte von Peter dem Staufenberger und der schönen Meerfei, wie man sie damals nannte. Noch jetzt ist der Zwölfstein zwischen Staufenberg, Nußbach und Weilershofen zu sehen, wo sie ihm das erstemal erschienen war; und auf dem Schloss wird die Stube gezeigt, da sich die Meerfei soll unterweilen aufgehalten haben.

### 529. Des edlen Möringers Wallfahrt

Zu Mörungen an der Donau lebte vorzeiten ein edler Ritter; der lag eines Nachts bei seiner Frau und bat sie um Urlaub, weil er weit hinziehen wollte in St. Thomas' Land, befahl ihr Leute und Gut und sagte, daß sie sieben Jahre seiner harren möchte. Frühmorgens stand er auf, kleidete sich an und empfahl seinem Kämmerer, daß er sieben Jahre lang seiner Frauen pflege, bis zu seiner Wiederkehr. Der Kämmerer sprach: »Frau tragen lange Haar und kurzen Mut; fürwahr nicht länger denn sieben Tage mag ich Eurer Frau pflegen.« Da ging der edle Möringer hin zu dem jungen von Neufen und bat, daß er sieben Jahre seiner Gemahlin pflege; der sagt's ihm zu und gelobte seine Treue.

Also zog der edle Möringer fern dahin, und ein Jahr verstrich um das andere. Wie das siebente nun sich vollendete, lag er im Garten und schlief. Da träumte ihm, wie daß ein Engel riefe und spräche: »Erwache, Möringer, es ist Zeit! Kommst da heute nicht zu Land, so nimmt der junge von Neufen dein Weib.« Der

Möringer raufte vor Leid seinen grauen Bart und klagte flehentlich seine Not Gott und dem heiligen Thomas; in den schweren Sorgen entschlief er von neuem. Wie er aufwachte und die Augen öffnete, wußte er nicht, wo er war; denn er sah sich daheim in Schwaben vor seiner Mühle, dankte Gott, jedoch traurig im Herzen, und ging zu der Mühle. »Müller«, sprach er, »was gibt's Neues in der Burg? Ich bin ein armer Pilgrim.« – »Viel Neues«, antwortete der Müller, »der von Neufen will heute des edlen Möringers Frau nehmen; leider soll unser guter Herr tot sein.« Da ging der edle Möringer an sein eigen Burgtor und klopfte hart dawider. Der Torwart trat heraus. »Geh und sag deiner Frau an, hier stehe ein elender Pilgrim; nun bin ich vom weiten Gehen so müde geworden, daß ich sie um ein Almosen bitte, um Gottes und St. Thomas' willen und des edlen Möringers Seele.« Und als das die Frau erhörte, hieß sie eilends auftun und solle er dem Pilger zu essen geben ein ganzes Jahr.

Der edle Möringer trat in seine Burg, und es war ihm so leid und schwer, daß ihn kein Mann empfing; er setzte sich nieder auf die Bank, und als die Abendstunde kam, daß die Braut bald zu Bett gehen sollte, redete ein Dienstmann und sprach: »Sonst hatte mein Herr Möring die Sitte, daß kein fremder Pilgrim schlafen durfte, er sang denn zuvor ein Lied.« Das hörte der junge Herr von Neufen, der Bräutigam, und rief: »Singt uns, Herr Gast, ein Liedelein, ich will Euch reich begaben.« Da hub der edle Möringer an und sang ein Lied, das anfängt: »Eins langen Schweigens hatte ich mich bedacht, so muß ich aber singen als eh« und so weiter[83], und sang darin, daß ihn der junge Mann an der alten Braut rächen und sie mit Sommerlatten (Ruten) schlagen solle; ehemals sei er Herr gewesen und jetzt Knecht und auf der Hochzeit ihm nun eine alte Schüssel vorgesetzt worden. Sobald die edle Frau das Lied hörte, trübten sich ihre klaren Augen, und einen goldenen Becher setzte sie dem Pil-

---

[83] Vergl. Sammlung von Minnesingern, I, 124, wo das Lied merkwürdig dem Walther von der Vogelweide beigelegt wird.

grim hin, in den schenkte sie klaren Wein. Möringer aber zog ein goldrotes Fingerlein von seiner Hand, womit ihm seine liebste Frau vermählt worden war, senkt es in den Becher und gab ihn dem Weinschenken, daß er ihn der edlen Frau vorsetzen sollte. Der Weinschenk brachte ihn: »Das sendet Euch der Pilger, laßt's Euch nicht verschmähen, edle Frau.« Und als sie trank und das Fingerlein im Becher sah, rief sie laut: »Mein Herr ist hier, der edle Möringer«, stand auf und fiel ihm zu Füßen. »Gott willkommen, liebster Herr, und laßt Euer Trauern sein! Meine Ehre hab ich noch behalten, und hätte ich sie verbrochen, so sollt Ihr mich vermauern lassen.« Aber der Herr von Neufen erschrak und fiel auf die Knie: »Liebster Herr, Treu und Eid hab ich gebrochen, darum schlagt mir ab mein Haupt!« – »Das soll nicht sein, Herr von Neufen, sondern ich will Euren Kummer lindern und Euch meine Tochter zur Ehe geben; nehmt sie und laßt mir meine alte Braut.« Dessen war der von Neufen froh und nahm die Tochter. Mutter und Tochter waren beide zarte Frauen, und beide Herren waren wohlgeboren.

### 530. Graf Hubert von Calw

Vor alten Zeiten lebte zu Calw ein Graf in Wonne und Reichtum, bis ihn zuletzt sein Gewissen antrieb und er zu seiner Gemahlin sprach: »Nun ist vonnöten, daß ich auch lerne, was Armut heißt, wenn ich nicht ganz will zugrunde gehen.« Hierauf sagte er ihr Lebewohl, nahm die Kleidung eines armen Pilgrims an und wanderte in die Gegend nach der Schweiz zu. In einem Dorf, genannt *Deislingen*, wurde er Kuhhirt und weidete die ihm anvertraute Herde auf einem nahe gelegenen Berg mit allem Fleiß. Wiewohl nun das Vieh unter seiner Hut gedieh und fett ward, so verdroß es die Bauern, daß er sich immer auf dem nämlichen Berge hielt, und sie setzten ihn vom Amt ab. Da ging er wieder heim nach Calw und heischte das Almosen vor der Türe seiner Gemahlin, die eben ihre Hochzeit mit einem andern Mann feierte. Als ihm nun ein Stück Brot herausgebracht wurde, weigerte er es anzunehmen, es wäre denn, daß ihm auch der Gräfin Becher voll Wein dazu gespendet würde. Man brachte ihm den Becher, und indem er trank, ließ er seinen goldenen Mahlring dareinfallen und kehrte stillschweigend nach dem vorigen Dorf zurück. Die Leute waren seiner Rückkunft froh, weil sie ihr Vieh unterdessen einem schlechten Hirten hatten untergeben müssen, und setzten den Grafen neuerdings an seiner Stelle ein. So hütete er bis zu seinem Lebensende; als er sich dem Tode nahe fühlte, offenbarte er den Leuten, wer und woher er wäre; auch verordnete er, daß sie seine Leiche von Rindern ausfahren lassen und da, wo diese stillstehen würden, beerdigen sollten, daselbst aber eine Kapelle bauen. Sein Wille ward genau vollzogen und über seinem Grabe ein Heiligtum errichtet, nach seinem Namen Hubert oder Oberk zu St. Huprecht geheißen. Viele Menschen wallfahrten dahin und ließen zu seiner Minne Messen lesen; jeder Bürger von Calw, der da vorübergeht, hat das Recht, an der Kapellentüre anzuklopfen.

## 531. Udalrich und Wendilgart und der ungeborene Burkard

Udalrich, Graf zu Buchhorn (am Bodensee), abstammend aus Karls Geschlecht, war mit Wendilgart, Heinrich des Voglers Nichte, vermählt. Zu seiner Zeit brachen die Heiden (Ungarn) in Bayern ein, Udalrich rückte aus in den Krieg, wurde gefangen und weggeführt. Wendilgart, die gehört hatte, daß er tot in der Schlacht geblieben, wollte nicht wieder heiraten, sondern begab sich nach St. Gallen, wo sie still und zurückgezogen lebte und für ihres Gemahls Seele den Armen Wohltaten erwies. Weil sie aber zart aufgezogen war, trug sie immer große Lust nach süßen Speisen. Sie saß eines Tages bei Wiborad, einer frommen Klosterfrau, im Gespräch und bat sie um süße Äpfel. »Ich habe schöne Äpfel, wie sie arme Leute essen«, sprach Wiborad, »die will ich dir geben«, und zeigte ihr wilde Holzäpfel. Wendilgart nahm sie gierig und biß darein; sie schmeckten so herb, daß sie ihr den Mund zusammenzogen, warf sie weg und sagte: »Deine

Äpfel sind sauer, Schwester; hätte der Schöpfer alle so erschaffen, so würde Eva keinen gekostet haben.« – »Mit Recht führst du Eva an«, sprach Wiborad, »denn sie gelüstete gleich dir nach süßer Speise.« Da errötete die edle Frau und tat sich hernach Gewalt an, entwöhnte sich aller Süßigkeiten und gedieh bald zu solcher Frömmigkeit, daß sie vom Bischof den heiligen Schleier begehrte. Er wurde ihr gewährt, und sie ließ sich einkleiden, lebte auch fortan in Tugend und Strenge. Vier Jahre verflossen, da ging sie am Todestage Udalrichs, ihres Gemahls, nach Buchhorn und beschenkte die Armen, wie sie alljährlich zu tun pflegte.

Udalrich war aber unterdessen glücklich aus der Gefangenschaft entronnen und hatte sich heimlich unter die übrigen zerlumpten Bettler gesellt. Als Wendilgart hinzutrat, rief er laut um ein Kleid. Sie schalt, daß er ungestüm fordere, gab ihm aber doch das Kleid, dessen er bedurfte. Er zog die Hand der Geberin mit dem Kleide an sich, umfaßte und küßte sie wider ihren Willen. Da warf er seine langen Haare mit der Hand hinter die Schulter und sprach, als einige Umstehenden mit Schlägen drohten: »Verschont mich mit Schlägen, ich habe ihrer genug ausgehalten, und erkennt euren Udalrich!« Das Volk hörte die Stimme des alten Herrn und erkannte sein Gesicht unter den wilden Haaren. Laut schrie ihm alles zu. Wendilgart war, gleichsam beschimpft, zurückgetreten: »Jetzt erst empfinde ich meines Gemahls gewissen Tod, da mir jemand Gewalt zu tun wagt.« Er aber reichte ihr die Hand, um sie aufzuheben, an der Hand sah sie eine ihr wohlbekannte Wundennarbe. Wie vom Traum erwachend, rief sie: »Mein Herr, den ich auf der Welt am liebsten habe, willkommen, mein liebster Gemahl!« und unter Küssen und Umarmungen: »Kleidet euern Herrn und richtet ihm ein Bad zu!« Als er angezogen war, sagte er: »Laßt uns zur Kirche gehen.« Unter dem Gehen sah er ihren Schleier und fragte: »Wer hat dein Haupt eingeschleiert?« Und als sie antwortete: »Der Bischof in der Kirchenversammlung«, sprach Udalrich zu sich selbst: »Nun darf ich dich erst mit der Kirche Erlaubnis umarmen.« Geistlichkeit und Volk sangen Loblieder; darauf ging man ins Bad und zur

Mahlzeit. Bald versammelte sich die Kirche, und Udalrich forderte seine Gemahlin zurück. Der Bischof löste ihr den Schleier und verschloß ihn im Schrein, damit, wenn ihr Gemahl früher verstürbe, sie ihn wiedernehmen sollte. Die Hochzeit wurde von neuem gefeiert, und als Wendilgart sich nach einiger Zeit schwanger befand, ging sie mit dem Grafen nach St. Gallen und gelobte dem Kloster das Kind, wenn es ein Knabe wäre. Vierzehn Tage vor ihrer Niederkunft erkrankte plötzlich Wendilgart und starb. Das Kind aber wurde lebendig aus dem Leibe geschnitten und in eine frisch abgezogene Speckschweinschwarte gewickelt. So kam es auf, wurde Burkard getauft und sorgsam im Kloster erzogen. Das Kind wuchs, zart von Leib, aber wunderschön; die Brüder pflegten ihn den ungeborenen (*Burcardus ingenitus*) zu nennen. Seine Haut blieb immer so fein, daß jeder Mückenstich Blut herauszog und ihn sein Meister mit der Rute gänzlich verschonen mußte. Burkard der Ungeborne ward mit der Zeit ein gelehrter, tugendhafter Mann.

### 532. Stiftung des Klosters Wettenhausen

Zwischen Ulm und Augsburg, am Flüßchen Kammlach, liegt das Augustinerkloster Wettenhausen. Es wurde im Jahre 982 von zwei Brüdern, Konrad und Wernher, Grafen von Rochenstain, oder vielmehr von deren Mutter Gertrud gestiftet. Diese verlangte und erhielt von ihren Söhnen so viel Lands zur Erbauung einer heiligen Stätte, wie sie innerhalb eines Tages umpflügen könnte. Dann schaffte sie einen ganz kleinen Pflug, barg ihn in ihren Busen und umritt dergestalt das Gebiet, welches noch heute dem Kloster unterworfen ist.

### 533. Ritter Ulrich, Dienstmann zu Wirtenberg

Eine Burg liegt in Schwabenland, geheißen Wirtenberg, auf der saß vorzeiten Graf Hartmann, dessen Dienstmann, Ritter Ulrich, folgendes Abenteuer begegnete: Als er eines Freitags in den Wald zu jagen zog, aber den ganzen Tag kein Wild treffen konnte, verirrte sich Ritter Ulrich auf unbekanntem Weg in eine öde Gegend, die sein Fuß noch nie betreten hatte. Nicht lange, so kamen ihm entgegengeritten ein Ritter und eine Frau, beide von edlem Aussehen; er grüßte sie höflich, aber sie schwiegen, ohne ihm zu neigen; da sah er derselben Leute noch mehr herbeiziehen. Ulrich hielt beiseite in dem Tann, bis fünfhundert Männer und ebensoviel Weiber vorüberkamen, alle in stummer, schweigender Gebärde, und ohne seine Grüße zu erwidern. Zuhinterst an der Schar fuhr eine Frau allein ohne Mann, die antwortete auf seinen Gruß: »Gott vergelt's!« Ritter Ulrich war froh, Gott nennen zu hören, und begann diese Frau weiterzufragen nach dem Zuge, und was es für Leute wären, die ihm ihren Gruß nicht vergönnt hätten. »Laßt's Euch nicht verdrießen«, sagte die Frau, »wir grüßen nicht, denn wir sind tote Leute.« – »Wie kommt's aber, daß Euer Mund frisch und rot steht?« – »Das ist nur der Schein; vor dreißig Jahren war mein Leib schon erstorben und verwest, aber die Seele leidet Qual.« – »Warum zogt Ihr allein, das nimmt mich wunder, da ich doch jede Frau samt einem Ritter fahren sah?« – »Der Ritter, den ich haben soll, der ist noch nicht tot, und gerne wollte ich lieber allein fahren, wenn er noch Buße täte und seine Sünde bereute.« – »Wie heißt er mit Namen?« – »Er ist genannt von Schenkenburg.« – »Den kenne ich wohl, er hob mir ein Kind aus der Taufe; gern möchte ich ihm hinterbringen, was mir hier begegnet ist; aber wie wird er die Wahrheit glauben?« – »Sagt ihm zum Wahrzeichen dieses: Mein Mann war ausgeritten, da ließ ich ihn ein in mein Haus, und er küßte mich an meinen Mund; da wurden wir einander bekannt, und er zog ein rotgoldenes Fingerlein von seiner Hand und schenkte mir's; wollte Gott, meine Augen hätten ihn nie gesehen!« – »Mag denn nichts Eure Seele retten, Gebete und Wallfahrten?« – »Aller Pfaffen Zungen, die je lasen und sangen, können mir nicht helfen, darum, daß ich nicht zur Beichte gelangt bin und gebüßt habe vor meinem Tod; ich scheute aber die Beichte; denn wäre meinem biderben Mann etwas zu Ohren gekommen von meiner Unzucht, es hätte mir das Leben gekostet.«

Ritter Ulrich betrachtete diese Frau, während sie ihre jämmerliche Geschichte erzählte; an dem Leib erschien nicht das Ungemach ihrer Seele, sondern sie war wohlaussehend und reichlich gekleidet. Ulrich wollte mit ihr dem andern Volk bis in die Herberge nachreiten; und als ihn die Frau nicht von diesem Vorsatz ablenken konnte, empfahl sie ihm bloß, keine der Speisen anzurühren, die man ihm bieten würde, auch sich nicht daran zu kehren, wie übel man dies zu nehmen scheine. Sie ritten zusammen über Holz und Feld, bis der ganze Haufen vor eine schön erbaute Burg gelangte, wo die Frauen abgehoben, den Rittern die Pferde und Sporen in Empfang genommen wurden. Darauf saßen sie je zwei, Ritter und Frauen, zusammen auf dem grünen Gras; denn es waren keine Stühle vorhanden; jene elende Frau saß ganz allein am Ende, und niemand achtete ihrer. Goldene Gefäße wurden aufgetragen, Wildbret und Fische, die edelsten Speisen, die man erdenken konnte, weiße Semmel und Brot; Schenken gingen und füllten die Becher mit kühlem Weine. Da wurde auch dieser Speisen Ritter Ulrich vorgetragen, die ihn lieblich anrochen; doch war er so weise, nichts davon zu berühren. Er ging zu der Frauen sitzen und vergaß sich, daß er auf den Tisch griff und einen gebratenen Fisch aufheben wollte; da verbrannten ihm schnell seiner Finger viere wie von höllischem Feuer, daß er laut schreien mußte. Kein Wasser und kein Wein konnte ihm diesen Brand löschen; die Frau, die neben ihm saß, sah ein Messer an seiner Seite hängen, griff schnell danach, schnitt ihm ein Kreuz über die Hand und stieß das Messer wieder ein. Als das Blut über die Hand floß, mußte das Feuer davor weichen, und Ritter Ulrich kam mit dem Verluste der Finger davon. Die Frau sprach: »Jetzt wird ein Turnier anheben und Euch ein edles Pferd vorgeführt und ein goldbeschlagener Schild vorgetragen werden; davor hütet Euch.« Bald darauf kam ein Knecht mit dem Roß und Schild vor den Ritter, und so gern er's bestiegen hätte, ließ er's doch standhaft fahren. Nach dem

Turnier erklangen süße Töne, und der Tanz begann; die elende Frau hatte den Ritter wieder davor gewarnt. Sie selbst aber mußte mit anstehen und stellte sich unten hin; als sie Ritter Ulrich anschaute, vergaß er alles, trat hinzu und bot ihr die Hand. Kaum berührte er sie, als er für tot niedersank; schnell trug sie ihn seitwärts auf einen Rain, grub ihm ein Kraut und steckte es in seinen Mund, wovon er wieder auflebte. Da sprach die Frau: »Es naht dem Tage, und wenn der Hahn kräht, müssen wir alle von hinnen.« Ulrich antwortete: »Ist es denn Nacht? Mir hat es so geschienen, als ob es die ganze Zeit heller Tag gewesen wäre.« Sie sagte: »Der Wahn trügt Euch; Ihr werdet einen Waldsteig finden, auf dem Ihr sicher zu dem Ausgang aus der Wildnis gelangen könnt.« Ein Zelter wurde der armen Frau vorgeführt, der brannte wie eine Glut; wie sie ihn bestiegen hatte, streifte sie den Ärmel zurück: da sah Ritter Ulrich das Feuer von ihrem bloßen Arm schießen, wie wenn die Flammen um ein brennendes Haus schlagen. Er segnete sie zum Abschied und kam auf dem angewiesenen Steig glücklich heim nach Wirtenberg geritten, zeigte dem Grafen die verbrannte Hand und machte sich auf zu der Burg, wo sein Gevatter saß. Dem offenbarte er, was ihm seine Buhlin entbieten ließ, samt dem Wahrzeichen mit dem Fingerlein und den verbrannten Fingern. Auf diese Nachricht rüstete sich der von Schenkenburg samt Ritter Ulrich, fuhren über Meer gegen die ungetauften Heiden, denen sie so viel Schaden, dem deutschen Haus zum Trost, antaten, bis die Frau aus ihrer Pein erlöst worden war.

### 534. Freiherr Albrecht von Simmern

Albrecht Freiherr von Simmern war bei seinem Landesherrn Herzog Friedrich von Schwaben, der ihn aufgezogen hatte, wohlgelitten und stand in besonderer Gnade. Einstmals tat dieser in der Begleitung seiner Grafen und Ritter, unter welchen sich auch der Freiherr Albrecht befand, einen Lustritt zu dem Grafen Erchinger, bei dem er schon öfter gewesen und dessen Schloß Mogenheim im Zabergau lag. Der Graf war ein Mann von fröhlichem Gemüte, der Jagd und andern ehrlichen Übungen ergeben. Mit seiner Frau, Maria von Tübing, hatte er nur zwei Töchter und keinen Sohn gezeugt, und sein gräflicher Stamm drohte zu erlöschen.

Nahe an dem Schloss lag ein lustiges Gehölz, der *Stromberg* genannt; darin lief seit langer Zeit ein ansehnlicher großer Hirsch, den weder die Jäger noch Hofbediente je hatten fangen können. Als er sich eben jetzt wieder sehen ließ, freuten sich alle, besonders der Graf Erchinger, welcher die übrige Gesellschaft aufmahnte, sich mit dem gewöhnlichen Jägerzeug dahin zu begeben. Unter dem Jagen kam der Freiherr Albrecht von den andern ab in eine besondere Gegend des Waldes, wo er eines großen und schönen Hirsches ansichtig ward, wie er noch nie glaubte einen gesehen zu haben. Er setzte ihm lange durch den Wald nach, bis er ihn ganz aus dem Gesicht verlor und er nicht wußte, wo das Tier hingeraten war.

Plötzlich trat ein Mann schrecklicher Gestalt vor ihn, und ob er gleich sonst beherzt und tapfer war, so entsetzte er sich doch heftig und wahrte sich wider ihn mit dem Zeichen des Kreuzes. Der Mann aber sprach: »Fürchte dich nicht! Ich bin von Gott gesandt, dir etwas zu offenbaren. Folge mir nach, so sollst du wunderbare Dinge sehen, wie sie deine Augen noch nie erblickt haben, und soll dir kein Haar dabei gekrümmt werden.« Der Freiherr willigte ein und folgte seinem Führer, der ihn aus dem Wald leitete. Als sie heraustreten, deuchte ihm, er sehe schöne Wiesen und eine überaus lustige Gegend. Ferner ein Schloß, das mit vielen Türmen und anderer Zier so prangte, daß dergleichen seine Augen niemals gesehen. Als sie sich diesem Schlosse nahten, kamen viele Leute, gleich als Hofdiener, entgegen. Keiner aber redete ein Wort, sondern als er bei dem Tor anlangte, nahm einer sein Pferd ab, als wollte er es unterdessen halten. Sein Führer aber sprach: »Laß dich ihr Schweigen nicht befremden; dagegen rede auch nicht mit ihnen, sondern allein mit mir und tue in allem, wie ich dir sagen werde.«

Nun traten sie ein, und Herr Albrecht ward in einen großen, schönen Saal geführt, wo ein Fürst mit den Seinigen zu Tische saß. Alle standen auf und neigten sich ehrerbietig, gleich als wollten sie ihn willkommen heißen. Darauf setzten sie sich wieder und taten, als wenn sie äßen und tränken. Herr Albrecht blieb stehen, hielt sein Schwert in der Hand und wollte es nicht von sich lassen; indessen betrachtete er das wunderköstliche silberne Tafelgeschirr, darin die Speisen auf- und abgetragen wurden, samt den andern vorhandenen Gefäßen. Alles dieses geschah mit großem Stillschweigen; auch der Herr und seine Leute aßen für sich und bekümmerten sich nicht um ihn. Nachdem er also lange gestanden und alles angeschaut, erinnerte ihn der, welcher ihn hergeführt, daß er sich vor dem Herrn neigen und dessen Leute grüßen solle; dann wolle er ihn wieder herausgeleiten. Als er das getan, stand der Herr mit allen seinen Leuten wiederum höflich auf, und sie neigten gleichfalls ihre Häupter gegen ihn. Darauf ward Herr Albrecht von seinem Führer zu der Schloßpforte gebracht. Hier stellten diejenigen, welche bisher sein Pferd gehalten, ihm selbes wieder zu, legten ihm aber dabei Stillschweigen auf; worauf sie ins Schloß zurückkehrten. Nun gürtete Herr Albrecht sein Schwert wieder an und ward von seinem Gefährten auf dem vorigen Weg nach dem Stromberger Wald gebracht. Er fragte ihn, was das für ein Schloß und wer dessen Einwohner wären, die darin zur Tafel gesessen. Der Geist antwortete: »Der Herr, welchen du gesehen, ist deines Vaters Bruder gewesen, ein gottesfürchtiger Mann, welcher vielmals wider die Ungläubigen gefochten. Ich aber und die andern, die du gesehen, waren bei Leibes Leben seine Diener und müssen nun unaussprechlich harte Pein leiden. Er hat bei Lebzeiten seine Untertanen mit unbilligen Auflagen sehr gedrückt und das Geld zum Krieg gegen die Ungläubigen angewendet; wir andern aber haben ihm dazu Rat und Anschläge gegeben und werden jetzt solcher Ungerechtigkeit willen hart gestraft. Dieses ist deiner Tugenden wegen offenbart, damit du vor solchen und ähnlichen Dingen dich hüten und dein Leben bessern mögest.

Siehe, da ist der Weg, welcher dich wiederum durch den Wald an deinen vorigen Ort bringen wird, doch kannst du noch einmal zurückkehren, damit du siehst, in was für Elend und Jammer sich die vorige Glückseligkeit verkehrt hat.« Wie der Geist dieses gesagt, war er verschwunden. Herr Albrecht aber kehrte wieder zu dem Schloss zurück. Siehe, da war alles miteinander zu Feuer, Pech und Schwefel worden, davon ihm der Geruch entgegenqualmte; dabei hörte er ein jammervolles Schreien und Klagen, worüber er sich so sehr entsetzte, daß ihm die Haare zu Berge standen. Darum wendete er schnell sein Pferd um und ritt des vorigen Weges wieder nach seiner Gesellschaft zu.

Als er anlangte, kam er allen so verändert und verstellt vor, daß sie ihn fast nicht erkannten. Denn ungeachtet er noch ein junger und frischer Mann war, hatte ihn doch Schrecken und Bestürzung zu einem eisgrauen umgestaltet, indem Haupthaar und Bart weiß wie der Schnee waren. Sie verwunderten sich zwar darüber nicht wenig, aber noch mehr über die durch seine veränderte Gestalt beglaubigte Erzählung, so daß sie insgesamt traurig nach Hause umkehrten.

Der Freiherr von Simmern beschloß, an dem Ort, wo sich das zugetragen, zur Ehre Gottes eine Kirche zu erbauen. Graf Erchinger, auf dessen Gebiet er lag, gab gern seine Einwilligung, und er und seine Gemahlin versprachen Rat und Hilfe, damit daselbst ein Frauenkloster errichtet und Gott stets gedient würde. Auch der Herzog Friedrich von Schwaben verhieß seinen Beistand zur Förderung des Baues und hat verschiedene Zehnten und Einkünfte dazu verordnet. Die Geschichte hat sich im Jahr 1134 unter Lothar II. begeben.

### 535. Andreas von Sangerwitz, Komtur auf Christburg

Im Jahr 1410, am 15. Juli, ward bei Tannenberg zwischen den Kreuzherren in Preußen und Wladislaw, Könige von Polen, eine große Schlacht geliefert. Sie endigte mit der Niederlage des ganzen Ordensheeres; der Hochmeister Ulrich von Jungingen selbst fiel darin. Seinen Leichnam ließ der König den Brüdern zu Osterode zukommen, die ihn zu Marienburg begruben; das abgehauene Kinn aber mit dem Bart ward gen Krakau gebracht, wo es noch heute (zu Caspar Schützens Zeit) gezeigt wird.

Als der Hochmeister mit den Gebietigern über diesen Krieg ratschlagte, riet der Komtur der Christburg, Andreas Sangerwitz, ein Deutscher von Adel, getreulich zum Frieden, unangesehen die andern fast alle zum Krieg stimmten und der Feind schon im Lande war; welches den Hochmeister übel verdroß, und rechnete es ihm zur Furcht und Zagheit. Er aber, der nicht weniger Herz als Witz und Verstand hatte, sagte zu ihm: »Ich habe Euer Gnaden zum Frieden geraten, wie ich's am besten merke und verstehe, und bedünkt mich, nach Frieden diente uns dieser Zeit Gelegenheit am besten. Weil es aber Gott anders ausersehen, auch Euer Gnaden anders gefällt, so muß ich folgen und will Euch in künftiger Schlacht, es laufe, wie es wolle, so mannlich beistehen und mein Leib und Leben für Euch lassen, als getreulich ich jetzt zum Frieden rate.« Welchem er auch als redlicher Mann nachgelebt und ist nebst dem Hochmeister, nachdem er sich tapfer gegen den Feind gehalten, auf der Walstatt geblieben.

Da nun dieser Komtur zur Schlacht auszog und gewappnet aus dem Schloss ritt, begegnete ihm ein Chorherr, der seiner spottete und ihn höhnisch fragte, wem er das Schloß in seinem Abwesen befehlen wollte. Da sprach er aus großem Zorn: »Dir und allen Teufeln, die zu diesem Kriege geraten haben!« Demnach, als die Schlacht geschehen und der Komtur umgekommen, hat solch eine Teufelei und Gespenst in dem Schlosse angefangen zu wanken und zu regieren, daß kein Mensch darinnen bleiben und wohnen konnte. Denn sooft die Ordensbrüder im Schloss aßen, so wurden alle Schüsseln und Trinkgeschirr voll Bluts; wenn sie außerhalb des Schlosses aßen, widerfuhr ihnen nichts dergleichen. Wenn die Knechte wollten in den Stall gehen, kamen sie in den Keller und tranken so viel, daß sie nicht mehr wußten, was sie taten. Wenn der Koch und sein Gesinde in die Küche ging, so fand er Pferde darin stehen und war ein Stall daraus worden. Wollte der Kellermeister seine Geschäfte im Keller verrichten, so fand er an der Stelle der Wein- und Bierfässer lauter Häfen, Töpfe, Bälge und Wassertröge; und dergleichen ging es in allen Dingen und Orten widersinnig. Dem neuen Komtur, der aus Frauenberg dahin kam, ging es noch viel wunderlicher und ärger: einmal ward er in den Schloßbrunnen an den Bart gehängt; das andre Mal ward er auf das oberste Dach im Schloss gesetzt, so daß man ihn kaum ohne Lebensgefahr herunterbringen konnte. Zum drittenmal fing ihm der Bart von selbst an zu brennen, so daß ihm das Gesicht geschändet wurde; auch konnte ihm der Brand mit Wasser nicht gelöscht werden, und nur, als er aus dem verwünschten Schloss herauslief, erlosch das Feuer. Deswegen länger kein Komtur in dem Schlosse bleiben wollte, wurde auch von jedermänniglich verlassen und nach des verstorbenen Komturs Prophezeiung des Teufels Wohnung geheißen.

Zwei Jahre nach der Schlacht kam ein Bürger von Christburg wiederum nach Hause, der während der Zeit auf einer Wallfahrt nach Rom gewesen war. Als er von dem Gespenst des Schlosses hörte, ging er auf einen Mittag hinauf: sei es nun, daß er die Wahrheit selbst erfahren wollte, oder daß er vielleicht ein Heiligtum mit sich gebracht, das gegen die Gespenster dienen sollte. Auf der Brücke fand er stehen des Komturs Bruder, welcher auch mit in der Schlacht geblieben war; er erkannte ihn alsbald, denn er hatte ihm ein Kind aus der Taufe gehoben und hieß Otto von Sangerwitz; und weil er meinte, es wäre ein lebendiger Mensch, trat er auf ihn zu und sprach: »O Herr Gevatter, wie bin ich erfreut, daß ich Euch frisch und gesund sehen mag; man hat mich überreden wollen, Ihr wärt erschlagen worden; ich bin froh, daß es besser ist, als ich meinte. Und wie stehet es doch in diesem Schloss, davon man so wunderliche Dinge redet?« Das Teufelsgespenst sagte wieder zu ihm: »Komm mit mir, so wirst du sehen, wie man alles hier haushält.« Der Schmied folgte ihm nach, die Wendeltreppe hinauf; da sie in das erste Gemach gingen, fanden sie einen Haufen Volks, die nichts anders taten denn mit Würfel und Karten spielen; etliche lachten, etliche fluchten Wunden und Marter. Im andern Gemach saßen sie zu Tische, da war nichts anders denn Fressen und Saufen zu ganzen und halben; von dannen gingen sie in den großen Saal, da fanden sie Männer, Weiber, Jungfrauen und junge Gesellen; da hörte man nichts denn Saitenspiel, singen, tanzen und sah nichts denn Unzucht und Schande treiben. Nun gingen sie in die Kirche; da stand ein Pfaffe vor dem Altar, als ob er Messe halten wollte; die Chorherren aber saßen ringsumher in ihren Stühlen und schliefen. Danach gingen sie wieder zum Schloß hinaus, alsbald hörte man in dem Schloß so jämmerlich heulen, weinen und Zetergeschrei, daß dem Schmied angst und bange ward, gedachte auch, es könnte in der Hölle nicht jämmerlicher sein. Da sprach sein Gevatter zu ihm: »Gehe hin und zeige dem neuen Hochmeister an, was du gesehen und gehört hast! Denn so ist unser Leben gewesen, wie du drinnen gesehen; das ist der erfolgte Jammer darauf, den du hier außen gehört hast.« Mit den Worten verschwand er, der Schmied aber erschrak so, daß ihm zu allen Füßen kalt ward; dennoch wollte er den Befehl verrichten, ging zum neuen Hochmeister und erzählte ihm alles, wie es ergangen. Der Hochmeister ward zornig, sagte, es wäre erdichtetes Ding, seinem hochwürdigen Orden zu Verdruß und Schanden, ließ den Schmied ins Wasser werfen und ersäufen.

### 536. Der Virdunger Bürger

Zu Rudolfs von Habsburg Zeiten saß in der Stadt Virdung (Verdun) ein Bürger, der verfiel in Armut; und um aufs neue zu Schätzen zu gelangen, versprach er sich mit Hilfe eines altern Weibes dem Teufel. Und als er sich Gott und allen himmlischen Gnaden abgesagt hatte, füllte ihm der Höllenrabe den Beutel mit Pfennigen, die nimmer alle wurden; denn sooft sie der Bürger ausgegeben hatte, lagen sie immer wieder unten. Da wurde seines Reichtums unmaßen viel; er erwarb Wiesen und Felder und lebte nach allen Gelüsten. Eines Tages, da er fröhlich bei seinen Freunden saß, kamen zwei Männer auf schwarzen Pferden angeritten; der eine zog bei der Hand ein gesatteltes und gezäumtes brandschwarzes Roß, das führte er zu dem Bürger und mahnte, daß er ihnen folgen sollte, wohin er gelobt hätte. Traurig nahm der Bürger Abschied, bestieg das Roß und schied mit den Boten von dannen, im Angesicht von mehr als fünfzig Menschen und zwei seiner Kinder, die jämmerlich klagten und nicht wußten, was aus ihrem Vater geworden sei. Da gingen sie beide zu einem alten Weib, die viele Künste wußte, und verhießen ihr viel Geld, wenn sie ihnen die rechte Wahrheit von ihrem Vater zeigen würde. Darauf nahm das Weib die Jünglinge mit sich in einen Wald und beschwor den Erdboden, bis er sich auftat und die zwei herauskamen, mit welchen ihr Vater fortgeritten war. Das Weib fragte, ob sie ihren Vater sehen wollten. Da fürchtete sich der älteste; der jüngere aber, welcher ein männliches Herz hatte, bestand bei seinem Vorsatz. Da gebot die Meisterin den Höllenboten, daß sie das Kind unverletzt hin zu seinem Vater und wieder zurückführten. Die zwei führten ihn nun in ein schönes Haus, da saß sein Vater ganz allein in demselben Kleid und Gewand, in welchem er abgeschieden war, und man sah kein Feuer, das ihn quälte. Der Jüngling redete ihn an und fragte: »Vater, wie steht es um dich, ist dir sanft oder weh?« Der Vater antwortete: »Weil ich die Armut nicht ertragen konnte, gab ich um irdisches Gut dem Teufel Leib und Seele dahin und alles Recht, was Gott an mir hatte; darum, mein Sohn, behalte nichts von dem Gut, das du von mir geerbt hast, sonst wirst du verloren gleich mir.« Der Sohn sprach: »Wie kommt's, daß man kein Feuer an dir brennen sieht?« – »Rühre mich mit der Spitze deines Fingers an«, versetzte der Vater, »zuck aber schnell wieder weg!« In dem Augenblick, wo es der Sohn tat, brannte er sich Hand und Arm bis an den Ellenbogen; da ließ erst das Feuer nach. Gerührt von seines Vaters Qualen, sprach er: »Sag an, mein Vater, gibt es nichts auf der Welt, das dir helfen möge oder irgend fromme?« – »Sowenig des Teufels selber Rat werden mag«, sagte der Vater, »sowenig kann meiner Rat werden; du aber, mein Sohn, tue so mit deinem Gut, daß deine Seele erhalten bleibt.« Damit schieden sie sich. Die zwei Führer brachten den Jüngling wieder heraus zu dem Weib, dem er den verbrannten Arm zeigte. Darauf erzählte er Armen und Reichen, was ihm widerfahren war und wie es um seinen Vater stand; begab sich alles seines Gutes und lebte freiwillig arm in einem Kloster bis an sein Lebensende.

### 537. Der Mann im Pflug

In Metz in Lothringen lebte ein edler Ritter, namens Alexander, mit seiner schönen und tugendhaften Hausfrau Florentina. Dieser Ritter gelobte eine Wallfahrt nach dem Heiligen Grabe, und als ihn seine betrübte Gemahlin nicht von dieser Reise abwenden konnte, machte sie ihm ein weißes Hemd mit einem roten Kreuz, das sie ihm zu tragen empfahl. Der Ritter zog hierauf in jene Länder, wurde von den Ungläubigen gefangen und mit seinen Unglücksgefährten in den Pflug gespannt; unter harten Geißelhieben mußten sie das Feld ackern, daß das Blut von ihren Leibern lief. Wunderbarerweise blieb nun jenes Hemd, welches Alexander von seiner Frau empfangen hatte und beständig trug, rein und unbefleckt, ohne daß ihm Regen, Schweiß und Blut etwas schadeten; auch zerriß es nicht. Dem Sultan selbst fiel diese Seltsamkeit auf, und er befragte den Sklaven genau über seinen Namen und Herkunft und wer ihm das Hemd gegeben habe. Der Ritter unterrichtete ihn von allem, »und das Hemd habe ich von meiner tugendsamen Frau erhalten; daß es so weiß bleibt, zeigt mir ihre fortdauernde Treue und Keuschheit an«. Der Heide, durch diese Nachricht neugierig gemacht, beschloß, einen seiner Leute heimlich nach Metz zu senden; der sollte kein Geld und Gut sparen, um des Ritters Frau zu seinem Willen zu verführen; so würde sich nachher ausweisen, ob das Hemd die Farbe verändere. Der Fremde kam nach Lothringen, kundschaftete die Frau aus und hinterbrachte ihr, wie elendiglich es ihrem

Herrn in der Heidenschaft ginge; worüber sie höchst betrübt wurde, aber sich so tugendhaft bewies, daß der Abgesandte, nachdem er alles Geld verzehrt hatte, wieder unausgerichteter Sache in die Türkei zurückreisen mußte. Bald darauf nahm Florentina sich ein Pilgerkleid und eine Harfe, welche sie wohl zu spielen verstand, und reiste dem fremden Heiden nach, holte ihn auch noch zu Venedig ein und fuhr mit ihm in die Heidenschaft, ohne daß er sie in der veränderten Tracht erkannt hätte. Als sie nun an des Heidenkönigs Hofe anlangten, wußte der Pilgrim diesen so mit seinem Gesang und Spiel einzunehmen, daß ihm große Geschenke dargebracht wurden. Der Pilgrim schlug diese alle aus und bat bloß um einen von den gefangenen Christen, die im Pfluge gingen. Die Bitte wurde bewilligt, und Florentina ging unerkannt zu den Gefangenen, bis sie zuletzt zu dem Pflug kam, in welchen ihr lieber Mann gespannt war. Darauf forderte und erhielt sie diesen Gefangenen, und beide reisten zusammen über die See glücklich nach Deutschland heim. Zwei Tagreisen vor Metz sagte der Pilgrim zu Alexander: »Bruder, jetzt scheiden sich unsere Wege; gib mir zum Andenken ein Stücklein aus deinem Hemd, von dessen Wunder ich soviel habe reden hören, damit ich's auch andern erzählen und beglaubigen kann.« Diesem willfahrte der Ritter, schnitt ein Stück aus dem Hemd und gab es dem Pilgrim; sodann trennten sich beide. Florentina kam aber auf einem kürzeren Wege einen ganzen Tag früher nach Metz, legte ihre gewöhnlichen Frauenkleider an und erwartete ihres Gemahles Ankunft. Als diese erfolgte, empfing Alexander seine Gemahlin auf das zärtlichste; bald aber bliesen ihm seine Freunde und Verwandten in die Ohren, daß Florentina als ein leichtfertiges Weib zwölf Monate lang in der Welt umhergezogen sei und nichts habe von sich hören lassen. Alexander entbrannte vor Zorn, ließ ein Gastmahl anstellen und hielt seiner Frau öffentlich ihren geführten Lebenswandel vor. Sie trat schweigend aus dem Zimmer, ging in ihre Kammer und legte das Pilgerkleid an, das sie während der Zeit getragen hatte, nahm die Harfe zur Hand, und nun offenbarte sich, indem sie ihm das ausgeschnittene Stück von dem Hemd vorwies, wer sie gewesen war und daß sie selbst als Pilgrim ihn aus dem Pflug erlöst hatte. Da verstummten ihre Ankläger, fielen der edlen Frau zu Füßen, und ihr Gemahl bat sie mit weinenden Augen um Verzeihung.

### 538. Siegfried und Genofeva

Zu den Zeiten Hildolfs, Erzbischofs von Trier, lebte daselbst Pfalzgraf Siegfried mit Genofeva, seiner Gemahlin, einer Herzogstochter aus Brabant, schön und fromm. Nun begab es sich, daß ein Zug wider die Heiden geschehen sollte und Siegfried in den Krieg ziehen mußte; da befahl er Genofeva, im Meifelder Gau auf seiner Burg Simmern still und eingezogen zu wohnen; auch übertrug er einem seiner Dienstmänner, namens Golo, auf den er zumal vertraute, daß er seine Gemahlin in besonderer Aufsicht hielte. Die letzte Nacht vor seiner Abreise hatte aber Genofeva einen Sohn von ihrem Gemahl empfangen. Als nun Siegfried abwesend war, dauerte es nicht lange, und Golo entbrannte von sündlicher Liebe zu der schönen Genofeva, die er endlich nicht mehr zurückhielt, sondern der Pfalzgräfin erklärte. Sie aber wies ihn mit Abscheu zurück. Darauf schmiedete Golo falsche Briefe, als wenn Siegfried mit allen seinen Leuten im Meer ertrunken wäre, und las sie der Gräfin vor; jetzt gehöre ihm das ganze Reich zu, und sie dürfe ihn ohne Sünde lieben. Als er sie aber küssen wollte, schlug sie ihm hart mit der Faust ins Gesicht, und er merkte wohl, daß er nichts ausrichten konnte; da verwandelte er seinen Sinn, nahm der edlen Frau all ihre Diener und Mägde weg, daß sie in ihrer Schwangerschaft die größte Not litt. Und als ihre Zeit heranrückte, gebar Genofeva einen schönen Sohn, und niemand außer einer alten Waschfrau stand ihr bei oder tröstete sie; endlich aber hörte sie, daß der Pfalzgraf lebe und bald zurückkehre; und sie fragte den Boten, wo Siegfried jetzt sei. »Zu Straßburg«, antwortete der Bote und ging darauf zu Golo, dem er dieselbe Nachricht brachte. Golo erschrak heftig und hielt sich für verloren. Da redete eine alte Hexe mit ihm, was er sich Sorgen um diese Sache mache. Die Pfalzgräfin habe zu einer Zeit geboren, daß niemand wissen könne, ob nicht der Koch oder ein andrer des Kindes Vater sei; »sag nur dem Pfalzgrafen, daß sie mit dem Koch gebuhlt habe, so wird er sie töten lassen, und du ruhig sein.« Golo sagte: »Der Ratschlag ist gut«, ging daher eilends seinem Herrn entgegen und erzählte ihm die ganze Lüge. Siegfried erschrak und seufzte aus tiefem Leid. Da sprach Golo: »Herr, es ziemt dir nicht länger, diese zum Weibe zu haben.« Der Pfalzgraf sagte: »Was soll ich tun?« – »Ich will«, versetzte der Treulose, »sie mit ihrem Kind an den See führen und im Wasser ersäufen.« Als nun Siegfried eingewilligt hatte, ergriff Golo Genofeva und das Kind und übergab sie den Knechten, daß sie sie töten sollten. Die Knechte führten sie in den Wald, da hub einer unter ihnen an: »Was haben diese Unschuldigen getan?« Und es entstand ein Wortwechsel, keiner aber wußte Böses von der Pfalzgräfin zu sagen und keinen Grund, warum sie sie töten sollten. »Es ist besser«, sprachen sie, »daß wir sie hier von den wilden Tieren zerreißen lassen, als unsre Hände mit ihrem Blut zu beflecken.« Also ließen sie Genofeva allein in dem wilden Wald und gingen fort. Da sie aber ein Wahrzeichen haben mußten, das sie Golo mitbrachten, so riet einer, dem mitlaufenden Hunde die Zunge auszuschneiden. Und als sie vor Golo kamen, sagte er: »Wo habt ihr sie gelassen?« – »Sie sind ermordet«, antworteten sie und wiesen ihm Genofevas Zunge.

Genofeva aber weinte und betete in der öden Wildnis; ihr Kind war noch nicht dreißig Tage alt, und sie hatte keine Milch mehr in ihren Brüsten, womit sie es ernähren könnte. Wie sie nun die Heilige Jungfrau um Beistand flehte, sprang plötzlich eine Hirschkuh durchs Gesträuch und setzte sich neben das Kind nieder; Genofeva legte die Zitzen der Hirschkuh in des Knäbleins Mund, und es sog daraus. An diesem Ort blieb sie sechs Jahre und drei Monate; sie selbst aber nährte sich von Wurzeln und Kräutern, die sie im Wald fand; sie wohnten unter einer Schichte von Holzstämmen, welche die arme Frau, so gut sie konnte, mit Dörnern gebunden hatte.

Nach Verlauf dieser Zeit trug sich's zu, daß der Pfalzgraf gerade in diesem Wald eine große Jagd anstellte; und da die Jäger die Hunde hetzten, zeigte sich ihren Augen dieselbe Hirschkuh, die den Knaben mit ihrer Milch nährte. Die Jäger verfolgten sie; und weil sie zuletzt keinen andern Ausweg hatte, floh sie zu dem Lager, wohin sie täglich zu laufen pflegte, und warf sich wie gewöhnlich zu des Knaben Füßen. Die Hunde drangen nach, des Kindes Mutter nahm einen Stock und wehrte die Hunde ab. In diesem Augenblick kam der Pfalzgraf hinzu, sah das Wunder und befahl, die Hunde zurückzurufen. Darauf fragte er die Frau, ob sie eine Christin wäre. Sie antwortete: »Ich bin eine Christin, aber ganz entblößt; leih mir deinen Mantel, daß ich meine Scham bedecke.« Siegfried warf ihr den Mantel zu, und sie bedeckte sich damit. »Weib«, sagte er, »warum schafftest du dir nicht Speise und Kleider?« Sie sprach: »Brot habe ich nicht, ich aß die Kräuter, die ich im Wald fand; mein Kleid ist vor Alter zerschlissen und auseinandergefallen.« – »Wieviel Jahre sind's, seit du hierhergekommen?« – »Sechs, und drei Monden wohne ich hier.« – »Wem gehört der Knabe?« – »Es ist mein Sohn.« – »Wer ist des Kindes Vater?« – »Gott weiß es.« – »Wie kamst du hierher und wie heißt du?« – »Mein Name ist Genofeva.« – Als der Pfalzgraf den Namen hörte, gedachte er seiner Gemahlin; und einer der Kämmerer trat hinzu und rief: »Bei Gott, das scheint mir unsre Frau zu sein, die schon lange gestorben ist, und sie hatte ein Mal im Gesicht.« Da sahen sie alle, daß sie noch dasselbe Mal an sich trug. »Hat sie auch noch den Trauring?« sagte Siegfried. Da gingen zwei hinzu und fanden, daß sie noch den Ring trage. Alsobald umfing sie der Pfalzgraf und küßte sie und nahm weinend den Knaben und sprach: »Das ist meine Gemahlin, und das ist mein Kind.« Die gute Frau erzählte nun allen, die da standen, von Wort zu Wort, was ihr begegnet war, und alle vergossen Freudentränen; inzwischen kam auch der treulose Golo dazu, da wollten sich alle auf ihn stürzen und ihn töten. Der Pfalzgraf rief aber: »Haltet ihn, bis wir aussinnen, welches Todes er würdig ist.« Dies geschah; und nachher verordnete Siegfried, vier Ochsen zu nehmen, die noch vor keinem Pfluge gezogen hätten, und jeden Ochsen dem Missetäter an die vier Teile des Leibes zu spannen, zwei an die Füße, zwei an die Hände, und dann die Ochsen gehen zu lassen. Und als sie auf diese Weise festgebunden waren, ging jeder Ochse mit seinem Teile durch, und Golos Leib wurde in vier Stücke gerissen.

Der Pfalzgraf wollte nunmehr seine geliebte Gemahlin nebst dem Söhnlein heimführen. Sie aber schlug es aus und sprach: »An diesem Ort hat die Heilige Jungfrau mich vor den wilden Tieren bewahrt und durch ein Wild mein Kind erhalten; von diesem Ort will ich nicht weichen, bis er ihr zu Ehren geweiht ist.« Sogleich besandte der Pfalzgraf den Bischof Hildolf, welchem er alles berichtete; der Bischof war erfreut und weihte den Ort. Nach der Weihung führte Siegfried seine Gemahlin und seinen Sohn herzu und stellte ein feierliches Mahl an; sie bat, daß er hier eine Kirche bauen ließe, welches er zusagte. Die Pfalzgräfin konnte fortan keine Speisen mehr vertragen, sondern ließ sich im Wald die Kräuter sammeln, an welche sie gewohnt worden war. Allein sie lebte nur noch wenige Tage und wanderte selig zum Herrn; Siegfried ließ ihre Gebeine in der Waldkirche, die er zu bauen gelobt hatte, bestatten; diese Kapelle hieß Frauenkirche (unweit Meyen), und manche Wunder geschahen daselbst.

### 539. Karl Ynach, Salvius Brabon und Frau Schwan

Gottfried, mit dem Zunamen der Karl, war König von Tongern und wohnte an der Maas auf seiner Burg Megen. Er hatte einen Sohn, namens Karl Ynach, den verbannte er aus dem Land, weil er einer Jungfrau Gewalt getan hatte. Karl Ynach floh nach Rom zu seinem Oheim Cloadich, welcher daselbst als Geisel gefangen lebte, und wurde von diesem ehrenvoll empfangen. Karl Ynach wohnte zu Rom bei einem Senator, namens Octavius, bis dieser vor des Sylla Grausamkeit aus der Stadt wich nach Arkadien. Hier aber lebte Lucius Julius Prokonsul, welcher zwei Töchter hatte, die eine hieß Julia, die andere Germana. In diese Germana verliebte sich nun Karl Ynach, offenbarte ihr, daß er eines Königs Sohn wäre, und überredete sie zur Flucht. Eines Nachts nahmen sie die besten Kleinode aus ihrem Schatz, schifften sich heimlich ein und kamen nach Italien, nahe bei Venedig. Hier stiegen beide zu Pferd, ritten über Mailand durch Savoyen und Burgund ins Land Frankreich und trafen nach vielen Tagefahrten zu Cambray ein. Von da gingen sie noch weiter an einen Ort, der damals das *Schloß Senes* hieß, und ruhten in einem schönen Tal aus. In diesem Tal auf einem lustigen Fluß schwammen Schwäne; einer ihrer Diener, der Bogenschütze war, spannte und schoß einen Pfeil. Aber er verfehlte den Schwan, der erschrockene Vogel hob sich in die Luft und flüchtete sich in der schönen Germana Schoß. Froh über dieses Wunder, und weil der Schwan ein Vogel guter Bedeutung ist, fragte sie Karl Ynach, ihren Gemahl, wie der Vogel in seiner Landessprache heiße. »In deutscher Sprache«, antwortete er, »heißt man ihn *Swana*.« – »So will ich«, sagte sie, »nun nicht länger Germana, sondern Schwan heißen;« denn sie befürchtete, eines Tages an ihrem rechten Namen erkannt zu werden. Der ganze Ort aber bekam von der Menge seiner Schwäne den Namen *Schwanental* (*vallis cignea, Valenciennes*) an der Schelde. Jenen Schwan nahm die Frau mit, fütterte und pflegte ihn sorgsam. Karl und Frau Schwan gelangten nach diesem bis zu dem Schlosse Florimont, unweit Brüssel; daselbst erfuhr er den Tod seines Vaters Gottfried Karl und zog sogleich dahin. Zu Löwen opferte er seinen Göttern und wurde in Tongern mit Jubel und Freude als König und Erbe empfangen. Karl Ynach herrschte hierauf eine Zeitlang in Frieden und zeugte mit seiner Gemahlin einen Sohn und eine Tochter. Der Sohn wurde Octavian, die Tochter wiederum Schwan benannt. Bald danach hatte Ariovist, König der Sachsen, Krieg mit Julius Cäsar und den Römern; Karl Ynach verband sich mit Ariovist und zog den Römern entgegen, blieb aber tot in einer Schlacht, die bei Besançon geliefert wurde.

Frau Schwan, seine Witwe, barg sich mit ihren Kindern in dem Schlosse Megen an der Maas und fürchtete, daß Julius Cäsar, ihr Bruder, sie auskundschaften möchte. Das Reich Tongern hatte sie an Ambiorix abgetreten, nahm aber ihren Schwan mit nach Megen, wo sie ihn auf den Burggraben setzte und oft mit eigner Hand fütterte, zum Angedenken ihres Gemahls.

Julius Cäsar hatte dazumal in seinem Heer einen Helden, namens Salvius Brabon, der aus dem Geschlechte des Frankus, Hektors von Troja Sohn, abstammte. Julius Cäsar, um sich von der Arbeit des Krieges ein wenig auszuruhen, war ins Schloß Kleve gekommen; Salvius Brabon belustigte sich in der Gegend von Kleve mit Bogen und Pfeil, gedachte an sein bisheriges Leben und an einen bedeutenden Traum, den er eines Nachts gehabt. In diesen Gedanken befand er sich von ungefähr am Ufer des Rheins, der nicht weit von dem Schloss Kleve fließt, und sah auf dem Strom einen schneeweißen Schwan; der spielte und biß mit seinem Schnabel in einen Kahn am Ufer. Salvius Brabon blickte mit Vergnügen und Verwunderung zu, und die glückliche Bedeutung dieses Vogels mit seinem Traum verbindend, trat er in das Schifflein; der Schwan, ganz kirr und ohne scheu zu werden, flog ein wenig voraus und schien ihm den Weg zu weisen; der Ritter empfahl sich Gott und beschloß, ihm zu folgen. Ganz ruhig geleitete ihn der Schwan den Lauf des Rheins entlang, und Salvius schaute sich allenthalben um, ob er nichts sähe; so fuhren sie lang und weit, bis endlich der Schwan das Schloß Megen erkannte, wo seine Herrin wohnte, kümmerlich als eine arme Witwe in fremdem Lande ihre beiden Kinder auferziehend. Der Schwan, als er nun seinen gewohnten Aufenthalt erblickte, schlug die Flügel, erhob sich in die Lüfte und flog zum Graben, wo ihn die Frau aus ihrer Hand fressen ließ. Als sich aber Salvius von seinem Führer verlassen sah, wurde er betrübt, landete mit seinem Nachen und sprang ans Land; er hielt den Bogen gespannt und dachte den Schwan zu schießen, falls er ihn erreichen könnte. Wie er nun weiterging und den Vogel im Schloßgraben fand, legte er den Pfeil auf und zielte. Plötzlich war die Frau ans Fenster getreten, den Schwan zu liebkosen, und sah einen fremden Mann darauf anlegen. Erschrocken rief sie laut in griechischer Sprache. »Ritter, ich beschwöre dich, töte mir nicht diesen Schwan.« Salvius Brabon, der sich mit diesen Worten in einem wildfremden Lande und durch eine Frau in seiner Sprache anrufen hörte, war überaus betroffen, zog jedoch die Hand vom Bogen und tat den Pfeil vom Strang; darauf fragte er die Frau auf griechisch, was sie in dem abgelegenen, wilden Land mache. Sie aber war noch mehr erschrocken, sich in ihrer Muttersprache anreden zu hören, und lud ihn ein, in die Burg zu treten, so würden sie sich vollständig einander Aufschluß geben können; welches er auch mit Vergnügen annahm. Als er innen war, fragte sie ihn eine Menge Dinge und erfuhr auch Julius Cäsars Aufenthalt in Kleve. Weil sie aber hörte, daß der Ritter aus Arkadia stammte, nahm sie sich ein Herz und forderte ihm einen Eid ab, daß er ihr beistehen solle, »wie man Witwen und Waisen soll«. Darauf erzählte sie umständlich alle ihre Begebenheiten. Sie bat, daß er sie wieder mit ihrem Bruder aussöhnen möchte, und gab ihm für diesen zum Wahrzeichen ein goldenes Götzenbild, das ihr Julius Cäsar einstmals aufzuheben vertraut hatte, mit. Salvius Brabon versprach, das Seinige zu tun, und kehrte wieder zu seinem Herrn nach Kleve zurück. Er grüßte ihn von seiner Schwester und gab ihm das Goldbild, welches Julius Cäsar auf den ersten Blick erkannte. Sodann fragte er den Salvius, wo er sie gefunden hätte. Dieser erzählte ihr Leben und Schicksal und bat um Verzeihung. Cäsar wurde gerührt zum Erbarmen und bedauerte auch seines Schwagers, Karl Ynachs, Tod; hierauf wollte er sogleich seine Schwester und Neffen sehen; Salvius Brabon führte ihn mit Freuden nach dem Schloss Megen. Sie erkannten sich mit herzlicher Wonne; Salvius Brabon bat sich die junge Schwan, des Kaisers Nichte, zur Gemahlin aus, die ihm auch bewilligt wurde. Die Hochzeit geschah zu Löwen. Julius Cäsar verlieh seiner Nichte und ihrem Gemahl eine weite Strecke Landes als ein Herzogtum, von dem Meer mit dem Wald Soigne und dem Flusse Schelde bis zu dem Bächlein, welches heißt *Lace*. Brabon war hier der erste Fürst, und von ihm trägt dieses Land den Namen *Brabant*. Seinem Neffen Octavian gab der Kaiser das Königreich Agrippina am Rhein, ein weites Gebiet.

Tongern aber benannte er nach dem Namen seiner Schwester Germana *Germania* und wollte auch, daß Octavian den Beinamen Germanicus führte. Seitdem heißen die Deutschen nun *Germanen*.

### 540. Der Ritter mit dem Schwan

Zu Flandern war vor alters ein Königreich Lillefort, da, wo jetzt die Städte Ryßel und Doway liegen; in demselben herrschte Pyrion mit Matabruna, seiner Gemahlin. Sie zeugten einen Sohn, namens Oriant. Dieser jagte eines Tages im Wald einen Hirsch, der Hirsch entsprang ihm aber in ein Wasser, und Oriant setzte sich müde an einen schönen Brunnen, um dabei auszuruhen. Als er so allein saß, kam eine edle Jungfrau gegangen, die seine Hunde sah und ihn fragte, mit wessen Erlaubnis er in ihrem Wald jage. Diese Jungfrau hieß Beatrix, und Oriant wurde von ihrer wunderbaren Schönheit so getroffen, daß er ihr die Liebe erklärte und seine Hand auf der Stelle bot. Beatrix willigte ein, und der junge König nahm sie mit aus dem Wald nach Lillefort, um eine fröhliche Hochzeit zu feiern. Matabrun, seine Mutter, ging ihm aber entgegen und war der jungen Braut gram darum, daß er sie nackt und bloß heimgeführt hatte und niemand wußte, woher sie stammte. Nach einiger Zeit nun wurde die Königin schwanger; währenddessen geschah's, daß sie von ungefähr am Fenster stand und zwei Kindlein, die eine Frau auf einmal geboren hatte, zur Taufe tragen sah. Da rief sie heimlich ihren Gemahl und sprach: wie das möglich wäre, daß eine Frau zwei Kinder gebäre, ohne zwei Männer zu haben? Oriant antwortete: »Mit Gottes Gnaden kann eine Frau sieben Kinder auf einmal von ihrem Manne empfangen.« Bald danach mußte der König in den Krieg ziehen; da sich nun seine Gemahlin schwanger befand, empfahl er sie seiner Mutter zu sorgfältiger Obhut und nahm Abschied. Matabruna hingegen dachte auf nichts als Böses und beredete sich mit der Wehmutter, daß sie der Königin, wenn sie gebären würde, statt der Kinder junge Hunde unterschieben, die Kinder selbst töten und Beatrix einer strafbaren Gemeinschaft mit Hunden anklagen wollten.

Als nun ihre Zeit heranrückte, ward Beatrix von sechs Söhnen und einer Tochter entbunden, und jedem Kindlein lag um seinen Hals eine silberne Kette. Matabruna schaffte sogleich die Kinder weg und legte sieben Welpen hin; die Wehfrau aber rief. »Ach, Königin, was ist Euch geschehen! Ihr habt sieben scheußliche Welpen geboren, tut sie weg und laßt sie unter die Erde graben, daß dem Könige seine Ehre bewahrt bleibe.« Beatrix weinte und rang die Hände, daß es einen erbarmen mußte; die alte Königin aber hub an sie heftig zu schelten und des schändlichsten Ehebruchs zu zeihen. Darauf ging Matabruna weg, rief einen vertrauten Diener, dem sie die sieben Kindlein übergab, und sprach: »Die silbernen Ketten an dieser Brut bedeuten, daß sie dereinst Räuber und Mörder werden; darum muß man eilen, sie aus der Welt zu schaffen.« Der Knecht nahm sie in seinen Mantel, ritt in den Wald und wollte sie töten; als sie ihn aber anlachten, wurde er mitleidig, legte sie hin und empfahl sie der Barmherzigkeit Gottes. Darauf kehrte er an den Hof zurück und sagte der Alten, daß er ihren Befehl ausgerichtet, wofür sie ihm großen Lohn versprach. Die sieben Kinder schrien unterdessen vor Hunger im Walde; das hörte ein Einsiedler, Helias mit Namen, der fand sie und trug sie in seinem Gewande mit sich in die Klause. Der alte Mann wußte aber nicht, wie er sie ernähren sollte; siehe, da kam eine weiße Geiß gelaufen, bot den Kindern ihre Mammen, und sie sogen begierig daran. Diese Geiß stellte sich nun von Tag zu Tage ein, bis daß die Kinder wuchsen und größer wurden. Der Einsiedler machte ihnen dann kleine Röcklein von Blättern, sie gingen spielen im Gesträuch und suchten sich wilde Beeren, die sie aßen, und wurden aufgezogen in Gottes Furcht und Gnade.

Der König, nachdem er den Feind besiegt hatte, kehrte heim und wurde mit Klagen empfangen, daß seine Gemahlin von einem schändlichen Hund sieben Welpen geboren hätte, welche man weggeschafft. Da befiel ihn tiefer Schmerz; er versammelte seinen Rat und fragte, was zu tun wäre. Und einige rieten, die Königin zu verbrennen, andere aber, sie nur gefangen einzuschließen. Dieses letztere gefiel dem König besser, weil er sie noch immer liebte. Also blieb die unschuldige Beatrix eingeschlossen, bis zur Zeit, daß sie wieder erlöst werden sollte.

Der Einsiedler hatte unterdessen die sieben Kinder getauft und eines, das er besonders liebte, Helias nach seinem Namen geheißen. Die Kinder aber in ihren Blätterröcklein, barfuß und barhaupt, liefen stets miteinander im Wald herum. Es geschah, daß ein Jäger der alten Königin daselbst jagte und die Kindlein alle sieben, mit ihren Silberketten um den Hals, unter einem Baum sitzen sah, von dem sie die wilden Äpfel abrupften und aßen. Der Jäger grüßte sie, da flohen die Kinder zu der Klause, und der Einsiedler bat, daß der Jäger ihnen kein Leid tun möchte. Als dieser Jäger wieder nach Lillefort kam, erzählte er Matabrunen alles, was er gesehen hatte; sie wunderte sich und riet wohl, daß es Oriants sieben Kinder wären, welche Gott beschirmt hatte. Da sprach sie auf der Stelle: »O guter Gesell, nehmt von Euren Leuten und kehret mir eilends zum Wald, daß Ihr die sieben Kinder tötet, und bringt mir die sieben Ketten zum Wahrzeichen mit! Tut Ihr das nicht, so ist's um Euer eigen Leben geschehen, sonst aber sollt Ihr großen Lohn haben.« Der Jäger sagte: »Euer Wille soll befolgt werden«, nahm sieben Männer und machte sich auf den Weg nach dem Wald. Unterwegs mußten sie durch ein Dorf, wo ein großer Haufen Menschen versammelt war. Der Jäger fragte nach der Ursache und erhielt zur Antwort: »Es soll eine Frau hingerichtet werden, weil sie ihr Kind ermordet hat.« »Ach«, dachte der Jäger, »diese Frau wird verbrannt, weil sie ein Kind getötet hat, und ich gehe darauf aus, sieben Kinder zu morden; verflucht sei die Hand, die dergleichen vollbringt!« Da sprachen alle Jäger. »Wir wollen den

Kindern kein Leid tun, sondern ihnen die Ketten ablösen und sie der Königin bringen, zum Beweis, daß sie tot seien.« Hierauf kamen sie in den Wald, und der Einsiedler war gerade ausgegangen, auf dem Dorfe Brot zu betteln, und hatte eins der Kinder mitgenommen, das ihm tragen helfen mußte. Die sechs andern schrien vor Furcht, wie sie die fremden Männer sahen. »Fürchtet euch nicht«, sprach der Jäger. Da nahmen sie die Kinder und taten ihnen die Ketten vom Hals; in demselben Augenblick, wo dies geschah, wurden sie zu weißen Schwänen und flogen in die Luft. Die Jäger aber erschraken sehr, und zuletzt gingen sie nach Haus und brachten der alten Königin die sechs Ketten unter dem Vorgeben, die siebente hätten sie verloren. Darüber war Matabruna sehr böse und entbot einen Goldschmied, aus den sechs einen Napf zu schmieden. Der Goldschmied nahm eine der Ketten und wollte sie im Feuer prüfen, ob das Silber gut wäre. Da wurde die Kette so schwer, daß sie allein mehr wog als vorher die sechs zusammen. Der Schmied war verwundert, gab die fünf seiner Frau, sie aufzuheben; und aus der sechsten, die geschmolzen war, wirkte er zwei Näpfe, jeden so groß, als ihn Matabrun begehrt hatte. Den einen Napf behielt er auch noch zu den Ketten und den andern trug er der Königin hin, die sehr zufrieden mit seiner Schwere und Größe war.

Als nun die Kinder in weiße Schwäne verwandelt worden waren, kam der Einsiedler mit dem jungen Helias auch wieder heim und war erschrocken, daß die andern fehlten. Und sie suchten nach ihnen den lieben langen Tag bis zum Abend und fanden nichts und waren sehr traurig. Morgens früh begann der kleine Helias wieder nach seinen Geschwistern zu suchen, bis er zu einem Weiher kam, worauf sechs Schwäne schwammen, die zu ihm hinflossen und sich mit Brot füttern ließen. Von nun ging er alle Tage zu dem Wasser und brachte den Schwänen Brot; es verstrich eine geraume Zeit.

Während Beatrix gefangen saß, dachte Matabrun auf nichts anderes, als sie durch den Tod wegzuräumen. Sie stiftete daher einen falschen Zeugen an, welcher aussagte, den Hund gekannt zu haben, mit dem die Königin Umgang gepflogen hätte. Oriant wurde dadurch von neuem erbittert; und als der Zeuge sich erbot, seine Aussage gegen jedermann im Gotteskampf zu bewähren, schwur der König, daß Beatrix sterben solle, wenn kein Kämpfer für sie aufträte. In dieser Not betete sie zu Gott, der ihr Flehen hörte und einen Engel zum Einsiedler sandte. Dieser erfuhr nunmehr den ganzen Verlauf, wer die Schwäne wären und in welcher Gefahr ihre arme Mutter schwebte. Helias, der Jüngling, war erfreut über diese Nachricht und machte sich barfuß, barhaupt und in seinem Blätterkleid auf, an den Hof des Königs, seines Vaters, zu gehen. Das Gericht war gerade versammelt, und der Verräter stand zum Kampf bereit. Helias erschien, seine einzige Waffe war eine hölzerne Keule. Hierauf überwand der Jüngling seinen Gegner und tat die Unschuld der geliebten Mutter dar, die sogleich befreit und in ihre vorigen Rechte eingesetzt wurde. Als sich nun die ganze Verräterei enthüllt hatte, wurde sogleich der Goldschmied gesandt, der die Schwanketten verschmieden sollte. Er kam und brachte fünf Ketten und den Napf, der ihm von der sechsten übergeschossen war. Helias nahm nun diese Ketten und war begierig, seine Geschwister wieder zu erlösen; plötzlich sah man sechs Schwäne zu dem Schloßweiher geflogen kommen. Da gingen Vater und Mutter mit ihm hinaus, und das Volk stand um das Ufer und wollte dem Wunder zusehen. Sobald die Schwäne Helias erblickten, schwammen sie hinzu, und er strich ihnen die Federn und wies ihnen die Ketten. Hierauf legte er einem nach dem andern die Kette um den Hals, augenblicklich standen sie in menschlicher Gestalt vor ihm, vier Söhne und eine Tochter, und die Eltern liefen hinzu, ihre Kinder zu umarmen und zu küssen. Als aber der sechste Schwan sah, daß er allein übrigblieb und kein Mensch wurde, war er tief betrübt und zog sich im Schmerz die Federn aus; Helias weinte und ermahnte ihn tröstend zur Geduld. Der Schwan neigte mit dem Hals, als ob er ihm dankte, und jedermann bemitleidete ihn. Die fünf andern Kinder wurden darauf zur Kirche geführt und getauft; die

Tochter empfing den Namen Rose, die vier Brüder wurden später fromme und tapfere Helden.

König Oriant, nach diesen wunderbaren Begebenheiten, gab nun die Regierung des Reichs in seines Sohnes Helias Hände. Der junge König aber beschloß, vor allem das Recht walten zu lassen, eroberte die feste Burg, wohin Matabrun geflohen war, und überlieferte sie dem Gericht, welches die Übeltäterin zum Tode des Feuers verdammte. Dieses Urteil wurde sodann vollstreckt. Helias regierte nun eine Weile zu Lillefort; eines Tages aber, da er den Schwan, seinen Bruder, auf dem Schloßweiher einen Nachen ziehen sah, hatte er keine längere Ruhe, sondern hielt dies für ein Zeichen des Himmels, daß er dem Schwan folgen und irgendwo Ruhm und Ehre erwerben solle. Er versammelte daher Eltern und Geschwister, erzählte ihnen sein Vorhaben und küßte sie zum Abschied. Dann ließ er sich Harnisch und Schild bringen. Oriant, sein Vater, schenkte ihm ein Horn und sprach: »Dieses Horn bewahre wohl! Denn alle, die es blasen hören, denen mag kein Leid geschehen!« Der Schwan schrie drei- oder viermal mit ganz seltsamer Stimme, da ging Helias zum Gestade hinab; sogleich schlug der Vogel die Flügel, als ob er ihn fröhlich bewillkommnete, und neigte seinen Hals. Helias betrat den Nachen, und der Schwan stellte sich vorn hin und schwamm voraus; schnell flossen sie davon, von Fluß in Fluß, von Strom in Strom, bis sie zu der Stelle gelangten, wohin sie nach Gottes Willen beschieden waren.

Zu diesen Zeiten herrschte Otto I., Kaiser von Deutschland, und unter ihm stand das Ardennenland, Lüttich und Namur. Dieser hielt gerade seinen Reichstag zu Nimwegen, und wer über ein Unrecht zu klagen hatte, der kam dahin und brachte seine Worte an. Es begab sich nun, daß auch der Graf von Frankenburg vor den Kaiser trat und die Herzogin von Billon (Bouillon), namens Clarissa, beschuldigte, ihren Gemahl vergiftet und während seiner dreijährigen Meerfahrt eine unrechte Tochter gezeugt zu haben; darum sei das Land nunmehr an ihn, den Bruder des Herzogs, verfallen. Die Herzogin verantwortete sich, so gut sie konnte; aber das Gericht sprach einen Gotteskampf aus, und daß sie sich einen Streiter gegen den Grafen von Frankenburg stellen müsse, der ihre Unschuld dartun wolle. Die Herzogin sah sich aber vergebens nach einem Retter um; plötzlich hörten alle ein Horn blasen. Da schaute der Kaiser zum Fenster, und man erblickte auf dem Wasser den Nachen fahren, von dem Schwan geleitet, in welchem Helias gewappnet stand. Kaiser Otto verwunderte sich, und als das Fahrzeug anhielt und der Held landete, hieß er ihn sogleich vor sich führen. Die Herzogin sah ihn auch kommen und erzählte ihrer Tochter einen Traum, den sie die letzte Nacht gehabt hatte: »Es träumte mir, daß ich vor Gericht mit dem Grafen dingte, und ward verurteilt, verbrannt zu werden. Und wie ich schon an den Flammen stand, flog über meinem Haupt ein Schwan und brachte Wasser zum Löschen des Feuers; aus dem Wasser stieg ein Fisch, vor dem fürchteten sich alle, so daß sie bebten; darum hoffe ich, daß uns dieser Ritter vom Tode erlösen wird.« Helias grüßte den Kaiser und sprach: »Ich bin ein armer Ritter, der durch Abenteuer hierherkommt, um Euch zu dienen.« Der Kaiser antwortete: »Abenteuer habt Ihr hier gefunden! Hier steht eine auf den Tod verklagte Herzogin; wollt Ihr für sie kämpfen, so könnt Ihr sie retten, wenn ihre Sache gut ist.« Helias sah die Herzogin an, die ihm sehr ehrbar zu sein schien, und ihre Tochter war von wunderbarer Schönheit, daß sie ihm herzlich wohlgefiel. Sie aber schwur ihm mit Tränen, daß sie unschuldig wäre; und Helias gelobte, ihr Kämpfer zu werden. Das Gefecht wurde hierauf anberaumt, und nach einem gefährlichen Streite schlug der Ritter mit dem Schwan dem Grafen Otto das Haupt vom Halse, und der Herzogin Unschuld wurde offenbar. Der Kaiser begrüßte den Sieger; die Herzogin aber begab sich des Landes zugunsten ihrer Tochter Clarissa und vermählte sie mit dem Helden, der sie befreit hatte. Die Hochzeit wurde prächtig zu Nimwegen gefeiert; danach zogen sie in ihr Land Billon, wo sie mit Freuden empfangen wurden. Nach neun Monaten gebar die Herzogin eine Tochter, welche den Namen Ida empfing und späterhin die Mutter berühmter Helden ward. Eines Tages nun fragte die Herzogin ihren Gemahl nach seinen Freunden und Magen, und aus welchem Land er gekommen wäre. Helias aber antwortete nichts, sondern verbot ihr diese Frage; sonst müsse er von ihr scheiden. Sie fragte ihn also nicht mehr, und sechs Jahre lebten sie in Ruhe und Frieden zusammen.

Was man den Frauen verbietet, das tun sie zumeist, und die Herzogin, als sie einer Nacht bei ihrem Gemahl zu Bett lag, sprach dennoch: »O mein Herr! Ich möchte gerne wissen, von woher Ihr seid.« Als dies Helias hörte, wurde er betrübt und antwortete: »Ihr wißt, daß Ihr das nicht wissen sollt; ich gelobe Euch nun, morgen von Lande zu scheiden.« Und wieviel sie und die Tochter klagten und weinten, stand der Herzog morgens auf, berief seine Mannen und gebot ihnen, Frau und Tochter nach Nimwegen zu geleiten, damit er sie dort dem Kaiser empfehlen könne; denn er kehre nimmermehr wieder. Unter diesen Reden hörte man schon den Schwan schreien, der sich über seines Bruders Wiederkunft freute, und Helias trat in den Nachen. Die Herzogin reiste mit ihrer Tochter zu Lande nach Nimwegen, dahin kam bald der Schwan geschwommen. Helias blies ins Horn und trat vor den Kaiser, dem er sagte, daß er notgedrungen sein Land verlassen müsse, und dringend seine Tochter Ida empfahl. Otto sagte es ihm zu, und Helias, nachdem er Abschied genommen, Weib und Kind zärtlich geküßt hatte, fuhr in dem Nachen davon.

Der Schwan aber geleitete ihn wieder nach Lillefort, wo ihn alle, und zumal Beatrix, seine Mutter, fröhlich bewillkommten. Helias dachte vor allen Dingen, wie er seinen Bruder Schwan wieder lösen möchte. Er ließ daher den Goldschmied rufen und händigte ihm die Näpfe ein, mit dem Befehl, daraus eine Kette zu schmieden, wie die gewesen war, die er einst geschmolzen hatte. Der Schmied tat es, und brachte die Kette; Helias hängte sie dem Schwan um, der ward alsbald ein schöner Jüngling, wurde getauft und Eßmer (nach andern Emeri, Emerich) genannt.

Einige Zeit darauf erzählte Helias seinen Verwandten die Begebenheit, die er im Lande Billon erfahren hatte; begab sich darauf der Welt und ging in ein Kloster, um da geistlich zu leben bis an sein Ende. Aber zum Andenken ließ er ein Schloß bauen, ganz wie das in Ardennen, und nannte es auch mit demselben Namen Billon.

Als nun Ida, Helias' Tochter, vierzehn Jahre alt geworden war, vermählte sie Kaiser Otto mit Eustachias, einem Grafen von Bonn. Ida lag auf eine Zeit im Traum, da deuchte ihr, als wenn drei Kinder an ihrer Brust lägen, jedes mit einer Krone auf dem Haupt; aber dem dritten zerbrach die Krone, und sie hörte eine Stimme, die sprach, sie würde drei Söhne gebären, von denen der Christenheit viel Frommen erwachsen solle; nur müsse sie verhüten, daß sie keine andere Milch sögen als ihre eigene. Innerhalb drei Jahren brachte auch die Gräfin drei Söhne zur Welt; der älteste hieß Gottfried, der zweite Baldewin, der dritte Eustachias; alle aber zog sie sorgfältig mit ihrer Milch groß. Da begab sich, daß an einem Pfingsttag die Gräfin in der Kirche war und etwas lange von ihrem Säugling Eustachias blieb; da weinte das Kind so, daß eine andere Frau ihm zu säugen gab. Als die Gräfin zurückkehrte und ihren Sohn an der Frauen Brust fand, sprach sie: »Ach, Frau, was habt Ihr getan? Nun wird mein Kind seine Würdigkeit verlieren.« Die Frau sagte: »Ich meinte wohlzutun, weil es so weinte, und dachte es zu stillen.« Die Gräfin aber war betrübt, aß und trank den ganzen Tag nicht und grüßte die Leute nicht, die ihr vorgestellt wurden.

Die Herzogin, ihre Mutter, hätte unterdessen gar zu gern Kundschaft von ihrem Gemahl gehabt, wohin er gekommen wäre; und sie sandte Pilger aus, die ihn suchen sollten in allen Landen. Nun kam endlich einer dieser Pilger vor ein Schloß, nach dessen Namen er fragte, und hörte mit Erstaunen, daß es Billon hieße; da er doch wohl wußte, Billon liege noch viel weiter. Die Landleute erzählten ihm aber, warum Helias diesen Bau gestiftet und so benannt habe, und berichteten dem Pilgrim die ganze Geschichte. Der Pilgrim dankte Gott, daß er endlich gefunden hatte, was er so lange suchte; ließ sich bei dem König Oriant und seinen Söhnen melden und erzählte, wie es um die Herzogin in Billon und ihre Tochter stünde. Eßmer brachte dem Helias die frohe Botschaft in sein Kloster, Helias gab dem Pilgrim seinen Trauring zum Wahrzeichen mit; auch sandten die andern viele Kostbarkeiten ihren Freunden zu Billon. Der Pilgrim fuhr damit in seine Heimat, und bald zogen die Herzogin und die Gräfin hin zu ihrem Gemahl und Vater in sein Kloster. Helias empfing sie fröhlich, starb aber nicht lange danach; die Herzogin folgte ihm aus Betrübnis. Die Gräfin aber, als ihre Eltern begraben waren, zog wieder heim in ihr Land und unterwies ihre Söhne in aller Tugend und Gottesfurcht. Diese Söhne gewannen später den Ungläubigen das Heilige Land ab, und Gottfried und Baldewin wurden zu Jerusalem als Könige gekrönt.

### 541. Das Schwanschiff am Rhein

Im Jahr 711 lebte Dietrichs, des Herzogen zu Kleve, einzige Tochter Beatrix, ihr Vater war gestorben, und sie war Frau über Kleve und viel Land mehr. Zu einer Zeit saß diese Jungfrau auf der Burg von Nimwegen, es war schönes klares Wetter, sie schaute in den Rhein und sah da ein wunderlich Ding. Ein weißer Schwan trieb den Fluß abwärts, und am Halse hatte er eine goldene Kette. An der Kette hing ein Schiffchen, das er fortzog, darin ein schöner Mann saß. Er hatte ein goldenes Schwert in der Hand, ein Jagdhorn um sich hängen und einen köstlichen Ring am Finger. Dieser Jüngling trat aus dem Schifflein ans Land und hatte viele Worte mit der Jungfrau und sagte, daß er ihr Land schirmen sollte und ihre Feinde vertreiben. Dieser Jüngling behagte ihr so wohl, daß sie ihn liebgewann und zum Mann nahm. Aber er sprach zu ihr: »Fragt mich nie nach meinem Geschlecht und Herkommen; denn wenn Ihr danach fragt, werdet Ihr mein los sein und ledig und mich nimmer sehen.« Und er sagte ihr, daß er Helias hieße; er war groß von Leibe, gleich einem Riesen. Sie hatten nun mehrere Kinder miteinander. Nach einer Zeit aber, so lag dieser Helias bei Nacht neben seiner Frau im Bett, und die Gräfin fragte unachtsam und sprach: »Herr, solltet Ihr Euren Kindern nicht sagen wollen, wo Ihr herstammt?« über das Wort verließ er die Frau, sprang in das Schwanenschiff hinein und fuhr fort, wurde auch nicht wieder gesehen. Die Frau grämte sich und starb aus Reue noch das nämliche Jahr. Den Kindern aber soll er die drei Stücke, Schwert, Horn und Ring, zurückgelassen haben. Seine Nachkommen sind noch vorhanden, und im Schloß zu Kleve steht ein hoher Turm, auf dessen Gipfel ein Schwan sich dreht, genannt der *Schwanturm*, zum Andenken der Begebenheit.

### 542. Lohengrin zu Brabant

Der Herzog von Brabant und Limburg starb, ohne andere Erben als eine junge Tochter Els oder Elsam zu hinterlassen; diese empfahl er auf dem Todbette einem seiner Dienstmannen, Friedrich von Telramund[84]. Friedrich, sonst ein tapferer Held, der zu Stockholm in Schweden einen Drachen getötet hatte, wurde übermütig und warb um der jungen Herzogin Hand und Land unter dem falschen Vorgeben, daß sie ihm die Ehe gelobt hatte. Da sie sich standhaft weigerte, klagte Friedrich bei dem Kaiser Heinrich dem Vogler; und es wurde Recht gesprochen, daß sie sich im Gotteskampf durch einen Helden gegen ihn verteidigen müsse. Als sich keiner finden wollte, betete die Herzogin inbrünstig zu Gott um Rettung. Da erscholl weit davon zu Montsalvatsch beim Gral der Laut der Glocke, zum Zeichen, daß jemand dringender Hilfe bedürfe; alsbald beschloß der Gral, den Sohn Parzivals, Lohengrin, danach auszusenden. Eben wollte dieser seinen Fuß in den Stegreif setzen, da kam ein Schwan auf dem Wasser geschwommen und zog hinter

---

84 Die Erzählung im Parzival ist noch einfacher. Friedrich fehlt ganz, die demütige Herzogin wird von Land und Leuten bedrängt, sich zu vermählen. Sie verschwört jeden Mann, außer den ihr Gott sende, und da schwimmt der Schwan hinzu.

sich ein Schiff daher. Kaum erblickte ihn Lohengrin, als er rief: »Bringt das Roß wieder zur Krippe; ich will nun mit diesem Vogel ziehen, wohin er mich führt.« Speise im Vertrauen auf Gott nahm er nicht in das Schiff; nachdem sie fünf Tage übers Meer gefahren waren, fuhr der Schwan mit dem Schnabel ins Wasser, fing ein Fischlein auf, aß es halb und gab dem Fürsten die andere Hälfte zu essen.

Unterdessen hatte Elsam ihre Fürsten und Mannen nach Antwerpen zu einer Landsprache berufen. Gerade am Tag der Versammlung sah man einen Schwan die Schelde heraufschwimmen, der ein Schifflein zog, in welchem Lohengrin auf sein Schild ausgestreckt schlief. Der Schwan landete bald am Gestade, und der Fürst wurde fröhlich empfangen; kaum hatte man ihm Helm, Schild und Schwert aus dem Schiff getragen, als der Schwan sogleich zurückfuhr. Lohengrin vernahm nun das Unrecht, welches die Herzogin litt, und übernahm es gerne, ihr Kämpfer zu sein. Elsam ließ hierauf alle ihre Verwandten und Untertanen entbieten, die sich bereitwillig in großer Zahl einstellten; selbst König Gotthart, ihr mütterlicher Ahne, kam aus England, durch Gundemar, Abt zu Clarbrunn, berufen. Der Zug machte sich auf den Weg, sammelte sich nachher vollständig in Saarbrücken und ging von da nach Mainz. Kaiser Heinrich, der sich in Frankfurt aufhielt, kam nach Mainz entgegen; und in dieser Stadt wurde das Gestühl errichtet, wo Lohengrin und Friedrich kämpfen sollten. Der Held vom Gral überwand; Friedrich gestand, die Herzogin angelogen zu haben, und wurde mit Schlägel und Barte (Beil) gerichtet. Elsam fiel nun dem Lohengrin zuteil, die sich längst einander liebten; doch behielt er sich insgeheim vor, daß ihr Mund alle Fragen nach seiner Herkunft zu vermeiden habe; denn sonst müsse er sie augenblicklich verlassen.

Eine Zeitlang verlebten die Eheleute in ungestörtem Glück, und Lohengrin beherrschte das Land weise und mächtig; auch dem Kaiser leistete er auf den Zügen gegen die Hunnen und Heiden große Dienste. Es trug sich aber zu, daß er einmal im

Speerwechsel den Herzog von Kleve herunterstach und dieser den Arm zerbrach; neidisch redete da die Klever Herzogin laut unter den Frauen: »Ein kühner Held mag Lohengrin sein, und Christenglauben scheint er zu haben; schade, daß Adels halben sein Ruhm gering ist; denn niemand weiß, woher er ans Land geschwommen kam.« Dies Wort ging der Herzogin von Brabant durch das Herz, sie errötete und erblich. Nachts im Bett, als ihr Gemahl sie in den Armen hielt, weinte sie; er sprach: »Liebe, was wirrt dir?« Sie antwortete: »Die Klever Herzogin hat mich zu tiefem Seufzen gebracht«, aber Lohengrin schwieg und fragte nicht weiter. Die zweite Nacht weinte sie wieder; er aber merkte es wohl und stillte sie nochmals. Allein in der dritten Nacht konnte sich Elsam nicht länger halten und sprach: »Herr, zürnt mir nicht! Ich wüßte gern, wo Ihr geboren seid; denn mein Herz sagt mir, ihr seid reich an Adel.« Als nun der Tag anbrach, erklärte Lohengrin öffentlich, von woher er stamme: daß Parzival sein Vater sei und Gott ihn vom Grale hergesandt habe. Darauf ließ er seine beiden Kinder bringen, die ihm die Herzogin geboren, küßte sie und befahl, ihnen Horn und Schwert, das er zurücklasse, wohl aufzuheben; der Herzogin ließ er das Fingerlein, das ihm einst seine Mutter geschenkt hatte. Da kam mit Eile sein Freund, der Schwan, geschwommen, hinter ihm das Schifflein; der Fürst trat hinein und fuhr wider Wasser und Wege in des Grales Amt. Elsam sank ohnmächtig nieder, daß man mit einem Keil ihre Zähne aufbrechen und ihr Wasser eingießen mußte. Kaiser und Reich nahmen sich der Waisen an; die Kinder hießen Johann und Lohengrin. Die Witwe aber weinte und klagte ihr übriges Leben lang um den geliebten Gemahl, der nimmer wiederkehrte.

### 543. Lohengrins Ende in Lothringen

Als nun Lohengrin mit Zurücklassung des Schwerts, Hornes und Fingerlins aus Brabant fortgezogen war, kam er in das Land Lyzaborie (Luxemburg) und ward der schönen Belaye Gemahl, die sich wohl vor der Frage nach seiner Herkunft hütete und ihn über die Maßen liebte, so daß sie keine Stunde von ihm sein konnte, ohne zu siechen. Denn sie fürchtete seinen Wankelmut und lag ihm beständig an, zu Haus zu bleiben; der Fürst aber mochte ein so verzagtes Wesen nicht gerne leiden, sondern ritt oft zu birsen auf die Jagd. Solange er abwesend war, saß Belaye halbtot und sprachlos daheim; sie kränkelte, und es schien ihr durch Zauberei etwas angetan. Nun wurde ihr von einem Kammerweib geraten. Wolle sie ihn fester an sich binden, so müsse sie Lohengrin, wenn er müde von der Jagd entschlafen sei, ein Stück Fleisch von dem Leib schneiden und essen. Belaye aber verwarf den Ratschlag und sagte: »Eher wollte ich mich begraben lassen, als daß ihm nur ein Finger schwüre!« zürnte dem Kammerweib und verwies sie seitdem aus ihrer Huld. Giftig ging die Verräterin hin zu Belayens Verwandten, die dem Helden die Königstochter neideten, und brachte ihnen falsche Lügen vor. Da beriet sich Belayens Sippschaft, daß sie aus Lohengrin das Fleisch, womit allein Belayens Not gelindert werden könnte, schneiden wollten; und als er eines Tages wieder auf die Jagd gegangen und entschlafen war, träumte ihm, tausend Schwerter stünden zumal ob seinem einzigen Haupt gezückt. Erschrocken fuhr er auf und sah die Schwerter der Verräter. Alle bebten vor dem Helden, mit seiner einen Hand erschlug er mehr denn hundert. Sie waren aber untereinander zu fest verbunden und ließen nicht nach, ihn anzugreifen, bis ihm ihrer zuviel wurde und er eine Wunde durch den linken Arm empfing, so schwer, daß sie kein Arzt heilen konnte. Als sie ihn todwund sahen, fielen sie ihm alle zu Füßen, seiner großen Tugend wegen. Belaye starb nach empfangener Todesbotschaft alsbald vor Herzeleid. Lohengrin und Belaye wurden gebalsamt und zusammen eingesargt, dann ein Kloster über ihren Gräbern gebaut; ihre Leichname werden da den Pilgrimen noch gewiesen. Das Land, vorher Lyzaborie genannt, nahm von ihm den Namen *Lotharingen* an. Diese Begebenheit hat sich ereignet nach Christi Geburt fünfhundert Jahr.

## 544. Der Schwanritter

Herzog Gottfried von Brabant war gestorben, ohne männliche Erben zu hinterlassen; er hatte aber in einer Urkunde gestiftet, daß sein Land der Herzogin und seiner Tochter verbleiben sollte. Hieran kehrte sich jedoch Gottfrieds Bruder, der mächtige Herzog von Sachsen, wenig, sondern bemächtigte sich, aller Klagen der Witwe und Waisen unerachtet, des Landes, das nach deutschem Recht keine Weiber erben können.

Die Herzogin beschloß daher, bei dem König zu klagen; und als bald darauf Karl nach Niederlande zog und einen Tag zu Neumagen am Rhein halten wollte, kam sie mit ihrer Tochter dahin und begehrte Recht. Dahin war auch der Sachsenherzog gekommen und wollte der Klage zu Antwort stehen. Es ereignete sich aber, daß der König durch ein Fenster schaute; da erblickte er einen weißen Schwan, der schwamm den Rhein heran und zog an einer silbernen Kette, die hell glänzte, ein Schifflein nach sich; in dem Schiff aber ruhte ein schlafender Ritter, sein Schild war sein Hauptkissen, und neben ihm lag Helm und Halsberg; der Schwan steuerte gleich einem geschickten Seemann und brachte sein Schiff an das Gestade. Karl und der ganze Hof verwunderten sich höchlich ob diesem seltsamen Ereignis; jedermann vergaß die Klage der Frau und lief hinab dem Ufer zu. Unterdessen war der Ritter erwacht und stieg aus der Barke; wohl und herrlich empfing ihn der König, nahm ihn selbst zur Hand und führte ihn gegen die Burg. Da sprach der Held zu dem Vogel: »Flieg deinen Weg wohl, lieber Schwan! Wenn ich deiner wieder bedarf, will ich dich schon rufen.« Sogleich schwang sich der Schwan und fuhr mit dem Schifflein aus aller Augen weg. Jedermann schaute den fremden Gast neugierig an; Karl ging wieder ins Gestühl zu seinem Gericht und wies jenem eine Stelle unter den andern Fürsten an.

Die Herzogin von Brabant, in Gegenwart ihrer schönen Tochter, hub nunmehr ausführlich zu klagen an, und danach verteidigte sich auch der Herzog von Sachsen. Endlich erbot er sich zum Kampf für sein Recht, und die Herzogin solle ihm einen Gegner stellen, das ihre zu bewähren. Da erschrak sie heftig; denn er war ein auserwählter Held, an den sich niemand wagen würde; vergebens ließ sie im ganzen Saal die Augen umgehen, keiner war da, der sich ihr erboten hätte. Ihre Tochter klagte laut und weinte; da erhob sich der Ritter, den der Schwan ins Land geführt hatte, und gelobte, ihr Kämpfer zu sein. Hierauf wurde sich von beiden Seiten zum Streit gerüstet, und nach einem langen und hartnäckigen Gefecht war der Sieg endlich auf seiten des Schwanritters. Der Herzog von Sachsen verlor sein Leben, und der Herzogin Erbe wurde wieder frei und ledig. Da neigten sie und die Tochter dem Helden, der sie erlöst hatte, und er nahm die ihm angetragene Hand der Jungfrau mit der Bedingung an, daß sie nie und zu keiner Zeit fragen solle, woher er gekommen und welches sein Geschlecht sei; denn sonst müsse sie ihn verlieren.

Der Herzog und die Herzogin zeugten zwei Kinder zusammen, die waren wohlgeraten; aber immer mehr fing es an, ihre Mutter zu drücken, daß sie gar nicht wußte, wer ihr Vater war; und endlich tat sie an ihn die verbotene Frage. Der Ritter erschrak herzlich und sprach: »Nun hast du selbst unser Glück zerbrochen und mich am längsten gesehen.« Die Herzogin bereute es aber zu spät, alle Leute fielen zu seinen Füßen und baten ihn zu bleiben. Der Held bewaffnete sich, und der Schwan kam mit demselben Schifflein geschwommen; darauf küßte er beide Kinder, nahm Abschied von seiner Gemahlin und segnete das ganze Volk; dann trat er ins Schiff, fuhr seine Straße und kehrte nimmer wieder. Der Frau ging der Kummer zu Bein und Herzen, doch zog sie fleißig ihre Kinder auf. Aus dem Samen dieser Kinder stammen viele edle Geschlechter, die von Geldern sowohl als Kleve, auch die Rieneker Grafen und manche andre; alle führen den Schwan im Wappen.

### 545. Der gute Gerhard Schwan

Eines Tages stand König Karl am Fenster einer Burg und sah hinaus auf den Rhein. Da sah er einen Schwan auf dem Wasser schwimmen kommen, der hatte einen Seidenstrang um den Hals, und daran hing ein Boot; in dem Boot saß ein Ritter ganz bewaffnet, an seinem Hals hatte er eine Schrift. Und wie der Ritter ans Land kam, fuhr der Schwan mit dem Schiff fort und wurde nimmermehr gesehen. Navilon (Nibelung), einer von des Königs Männern, ging dem Fremden entgegen, gab ihm die Hand und führte ihn vor den König. Da fragte Karl nach seinem Namen; aber der Ritter konnte nicht reden, sondern zeigte ihm die Schrift; und die Schrift besagte, daß Gerhard Schwan gekommen sei, ihm um ein Land und eine Frau zu dienen. Navilon nahm ihm darauf die Waffen ab und hob sie auf; aber Karl gab ihm einen guten Mantel, und sie gingen dann zu Tisch. Als aber Rolland den Neukömmling sah, frug er, was er für ein Mann wäre. Karl antwortete: »Diesen Ritter hat mir Gott gesandt«, und Rolland sprach: »Er scheint heldenmütig.« Der König befahl, ihn wohl zu bedienen. Gerhard war ein weiser Mann, diente dem König wohl und gefiel jedermann; schnell lernte er die Sprache. Der König wurde ihm sehr hold, vermählte ihm seine Schwester Adalis (im Dänischen: Elisa) und setzte ihn zu einem Herzog über das Ardennenland.

### 546. Die Schwanringe zu Plesse

Die Herren von Schwanring zogen aus einem fremden Land in die Gegend von Plesse und wollten sich niederlassen. Im Jahr 892 bekamen sie Fehde mit denen von Beverstein; es waren ihrer drei Brüder: Siegfried, Sieghart und Gottschalk von Schwanring; und sie führten Schwanflügel und Ring in ihren Schilden. Bodo von Beverstein erschoß den Sieghart mit einem Pfeil und floh vor der Rache der Brüder nach Finnland, wo er sich niederließ. Und die andern Beversteiner legten eine feste Burg an gegen die Schwanringe, geheißen Hardenberg oder Beverstein. Gottschalk und Siegfried gingen aber damit um, eine Gegenburg anzulegen. Eines Tages jagten sie von Hökelheim aus in dem hohen Wald (der auch *Langforst* oder *Plessenwald* heißt), und mit ihnen war ihr Bastardbruder, genannt Heiso Schwanenflügel, ein guter, listiger Jäger, der Wege und Stege in Feld und Holz wohl erfahren; der wußte von den Anschlägen der Hardenberger. Dieser ersah ein gutes Plätzchen an einer Ecke gegen die Leine, wies es seinen Brüdern; die sprachen: »Wohlan, ein gut gelegenes Plätzchen! Hier wollen wir Haus, Burg und Feste bauen.« Also bauten sie an demselben Flecken; das Haus wurde *Plätzchen* und nach und nach *Plesse* genannt; endlich nahmen die Schwanringe selbst den Namen der von Plesse an. Der Streit mit den Hardenbergern wurde vertragen. Die Schäfer zeigen noch die Stelle, wo Sieghart erschossen wurde (zwischen den Dörfern Angerstein und Parnhosen), und fügen hinzu, daß auch daselbst vorzeiten ein steinernes Kreuz gestanden habe, das *Schwanringer Kreuz* genannt.

### 547. Das Oldenburger Horn

In dem Hause Oldenburg wurde sonst ein künstlich und mit viel Zieraten gearbeitetes Trinkhorn sorgfältig bewahrt, das sich aber gegenwärtig in Kopenhagen befindet. Die Sage lautet so: Im Jahr 990 (967) beherrschte Graf Otto das Land. Weil er als ein guter Jäger große Lust am Jagen hatte, begab er sich am 20. Juli gedachten Jahres mit vielen von seinen Edelleuten und Dienern auf die Jagd und wollte zuerst in dem Walde, Bernefeuer genannt, das Wild heimsuchen. Da nun der Graf selbst ein Reh hetzte und demselben vom Bernefeuersholz bis an den Osenberg allein nachrannte, verlor er sein ganzes Jagdgefolge aus den Augen und Ohren, stand mit einem weißen Pferd mitten auf dem Berg und sah sich nach seinen Winden um, konnte aber auch nicht einmal einen lautenden (bellenden) Hund zu hören bekommen. Hierauf sprach er zu sich selber, da es eine große Hitze war: Ach Gott, wer nur einen kühlen Trunk Wasser hätte! Sobald, als der Graf das Wort gesprochen, tat sich der Osenberg auf und kommt aus der Kluft eine schöne Jungfrau, wohl geziert, mit schönen Kleidern angetan, auch schönen, über die Achsel geteilten Haaren und einem Kränzlein darauf, und hatte ein köstlich silbernes Geschirr, das vergüldt war, in Gestalt eines Jägerhorns, wohl und gar künstlich gemacht, in der Hand, das gefüllt war. Dieses Horn reichte sie dem Grafen und bat, daß er daraus trinken wolle, sich zu erquicken.

Als nun solches vergüldtes silbernes Horn der Graf von der Jungfrau auf- und angenommen, den Deckel davongetan und hineingesehen, da hat ihm der Trank, oder was darinnen gewesen, welches er geschüttelt, nicht gefallen und deshalb solch Trinken der Jungfrau geweigert. Worauf aber die Jungfrau gesprochen: »Mein lieber Herr, trinkt nur auf meinen Glauben! Denn es wird Euch keinen Schaden geben, sondern zum Besten gereichen« mit fernerer Anzeige, wenn er, der Graf, daraus trinken wolle, sollt's ihm, Graf Otten und den Seinen, auch folgends dem ganzen Haus Oldenburg wohlgehen und die Landschaft zunehmen und ein Gedeihen haben. Da aber der Graf ihr keinen Glauben zustellen noch daraus trinken würde, so sollte künftig im nachfolgenden gräflich-oldenburgischen Geschlecht keine Einigkeit bleiben. Als aber der Graf auf solche Rede keine acht gab, sondern bei ihm selber, wie nicht unbillig, ein groß Bedenken machte, daraus zu trinken, hat er das silbern vergüldte Horn in der Hand behalten und hinter sich geschwenkt und ausgegossen, davon etwas auf das weiße Pferd gespritzet; und wo es begossen und naß geworden, sind ihm die Haare abgangen. Da nun die Jungfrau solches gesehen, hat sie ihr Horn wiederbegehrt; aber der Graf hat mit dem Horn, so er es in der Hand hatte, vom Berg abgeeilt, und als er sich wieder umgesehn, vermerkt, daß die Jungfrau wieder in den Berg gangen; und weil darüber dem Grafen ein Schrecken angekommen, hat er sein Pferd zwischen die Sporn genommen und ist im schnellen Lauf nach seinen Dienern geeilet und denselbigen, was sich zugetragen, vermeldet, das silbern vergüldte Horn gezeiget und also mit nach Oldenburg genommen. Und ist dasselbige, weil er's so wunderbarlich bekommen, vor ein köstlich Kleinod von ihm und allen folgenden regierenden Herren des Hauses gehalten worden.

### 548. Friedrich von Oldenburg

Graf Huno von Oldenburg war ein frommer und rechter Mann. Als zu seiner Zeit Kaiser Heinrich IV. einen großen Fürstentag in der Stadt Goslar hielt, säumte Huno, weil er Gott und frommen Werken oblag, dahin zu gehen. Da verleumdeten ihn falsche Ohrenbläser und klagten ihn des Aufruhrs gegen das Reich an; der Kaiser aber verurteilte ihn zum Gottesurteil durch Kampf, und kämpfen sollte er mit einem ungeheuern, grausamen Löwen. Huno begab sich nebst Friedrich, seinem jungen Sohn, in des Kaisers Hof; Friedrich wagte, mit dem Tier zu fechten. Vater und Sohn flehten Gottes Beistand an und gelobten, der Jungfrau Maria ein reiches Kloster zu stiften, wenn ihnen der Sieg zufiele. Friedrich ließ einen Strohmann zimmern und gleich einem Menschen bewaffnen, den warf er listig dem Löwen vor, schreckte ihn und gewann unverletzt den Sieg. Der Kaiser umarmte den Helden, schenkte ihm Gürtel und Ring und belehnte ihn mit vielen Gütern vom Reich. – Die Friesen sangen Lieder von dieser Tat.

### 549. Die neun Kinder

Zu Möllenbeck, einer Klosterkirche an der Weser, zeigt man das Holzbild einer Heiligen, die eine Kirche im Arm trägt. Die Sage lautet: Einst kehrte Graf Uffo aus fernen Landen nach langer Abwesenheit in seine Heimat zurück; unterwegs träumte ihm, Hildburg, seine Gemahlin, habe ihm unterdessen neun Kinder geboren. Erschrocken beschleunigte er seine Reise, und Hildburg kam ihm fröhlich mit den Worten entgegen: »Ich glaubte dich tot, aber blieb nicht allein, sondern habe neun Töchter geboren, die sind alle Gott geweiht.« Uffo antwortete: »Deine Kinder sind auch die meinen, ich will sie ausstatten.« Es waren aber neun Kirchen, darunter das Kloster zu Möllenbeck, welche die fromme Frau gebaut und gestiftet hatte.

## 550. Amalaberga von Thüringen

In Thüringen herrschten drei Brüder, Baderich, Hermenfried und Berthar. Den jüngsten tötete Hermenfried auf Anstiften seiner Gemahlin Amalaberga, einer Tochter Theodorichs von Franken. Darauf ruhte sie nicht, sondern reizte ihn, auch den ältesten wegzuräumen, und soll auf folgende listige Weise den Bruderkrieg erweckt haben: Als ihr Gemahl eines Tages zum Mahl kam, war der Tisch nur halb gedeckt. Hermenfried fragte, was dies zu bedeuten hätte. »Wer nur ein halbes Königreich besitzt«, sprach sie, »der muß sich auch mit einer halb gedeckten Tafel begnügen.«

## 551. Sage von Irminfried, Iring und Dieterich

Der Frankenkönig Hugo (Chlodwig) hinterließ keinen rechtmäßigen Erben außer seiner Tochter Amelberg, die an Irminfried, König von Thüringen, vermählt war. Die Franken aber wählten seinen unehelichen Sohn Dieterich zum König; der schickte einen Gesandten zu Irminfried um Frieden und Freundschaft; auch empfing ihn derselbe mit allen Ehren und hieß ihn eine Zeitlang an seinem Hofe bleiben. Allein die Königin von Thüringen, welche meinte, daß ihr das Frankenreich mit Recht gehörte und Dieterich ihr Knecht wäre, berief Iring, den Rat des Königs, zu sich und bat ihn, ihrem Gemahl zuzureden, daß er sich nicht mit dem Botschafter eines Knechtes einlassen möchte. Dieser Iring war sehr stark und tapfer, klug und fein in allem Ratgeben und brachte also den König von dem Frieden mit Dieterich ab, wozu ihm die andern Räte geraten hatten. Daher trug

Irminfried dem Abgesandten auf, seinem Herrn zu antworten, er möge doch eher sich die Freiheit als ein Reich zu erwerben trachten. Worauf der Gesandte versetzte: »Ich wollte dir lieber mein Haupt geben als solche Worte von dir gehört haben; ich weiß wohl, daß um derentwillen viel Blut der Franken und Thüringer fließen wird.«

Wie Dieterich diese Botschaft vernommen, ward er erzürnt, zog mit einem starken Heer nach Thüringen und fand den Schwager bei Runibergun seiner warten. Am ersten und zweiten Tag ward ohne Entscheidung gefochten; am dritten aber verlor Irminfried die Schlacht und floh mit den übriggebliebenen Leuten in seine Stadt Schiding, am Flusse Unstrut gelegen.

Da berief Dieterich seine Heerführer zusammen. Unter denen riet Waldrich, nachdem man die Toten begraben und die Wunden gepflegt, mit dem übrigen Heer heimzukehren, das nicht hinreiche, den Krieg fortzuführen. Es hatte aber der König einen getreuen, erfahrenen Knecht, der gab andern Ratschlag und sagte, die Standhaftigkeit wäre in edlen Dingen das Schönste, wie bei den Vorfahren; man müßte aus dem eroberten Land nicht weichen und die Besiegten wieder aufkommen lassen, die sonst durch neue Verbindungen gefährlich werden könnten, jetzt aber allein eingeschlossen wären. – Dieser Rat gefiel auch dem König am besten, und er ließ den Sachsen durch Gesandte anbieten: wenn sie ihm ihre alten Feinde, die Thüringer, bezwingen hälfen, so wollte er ihnen deren Reich und Land auf ewig verleihen.

Die Sachsen ohne Säumen schickten neun Anführer, jeden mit tausend Mann, deren starke Leiber, fremde Sitten, Waffen und Kleider die Franken bewunderten. Sie lagerten sich aber nach Mittag zu auf den Wiesen am Fluß und stürmten am folgenden Morgen die Stadt; auf beiden Seiten wurde mit großer Tapferkeit gestritten, von den Thüringern für das Vaterland, von den Sachsen für den Erwerb des Landes. In dieser Not schickte Irminfried den Iring ab, Schätze und Unterwerfung für den Frieden dem Frankenkönig anzubieten. Dieterichs Räte, mit Gold gewonnen, rieten um so mehr zur Willfahrung, da die Sachsen sehr gefährliche Nachbarn werden würden, wenn sie Thüringen einbekämen; und also versprach der König, morgenden Tages seinen Schwager wieder aufzunehmen und den Sachsen abzusagen. Iring blieb im Lager der Franken und sandte seinem Herrn einen Boten, um die Stadt zu beruhigen; er selbst wollte sorgen, daß die Nacht die Gesinnungen nicht änderte.

Da nun die Bürger wieder sicher des Friedens waren, ging einer mit seinem Sperber heraus, ihm an dem Flußufer Futter zu suchen. Es geschah aber, daß der Vogel, losgelassen, auf die andere Seite des Wassers flog und von einem Sachsen gefangen wurde. Der Thüringer forderte ihn wieder, der Sachse weigerte sich. Der Thüringer: »Ich will dir etwas offenbaren, wenn du mir den Vogel lässest, was dir und deinen Gesellen sehr nützlich ist.« Der Sachse: »So sage, wenn du haben willst, was du begehrst!« – »So wisse«, sprach der Thüringer, »daß die Könige Frieden gemacht und vorhaben, euch morgen im Lager zu fangen und zu erschlagen!« Als er nun dieses dem Sachsen nochmals ernstlich beteuert und ihnen die Flucht angeraten hatte, so ließ dieser alsbald den Sperber los und verkündigte seinen Gefährten, was er vernommen.

Wie sie nun alle in Bestürzung und Zweifel waren, ergriff ein von allen geehrter Greis, genannt Hathugast, ihr heiliges Zeichen, welches eines Löwen und Drachen und darüber fliegenden Adlers Bild war, und sprach: »Bis hierher habe ich unter Sachsen gelebt und sie nie fliehen gesehen; so kann ich auch jetzt nicht genötigt werden, das zu tun, was ich niemals gelernt. Kann ich nicht weiterleben, so ist es mir das liebste, mit den Freunden zu fallen; die erschlagenen Genossen, welche hier liegen, sind mir ein Beispiel der alten Tugend, da sie lieber ihren Geist aufgegeben haben, als vor dem Feinde gewichen sind. Deswegen laßt uns heut in der Nacht die sichere Stadt überwältigen.«

Beim Einbruch der Nacht drangen die Sachsen über die unbewachten Mauern in die Stadt, brachten die Erwachsenen zum Tod und schonten nur die Kinder; Irminfried entfloh mit Weib und Kindern und weniger Begleitung. Die Schlacht geschah am 1. Oktober. Die Sachsen wurden von den Franken des Sieges gerühmt, freundlich empfangen und mit dem ganzen Land auf ewig begabt. Den entronnenen König ließ Dieterich trüglich zurückrufen und beredete endlich den Iring mit falschen Versprechungen, seinen Herrn zu töten. Als nun Irminfried zurückkam und sich vor Dieterich niederwarf, so stand Iring dabei und erschlug seinen eigenen Herrn. Alsbald verwies ihn der König aus seinen Augen und aus dem Reich, als der um der unnatürlichen Tat allen Menschen verhaßt sein müßte. Da versetzte Iring: »Ehe ich gehe, will ich meinen Herrn rächen«, zog das Schwert und erstach den König Dieterich. Darauf legte er den Leib seines Herrn über den des Dieterich, auf daß der, welcher lebend überwunden worden, im Tod überwände; bahnte sich Weg mit dem Schwert und entrann.

Irings Ruhm ist so groß, daß der Milchkreis am Himmel Iringsstraße nach ihm benannt wird[85].

## 552. Das Jagen im fremden Wald

Friedrich, Pfalzgraf zu Sachsen, wohnte im Osterland bei Thüringen, auf Weißenburg an der Unstrut, seinem schönen Schloß. Seine Gemahlin war eine geborene Markgräfin zu Stade und Salzwedel, Adelheid genannt, ein junges, schönes Weib, brachte ihm keine Kinder. Heimlich aber buhlte sie mit Ludwig, Grafen zu Thüringen und Hessen, und verführt durch die Liebe zu ihm, trachtete sie hin und her, wie sie ihres alten Herrn abkommen möchte und den jungen Grafen, ihren Buhlen, erlangen. Da wurden sie einig, daß sie den Markgrafen umbrächten auf diese Weise: Ludwig sollte an bestimmtem Tage eingehen in ihres Herrn Forst und Gebiet, in das Holz, genannt die *Reißen*, am Münchroder Feld (nach andern bei

---

[85] Abweichende Darstellung der Sage bei Goldast: Skript. rerum suevicarum, p. 1–3, wo die Schwaben die Stelle der Sachsen einnehmen.

Schipplitz), und darin jagen, unbegrüßt und unbefragt; denn so wollte sie ihren Herrn reizen und bewegen, ihm die Jagd zu wehren; da möchte er dann seines Vorteils ersehen. Der Graf ließ sich vom Teufel und der Frauen Schönheit blenden und sagte es zu. Als nun der mordliche Tag vorhanden war, richtete die Markgräfin ein Bad zu, ließ ihren Herrn darin wohl pflegen und warten. Unterdessen kam Graf Ludwig, ließ sein Hörnlein schallen und seine Hündlein bellen und jagte dem Pfalzgraf in dem Seinen bis hart vor die Tür. Da lief Frau Adelheid heftig in das Bad zu Friedrich, sprach: »Es jagen dir anderen Leute freventlich auf dem Deinen; das darfst du nimmer gestatten, sondern mußt ernstlich halten über deiner Herrschaft Freiheit.« Der Markgraf erzürnte, fuhr auf aus dem Bad, warf eilends den Mantel über das bloße Badhemd und fiel auf seinen Hengst, ungewappnet und ungerüstet. Nur wenig Diener und Hunde rannten mit ihm in den Wald; und da er den Grafen ersah, strafte er ihn mit harten Worten. Der wandte sich und stach ihn mit einem Schweinspieß durch seinen Leib, daß er tot vom Pferde sank. Ludwig ritt seinen Weg, die Diener brachten den Leichnam heim und beklagten und betrauerten ihn sehr; die Pfalzgräfin rang die Hände und raufte das Haar und gebärdete sich gar kläglich, damit kein Verdacht auf sie falle. Friedrich wurde begraben und an der Mordstätte ein steinernes Kreuz gesetzt, welches noch bis auf den heutigen Tag steht; auf der einen Seite ist ein Schweinespieß, auf der andern der lateinische Spruch ausgehauen: *Anno domini 1065 hic exspiravit palatinus Fridericus, hasta prostravit comes illum dum Ludovicus.* Ehe das Jahr um war, führte Graf Ludwig Frau Adelheid auf Schauenburg, sein Schloß, und nahm sie zu seinem ehelichen Weib.

### 553. Wie Ludwig Wartburg überkommen[86]

Als der Bischof von Mainz Ludwig, genannt den Springer, taufte, begabte er ihn mit allem Land, was dem Stift zuständig war, von der Hörsel bis an die Werra. Ludwig aber, nachdem er in seine Jahre kam, baute Wartburg bei Eisenach, und man sagt, es sei also gekommen: Auf eine Zeit ritt er in die Berge aus jagen und folgte einem Stück Wild nach bis an die Hörsel bei Niedereisenach, auf den Berg, wo jetzt die Wartburg liegt. Da wartete Ludwig auf sein Gesinde und Dienerschaft. Der Berg aber gefiel ihm wohl, denn er war stickel und fest; gleichwohl oben räumig und breit genug, darauf zu bauen. Tag und Nacht trachtete er dahin, wie er ihn an sich bringen möchte, weil er nicht sein war und zum Mittelstein[87] gehörte, den die Herren von Frankenstein innehatten. Er ersann eine List, nahm Volk zusammen und ließ in einer Nacht Erde von seinem Grund in Körben auf den Berg tragen und ihn ganz damit beschütten; zog darauf nach Schönburg, ließ einen Burgfrieden machen und fing an, mit Gewalt auf jenem Berg zu bauen. Die Herren von Frankenstein verklagten ihn vor dem Reich, daß er sich des Ihren freventlich und mit Gewalt unternähme. Ludwig antwortete, er baue auf das Seine und gehörte auch zu dem Seinen und wollte das erhalten mit Recht. Da ward zu Recht erkannt: Wo er das erweisen und erhalten könne mit zwölf ehrbaren Leuten, hätte er's zu genießen. Und er bekam zwölf Ritter und trat mit ihnen auf den Berg, und sie zogen ihre Schwerter aus und steckten sie in die Erde (die er darauf hatte tragen lassen), schwuren, daß der Graf auf das Seine baue, und der oberste Boden hätte von alters zum Land und Herrschaft gehört. Also verblieb ihm der Berg, und die neue Burg benannte er Wartburg, darum, weil er auf der Stätte seines Gesindes gewartet hatte.

---

86 Ähnliche Sage von Konstantin und Byzanz. Cod. pal. 361, fol. 63 b.
87 Weil er die Fünfscheide macht zwischen Hessen, Thüringen, Franken, Buchen und Eichsfeld.

## 554. Ludwig der Springer

Die Brüder und Freunde Markgraf Friedrichs klagten Landgraf Ludwig zu Thüringen und Hessen vor dem Kaiser an, wegen der frevelen Tat, die er um des schönen Weibes willen begangen hatte. Sie brachten auch so viel beim Kaiser aus, daß sie den Landgrafen, wo sie ihn bekommen könnten, fangen sollten. Also ward er im Stift Magdeburg getroffen und auf den Giebichenstein bei Halle an der Saal geführt, wo sie ihn über zwei Jahre gefangenhielten in einer Kemenate (Steinstube) ohne Fessel. Wie er nun vernahm, daß er mit dem Leben nicht davonkommen würde, rief er Gott an und verhieß und gelobte, eine Kirche zu bauen in St. Ulrichs Ehr in seiner neulich erkauften Stadt Sangerhausen, so ihm aus der Not geholfen würde. Weil er aber vor schwerem Kummer nicht aß und nicht trank, war er siech geworden; da bat er, man möge ihm sein Seelgeräte[88] setzen, eh dann der Kaiser zu Lande käme und ihn töten ließe. Und ließ beschreiben einen seiner heimlichen Diener, mit dem legte er an: Wenn er das Seelgeräte von dannen führte, daß er den anderen Tag um Mittag mit zwei Kleppern unter das Haus an die Saale käme und seiner wartete. Es saßen aber bei ihm auf der Kemenate sechs ehrbare Männer, die sein hüteten. Und als die angelegte Zeit herzukam, klagte er, daß ihn heftig fröre; zog deswegen viele Kleider an und ging sänftiglich im Gemach auf und nieder. Die Männer spielten vor Langerweile im Brett, hatten auf sein Herumgehen nicht sonderliche Achtung; unterdessen gewahrte er unten seinen Diener mit den zwei Pferden, da lief er zum Fenster und sprang durch den hohen Stein in die Saale hinab.

Der Wind führte ihn, daß er nicht hart ins Wasser fiel, da schwemmte der Diener mit dem ledigen Hengst zu ihm. Der Landgraf schwang sich zu Pferd, warf der nassen Kleider ein Teil von sich und rannte auf seinem weißen Hengst, den er den

---

[88] Letzter Willen, Testament.

Schwan hieß, bis gen Sangerhausen. Von diesem Sprung heißt er Ludwig der Springer; dankte Gott und baute eine schöne Kirche, wie er gelobt hatte. Gott gab ihm und seiner Gemahlin Gnade in ihr Herz, daß sie Reu und Leid ob ihrer Sünde hatten.

## 555. Reinhartsbrunn

Als Landgraf Ludwig nach Rom zog und vom Papst Buße empfangen hatte für seine und seines Weibes Sünde, war ihm auferlegt worden, sich der Welt zu begeben und eine Kirche zu bauen in Unser Lieb Frauen und St. Johannes Minne, der mit ihr unterm Kreuze stand am Stillen Freitag. Also fuhr er wiederum heim zu Lande, übergab das Reich seinem Sohn und suchte eine bequeme Baustätte aus. Und als er eine Zeit von Schönberg nach der Wartburg ritt, da saß ein Töpfer bei einem großen Brunnen. Von dem vernahm der Graf, und auch sonst von etlichen Bauern zu Fricherode, daß sie alle Nacht zwei schöne Lichter brennen sähen, das eine an der Stätte, wo das Münster liegt, das andere, wo St. Johannes' Kapelle liegt. Da gedachte der Graf an sein Gelübde, und daß Gott, durch Offenbarung der Lichter, dahin die Kirche haben wollte; ließ sobald die Stätte räumen und die Bäume abhauen und nahm des Bischofs von Halberstadt Rat zu dem Bau. Als das Gebäude fertig war, nannte er es von dem Töpfer und Brunnen *Reinhartsbrunn*; da liegen die alten Landgrafen zu Hessen und Thüringen mehrenteils bestattet.

## 556. Der hartgeschmiedete Landgraf

In Ruhla im Thüringer Wald liegt eine uralte Schmiede, und sprichwörtlich pflegte man von langen Zeiten her einen strengen, unbiegsamen Mann zu bezeichnen: Er ist in der Ruhla hartgeschmiedet worden.

Landgraf Ludwig zu Thüringen und Hessen war anfänglich ein gar milder und weicher Herr, demütig gegen jedermann; da huben seine Junker und Edelinge an stolz zu werden, verschmähten ihn und seine Gebote; aber die Untertanen drückten und schatzten sie aller Enden. Es trug sich nun einmal zu, daß der Landgraf jagen ritt auf dem Wald und traf ein Wild an; dem folgte er nach so lange, daß er sich verirrte, und ward benächtiget. Da gewahrte er ein Feuer durch die Bäume, richtete sich danach und kam in die Ruhla zu einem Hammer oder Waldschmiede. Der Fürst war mit schlechten Kleidern angetan, hatte sein Jagdhorn umhängen. Der Schmied frug, wer er wäre. »Des Landgrafs Jäger.« Da sprach der Schmied. »Pfui, des Landgrafen! Wer ihn nennt, sollte allemal das Maul wischen, des barmherzigen Herrn!« Ludwig schwieg, und der Schmied sagte zuletzt: »Herbergen will ich dich heute; in dem Schuppen, da findest du Heu, magst dich mit deinem Pferde behelfen; aber um deines Herrn willen will ich dich nicht beherbergen.« Der Landgraf ging beiseite, konnte nicht schlafen. Die ganze Nacht aber arbeitete der Schmied, und wenn er so mit dem großen Hammer das Eisen zusammenschlug, sprach er bei jedem Schlag: »Landgraf, werde hart, Landgraf, werde hart wie dies Eisen!« und schalt ihn und sprach weiter: »Du böser, unseliger Herr! Was taugst du den armen Leuten zu leben? Siehst du nicht, wie deine Räte das Volk plagen und mähren dir im Munde?« Und erzählte also die liebe lange Nacht, was die Beamten für Untugend mit den armen Untertanen übten. Klagten dann die Untertanen, so wäre niemand, der ihnen Hilfe täte; denn der Herr nähme es nicht an, die Ritterschaft spottete seiner hinterrücks, nennten ihn Landgraf Metz und hielten ihn gar unwert. »Unser Fürst und seine Jäger treiben die Wölfe ins Garn und die Amtleute die roten Füchse (die Goldmünzen) in ihre Beutel.« Mit solchen und andern Worten redete der Schmied die ganze lange Nacht zu dem Schmiedegesellen; und wenn die Hammerschläge kamen, schalt er den Herrn und hieß ihn hart werden wie Eisen. Das trieb er an bis zum Morgen; aber der Landgraf fasste alles zu Ohren und Herzen und ward seit der Zeit scharf und ernsthaftig in seinem Gemüt, begundte die Widerspenstigen zwingen und zum Gehorsam bringen. Das wollten etliche nicht leiden, sondern bunden sich zusammen und unterstunden sich gegen ihren Herrn zu wehren.

## 557. Ludwig ackert mit seinen Adligen

Als nun Ludwig der Eiserne seiner Ritter einen überzog, der sich wider ihn verbrochen hatte, sammelten sich die andern und wollten's nicht leiden. Da kam er zu streiten mit ihnen bei der Naumburg an der Saale, bezwang und fing sie und führte sie zu der Burg; redete seine Notdurft und strafte sie hart mit Worten: »Euren geleisteten Eid, so ihr mir geschworen und gelobt, habt ihr böslich gehalten. Nun wollte ich zwar euer Untreu wohl lohnen; wenn ich's aber täte, spräche man vielleicht, ich tötete meine eigenen Diener; sollte ich euch schätzen, spräche man mir's auch nicht wohl; und ließe ich euch aber los, so achtetet ihr meines Zorns weiter nicht.« Da nahm er sie und führte sie zu Felde und fand auf dem Acker einen Pflug, darein spannte er der ungehorsamen Edelleute je vier, ahr (riß, ackerte) mit ihnen eine Furche, und die Diener hielten den Pflug; er aber trieb mit der Geißel und hieb, daß sie sich beugten und oft auf die Erde fielen. Wenn dann eine Furche geahren war, sandte er vier andere ein und ahrete also einen ganzen Acker, gleich als mit Pferden; und ließ danach den Acker mit großen Steinen zeichnen zu einem ewigen Gedächtnis. Und den Acker machte er frei, dergestalt, daß ein jeder Übeltäter, wie groß er auch wäre, wenn er darauf käme, daselbst solle frei sein; und wer diese Freiheit brechen würde, sollte den Hals verloren haben; nannte den Acker den *Edelacker*, führte sie darauf wieder zur Naumburg, da mußten sie ihm auf ein neues schwören und hulden. Danach ward der Landgraf im ganzen Land gefürchtet; und wo die, so im Pfluge gezogen hatten, seinen Namen hörten nennen, erseufzten sie und schämten sich. Die Geschichte erscholl an allen Enden in deutschen Landen, und etliche schalten den Herrn darum und wurden ihm gram; etliche scholten die Beamten, daß sie so untreu waren; etliche meinten auch, sie wollten sich eher haben töten lassen denn in den Pflug spannen. Etliche auch demütigten sich gegen ihren Herrn, denen tat er gut und hatte sie lieb. Etliche aber wollten's ihm nicht vergessen, trachteten

ihm heimlich und öffentlich nach Leib und Leben. Und wenn er solche mit Wahrheit hinterkam, ließ er sie hängen, enthaupten und ertränken und in den Stöcken sterben. Darum gewann er viel heimliche Neider von ihren Kindern und Freunden, ging deshalb mit seinen Dienern stetig in einem eisernen Panzer, wo er hinging. Darum hieß man ihn den Eisernen Landgrafen.

### 558. Ludwig baut eine Mauer

Einmal führte der Eiserne Landgraf den Kaiser Friedrich Rotbart, seinen Schwager, nach Naumburg aufs Schloß; da ward der Kaiser von seiner Schwester freundlich empfangen und blieb eine Zeitlang da bei ihnen. Eines Morgens lustwandelte der Kaiser, besah die Gebäude und ihre Gelegenheit und kam hinaus auf den Berg, der sich vor dem Schloß ausbreitete. Und sprach: »Eure Burg behagt mir wohl, ohne daß sie nicht Mauern

hier vor der Kemenate hat, die sollte auch stark und fest sein.«
Der Landgraf erwiderte: »Um die Mauern sorg ich nicht, die
kann ich schnell erschaffen, sobald ich ihrer bedarf.« Da sprach
der Kaiser: »Wie bald kann eine gute Mauer hierum gemachet
werden?« – »Kürzer denn in drei Tagen«, antwortete Ludwig.
Der Kaiser lachte und sprach: »Das wäre ja Wunder; und wenn
alle Steinmetzen des deutschen Reiches hier beisammen wären,
so möchte das kaum geschehen.« – Es war aber an dem, daß
der Kaiser zu Tisch ging; da bestellte der Landgraf heimlich
mit seinen Schreibern und Dienern, daß man von Stunde an
Boten zu Roß aussandte zu allen Grafen und Herren in Thüringen und ihnen meldete, daß sie zur Nacht mit wenigen Leuten
in der besten Rüstung und Geschmuck auf die Burg kämen.
Das geschah. Frühmorgens, als der Tag anbrach, richtete Landgraf Ludwig das also an, daß ein jeder auf den Graben um die
Burg trat, gewappnet und geschmuckt in Gold, Samt, Seiden
und den Wappenröcken, als wenn man zu streiten auszieht; und
jeder Graf oder Edelmann hatte seinen Knecht vor ihm, der
das Wappen trug, und seinen Knecht hinter ihm, der den Helm
trug; so daß man deutlich jedes Wappen und Kleinod erkennen
konnte. So standen nun alle Dienstmannen rings um den Graben, hielten bloße Schwerter und Äxte in Händen, und wo ein
Mauerturm stehen sollte, da stand ein Freiherr oder Graf mit
dem Banner. Als Ludwig alles dies stillschweigend bestellt hatte,
ging er zu seinem Schwager und sagte, die Mauer, die er sich
gestern berühmt hätte zu machen, stehe bereit und fertig. Da
sprach Friedrich: »Ihr täuscht mich«, und segnete sich, wenn er
es etwa mit der schwarzen Kunst zuwege gebracht haben möchte. Und als er auswendig zu dem Graben trat und soviel Schmuck
und Pracht erblickte, sagte er: »Nun hab ich köstlichere, edlere,
teurere und bessere Mauern zeit meines Lebens noch nicht gesehen; das will ich Gott und Euch bekennen, lieber Schwager;
habt immer Dank, daß Ihr mir solche gezeigt habt.«

## 559. Ludwigs Leichnam wird getragen

Im Jahr 1173 befiel den Landgrafen schwere Krankheit, und er lag auf der Neuenburg, hieß vor sich seine Ritterschaft, die ihm widerspenstig gewesen war, und sprach: »Ich weiß, daß ich sterben muß, und mag dieser Krankheit nicht genesen. Darum gebiete ich euch, so lieb euch euer Leben ist, daß ihr mich, wenn ich gestorben bin, mit aller Ehrwürdigkeit begrabt und auf euern Hälsen von hinnen bis gen Reinhartsborn tragt.« Solches mußten sie ihm geloben bei Eiden und Treuen, denn sie fürchteten ihn mehr als den Teufel. Als er nun starb, leisteten sie die Gelübde und trugen ihn auf ihren Achseln weiter denn zehn Meilen Wegs.

## 560. Wie es um Ludwigs Seele geschaffen war

Als nun Ludwig der Eiserne gestorben war, da hätte sein Sohn, Ludwig der Milde, gern erfahren von seines Vaters Seele, wie es um die gelegen wäre, gut oder böse. Das vernahm ein Ritter an des Fürsten Hof, der war arm und hatte einen Bruder, der war ein Pfaffe und kundig der schwarzen Kunst. Der Ritter sprach zu seinem Bruder: »Lieber Bruder, ich bitte dich, daß du von dem Teufel erfahren wollest, wie es um des Eisernen Landgrafen Seele sei.« Da sprach der Pfaffe: »Ich will es gerne tun, auf daß Euch der neue Herr desto gütlicher behandle.« Der Pfaffe lud den bösen Geist und fragte ihn um die Seele. Da antwortete der Teufel: »Willst du mit mir darfahren, ich weise sie dir.« Der Pfaffe wollte das, so er's ohne Schaden tun möchte; der Teufel schwur, daß er ihn gesund wiederbringen würde. Nach diesem saß er auf des Teufels Hals, der führte ihn in kurzer Zeit an die Stätte der Pein. Da sah der Pfaffe gar mancherlei Pein, und in mancherlei Weise, davon erbebte er sehr. Da rief ein anderer Teufel und sprach: »Wer ist der, den du hast auf deinem Hals sitzen, bringe ihn auch her.« – »Es ist unser Freund«, antwortete jener, »dem hab ich geschworen, daß ich ihn nicht letze, sondern daß ich ihm des Landgrafen Seele weise.« Zuhand da wandte der Teufel einen eisernen glühenden Deckel ab von einer Grube, da er aufsaß; und hatte eine eherne Posaune, die steckte er in die Grube und blies darein so sehr, daß dem Pfaffen deuchte, die ganze Welt erschölle und erbebte. Und nach einer Weile, als viele Funken und Flammen mit Schwefelgestank ausgingen, kam der Landgraf auch darin gefahren, gab sich dem Pfaffen zu schauen und sprach: »Sieh, ich bin hier gegenwärtig, ich armer Landgraf, weiland dein Herr; und wollte Gott, daß ich's nie gewesen wäre, so stete Pein muß ich darum leiden.« Sprach der Pfaffe: »Herr, ich bin zu Euch gesandt von Eurem Sohne, daß ich ihm sagen sollte, wie's um Euch getan wäre, ob er Euch helfen möchte mit irgend etwas.« Da antwortete er: »Wie es mir geht, hast du wohl gesehen; jedoch sollst du wissen, wär's, daß meine Kinder den Gotteshäusern, Klöstern und andern Leuten ihr Gut wiedergäben, das ich ihnen wider Recht mit Gewalt abgenommen habe, das wäre meiner Seele eine große Hilfe.« Da sprach der Pfaffe: »Sie glauben mir diese Rede nicht.« Da sagte er ihm ein Wahrzeichen, das niemand wüßte als sie. Und da ward der Landgraf wieder zur Grube gesenkt, und der Teufel führte den Pfaffen wieder von dannen; der blieb gelb und bleich, daß man ihn kaum erkannte, wiewohl er sein Leben nicht verlor. Da offenbarte er die Worte und Wahrzeichen, die ihm ihr Vater gesagt hatte; aber es ward seiner Seele wenig Nutzen, denn sie wollten das Gut nicht wiederkehren. Danach übergab der Pfaffe alle seine Lehen und ward ein Mönch zu Volkeroda.

### 561. Der Wartburger Krieg

Auf der Wartburg bei Eisenach kamen im Jahr 1206 sechs tugendhafte und vernünftige Männer mit Gesang zusammen und dichteten die Lieder, welche man dann nannte: den *Krieg zu der Wartburg*. Die Namen der Meister waren: Heinrich Schreiber, Walther von der Vogelweide, Reimar Zweter, Wolfram von Eschenbach, Biterolf und Heinrich von Ofterdingen. Sie sangen aber und stritten von der Sonne und dem Tag, und die meisten verglichen Hermann, Landgraf von Thüringen und Hessen, mit dem Tag und setzten ihn über alle Fürsten. Nur der einzige Ofterdingen pries Leopold, Herzog von Österreich, noch höher und stellte ihn der Sonne gleich. Die Meister hatten aber untereinander bedungen, wer im Streit des Singens unterliege, der solle des Haupts verfallen, und Stempfel, der Henker, mußte mit dem Strick daneben stehen, daß er ihn alsbald aufhängte. Heinrich von Ofterdingen sang nun klug und geschickt; allein zuletzt wurden ihm die andern überlegen und fingen ihn mit listigen Worten, weil sie ihn aus Neid gern von dem Thüringer Hof weggebracht hätten. Da klagte er, daß man ihm falsche Würfel vorgelegt, womit er habe verspielen müssen. Die fünf andern riefen Stempfel, der sollte Heinrich an einen Baum hängen. Heinrich aber floh zur Landgräfin Sophia und barg sich unter ihrem Mantel; da mußten sie ihn in Ruhe lassen, und er dingte mit ihnen, daß sie ihm ein Jahr Frist gäben: so wolle er sich aufmachen nach Ungarn und Siebenbürgen und Meister Klingsor holen; was der urteile über ihren Streit, das solle gelten. Dieser Klingsor galt damals als der berühmteste deutsche Meistersänger; und weil die Landgräfin dem Heinrich ihren Schutz bewilligt hatte, so ließen sie sich alle die Sache gefallen.

Heinrich von Ofterdingen wanderte fort, kam erst zum Herzog nach Österreich und mit dessen Briefen nach Siebenbürgen zu dem Meister, dem er die Ursache seiner Fahrt erzählte und seine Lieder vorsang.

Klingsor lobte diese sehr und versprach ihm, mit nach Thüringen zu ziehen und den Streit der Sänger zu schlichten. Unterdessen verbrachten sie die Zeit mit mancherlei Kurzweil, und die Frist, die man Heinrich bewilligt hatte, nahte sich ihrem Ende. Weil aber Klingsor immer noch keine Anstalt zur Reise machte, wurde Heinrich bang und er sprach: »Meister, ich fürchte, Ihr lasset mich im Stich, und ich muß allein und traurig meine Straße ziehen; dann bin ich ehrlos und darf zeitlebens nimmermehr nach Thüringen.« Da antwortete Klingsor: »Sei unbesorgt! Wir haben starke Pferde und einen leichten Wagen, wollen den Weg kürzlich gefahren haben.«

Heinrich konnte vor Unruhe nicht schlafen; da gab ihm der Meister abends einen Trank ein, daß er in tiefen Schlummer sank. Darauf legte er ihn in eine lederne Decke und sich dazu und befahl seinen Geistern, daß sie ihn schnell nach Eisenach ins Thüringerland schaffen sollten, auch in das beste Wirtshaus niedersetzen. Das geschah, und sie brachten ihn in Helgrevenhof, ehe der Tag erschien. Im Morgenschlaf hörte Heinrich bekannte Glocken läuten, er sprach: »Mir ist, als ob ich das mehr gehört hätte, und deucht, daß ich zu Eisenach wäre.« – »Dir träumt wohl«, sprach der Meister. Heinrich aber stand auf und sah sich um, da merkte er schon, daß er wirklich in Thüringen war. »Gott sei Lob, daß wir hier sind, das ist Helgrevenhaus, und hier sehe ich St.-Georgen-Tor und die Leute, die davorstehen und über Feld gehen wollen.«

Bald wurde nun die Ankunft der beiden Gäste auf der Wartburg bekannt, der Landgraf befahl, den fremden Meister ehrlich zu empfangen und ihm Geschenke zu tragen. Als man den Ofterdingen fragte, wie es ihm ergangen und wo er gewesen, antwortete er: »Gestern ging ich zu Siebenbürgen schlafen, und zur Messe war ich heute hier; wie das zuging, hab ich nicht erfahren.« So vergingen einige Tage, ehe die Meister singen und Klingsor richten sollte; eines Abends saß er in seines Wirtes Garten und schaute unverwandt die Gestirne an. Die Herren fragten, was er am Himmel sähe. Klingsor sagte: »Wisset, daß in dieser Nacht dem König von Ungarn eine Tochter geboren werden soll; die wird schön, tugendreich und heilig und des Landgrafen Sohn zur Ehe vermählt werden.«

Als diese Botschaft Landgraf Hermann hinterbracht worden war, freute er sich und entbot Klingsor zu sich auf die Wartburg, erwies ihm große Ehre und zog ihn zum fürstlichen Tisch. Nach dem Essen ging er aufs Richterhaus (Ritterhaus), wo die Sänger saßen, und wollte Heinrich von Ofterdingen ledig machen. Da sangen Klingsor und Wolfram mit Liedern gegeneinander, aber Wolfram tat so viel Sinn und Behendigkeit kund, daß ihn der Meister nicht überwinden mochte. Klingsor rief einen seiner Geister, der kam in eines Jünglings Gestalt. »Ich bin müde geworden vom Reden«, sprach Klingsor, »da bringe ich dir meinen Knecht, der mag eine Weile mit dir streiten, Wolfram.« Da hub der Geist zu singen an von dem Anbeginn der Welt bis auf die Zeit der Gnaden, aber Wolfram wandte sich zu der göttlichen Geburt des Ewigen Wortes; und wie er kam, von der heiligen Wandlung des Brotes und Weines zu reden, mußte der Teufel schweigen und von dannen weichen. Klingsor hatte alles mit angehört, wie Wolfram mit gelehrten Worten das göttliche Geheimnis besungen hatte, und glaubte, daß Wolfram wohl auch ein Gelehrter sein möge. Hierauf gingen sie auseinander. Wolfram hatte seine Herberge in Titzel Gottschalks Haus, dem Brotmarkt gegenüber mitten in der Stadt. Nachts, wie er schlief, sandte ihm Klingsor von neuem seinen Teufel, daß er ihn prüfen sollte, ob er ein Gelehrter oder ein Laie wäre; Wolfram aber war bloß gelehrt in Gottes Wort, einfältig und andrer Künste unerfahren. Da sang ihm der Teufel von den Sternen des Himmels und legte ihm Fragen vor, die der Meister nicht aufzulösen vermochte; und als er nun schwieg, lachte der Teufel laut und schrieb mit seinem Finger auf die steinerne Wand, als ob sie ein weicher Teig gewesen wäre: »Wolfram, du bist ein Laie Schnipfenschnapf!« Darauf entwich der Teufel, die Schrift aber blieb in der Wand stehen. Weil jedoch viele Leute kamen, die das Wunder sehen wollten, verdroß es den Hauswirt, ließ den Stein aus der Mauer brechen und in die Horsel werfen. Klingsor aber, nachdem er dieses ausgerichtet hatte, beurlaubte sich von dem Landgrafen und fuhr mit Geschenken und Gaben belohnt samt seinen Knechten in der Decke wieder weg, wie und woher er gekommen war.

### 562. Doktor Luther zu Wartburg

Doktor Luther saß auf der Wartburg und übersetzte die Bibel. Dem Teufel war das unlieb und hätte gern das heilige Werk gestört; aber als er ihn versuchen wollte, griff Luther das Tintenfaß, aus dem er schrieb, und warf's dem Bösen an den Kopf. Noch zeigt man heute die Stube und den Stuhl, worauf Luther gesessen, auch den Fleck an der Wand, wohin die Tinte geflogen ist.

### 563. Die Vermählung der Kinder Ludwig und Elisabeth

Meister Klingsor hatte zu Wartburg in der Nacht, da Elisabeth zu Ungarn geboren wurde, aus den Sternen gelesen, daß sie dem jungen Ludwig von Thüringen vermählt werden sollte. Im Jahr 1211 sandte der weitberühmte Landgraf Hermann herrliche Boten von Mann und Weiben zu dem König in Ungarn um seine Tochter Elisabeth, daß er sie nach Thüringen sendete, seinem Sohne zum Ehegemahl. Fröhlich zogen die Boten zu Roß und Wagen und wurden unterwegs, durch welche Landschaft sie kamen, herrlich bewirtet und, als sie in Ungerland eintrafen, von dem König und der Königin lieblich empfangen. Andreas war ein guter, sittiger Mann, aber die Königin schmückte ihr Töchterlein mit Gold und Silber zu der Reise und entsandte sie nach Thüringen in silberner Wiege, mit silberner Badewanne und goldenen Ringen, auch köstlichen Decken aus Purpur und Seide, Bettgewand, Kleinoden und allem Hausrat. Dazu vielen tausend Mark Golds, bis daß sie groß würde, beschenkte auch die Boten gar reichlich und ließ dem Landgrafen sagen, daß er getrost und in Frieden lebe. Als nun Elisabeth mit ihrer Amme in Thüringen ankam, da war sie vier Jahre alt, und Ludwig, ihr Friedel, war elf Jahre alt. Da wurde sie höchlich empfangen und auf die Wartburg gebracht, auch mit allem Fleiß erzogen, bis daß die Kinder zu ihren Jahren kamen. Von dem heiligen Leben dieser Elisabeth und den Wundern, die sie im Land Hessen und Thüringen zu Wartburg und Marburg verrichtete, wäre viel zu schreiben.

### 564. Heinrich das Kind von Brabant

Als nach Landgraf und Königs Heinrichs[89] Tod der thüringisch-hessische Mannsstamm erloschen war, entspann sich langer Zwiespalt um die Erbschaft, wodurch zuletzt Thüringen und Hessen voneinander gerissen wurde. Alle Hessen und auch viele Thüringer erklärten sich für Sophie, Tochter der heiligen Elisabeth und vermählte Herzogin in Brabant, deren unmündigen Sohn, genannt Heinrich das Kind (geboren 1244), sie für ihren wahren Herrn erkannten. Der Markgraf von Meißen hingegen sprach das Land an, weil es aus König Heinrichs Mund, dessen Schwestersohn er war, erstorben wäre, und überfiel Thüringen mit Heereskraft. Damals war überall Krieg und Raub im Land,

---

89 Er war Bruder des Landgrafen Ludwig, hatte die heilige Elisabeth, dessen Witwe, hart behandelt und Hermann, ihren einzigen Sohn, der Sage nach, vergiften lassen.

und als der Markgraf Eisenach eroberte, soll er, der Volkssage zufolge, einen Mann, der es mit dem hessischen Teil gehalten, von dem Felsen der Wartburg herabschleudern lassen, dieser aber in der Luft noch laut ausgerufen haben. »Thüringen gehört doch dem Kind von Brabant!«

Sophia zog aus Hessen vor Eisenach; da man die Tore verschlossen und sie nicht einlassen wollte, nahm sie eine Axt und hieb in St. Jörgentor, daß man das Wahrzeichen zweihundert Jahre danach noch in dem Eichenholz sah.

Die Chroniken erzählen, jener Mann sei ein Bürger aus Eisenach, namens Welspeche, gewesen, und weil er den Meißnern nicht huldigen wollte, zweimal mit der Blide über die Burgmauer in die Stadt geworfen worden, aber unverletzt geblieben. Als er immer standhaft bei seiner Aussage verharrte, wurde er zum drittenmal hinabgeschleudert und verlor sein Leben.

### 565. Frau Sophiens Handschuh

Als Sophia mit ihrem dreijährigen Sohn aus Brabant nach Hessen kam, zog sie gen Eisenach und hielt eine Sprache mit Heinrich, Markgraf von Meißen, daß er ihr das Land Hessen wieder herausgäbe. Da antwortete der Fürst: »Gern, allerliebste Base, meine getreue Hand soll dir und deinem Sohn unbeschlossen sein.« Wie er so im Reden war, kam sein Marschall Helwig von Schlotheim und sein Bruder Hermann, sie zogen ihn zurück und sprachen: »Herr, was wollt Ihr tun? Und wäre es möglich, daß Ihr einen Fuß im Himmel hättet und den andern zu Wartburg: viel eher solltet Ihr den aus dem Himmel ziehen und zu dem auf Wartburg setzen!« Also kehrte sich der Fürst wieder zu Sophien und sprach: »Liebe Base, ich muß mich in diesen Dingen bedenken und Rat meiner Getreuen haben«, schied also von ihr, ohne ihrem Recht zu willfahren. Da ward die Landgräfin betrübt, weinte bitterlich und zog den Handschuh von ihrer Hand und rief: »O du Feind aller Gerechtigkeit, ich meine dich, Teufel! Nimm hin den Handschuh mit den falschen Ratgebern!«

warf ihn in die Luft. Da wurde der Handschuh weggeführt und nimmermehr gesehen. Auch sollen diese Räte später keines guten Todes gestorben sein.

### 566. Friedrich mit dem gebissenen Backen

Landgraf Albrecht in Thüringen, der Unartige, vergaß aller ehelichen Lieb und Treue an seiner Gemahlin und hing sich an ein anderes Weibsbild, Gunda von Eisenberg genannt. Der Landgräfin hätte er gerne mit Gift vergeben, konnte aber nicht dazu kommen; verhieß also einem Eseltreiber, der ihm auf der Wartburg täglich das Küchenholz zuführte, Geld, daß er ihr nachts den Hals brechen sollte, als ob es der Teufel getan hätte. Als nun die dazu bestimmte Zeit kam, ward dem Eseltreiber bange und er gedachte: »Ob ich wohl arm bin, hab ich doch fromme, ehrliche Eltern gehabt; soll ich nun ein Schalk werden und meine Fürstin töten?« Endlich mußte er daran, wurde heimlich in der Landgräfin Kammer geleitet, da fiel er vor dem Bett zu ihren Füßen und sagte: »Gnadet, liebe Frau!« Sie sprach: »Wer bist du?« Er nannte sich. »Was hast du getan, bist du betrunken oder wahnsinnig?« Der Eseltreiber antwortete: »Schweigt und ratet mir! Denn mein Herr hat mir Euch zu töten geheißen; was fangen wir jetzt an, daß wir beide das Leben behalten?« Da sprach sie: »Gehe und heiß meinen Hofmeister zu mir kommen.« Der Hofmeister gab ihr den Rat, sich zur Stunde aufzumachen und von ihren Kindern zu scheiden. Da setzte sich die Landgräfin an ihrer Söhnlein Bett und weinte; aber der Hofmeister und ihre Frauen drangen in sie zu eilen. Da es nun nicht anders sein konnte, segnete sie ihre Kinder, ergriff das älteste, namens Friedrich, und küßte es oftermal; und aus sehnlichem, mütterlichen Herzen biß sie ihm in eine Backe, daß er davon eine Narbe bekam, die er zeitlebens behalten. Daher ihm auch erwachsen, daß man ihn nannte Friedrich mit dem gebissenen Backen. Da wollte sie den andern Sohn auch beißen; das wehrte ihr der Hofmeister und sprach: »Wollt Ihr die Kinder umbringen?« Sie sprach: »Ich hab ihn gebissen, wenn er groß wird, daß er an meinen Jammer und dieses Scheiden denkt.«

Also nahm sie ihre Kleinode und ging aufs Ritterhaus, wo sie der Hofmeister mit einer Frau, einer Magd und dem Eseltreiber an Seilen das Fenster hinabließ. Noch dieselbe Nacht flüchtete sie auf den Kreinberg, der dazumal dem Hersfelder Abt gehörte; von da ließ sie der Amtmann geleiten bis nach Fulda. Der Abt empfing sie ehrbarlich und ließ sie sicher geleiten bis gen Frankfurt, wo sie in einem Jungfrauenkloster Herberge nahm, aber schon im folgenden Jahr vor Jammer starb. Sie liegt in Frankfurt begraben.

### 567. Markgraf Friedrich läßt seine Tochter säugen

Dieser Friedrich mit dem Biß führte später Krieg wider seinen Vater und den römischen König und war auf der Wartburg eingeschlossen, denn der Gegenteil hielt die Stadt Eisenach hart besetzt. In dieser Not gebar ihm seine Gemahlin eine junge Tochter. Als sie acht Tage alt war und er nicht länger auf der Burg aushalten konnte, setzte er sich mit Hofgesinde, der Amme und dem Töchterlein selbzwölfte aufs Pferd, sie ritten nachts von der Burg in den Wald, doch nicht so heimlich, daß es nicht die Eisenacher Wächter gewahrt hätten; sie jagten ihm schnell nach, in der Flucht begann das Kindlein heftig zu schreien und weinen. Da rief Friedrich der Amme zu, die er vor sich herreiten ließ, was dem Kind wäre. Sie sollte es schweigen. Die Amme sprach: »Herr, es schweigt nicht, es sauge denn.« Da ließ er den ganzen Zug halten und sagte: »Um dieser Jagd willen soll meine Tochter nichts entbehren, und kostete es ganz Thüringerland!« Da hielt er mit dem Kind und stellte sich mit den Seinen zur Wehr so lange, bis sich die Tochter satt getrunken hatte; und es glückte, daß er die Feinde abhielt und ihnen dann entrann.

## 568. Otto der Schütze

Landgraf Heinrich der Eiserne zu Hessen zeugte zwei Söhne und eine Tochter; Heinrich, dem ältesten Sohn, beschied er, sein Land nach ihm zu besitzen; Otto, den andern, sandte er auf die hohe Schule, zu studieren und danach geistlich zu werden. Otto hatte aber zur Geistlichkeit wenig Lust, kaufte sich zwei gute Ross, nahm einen guten Harnisch und eine starke Armbrust und ritt unbewußt seinem Vater aus. Als er an den Rhein zu des Herzogs von Kleve Hof gekommen war, gab er sich für einen Bogenschützen aus und begehrte Dienst. Dem Herzog behagte seine feine, starke Gestalt und er behielt ihn gern; auch zeigte sich Otto als ein künstlicher, geübter Schütze so wohl und redlich, daß ihn sein Herr bald hervorzog und ihm vor andern vertraute.

Unterdessen trug es sich zu, daß der junge Heinrich, sein Bruder, frühzeitig starb und der Braunschweiger Herzog, dem des Landgrafen Tochter vermählt worden war, begierig auf den Tod des alten Herrn wartete, weil Otto, der andere Erbe, in die Welt gezogen war, niemand von ihm wußte und allgemein für tot gehalten wurde. Darüber stand das Land Hessen in großer Traurigkeit, denn alle hatten an dem Braunschweiger ein Mißfallen, und zumeist der alte Landgraf, der lebte in großem Kummer. Mittlerweile war Otto der Schütze guter Dinge zu Kleve und hatte ein Liebesverständnis mit Elisabeth, des Herzogs Tochter, aber nichts von seiner hohen Abkunft lauten lassen.

Dies bestand etliche Jahre, bis daß ein hessischer Edelmann, Heinrich von Homburg genannt, weil er eine Wallfahrt nach Aachen gelobt hatte, unterwegs durch Kleve kam und den Herzog, den er von alten Zeiten her kannte, besuchte. Als er bei Hof einritt, sah er Otto, erkannte ihn augenblicklich und neigte sich, wie vor seinem Herrn gebührte. Der Herzog stand gerade vor seinem Fenster und verwunderte sich über die Ehrerbietung, die vom Ritter seinem Schützen bewiesen wurde, berief den Gast und erfuhr von ihm die ganze Wahrheit und wie jetzt alles Erbe auf Otto stünde. Da bewilligte ihm der Herzog mit Freuden seine Tochter, und bald zog Otto mit seiner Braut nach Marburg in Hessen ein. (Otto, geboren 1322, gestorben 1366.)

**569. Landgraf Philips und die Bauersfrau**

Landgraf Philips pflegte gern unbekannterweise in seinem Lande umherzuziehen und seiner Untertanen Zustand zu erforschen. Einmal ritt er auf die Jagd und begegnete einer Bäuerin, die trug ein Gebund Leinengarn auf dem Kopf. »Was tragt Ihr und wohin wollt Ihr?« frug der Landgraf, den sie nicht erkannte, weil er in schlechten Kleidern einherging. Die Frau antwortete: »Ein Gebund Garn, damit will ich zur Stadt, daß ich es verkaufe und die Schatzung und Steuer bezahlen kann, die der Landgraf hat lassen ausschreiben; des Garns muß ich selber wohl an zehn Enden entraten«, klagte erbärmlich über die böse Zeit. »Wieviel Steuer trägt es Euch?« sprach der Fürst. »Einen Ortsgulden«,

sagte sie; da nahm er sein Säckel, zog soviel heraus und gab ihr das Geld, damit sie ihr Garn behalten könnte. »Ach, nun lohn's Euch Gott, lieber Junker«, rief das Weib, »ich wollte, der Landgraf hätte das Geld glühend auf seinem Herzen!« Der leutselige Fürst ließ die Bäuerin ihres Weges ziehen, kehrte sich gegen sein Gesinde um und sprach mit lachendem Mund: »Schaut den wunderlichen Handel! Den bösen Wunsch hab ich mit meinem eigenen Geld gekauft.«

### 570. In Ketten aufhängen

Landgraf Philipp von Hessen mußte eine Zeitlang bei dem Kaiser gefangen sitzen; mittlerweile überschwemmte das Kriegsvolk seine Länder und eroberte ihm alle Festungen, ausgenommen Ziegenhain. Darin lag Heinz von Lüder, hielt seinem Herrn rechte Treue und wollte die Feste um keinen Preis übergeben, sondern lieber sich tapfer wehren. Als nun endlich der Landgraf ledig wurde, sollte er auf des Kaisers Geheiß, sobald er nach Hessen zurückkehren würde, diesen hartnäckigen Heinz von Lüder unter dem Ziegenhainer Tor in Ketten aufhängen lassen, und zu dem Ende wurde ein kaiserlicher Abgeordneter als Augenzeuge mitgegeben. Philipp, nachdem er zu Ziegenhain eingetroffen, versammelte den Hof, die Ritterschaft und des Kaisers Gesandten. Da nahm er eine goldene Kette, ließ seinen Obersten daran an einer Wand, ohne ihm weh zu tun, aufhängen, gleich wieder abnehmen und verehrte ihm die goldene Kette unter großen Lobsprüchen seiner Tapferkeit. Der kaiserliche Abgeordnete machte Einwendungen, aber der Landgraf erklärte standhaft, daß er sein Wort, ihn aufhängen zu lassen, streng gehalten und es nie anders gemeint habe. – Das kostbare Kleinod ist bei dem Lüderschen Geschlecht in Ehren aufbewahrt worden und jetzt, nach Erlöschung des Mannsstammes, an das adlige Haus Schenk zu Wilmerode gekommen.

## 571. Landgraf Moritz von Hessen

Es war ein gemeiner Soldat, der diente beim Landgrafen Moritz, ging gar wohl gekleidet und hatte immer Geld in der Tasche; und doch war seine Löhnung nicht so groß, daß er sich, seine Frau und Kinder so stolz hätte halten können. Nun wußten die andern Soldaten nicht, wo er den Reichtum herkriegte, und sagten es dem Landgrafen. Der Landgraf sprach: »Das will ich wohl erfahren.« Und als es Abend war, zog er einen alten Linnenkittel an, hing einen rauhen Ranzen über, als wenn er ein alter Bettelmann wäre, und ging zum Soldaten. Der Soldat fragte, was sein Begehren wäre. – Ob er ihn nicht über Nacht behalten wollte? – Ja, sagte der Soldat, wenn er rein wäre und kein Ungeziefer an sich trüge; dann gab er ihm zu essen und zu trinken, und als er fertig war, sprach er zu ihm: »Kannst du schweigen, so sollst du in der Nacht mit mir gehen, und da will ich dir etwas geben, daß du dein Lebtag nicht mehr zu betteln brauchst.« Der Landgraf sprach: »Ja, schweigen kann ich, und durch mich soll nichts verraten werden.« Darauf wollten sie schlafen gehen; aber der Soldat gab ihm erst ein rein Hemd, das sollte er anziehen und seines aus, damit kein Ungeziefer in das Bett käme. Nun legten sie sich nieder, bis Mitternacht kam; da weckte der Soldat den Armen und sprach: »Steh auf, zieh dich an und geh mit mir.« Das tat der Landgraf, und sie gingen zusammen in Kassel herum. Der Soldat aber hatte ein Stück Springwurzel, wenn er das vor die Schlösser der Kaufmannsläden hielt, sprangen sie auf. Nun gingen sie beide hinein; aber der Soldat nahm nur vom Überschuß etwas, was einer durch die Elle oder das Maß herausgemessen hatte, vom Kapital griff er nichts an. Davon nun gab er dem Bettelmann auch etwas in seinen Ranzen. Als sie nun in Kassel herum waren, sprach der Bettelmann: »Wenn wir doch dem Landgrafen könnten über seine Schatzkammer kommen!« Der Soldat antwortete: »Die will ich dir auch wohl weisen; da liegt ein bißchen mehr als bei den Kaufleuten.« Da gingen sie nach dem Schloß zu, und der Soldat hielt nur die Springwurzel gegen die vielen Eisentüren, so taten sie sich auf; und sie gingen hindurch, bis sie in die Schatzkammer gelangten, wo die Goldhaufen aufgeschüttet waren. Nun tat der Landgraf, als wollte er hineingreifen und eine Handvoll einstecken; der Soldat aber, als er das sah, gab ihm drei gewaltige Ohrfeigen und sprach: »Meinem gnädigen Fürsten darfst du nichts nehmen, dem muß man getreu sein!« – »Nun sei nur nicht böse«, sprach der Bettelmann, »ich habe ja noch nichts genommen.« Darauf gingen sie zusammen nach Hause und schliefen wieder, bis der Tag anbrach; da gab der Soldat dem Armen erst zu essen und zu trinken und noch etwas Geld dabei, sprach auch: »Wenn das alles ist und du brauchst wieder etwas, so komm nur getrost zu mir; betteln sollst du nicht.«

Der Landgraf aber ging in sein Schloß, zog den Linnenkittel aus und seine fürstlichen Kleider an. Darauf ließ er den wachthabenden Hauptmann rufen und befahl, er sollte den und den Soldaten – und nannte den, mit welchem er in der Nacht herumgegangen war – zur Wache an seiner Tür beordern. »Ei«, dachte der Soldat, »was wird da los sein, du hast noch niemals die Wache getan; doch wenn's dein gnädiger Fürst befiehlt, ist's gut.« Als er nun da stand, hieß der Landgraf ihn hereintreten und fragte ihn, warum er sich so schön trüge und wer ihm das Geld dazu gäbe. »Ich und meine Frau, wir müssen's verdienen mit arbeiten«, antwortete der Soldat und wollte weiter nichts gestehen. »Das bringt soviel nicht ein«, sprach der Landgraf, »du mußt sonst was haben.« Der Soldat gab aber nichts zu. Da sprach der Landgraf endlich: »Ich glaube gar, du gehst in meine Schatzkammer, und wenn ich dabei bin, gibst du mir eine Ohrfeige.« Wie das der Soldat hörte, erschrak er und fiel vor Schrecken zur Erde hin. Der Landgraf aber ließ ihn von seinen Bedienten aufheben, und als der Soldat wieder zu sich selber gekommen war und um eine gnädige Strafe bat, so sagte der Landgraf: »Weil du nichts angerührt hast, als es in deiner Gewalt stand, so will ich dir alles vergeben; und weil ich sehe, daß du treu gegen mich bist, so will ich für dich sorgen«, und gab ihm eine gute Stelle, die er versehen konnte.

## 572. Brot und Salz segnet Gott

Es ist ein gemeiner Brauch unter uns Deutschen, daß der, welcher eine Gasterei hält, nach der Mahlzeit sagt: »Es ist nicht viel zum besten gewesen, nehmt so vorlieb.« Nun trug es sich zu, daß ein Fürst auf der Jagd war, einem Wild nacheilte und von seinen Dienern abkam, so daß er einen Tag und eine Nacht im Wald herumirrte. Endlich gelangte er zu einer Köhlerhütte, und der Eigentümer stand in der Tür. Da sprach der Fürst, weil ihn hungerte: »Glück zu, Mann! Was hast du zum besten?« Der Köhler antwortete: »Ick hebbe Gott un allewege wol (genug).« – »So gib her, was du hast«, sprach der Fürst. Da ging der Köhler und brachte in der einen Hand ein Stück Brot, in der andern einen Teller mit Salz; das nahm der Fürst und aß, denn er war hungrig. Er wollte gern dankbar sein, aber er hatte kein Geld bei sich; darum löste er den einen Steigbügel ab, der von Silber war, und gab ihn dem Köhler; dann bat er ihn, er möchte ihn wieder auf den rechten Weg bringen, was auch geschah.

Als der Fürst heimgekommen war, sandte er Diener aus, die mußten diesen Köhler holen. Der Köhler kam und brachte den geschenkten Steigbügel mit; der Fürst hieß ihn willkommen und zu Tisch sitzen, auch getrost sein: es sollt ihm kein Leid widerfahren. Unter dem Essen fragte der Fürst: »Mann, es ist diese Tage ein Herr bei dir gewesen; sieh herum, ist derselbe hier mit über der Tafel?« Der Köhler antwortete: »Mi ducht, ji sünd et wol sülvest«, zog damit den Steigbügel hervor und sprach weiter: »Will ji düt Ding wedderhebben?« – »Nein«, antwortete der Fürst, »das soll dir geschenkt sein, laß dir's nur schmecken und sei lustig.« Wie die Mahlzeit geschehen und man aufgestanden war, ging der Fürst zu dem Köhler, schlug ihn auf die Schulter und sprach: »Nun, Mann, nimm so vorlieb, es ist nicht viel zum besten gewesen.« Da zitterte der Köhler; der Fürst fragte ihn, warum; er antwortete, er dürfte es nicht sagen. Als aber der Fürst darauf bestand, sprach er: »Och Herre! Ase ji säden, et wäre nig väle tom besten west, do stund de Düfel achte ju!

– »Ist das wahr«, sagte der Fürst, »so will ich dir auch sagen, was ich gesehen. Als ich vor deine Hütte kam und dich fragte, was du zum besten hättest, und du antwortetest: ›Gott und all genug!‹ da sah ich einen Engel Gottes hinter dir stehen. Darum aß ich von dem Brot und Salz und war zufrieden; will auch nun künftig hier nicht mehr sagen, daß nicht viel zum besten gewesen.«

### 573. Nidda

Eine Gräfin hatte das Gelübde getan, an der Stelle, wo ihr Esel zuerst mit ihr stehenbliebe, ein Schloß zu erbauen. Als nun der Esel in einer sumpfigen Stelle stehenblieb, soll sie gerufen haben: »Nit da, nit da!« Allein das fruchtete nichts, und das Tier war nicht von demselben Platz zu bringen. Also baute sie wirklich ihr Schloß dahin, welches gleich der später da herum entstandenen Stadt den Namen Nidda behielt, die nahe gelegene Wiese aber den der Eselswiese.

Noch mehreres davon wußten die Spielknaben vor einem halben Jahrhundert zu sagen, was damals unter dem Volk allgemein verbreitet war, jetzt vielleicht verschollen ist und vermutlich mit den abweichenden Umständen, die Winkelmann (Hessenlands Beschreib., Buch VI, S. 231; vgl. II, S. 193) wohl auch aus mündlicher Sage erzählt, näher eintrifft. Zu Zeiten Friedrich Rotbarts war Berthold, Graf zu Nidda, ein Raubritter, hatte seinen Pferden die Hufeisen umkehren lassen, um die Wandersleute sicher zu berücken, und durch sein Umschweifen in Land und Straßen großen Schaden getan. Da zog des Kaisers Heer vor Altenburg, seine Raubfeste, und drängte ihn hart; allein Berthold wollte sich nicht ergeben. In der Not unterhandelte die Gräfin auf freien Abzug aus der Burg und erlangte endlich vom Heerführer, daß sie mit ihrem beladenen Maulesel und dem, was sie auf ihren Schultern ertragen könnte, frei herausgelassen werden sollte; mit ausdrücklicher Bedingung, daß sie nur ihre besten Sachen trüge, auch der Graf selbst nicht auf dem Maulesel ritte. Hierauf nahm sie ihre drei Söhnlein, setzte sie zusammen auf das Tier, ihren Herrn aber hing sie über den Rücken und trug ihn den Berg hinab. So errettete sie ihn; allein bald ermatteten ihre Kräfte, daß sie nicht weiter konnte, und auch der müde Esel blieb im Sumpfe stecken. An der Stelle, wo sie nun diese Nacht zubrachten und ein Feuer angemacht, baute später die Gräfin drei Häuser ihren drei Söhnen auf, in der Gegend, wo jetzt Nieder-Nidda steht. Die Altenburg ist zertrümmert, hat aber noch starke Gewölbe und Keller. Es geht die gemeine Sage, daß da ein Schatz verborgen stecke; die Einwohner haben nachgegraben und Hufeisen gefunden, solche, die man den Pferden verkehrt aufnageln kann.

### 574. Ursprung der von Malsburg

Die von der Malsburg gehören zu dem ältesten Adel in Hessen und erzählen: Zur Zeit Karl der Große den Brunsberg in Westfalen erobert, habe er seine treuen und versuchten Diener belohnen wollen, einen Edelmann, namens Otto, im Feld vor sich gerufen und ihm erlaubt, daß er sich den Fels und Berg, worauf er in der Ferne hindeute, ausmalen (das heißt eingrenzen, bezeichnen) und für sich und seine Erben eine Festung dahin bauen dürfe. Der Edelmann bestieg den Felsen, um sich den Ort zu besehen, auszumalen und zu beziehen; da fand er auf der Höhe einen Dornstrauch mit drei weißen Blumen, die nahm er zum Mal-, Kenn- und Merkzeichen. Als ihn der König dann frug, wie ihm der Berg gefalle, erzählte er, daß er oben einen Dornbusch mit drei weißen Rosen gefunden. Der König aber sonderte ihm sein golden Schild in zwei gleiche Teile, obenhin einen Löwen und unten drei weiße Rosen. An dem ausgemalten Ort baute Otto dann seine Burg und nannte sie Malsburg, welcher Name dann bei dem Geschlecht geblieben ist, das auch den zugeteilten Schild bis auf heute fortführt.

### 575. Ursprung der Grafen von Mansfeld

Während einst Kaiser Heinrich sein Hoflager auf der Burg bei Wallhausen in der Goldenen Aue hatte, bat sich einer seiner Mannen von ihm ein Stück Feld zum Eigentum aus, das an die Goldene Aue grenzte und so groß wäre, daß er es mit einem Scheffel Gerste umsäen könnte. Der Kaiser, weil er den Ritter seiner Tapferkeit wegen liebte, bewilligte ihm die Bitte, ohne sich zu bedenken. Dieser nahm einen Scheffel Gerste und umsäte damit die Grenzen der nochmaligen Grafschaft Mansfeld.

Doch dies erregte den Neid der übrigen Mannen, und sie hinterbrachten dem Kaiser, daß seine Gnade durch eine falsche Deutung mißbraucht worden. Aber der Kaiser antwortete lachend: »Gesagt ist gesagt! Das ist des Mannes Feld!« Daher der Name Mansfeld und in dem gräflichen Wappen die Gerstenkörner, welche die Wappenkünstler *Wecken* nennen.

### 576. Henneberg

Ein Herr von edlem Geschlecht zog um in Deutschland, suchte Frieden und eine bequeme Stätte zu bauen; da kam er nach Franken an einen Ort und fand einen Berg im Land, der ihm gefiel. Als er nun hinritt, ihn zu beschauen, flog vor ihm auf eine Birkhenne, die hatte Junge; die nahm er sich zum Wappen und nannte den Berg *Hennenberg* und baute ein schönes Schloß darauf, wie das noch vor Augen ist; und an dem Berg war ein Köre (Kehre, wo man den Pflug wendet?), da baute er seinen Dienern gar eine lustige Wohnung und nannte sie *Von der Köre*.

### 577. Die acht Brunos

Zu alter Zeit herrschte Graf Gebhard mit seiner Gemahlin auf dem Haus Quernfurt in Sachsen. Diese gebar in Abwesenheit des Grafen neun Kinder auf einmal, worüber sie mit ihren Weibern heftig erschrak, und sie wußten nicht, wie sie den Sachen immer mehr tun sollten. Denn weil ihr Herr gar wunderlich war, besorgten sie, er würde schwerlich glauben, daß es mit rechten Dingen zugegangen sei, daß eine Frau auf einmal von einem Mann neun Kinder sollte haben können; sonderlich, weil er zum öfternmal beschwerliche Gedanken und Reden von den Weibern gehabt hatte, die zwei oder drei Kinder auf einmal zur Welt brachten, und niemand ihn überreden mochte, dieselben für ehrlich zu halten. In dieser Furcht wurde die Gräfin mit ihren Weibern eins, dieser jungen Kindlein achte heimlich beiseite zu schaffen und nur das neunte und stärkste zu behalten. (Dieses wurde Burkhart genannt und nachmals Großvater Kaiser Lothars.) Eines der Weiber empfing demnach Befehl, die acht Kinder in einem Kessel, darein man sie gelegt, fortzutragen, im Teich über der Mühle unter dem Schloss im Kessel mit Steinen zu beschweren, zu versenken und zu ertränken.

Das Weib nahm es auf sich und trug mit dem frühesten die Kinder aus der Burg. Nun war aber eben damals des Grafen Bruder, der heilige Bruno, mit dem Tag ins Feld gegangen, sein Gebet zu tun. Als er unterm Berg bei dem schönen Quellbrunnen (später *Brunsbrunnen* genannt) hin und her wandelte, stieß ihm das Weib auf und eilte stracks ihres Weges dahin, als fürchtete sie sich; im Vorübergehen hörte Bruno die Kindlein im Kessel unter ihrem Mantel winseln. Er wunderte sich und fragte, was sie da trüge. Ob nun gleich das Weib sagte: »Junge Wölferlin oder Hündlein«, so deuchte es Bruno doch nicht aller Dinge, als ob die Stimme wie junger Hündlein lautete; wollte deswegen sehen, was es doch Wunders wäre. Als er ihr nun den Mantel aufrückte, sah er, daß sie acht junge Kindlein trage. Über die Maßen erschrocken, drang er in die vor Furcht erstarrte Frau, ihm alsbald anzuzeigen, woher sie mit den Kindlein komme, wem sie zuständig und was sie damit tun wolle. Zitternd berichtete sie ihm die ganze Wahrheit. Darauf verbot ihr Herr Bruno ernstlich, von dieser Sache keinem Menschen, auch der Mutter selbst, nicht anders, als ob sie deren Befehl vollzogen, zu melden. Er aber nahm die Kinder, taufte sie bei dem Brunnen, nannte sie insgesamt mit Namen Bruno und schaffte, daß die armen Waisen untergebracht wurden, eins oder zwei in der Mühle unterm Schloß, die übrigen an andern Orten in der Nähe. Denen er die Kindlein aufzuziehen befahl, gab er Geld her und hieß es heimlich halten, vertraute auch keinem Menschen davon; bis auf die Zeit, da er zum letztenmal aus Quernfurt ins Land Preußen ziehen mußte und dachte, er möchte nimmer wiederkehren. Da offenbarte er vernünftiglichen seinem Bruder Gebhard, was sich zugetragen, wie die Kinder geboren und lebendig erhalten worden und wo sie anzutreffen wären. Gebhard mußte sich aber zuvor verpflichten, daß er es seiner Gemahlin nicht unfreundlich entgelten, sondern hierin Gottes Wunder und Gnadenwerk erkennen wolle. Darauf ging der heilige Bruno auch zu der Gemahlin hin, erzählte ihr alles und strafte sie wegen ihres sündlichen Argwohns. Da war groß Leid und Freud beieinander, die acht Kindlein wurden geholt und alle gleichgekleidet ihren Eltern vorgestellt. Diesen wallte das väterliche und mütterliche Herz, und spürte man auch an Gestalt und Gebärden der Kindlein, daß sie des neunten rechte Brüderlein waren. Den Kessel, darinnen das Weib diese acht Welfe soll von der Burg getragen haben, zeigt man noch heute zu Quernfurt, da er in der Schloßkirche oben vor dem Chor in dem steinernen Schwibbogen, mit einer eisernen Kette angeschmiedet, zum Gedächtnis dieser Geschichte hängt. Der Teich aber heißt noch heute der Wölferteich, gemeinlich Wellerteich.

### 578. Die Eselswiese

Osterdonnerstags, nach gesprochenem Segen, ritt der heilige Bruno von seinem Bruder Gebhard weg, willens, nach Preußen zur Bekehrung der Heiden zu ziehen. Als er nun auf den grünen Anger hart vor Quernfurt kam, wurde ihm das Maultier oder der Esel stätig, wollte weder vor noch hinter sich, alles Schlagens, Peitschens und Spornens ungeachtet. Daraus schlossen Gebhard und andere, die ihn geleitet hatten, es wäre nicht

Gottes Wille, daß er diesen Zug tue, und überredeten ihn so lange, bis er wieder mit aufs Schloß Quernfurt zog. Die Nacht aber überschlug der Heilige die Sache von neuem, geriet in große Traurigkeit, und sein Herz hatte nicht Ruhe, bis er endlich den Zug doch unternahm und in Preußen von den Heiden gefangen, gepeinigt und getötet wurde (im Jahr 1008 oder 1009). – Auf der Stelle, wo damals das Tier ständig wurde, baute man nach seinem Tode ein Heiligtum, genannt die *Kapelle zu Eselstett* auf den heutigen Tag; und man erteilte da jeden Gründonnerstag sonderlichen Ablaß aus. Darum geschahen große Wallfahrten des Volkes auf die Quernfurter Eselswiese, und in spätern Zeiten wurde ein Jahrmarkt daraus, dem von Sonnenauf- bis zum Sonnenniedergang eine lebendige Menge der umwohnenden Leute zuzuströmen pflegen.

### 579. Thalmann von Lunderstedt

Thalmann von Lunderstedt lebte in Feindschaft mit Erfurt, der Hauptstadt von Thüringen. Einmal wurde dieser Ritter von seinen Feinden zwischen Jena und Kahla an der Saale bei dem Rothenstein hart bedrängt, so daß es unmöglich schien zu entrinnen. In der Not sprengte aber Thalmann mit dem Gaul vom Felsen in die Saale und entkam glücklich. Dem Thalmann hatte es geglückt; Hunderttausenden sollte es wohl nicht glücken.

### 580. Hermann von Treffurt

In der ersten Hälfte des XIV. Jahrhunderts lebte zu Treffurt ein Ritter, Hermann von Treffen genannt, der gern auf die Buhlschaft gegangen und viele ehrbare Frauen und Jungfrauen um ihre Ehre gebracht, so daß kein Mann in seinem Gebiet seine Tochter über zwölf Jahre daheim behalten durfte. Daneben aber ist er andächtig gewesen, fleißig in die Messe gegangen, hat auch die Gezeiten St. Marien mit großer Andacht gesprochen. Dieser hat einmal zu seiner Buhlschaft reiten wollen und zuvor, seinem

Gebrauch nach, die Gezeiten St. Marien mit großer Andacht gesprochen; wie er nun in der Nacht im Finstern allein über den Hellerstein geritten, hat er des rechten Weges gefehlt und ist auf den hohen Felsen des Berges gekommen, wo das Pferd zwar stutzte, der Ritter aber meinte, es scheue vor irgendeinem Tier; gab ihm deswegen im Zorn den Sporn, so daß das Roß mit ihm den hohen Felsen hinabgesprungen und sich zu Tod gefallen; auch ist der Sattel mitsamt dem Schwert in der Scheide an vielen Stücken zerbrochen. Der Ritter aber hat in dem Fall noch die Muttergottes angerufen, und da hat ihn gedeucht, als werde er von einer Frau empfangen, die ihn sanft und unverletzt auf die Erde gesetzt.

Nach dieser wunderbaren Errettung ist er nach Eisenach in ein Kloster gegangen, hat sein Leben gebessert, all sein Gut um Gottes willen von sich gegeben und als ein Mönch barfuß und in Wolle sein Brot gebettelt. Auch als 1347 sein Tod herannahte, hat er nicht bei andern frommen Christen sein Ruhebettlein haben wollen, sondern an einem heimlichen, unsauberen Ort, zwischen der Liebfrauenkirche und der Stadtmauer, begraben sein wollen, seine unreinen Taten desto härter zu büßen, wie auch geschehen ist.

### 581. Der Graf von Gleichen

Graf Ludwig von Gleichen zog im Jahr 1227 mit gegen die Ungläubigen, wurde aber gefangen und in die Knechtschaft geführt. Da er seinen Stand verbarg, mußte er gleich den übrigen Sklaven die schwersten Arbeiten tun, bis er endlich der schönen Tochter des Sultans in die Augen fiel wegen seiner besondern Geschicklichkeit und Anmut zu allen Dingen, so daß ihr Herz von Liebe entzündet wurde. Durch seinen mitgefangenen Diener erfuhr sie seinen Stand, und nachdem sie mehrere Jahre vertraulich mit ihm gelebt, verhieß sie, ihn frei zu machen und mit großen Schätzen zu begaben, wenn er sie zur Ehe nehmen wolle. Graf Ludwig hatte eine Gemahlin mit zwei Kindern zu

Hause gelassen; doch siegte die Liebe zur Freiheit, und er sagte ihr alles zu, indem er des Papstes und seiner ersten Gemahlin Einwilligung zu erwirken hoffte. Glücklich entflohen sie darauf, langten in der Christenheit an, und der Papst, indem sich die schöne Heidin taufen ließ, willfahrte der gewünschten Vermählung. Beide reisten nach Thüringen, wo sie im Jahre 1249 ankamen. Der Ort bei Gleichen, wo die beiden Gemahle zuerst zusammentrafen, wurde das Freudental benannt, und noch steht dabei ein Haus dieses Namens. Man zeigt noch das dreischläfrige Bett mit rundgewölbtem Himmel, grün angestrichen; auch zu Tonna den türkischen Bund und das goldne Kreuz der Sarazenin. Der Weg, den sie zu der Burg pflastern ließ, heißt bis auf den heutigen Tag der Türkenweg. Die Burggrafen von Kirchberg besitzen auf Farrenrode, ihrer Burg bei Eisenach, alte Tapeten, worauf die Geschichte eingewirkt ist. Auf dem Petersberge zu Erfurt liegen die drei Gemahle begraben, und ihre Bilder sind auf dem Grabstein ausgehauen (gestochen in Frankensteins *Annal. nordgaviens.*).

## 582. Hungersnot im Grabfeld

Als im Grabfeld große Hungersnot herrschte, wanderte ein Mann mit seiner Frau und einem zarten Kind nach Thüringen, um dem Mangel auszuweichen. Unterwegs in einem Wald übernahm ihn das Elend, und er sprach zur Frau: »Tun wir nicht besser, daß wir unser Kind schlachten und sein Fleisch essen, als daß wir selbst durch die Nahrungslosigkeit verzehrt werden?« Die Frau widersetzte sich einem so großen Verbrechen; zuletzt aber drückte ihn der Hunger so, daß er das Kind gewaltsam aus den Mutterarmen riß und seinen Willen durch die Tat ausgeführt hätte, wenn nicht Gottes Erbarmen zuvorgekommen wäre. Denn indem er, wie er später in Thüringen oft erzählte, das Schwert zog, um das Söhnlein zu würgen, sah er in der Ferne zwei Wölfe über einer Hindin stehen und sie zerfleischen. Sogleich ließ er von seinem Kind ab, scheuchte die Wölfe vom

Aas weg, das sie kaum gekostet hatten, und kam mit dem lebendigen Sohn und der gefundenen Speise zu seiner Frau wieder.

### 583. Der Kroppenstedter Vorrat

Das Wahrzeichen des Städtchens Kroppenstedt, im alten niedersächsischen Hartingau gelegen, ist ein großer silberner Becher, der *Kroppenstedter Vorrat genannt*, und wird auf dem dortigen Rathaus aufbewahrt. Man sieht in erhabener Arbeit dreizehn Wiegen und eine Wanne, worin vierzehn Kinder liegen, sauber abgebildet. Eine lateinische Inschrift besagt in gedrängten Zeilen, was das Volk in der Gegend umständlicher zu erzählen weiß: Es lebte vorzeiten ein Kuhhirte an dem Ort, dem in einem Jahre von zwölf Frauen vierzehn Knaben geboren wurden. Die Mütter hatten sich aber nur auf dreizehn Wiegen geschickt, und das vierzehnte Kind mußte, weil sie nicht ausreichten, in eine Wanne oder Mulde gelegt werden.

### 584. So viel Kinder als Tag' im Jahr

Eine Meile vom Haag liegt Loosduynen (Leusden), ein kleines Dorf, in dessen Kirche man noch heute zwei Taufbecken zeigt mit der Inschrift: «*In deze twee beckens zyn alle deze kinderen ghedoopt.*» Und auf einer dabeihängenden Tafel steht in lateinischen und niederländischen Versen das Andenken einer Begebenheit erhalten, wovon die Volkssage wie folgt berichtet: Vor alten Zeiten lebte in dem Dorf eine Gräfin, Margaretha nach einigen, Mathilde nach anderen geheißen, Gemahlin Graf Hermanns von Henneberg. Auch wird sie bloß die Gräfin von Holland genannt. Zu der kam einst ein armes Weib, Zwillinge auf dem Arm tragend, und sprach um ein mildes Almosen an. Die Gräfin aber schalt sie aus und sprach: »Packt Euch, unverschämte Bettlerin! Es ist unmöglich, daß ein Weib zwei Kinder auf einmal von einem Vater habe!« Die arme Frau versetzte: »So bitte ich Gott, er lasse Euch so viele Kinder auf einmal bringen, als das Jahr Tage hat!« Später wurde die Gräfin schwanger und gebar auf einen Tag zur Welt dreihundertfünfundsechzig Kinder. Dies geschah im Jahr 1270 (1276), im dreiundvierzigsten Jahr der Gräfin. Diese Kinder wurden alle lebendig getauft von Guido, Bischof zu Utrecht, in zwei messingenen Becken, die Söhnlein Johannes, die Töchterlein Elisabeth sämtlich genannt. Sie starben aber alle auf einen Tag mit ihrer Mutter und liegen bei ihr in einem Grab in der Dorfkirche. Auch in der Delfter Kirche soll ein Denkmal dieses Ereignisses vorhanden sein.

### 585. Die Gräfin von Orlamünde

Otto, Graf zu Orlamünde, starb 1340 (nach andern 1275, 1280, 1298) mit Hinterlassung einer jungen Witwe, Agnes, einer geborenen Herzogin von Meran, mit welcher er zwei Kinder, ein Söhnlein von drei, und ein Töchterlein von zwei Jahren, erzeugt hatte. Die Witwe saß auf der Plassenburg und dachte daran, sich wieder zu vermählen. Einst wurde ihr die Rede Albrechts des Schönen, Burggrafen zu Nürnberg, hinterbracht, der gesagt hatte: »Gern wollt ich dem schönen Weib meinen Leib zuwenden, wenn nicht vier Augen wären!« Die Gräfin glaubte, er meinte damit ihre zwei Kinder, sie ständen der neuen Ehe im Weg; da trug sie, blind von ihrer Leidenschaft, einem Dienstmann, Hayder oder Hager genannt, auf und gewann ihn mit reichen Gaben, daß er die beiden Kindlein umbringen möchte. Der Volkssage nach sollen nun die Kinder diesem Meuchelmörder geschmeichelt und ihn ängstlich gebeten haben. »Lieber Hayder, laß mich leben! Ich will dir Orlamünden geben, auch Plassenburg des neuen, es soll dich nicht gereuen«, sprach das Knäblein; das Töchterlein aber: »Lieber Hayder, laß mich leben, ich will dir alle meine Docken geben.« Der Mörder wurde hierdurch nicht gerührt und vollbrachte die Untat; als er später noch andre Bubenstücke ausgerichtet hatte und gefangen auf der Folter lag, bekannte er, sosehr ihn der Mord des jungen Herrn reue, der in seinem Anbieten doch schon gewußt habe, daß er Herrschaften auszuteilen gehabt, so gereue ihn noch hundertmal mehr, wenn er der unschuldigen Kinderworte des Mägdleins gedenke. Die Leichname der beiden Kinder wurden im Kloster Himmelskron beigesetzt und werden zum ewigen Andenken der Begebenheit als ein Heiligtum den Pilgrimen gewiesen.

Nach einer andern Sage soll die Gräfin die Kinder selbst getötet, und zwar Nadeln in ihre zarten Hirnschalen gesteckt haben. Der Burggraf aber hatte unter den vier Augen die seiner beiden Eltern gemeint und heiratete dann die Gräfin dennoch nicht. Einigen zufolge ging sie, von ihrem Gewissen gepeinigt, barfuß nach Rom und starb auf der Stelle, sobald sie heimkehrte, vor der Himmelskroner Kirchtür. Noch gewöhnlicher aber wird erzählt, daß sie in Schuhen, inwendig mit Nadeln und Nägeln besetzt, anderthalb Meilen von Plassenburg nach Himmelskron ging und gleich beim Eintritt in die Kirche tot niederfiel. Ihr Geist soll in dem Schloß umgehen.

# Inhalt

1. Die drei Bergleute im Kuttenberg .................... 32
2. Der Berggeist ........................ 34
3. Der Bergmönch im Harz ........................ 34
4. Frau Hollen Teich ........................ 36
5. Frau Holla zieht umher ........................ 37
6. Frau Hollen Bad ........................ 37
7. Frau Holla und der treue Eckart ........................ 38
8. Frau Holla und der Bauer ........................ 38
9. Die Springwurzel ........................ 40
10. Fräulein von Boyneburg ........................ 41
11. Der Pielberg ........................ 43
12. Die Schloßjungfrau ........................ 43
13. Die Schlangenjungfrau ........................ 43
14. Das schwere Kind ........................ 45
15. Der alte Weinkeller bei Salurn ........................ 45
16. Hünenspiel ........................ 48
17. Das Riesenspielzeug ........................ 49
18. Riese Einheer ........................ 51
19. Riesensäulen ........................ 51
20. Der Köterberg ........................ 51
21. Geroldseck ........................ 52
22. Kaiser Karl zu Nürnberg ........................ 52
23. Friedrich Rotbart auf dem Kyffhäuser ........................ 52
24. Der Birnbaum auf dem Walserfeld ........................ 53
25. Der verzauberte König zu Schildheiß ........................ 54
26. Kaiser Karl des Großen Auszug ........................ 54
27. Der Untersberg ........................ 55
28. Kaiser Karl im Untersberg ........................ 55
29. Der Scherfenberger und der Zwerg ........................ 56

30. Das stille Volk zu Plesse .................................................. 59
31. Des kleinen Volks Hochzeitfest ........................................ 60
32. Steinverwandelte Zwerge ................................................. 61
33. Zwergberge ..................................................................... 61
34. Zwerge leihen Brot ......................................................... 62
35. Der Graf von Hoia .......................................................... 63
36. Zwerge ausgetrieben ....................................................... 64
37. Die Wichtlein .................................................................. 64
38. Beschwörung der Bergmännlein ..................................... 65
39. Das Bergmännlein beim Tanz ......................................... 66
40. Das Kellermännlein ........................................................ 68
41. Die Ahnfrau von Rantzau ............................................... 68
42. Herrmann von Rosenberg ............................................... 71
43. Die Osenberger Zwerge .................................................. 71
44. Das Erdmännlein und der Schäferjung ........................... 72
45. Der einkehrende Zwerg .................................................. 72
46. Zeitelmoos ...................................................................... 74
47. Das Moosweibchen ........................................................ 75
48. Der wilde Jäger jagt die Moosleute ................................ 75
49. Der Wassermann ............................................................ 76
50. Die wilden Frauen im Untersberge ................................. 77
51. Tanz mit dem Wassermann ............................................ 79
52. Der Wassermann und der Bauer .................................... 80
53. Der Wassermann an der Fleischerbank .......................... 81
54. Der Schwimmer .............................................................. 81
55. Bruder Nickel ................................................................. 82
56. Nixenbrunnen ................................................................. 82
57. Magdeburger Nixen ........................................................ 83
58. Der Döngessee ................................................................ 83
59. Mummelsee .................................................................... 84
60. Die Elbjungfer und das Saalweiblein ............................. 86
61. Wasserrecht .................................................................... 88
62. Das ertrunkene Kind ...................................................... 88
63. Schlitzöhrchen ................................................................ 89
64. Die Wassernixe und der Mühlknappe ............................ 89

65. Vor den Nixen hilft Dosten und Dorant ........................ 89
66. Des Nixes Beine.................................................................. 92
67. Die Magd bei dem Nix ...................................................... 92
68. Die Frau von Alvensleben................................................ 92
69. Die Frau von Hahn und der Nix...................................... 94
70. Frau von Bonikau ............................................................. 95
71. Das Streichmaß, der Ring und der Becher .................... 95
72. Der Kobold ....................................................................... 97
73. Der Bauer mit seinem Kobold ......................................... 98
74. Der Kobold in der Mühle................................................. 98
75. Hütchen............................................................................. 101
76. Hinzelmann ...................................................................... 105
77. Klopfer .............................................................................. 122
78. Stiefel ................................................................................. 123
79. Ekerken ............................................................................. 123
80. Nachtgeist zu Kendenich ................................................. 123
81. Der Alp.............................................................................. 123
82. Der Wechselbalg ............................................................... 125
83. Die Wechselbälger im Wasser ......................................... 126
84. Der Alraun........................................................................ 127
85. Spiritus familiaris ............................................................. 128
86. Das Vogelnest................................................................... 130
87. Der Brutpfennig ............................................................... 132
88. Wechselkind mit Ruten gestrichen................................. 133
89. Das Schauen auf die Kinder ............................................ 134
90. Die Roggenmuhme .......................................................... 134
91. Die zwei unterirdischen Weiber...................................... 135
92. König Grünewald ............................................................. 136
93. Blümelisalp........................................................................ 137
94. Die Lilie............................................................................. 138
95. Johann von Passau............................................................ 139
96. Das Hündlein von Bretta ................................................. 140
97. Das Dorf am Meer........................................................... 141
98. Die verschütteten Silbergruben....................................... 141
99. Die Fundgrübner............................................................... 142

100. Ein gespenstiger Reiter .................................................. 143
101. Der falsche Eid ............................................................ 144
102. Zwölf ungerechte Richter ............................................. 144
103. Die heiligen Quellen ..................................................... 145
104. Der quillende Brunnen ................................................. 145
105. Hungerquelle ................................................................ 146
106. Der Liebenbach ............................................................ 146
107. Der Helfenstein ............................................................ 146
108. Die Wiege aus dem Bäumchen ..................................... 149
109. Hessental ....................................................................... 149
110. Reinstein ....................................................................... 149
111. Der stillstehende Fluß .................................................. 150
112. Arendsee ....................................................................... 150
113. Der Ochsenberg ............................................................ 151
114. Die Moorjungfern ......................................................... 151
115. Andreasnacht ................................................................ 151
116. Der Liebhaber zum Essen eingeladen ......................... 153
117. Die Christnacht ............................................................. 154
118. Das Hemdabwerfen ...................................................... 155
119. Kristallschauen ............................................................. 156
120. Zauberkräuter kochen .................................................. 159
121. Der Salzknecht in Pommern ......................................... 160
122. Jungfer Eli ..................................................................... 161
123. Die weiße Frau .............................................................. 162
124. Taube zeigt einen Schatz .............................................. 162
125. Taube hält den Feind ab ............................................... 163
126. Der Glockenguß zu Breslau .......................................... 163
127. Der Glockenguß zu Attendorn ..................................... 164
128. Die Müllerin .................................................................. 167
129. Johann Hübner .............................................................. 168
130. Eppela Gaila .................................................................. 171
131. Der Blumenstein ........................................................... 172
132. Seeburger See ................................................................ 173
133. Der Burgsee und Burgwall ........................................... 175
134. Der heilige Niklas und der Dieb .................................. 176

135. Riesensteine .................................................................. 177
136. Spuren im Stein............................................................ 177
137. Der Riesenfinger.......................................................... 178
138. Riesen aus dem Untersberge........................................ 178
139. Der Jettenbühel zu Heidelberg..................................... 179
140. Riese Haym .................................................................. 180
141. Die tropfende Rippe .................................................... 180
142. Jungfrausprung............................................................ 181
143. Der Stierenbach .......................................................... 181
144. Die Männer im Zottenberg.......................................... 182
145. Verkündigung des Verderbens...................................... 183
146. Das Männlein auf dem Rücken.................................... 184
147. Gottschee .................................................................... 185
148. Die Zwerge auf dem Baum .......................................... 187
149. Die Zwerge auf dem Felsstein ...................................... 187
150. Die Füße der Zwerge .................................................... 188
151. Die wilden Geister ...................................................... 189
152. Die Heilingszwerge ...................................................... 189
153. Der Abzug des Zwergvolks über die Brücke ................ 191
154. Der Zug der Zwerge über den Berg.............................. 192
155. Die Zwerge bei Dardesheim ........................................ 193
156. Schmied Riechert ........................................................ 194
157. Grinkenschmidt .......................................................... 194
158. Die Hirtenjungen ........................................................ 195
159. Die Nußkerne .............................................................. 195
160. Der Soester Schatz ...................................................... 196
161. Das quellende Silber.................................................... 197
162. Goldsand auf dem Untersberg .................................... 198
163. Goldkohlen.................................................................. 199
164. Der Brunnen zu Steinau .............................................. 199
165. Die fünf Kreuze .......................................................... 200
166. Der Schwerttanz zu Weißenstein ................................ 200
167. Der Steintisch zu Bingenheim .................................... 201
168. Der lange Mann in der Mordgasse zu Hof .................. 202
169. Krieg und Frieden ...................................................... 202

170. Rodensteins Auszug .................................................... 203
171. Der Tannhäuser ......................................................... 204
172. Der wilde Jäger Hackelberg ...................................... 205
173. Der wilde Jäger und der Schneider .......................... 206
174. Der Höselberg ........................................................... 207
175. Des Rechenbergers Knecht ...................................... 207
176. Geisterkirche ............................................................. 209
177. Geistermahl ............................................................... 211
178. Der Dachdecker ........................................................ 213
179. Die Spinnerin am Kreuz ........................................... 213
180. Buttermilchturm ....................................................... 214
181. Der heilige Winfried ................................................. 214
182. Der Hülfenberg ......................................................... 215
183. Das Teufelsloch zu Goslar ....................................... 216
184. Die Teufelsmühle ...................................................... 217
185. Der Herrgottstritt ...................................................... 218
186. Die Sachsenhäuser Brücke zu Frankfurt ................. 219
187. Der Wolf und der Tannenzapf ................................. 220
188. Der Teufel von Ach .................................................. 221
189. Die Teufelsmauer ...................................................... 221
190. Des Teufels Tanzplatz ............................................... 221
191. Die Teufelskanzel ...................................................... 222
192. Das Teufelsohrkissen ................................................ 222
193. Der Teufelsfelsen ....................................................... 222
194. Teufelsmauer ............................................................. 222
195. Teufelsgitter ............................................................... 223
196. Teufelsmühle ............................................................. 223
197. Teufelskirche ............................................................. 223
198. Teufelsstein bei Reichenbach ................................... 223
199. Teufelsstein zu Köln ................................................. 224
200. Süntelstein zu Osnabrück ......................................... 224
201. Der Lügenstein .......................................................... 224
202. Die Felsenbrücke ...................................................... 225
203. Das Teufelsbad zu Dassel ......................................... 225
204. Der Turm zu Schartfeld ............................................ 226

205. Der Dom zu Köln ... 227
206. Des Teufels Hut ... 228
207. Des Teufels Brand ... 229
208. Die Teufelshufeisen ... 230
209. Der Teufel führt die Braut fort ... 230
210. Das Glücksrad ... 231
211. Der Teufel als Fürsprecher ... 233
212. Traum vom Schatz auf der Brücke ... 233
213. Der Kessel mit dem Schatz ... 234
214. Der Werwolf ... 235
215. Der Werwolfstein ... 237
216. Die Werwölfe ziehen aus ... 238
217. Der Drache fährt aus ... 238
218. Winkelried und der Lindwurm ... 239
219. Der Lindwurm am Brunnen ... 240
220. Das Drachenloch ... 241
221. Die Schlangenkönigin ... 241
222. Die Jungfrau im Oselberg ... 242
223. Der Krötenstuhl ... 243
224. Die Wiesenjungfrau ... 244
225. Das Niesen im Wasser ... 245
226. Die arme Seele ... 245
227. Die verfluchte Jungfer ... 245
228. Das Fräulein von Staufenberg ... 245
229. Der Jungfernstein ... 246
230. Das steinerne Brautbett ... 246
231. Zum Stehen verwünscht ... 247
232. Die Bauern zu Kolbeck ... 248
233. Der heilige Sonntag ... 249
234. Frau Hütt ... 249
235. Der Kindelsberg ... 251
236. Die Semmelschuhe ... 252
237. Der Erdfall bei Hochstädt ... 252
238. Die Brotschuhe ... 253
239. Das taube Korn ... 253

| | |
|---|---|
| 240. Der Frauensand | 254 |
| 241. Brot zu Stein geworden | 258 |
| 242. Der Binger Mäuseturm | 259 |
| 243. Das Bubenried | 260 |
| 244. Kindelbrück | 260 |
| 245. Die Kinder zu Hameln | 261 |
| 246. Der Rattenfänger | 264 |
| 247. Der Schlangenfänger | 265 |
| 248. Das Mäuselein | 265 |
| 249. Der ausgehende Rauch | 266 |
| 250. Die Katze aus dem Weidenbaum | 266 |
| 251. Wetter und Hagel machen | 267 |
| 252. Der Hexentanz | 268 |
| 253. Die Weinreben und Nasen | 268 |
| 254. Festhängen | 269 |
| 255. Das Nothemd | 269 |
| 256. Fest gemacht | 270 |
| 257. Der sichere Schuß | 271 |
| 258. Der herumziehende Jäger | 271 |
| 259. Doppelte Gestalt | 273 |
| 260. Gespenst als Eheweib | 274 |
| 261. Tod des Erstgeborenen | 275 |
| 262. Der Knabe zu Kolmar | 275 |
| 263. Tod des Domherrn zu Merseburg | 276 |
| 264. Die Lilie im Kloster zu Korvei | 276 |
| 265. Rebundus im Dom zu Lübeck | 277 |
| 266. Glocke läutet von selbst | 279 |
| 267. Todesgespenst | 280 |
| 268. Frau Berta oder die weiße Frau | 280 |
| 269. Die wilde Berta kommt | 281 |
| 270. Der Türst, das Posterli und die Sträggele | 281 |
| 271. Der Nachtjäger und die Rüttelweiber | 282 |
| 272. Der Mann mit dem Schlackhut | 282 |
| 273. Der graue Hockelmann | 283 |
| 274. Chimmeke in Pommern | 283 |

275. Der Krischer .................................................. 283
276. Die überschiffenden Mönche ........................ 284
277. Der Irrwisch ................................................. 285
278. Die feurigen Wagen ..................................... 286
279. Räderberg .................................................... 286
280. Die Lichter auf Hellebarden ........................ 287
281. Das Wafeln .................................................. 288
282. Weberndes Flammenschloß ........................ 288
283. Der Feuerberg ............................................. 290
284. Der feurige Mann ....................................... 291
285. Die verwünschten Landmesser ................... 291
286. Der verrückte Grenzstein ............................ 291
287. Der Grenzstreit ........................................... 292
288. Der Grenzlauf ............................................. 292
289. Die Alpschlacht ........................................... 294
290. Der Stein bei Wenthusen ............................ 295
291. Die Altenberger Kirche ............................... 295
292. Der König im Lauenburger Berg ................ 296
293. Der Schwanberg .......................................... 296
294. Der Robbedisser Brunn .............................. 296
295. Bamberger Waage ....................................... 297
296. Kaiser Friedrich zu Kaiserslautern .............. 297
297. Der Hirt auf dem Kyffhäuser ...................... 298
298. Die drei Telle .............................................. 299
299. Das Bergmännchen ..................................... 300
300. Die Zirbelnüsse ........................................... 300
301. Das Paradies der Tiere ................................ 301
302. Der Gemsjäger ............................................ 301
303. Die Zwerglöcher ......................................... 303
304. Der Zwerg und die Wunderblume ............. 304
305. Der Nix an der Kelle ................................... 304
306. Schwarzach ................................................. 305
307. Die drei Jungfern aus dem See ................... 306
308. Der tote Bräutigam ..................................... 306
309. Der ewige Jäger ........................................... 307

310. Hans Jagenteufel ... 308
311. Des Hackelnberg Traum ... 309
312. Die Tut-Osel ... 309
313. Die schwarzen Reiter und das Handpferd ... 310
314. Der getreue Eckhart ... 311
315. Das Fräulein vom Willberg ... 311
316. Der Schäfer und der Alte aus dem Berg ... 312
317. Jungfrau Ilse ... 314
318. Die Heidenjungfrau zu Glatz ... 315
319. Der Roßtrapp und der Kreetpfuhl ... 317
320. Der Mägdesprung ... 321
321. Der Jungfernsprung ... 322
322. Der Harrassprung ... 323
323. Der Riese Hidde ... 323
324. Das Ilefelder Nadelöhr ... 323
325. Die Riesen zu Lichtenberg ... 324
326. Das Hünenblut ... 325
327. Es rauscht im Hünengrab ... 325
328. Tote aus den Gräbern wehren dem Feind ... 326
329. Hans Heilings Felsen ... 326
330. Die Jungfrau mit dem Bart ... 327
331. Die weiße Jungfrau zu Schwanau ... 328
332. Schwarzkopf und Seeburg am Mummelsee ... 328
333. Der Krämer und die Maus ... 330
334. Die drei Schatzgräber ... 332
335. Einladung vor Gottes Gericht ... 332
336. Gäste vom Galgen ... 334
337. Teufelsbrücke ... 335
338. Die zwölf Johannesse ... 336
339. Teufelsgraben ... 336
340. Der Kreuzliberg ... 337
341. Die Pferde aus dem Bodenloch ... 337
342. Zusammenkunft der Toten ... 338
343. Das weissagende Vöglein ... 339
344. Der Ewige Jud auf dem Matterhorn ... 340

| | |
|---|---|
| 345. Der Kessel mit Butter | 340 |
| 346. Trauerweide | 341 |
| 347. Das Christusbild zu Wittenberg | 341 |
| 348. Das Muttergottesbild am Felsen | 341 |
| 349. Das Gnadenbild aus dem Lärchenstock zu Waldrast | 342 |
| 350. Ochsen zeigen die heilige Stätte | 343 |
| 351. Notburga | 344 |
| 352. Mauerkalk mit Wein gelöscht | 347 |
| 353. Der Judenstein | 348 |
| 354. Das von den Juden getötete Mägdlein | 348 |
| 355. Die vier Hufeisen | 349 |
| 336. Der Altar zu Seefeld | 350 |
| 357. Der Sterbensstein | 350 |
| 358. Sündliche Liebe | 351 |
| 359. Der Schweidnitzer Ratsmann | 351 |
| 360. Regenbogen über Verurteilten | 353 |
| 361. Gott weint mit dem Unschuldigen | 354 |
| 362. Gottes Speise | 354 |
| 363. Die drei Alten | 355 |
| 364. Der heilige Salzfluß | 358 |
| 365. Der heilige See der Hertha | 358 |
| 366. Der heilige Wald der Semnonen | 359 |
| 367. Die Wanderung der Ansivaren | 359 |
| 368. Die Seefahrt der Usipier | 361 |
| 369. Wanderung der Goten | 361 |
| 370. Die eingefallene Brücke | 362 |
| 371. Warum die Goten in Griechenland eingebrochen | 363 |
| 372. Fridigern | 363 |
| 373. Des Königs Grab | 364 |
| 374. Athaulfs Tod | 365 |
| 375. Die Trullen | 365 |
| 376. Sage von Gelimer | 365 |
| 377. Gelimer in silberner Kette | 366 |
| 378. Ursprung der Hunnen | 367 |
| 379. Die Einwanderung der Hunnen | 367 |

| | |
|---|---:|
| 380. Sage von den Hunnen | 367 |
| 381. Das Kriegsschwert | 368 |
| 382. Die Störche | 368 |
| 383. Der Fisch auf der Tafel | 369 |
| 384. Theoderichs Seele | 369 |
| 385. Urajas und Ildebad | 370 |
| 386. Totila versucht den Heiligen | 371 |
| 387. Der blinde Sabinus | 372 |
| 388. Der Ausgang der Langobarden | 373 |
| 389. Der Langobarden Ausgang | 373 |
| 390. Sage von Gambara und den Langbärten | 374 |
| 391. Die Langobarden und Aßipiter | 375 |
| 392. Die sieben schlafenden Männer in der Höhle | 376 |
| 393. Der Knabe im Fischteich | 376 |
| 394. Lamissio und die Amazonen | 377 |
| 395. Sage von Rodulf und Rumetrud | 377 |
| 396. Alboin wird dem Audoin tischfähig | 379 |
| 397. Ankunft der Langobarden in Italien | 380 |
| 398. Alboin gewinnt Ticinum | 380 |
| 399. Alboin betrachtet sich Italien | 381 |
| 400. Alboin und Rosimund | 381 |
| 401. Rosimund, Helmichis und Peredeo | 383 |
| 402. Sage vom König Authari | 384 |
| 403. Autharis Säule | 385 |
| 404. Agilulf und Theudelind | 386 |
| 405. Theodelind und das Meerwunder | 389 |
| 406. Romhild und Grimoald der Knabe | 390 |
| 407. Leupichis entflieht | 391 |
| 408. Die Fliege vor dem Fenster | 392 |
| 409. König Liutprands Füße | 393 |
| 410. Der Vogel auf dem Speer | 394 |
| 411. Aistulfs Geburt | 394 |
| 412. Walter im Kloster | 394 |
| 413. Ursprung der Sachsen | 399 |
| 414. Abkunft der Sachsen | 399 |

| | |
|---|---|
| 415. Herkunft der Sachsen | 400 |
| 416. Die Sachsen und die Thüringer | 401 |
| 417. Ankunft der Angeln und Sachsen | 402 |
| 418. Ankunft der Pikten | 403 |
| 419. Die Sachsen erbauen Ochsenburg | 404 |
| 420. Haß zwischen den Sachsen und Schwaben | 404 |
| 421. Herkunft der Schwaben | 404 |
| 422. Abkunft der Bayern | 405 |
| 423. Herkunft der Franken | 405 |
| 424. Die Merowinger | 405 |
| 425. Childerich und Basina | 406 |
| 426. Der Kirchenkrug | 408 |
| 427. Remig umgeht sein Land | 409 |
| 428. Remig verjagt die Feuersbrunst | 410 |
| 429. Des Remigs Teil vom Wasichenwald | 411 |
| 430. Krothilds Verlobung | 411 |
| 431. Die Schere und das Schwert | 413 |
| 432. Sage von Attalus, dem Pferdeknecht, und Leo, dem Küchenjungen | 414 |
| 433. Der schlafende König | 417 |
| 434. Der kommende Wald und die klingenden Schellen | 418 |
| 435. Chlotars Sieg über die Sachsen | 419 |
| 436. Das Grab der Heiligen | 420 |
| 437. Sankt Arbogast | 421 |
| 438. Dagobert und Sankt Florentius | 422 |
| 439. Dagoberts Seele im Schiff | 424 |
| 440. Dagobert und seine Hunde | 424 |
| 441. Die zwei gleichen Söhne | 424 |
| 442. Hildegard | 425 |
| 443. Der Hahnenkampf | 427 |
| 444. Karls Heimkehr aus Ungerland | 427 |
| 445. Der Hirsch zu Magdeburg | 431 |
| 446. Der lombardische Spielmann | 432 |
| 447. Der eiserne Karl | 433 |
| 448. Karl belagerte Pavia | 434 |

449. Adelgis .................................................................... 434
450. Von König Karl und den Friesen ............................ 436
451. Radbot läßt sich nicht taufen ................................. 438
452. Des Teufels goldenes Haus ..................................... 439
453. Wittekinds Taufe .................................................... 440
454. Wittekinds Flucht ................................................... 441
455. Erbauung Frankfurts .............................................. 441
456. Warum die Schwaben dem Reich vorfechten ........ 442
457. Eginhart und Emma ............................................... 442
458. Der Ring im See bei Aachen ................................... 444
459. Der Kaiser und die Schlange .................................. 445
460. König Karl .............................................................. 447
461. Der schlafende Landsknecht .................................. 453
462. Kaiser Ludwig baut Hildesheim ............................. 454
463. Der Rosenstrauch zu Hildesheim ........................... 455
464. König Ludwigs Rippe klappt .................................. 456
465. Die Königin im Wachshemd ................................... 456
466. Königin Adelheid ................................................... 458
467. König Karl sieht seine Vorfahren
     in der Hölle und im Paradies .................................. 458
468. Adalbert von Babenberg ......................................... 460
469. Herzog Heinrich und die goldene Halskette .......... 461
470. Kaiser Heinrich der Vogeler ................................... 462
471. Der kühne Kurzbold ............................................... 462
472. Otto mit dem Bart .................................................. 463
473. Der Schuster zu Lauingen ...................................... 467
474. Das Rad im Mainzer Wappen ................................. 468
475. Der Rammelsberg ................................................... 469
476. Die Grafen von Eberstein ....................................... 471
477. Otto läßt sich nicht schlagen .................................. 472
478. König Otto in Lamparten ....................................... 473
479. Der unschuldige Ritter ........................................... 473
480. Kaiser Otto hält Witwen- und Waisengericht ........ 474
481. Otto III. in Karls Grabe .......................................... 475
482. Die heilige Kunigund .............................................. 476

| | |
|---|---:|
| 483. Der Dom zu Bamberg | 476 |
| 484. Taube sagt den Feind an | 476 |
| 485. Der Kelch mit der Scharte | 477 |
| 486. Sage von Kaiser Heinrich III | 477 |
| 487. Der Teufelsturm am Donaustrudel | 479 |
| 488. Quedl, das Hündlein | 481 |
| 489. Sage vom Schüler Hildebrand | 481 |
| 490. Der Knoblauchskönig | 482 |
| 491. Kaiser Heinrich versucht die Kaiserin | 483 |
| 492. Graf Hoyer von Mansfeld | 483 |
| 493. Die Weiber zu Weinsperg | 484 |
| 494. Der verlorene Kaiser Friedrich | 484 |
| 495. Albertus Magnus und Kaiser Wilhelm | 485 |
| 496. Kaiser Maximilian und Maria von Burgund | 486 |
| 497. Sage von Adelger zu Bayern | 487 |
| 498. Die treulose Störchin | 493 |
| 499. Herzog Heinrich in Bayern hält reine Straße | 494 |
| 500. Diez Schwinburg | 495 |
| 501. Der geschundene Wolf | 495 |
| 502. Die Gretlmühl | 495 |
| 503. Herzog Friedrich und Leopold von Österreich | 496 |
| 504. Der Markgräfin Schleier | 497 |
| 505. Der Brennberger (erste Sage) | 497 |
| 506. Der Brennberger (zweite Sage) | 500 |
| 507. Schreckenwalds Rosengarten | 501 |
| 508. Margareta Maultasch | 501 |
| 509. Dietrichstein in Kärnten | 502 |
| 510. Die Maultasch-Schutt | 503 |
| 511. Radbod von Habsburg | 506 |
| 512. Rudolf von Strättlingen | 506 |
| 513. Idda von Toggenburg | 507 |
| 514. Auswanderung der Schweizer | 507 |
| 515. Die Ochsen auf dem Acker zu Melchtal | 509 |
| 516. Der Landvogt im Bad | 509 |
| 517. Der Bund in Rütli | 510 |

518. Wilhelm Tell .................................................................. 511
519. Der Knabe erzählt's dem Ofen ..................................... 513
520. Der Luzerner Harschhörner .......................................... 514
521. Ursprung der Welfen ..................................................... 515
522. Welfen und Giblinger .................................................... 517
523. Herzog Bundus, genannt der Wolf ............................... 517
524. Heinrich mit dem goldenen Wagen ............................. 518
525. Heinrich mit dem goldenen Pflug ................................ 519
526. Heinrich der Löwe ......................................................... 520
527. Ursprung der Zähringer ................................................ 524
528. Herr Peter Dimringer von Staufenberg ....................... 525
529. Des edlen Möringers Wallfahrt .................................... 528
530. Graf Hubert von Calw .................................................. 530
531. Udalrich und Wendilgart und der ungeborne Burkard 531
532. Stiftung des Klosters Wettenhausen ............................ 533
533. Ritter Ulrich, Dienstmann zu Wirtenberg .................. 533
534. Freiherr Albrecht von Simmern ................................... 536
535. Andreas von Sangerwitz, Komtur auf Christburg ...... 539
536. Der Virdunger Bürger ................................................... 542
537. Der Mann im Pflug ....................................................... 544
538. Siegfried und Genofeva ................................................ 546
539. Karl Ynach, Salvius Brabon und Frau Schwan ........... 549
540. Der Ritter mit dem Schwan ......................................... 553
541. Das Schwanschiff am Rhein ........................................ 562
542. Lohengrin zu Brabant ................................................... 563
543. Lohengrins Ende in Lothringen .................................. 565
544. Der Schwanritter ........................................................... 567
545. Der gute Gerhard Schwan ............................................ 569
546. Die Schwanringe zu Plesse .......................................... 569
547. Das Oldenburger Horn ................................................. 570
548. Friedrich von Oldenburg .............................................. 572
549. Die neun Kinder ............................................................ 572
550. Amalaberga von Thüringen .......................................... 575
551. Sage von Irminfried, Iring und Dieterich ................... 575
552. Das Jagen im fremden Wald ........................................ 576

553. Wie Ludwig Wartburg überkommen............................................ 578
554. Ludwig der Springer............................................................... 579
555. Reinhartsbrunn ...................................................................... 581
556. Der hartgeschmiedete Landgraf ............................................ 581
557. Ludwig ackert mit seinen Adligen......................................... 583
558. Ludwig baut eine Mauer........................................................ 584
559. Ludwigs Leichnam wird getragen ......................................... 586
560. Wie es um Ludwigs Seele geschaffen war............................. 586
561. Der Wartburger Krieg............................................................ 587
562. Doktor Luther zu Wartburg................................................... 591
563. Die Vermählung der Kinder Ludwig und Elisabeth.... 591
564. Heinrich das Kind von Brabant ............................................ 592
565. Frau Sophiens Handschuh..................................................... 593
566. Friedrich mit dem gebissenen Backen.................................. 594
567. Markgraf Friedrich läßt seine Tochter säugen...................... 595
568. Otto der Schütze.................................................................... 599
569. Landgraf Philips und die Bauersfrau .................................... 597
570. In Ketten aufhängen.............................................................. 598
571. Landgraf Moritz von Hessen................................................. 599
572. Brot und Salz segnet Gott...................................................... 601
573. Nidda..................................................................................... 602
574. Ursprung der von Malsburg.................................................. 603
575. Ursprung der Grafen von Mansfeld...................................... 604
576. Henneberg ............................................................................. 604
577. Die acht Brunos..................................................................... 604
578. Die Eselswiese ....................................................................... 606
579. Thalmann von Lunderstedt................................................... 607
580. Hermann von Treffurt........................................................... 607
581. Der Graf von Gleichen.......................................................... 608
582. Hungersnot im Grabfeld........................................................ 609
583. Der Kroppenstedter Vorrat ................................................... 610
584. So viel Kinder als Tag' im Jahr.............................................. 610
585. Die Gräfin von Orlamünde ................................................... 611

Oscar Wilde
**Märchen und Erzählungen**
*Mit Illustrationen von
Aubrey Beardsley und Alfons Mucha*

240 Seiten, in Halbleinen gebunden,
mit Lesebändchen
und Soft-Touch-Lackierung

ISBN: 978-3-86820-229-8

## Die schönsten Märchen und Erzählungen

Der vorliegende Band enthält eine Auswahl der schönsten Märchen und Erzählungen aus den beiden Sammlungen
»Der glückliche Prinz« und
»Das Granatapfelhaus«.

- Der junge König
- Der Geburtstag der Infantin
- Der junge Fischer und seine Seele
- Das Sternenkind
- Der glückliche Prinz
- Die Nachtigall und die Rose
- Der selbstsüchtige Riese
- Der treue Freund
- Die romantische Rakete
- Der Geist von Canterville

Mit zeitgenössischen Illustrationen
von Aubrey Beardsley
und Alfons Mucha.

www.nikol-verlag.de

Brüder Grimm
**Kinder- und Hausmärchen**
800 Seiten, mit den Illustrationen
von Ludwig Richter, gebunden
ISBN: 978-3-86820-244-1

## Illustrierte Gesamtausgabe

Die »Kinder- und Hausmärchen« der Brüder Jacob und Wilhelm Grimm, erstmals erschienen in zwei Bänden 1812 und 1815, gehören zum unvergänglichen Schatz der Weltliteratur.

Der vorliegende Band versammelt sämtliche Märchen nach der Ausgabe letzter Hand von 1857, darunter so bekannte Geschichten wie »Schneewittchen«, »Dornröschen«, »Aschenputtel, »Hänsel und Gretel« und viele andere.

Mit zahlreichen zeitgenössischen Illustrationen von Ludwig Richter.

www.nikol-verlag.de

**Die Edda**
*Nordische Götter-
und Heldensagen*
464 Seiten, gebunden
ISBN: 978-3-86820-238-0

# Götterkunde und Heldenepos

Liederedda und Snorra-Edda bilden zusammen unsere wichtigste Quelle für die altnordische Mythologie. Dabei darf die eine nicht ohne die andere gebraucht und gelesen werden.

In der Liederedda sind Götter- und Heldensagen vereinigt, die zum Teil bis in das 9. Jahrhundert zurückgehen. Sie schildern sagenhafte Begebenheiten aus Island, Norwegen und Grönland zur sogenannten Wikingerzeit.

Die jüngere Edda war ursprünglich ein Lehrbuch für junge Sänger, Skalden, mit dem sie die Grundlagen ihrer Kunst lernen sollten. Durch ihre Beispiele aus zeitgenössischen und alten Liedern bildet sie heute eine unschätzbare Fundgrube für die in Deutschland damals längst verdrängte nordisch-germanische Mythologie.

www.nikol-verlag.de

Gottfried August Bürger
**Abenteuer und Reisen des Freiherrn von Münchhausen**

176 Seiten, mit Illustrationen von Gustave Doré, in Halbleinen gebunden, mit Lesebändchen und Soft-Touch-Lackierung
ISBN: 978-3-86820-249-6

## Die tolldreisten Lügengeschichten des Freiherrn von Münchhausen

Wer kennt sie nicht: Die tolldreisten Lügengeschichten des Freiherrn von Münchhausen – der Ritt auf der Kanonenkugel, die Geschichte vom Pferd auf dem Kirchturm oder die Rettung aus dem Sumpf am eigenen Schopf.

Gottfried August Bürgers amüsante Schilderung der Abenteuer des Freiherrn von Münchhausen, erstmals erschienen 1786, haben ihn unsterblich gemacht.

Mit Illustrationen von Gustave Doré.

www.nikol-verlag.de

**Das Nibelungenlied**

432 Seiten, mit Illustrationen von
Julius Schnorr von Carolsfeld und
Eugen Neureuther, gebunden
ISBN: 978-3-86820-237-3

## Ein zeitloses Heldenepos

Das Nibelungenlied entstand zu Beginn des 13. Jahrhunderts und ist ein schriftlich überliefertes deutsches »Heldenepos«, deren Ursprung der Handlung bis in das Zeitalter der germanischen Völkerwanderung zurückreicht.

Der vorliegende Text folgt der neuhochdeutschen Übersetzung von Karl Simrock, die erstmals 1827 erschien.

Mit zahlreichen Illustrationen von Julius Schnorr von Carolsfeld und Eugen Neureuther.

www.nikol-verlag.de

Charles Dickens
**Weihnachtsmärchen &
Erzählungen**
*Mit den Illustrationen
der Erstausgaben*
624 Seiten, gebunden
ISBN: 978-3-86820-235-9

# Ein Klassiker nicht nur für Kinder

Der vorliegende Band enthält eine Auswahl der schönsten Weihnachtserzählungen und Weihnachtsmärchen von Charles Dickens.

- Weihnachtslied
- Die Silvesterglocken
- Das Heimchen am Herd
- Der Kampf des Lebens
- Doktor Marigold
- Mrs. Lirripers Fremdenpension
- Die Geschichte des Schuljungen
- Die Geschichte des armen Verwandten

Mit den Illustrationen der Erstausgaben.

www.nikol-verlag.de

**1001 Nacht**
Übersetzung von Gustav Weil

2 Bände im Schuber, zusammen 1.872 Seiten, mit über 700 Illustrationen, gebunden

ISBN: 978-3-86820-213-7

## Vollständige Ausgabe mit über 700 Illustrationen

Die vorliegende Ausgabe bringt neben über 700 Illustrationen die vollständige, werkgetreue und erste deutsche Übersetzung aus arabischen Originaltexten von dem Orientalisten Gustav Weil (1808-1889).

Die bekannten morgenländischen Erzählungen über Aladdin und die Wunderlampe, Ali Baba und die vierzig Räuber und Sindbad, dem Seefahrer, eingebettet in die Rahmengeschichte um den eifersüchtigen König Schehrijâr, der eine Frau nach der anderen direkt nach der Hochzeitsnacht ermordet und erst von der klugen Schehrezâd überlistet wird, begeistern seit eh und je Jung und Alt.

www.nikol-verlag.de

Jörg Zink
**Die Kinderbibel**
208 Seiten, durchgehend vierfarbig, gebunden
ISBN: 978-3-86820-163-5

# Kindgerechte, liebevoll gestaltete Bibel

Kennen Sie den Fischerjungen David? Und den Esel Joram und seine Familie? Jörg Zink wird Sie in seiner Kinderbibel mit ihnen bekannt machen! Sie sind die Hauptfiguren in einer Rahmengeschichte, die zur Zeit Jesu spielt und somit den Geschichten des Alten und des Neuen Testaments ihren »Sitz im Leben« zurückgeben: Sie werden zu Erzählungen, die mit dem Alltag von Kindern vor 2.000 Jahren wie dem der Kinder heute etwas zu tun haben und daher für Kinder leicht zu begreifen ist. Die liebevollen Illustrationen von Pieter Kunstreich und die kraftvolle Sprache von Jörg Zink machen diese Kinderbibel zu einem ganz besonderen Werk.

www.nikol-verlag.de